臺灣高等經學研討論集叢刊

變動時代的經學與經學家

——民國時期（1912-1949）經學研究

第一冊
周易、尚書研究

林慶彰
蔣秋華　總策畫

蔣秋華　主編

總序

一　前言

經學史的研究本來是中國文學系的專利，但是一研究到晚清民國時期這一時段，一向擁有專利的中文人卻失去了他們的發言權，由歷史學人來主導，這個時段也被稱為「經學的史學化」，當然研究這個時段的史學家都跑來研究經學，他們用史學的眼光來探究經學，把經學問題都看成史學問題，經學的史學化也是必然的結果，但是我們不禁要問民國時期的經學著作有多少種？這些講經學史學化的學者又讀了多少種？研究經學的人，對這兩個問題沒有正確觀念，要和他談這一時段的經學也就很困難。

從來沒有人對民國時期的經學著作有多少種做過精確的統計，中國國家圖書館所編輯的《民國時期總書目》總計二十冊，其中並沒有經學的類目，經學的著作到處流竄，要統計它的正確數字必須二十本書全部翻完。我粗略翻閱的結果，大概有二百二十種。我所主編的《經學研究論著目錄（1912-1987）》用漢學研究中心所建置的檢索系統加以檢索約有六百六十種。我還是不相信這個時段的經學著作有這麼少，這也是激發我們執行民國以來經學研究計畫的主要原因。

二　執行「民國以來經學研究計畫」

我們不但質疑當時經學著作的總數，對某些圖書館處理民國文獻的方法不夠嚴謹，大陸有不少圖書館是將民國時期的文獻堆積在倉庫或走道，臺灣因為民國時期是屬於日本統治時期，要求臺灣人民皇民化，漢字寫的書看得越少越好，所以有不少民國時期的著作都流入舊書攤。要喚起學界對民國時期文獻的重視，光是寫寫文章來呼籲，效果相當有限。我們明知要研究這個課題有許多問題亟待解決，但是如果我們不去研究它，還有誰能代我們去研究呢？所以我們經學文獻組的同仁經過幾次討論後，大家同意這六年全心全意執行民國以來經學的研究計畫。此一研究計畫是從二〇〇七年一月起開始執行，二〇一二年十二月結束，前後六年。前四年（2007-2010）執行民國時期經學研究計畫，後兩年（2011-2012）執行新中國的經學研究計畫。

民國時期是指民國元年（1912）至民國三十八年（1949）新中國成立前的時段。這一時段就經學這一學科來說，可說是生死存亡的關頭，因此諸事百廢待舉，就連一本反映當時經學實況的書目也沒有，何況其他？為了能有效執行這個研究計畫，我們做了數項基礎工作：

（一）編輯經學家著作目錄

要了解一位學者的學說，應從閱讀他的著作入手，要比較全面的了解他的著作，應先有一份完整的著作目錄。民國時期的學者由於時局動盪不安，大都沒有較完整的著作目錄。我挑選出數十位經學家，在東吳大學中國文學系博碩士班講授「中國經學史專題研究」、「經學文獻學」的課程時，以作期末作業的方式完成了數十篇，有部分著作目錄已刊登於《中國文哲研究通訊》、《經學研究集刊》。再要求原作者修訂，然後收入《民國時期經學家著作目錄彙編》中。《彙編》的第一輯，預計二〇一四年十二月底出版。

（二）編輯《民國時期經學叢書》

要執行此一研究計畫，第一就是要提供學者這個時期的經學著作，可是民國時期的經學著作從來沒有人整理過，為了順利執行此一計畫，我開始有系統的收集民國時期經學著作。先根據我所主編的《經學研究論著目錄（1912-1987）》找出一九一二到一九四九年的經學專著，計六百六十多種，編成《民國時期經學圖書總目》（初稿），再陸續增補，到目前已經有一千五百多種，根據這個書目檢查各書典藏的所在，然後設法收集到文本，經過八年的努力，已經編成《民國時期經學叢書》六輯，每輯六十冊，六輯合計三百六十冊，每冊平均收二至三種著作，總計收錄近一千種。約民國時期經學著作的三分之二。

（三）編輯經學家著作集

許多經學家的著作當時刊載在各種報刊雜誌中，有典藏這些報刊雜誌的圖書館少之又少，如果有典藏也因為這些報刊雜誌的紙質脆弱而不准借閱，所以要從報刊雜誌中收集經學家的論文困難重重，為了讓研究計畫順利開展，選定李源澄與張壽林，為他們兩人編輯著作集，由於他們的傳記資料相當有限，要蒐集他們的經學論文有不知如何入手之感，有時只能靠運氣，其間的辛苦可參考我所發表的〈我收集李源澄著作的經過〉一文，經過兩年的努力終於完成《李源澄著作集》四冊、《張壽林著作集》六冊，為民國時期的經學研究添加了不少新的材料。

三　舉辦八次學術研討會

以上所述都是執行此一計畫的基礎工作，執行計畫的重頭戲，還是舉辦學術研討會。研討會可以匯集研究人力，提供學術交流的平臺。民國時期經學研究計畫執行四年，共舉辦八次研討會。發表論文一百四十餘篇，茲將各次研討會的時間、發表論文的篇數，臚列如下：

第一次研討會，二○○七年七月十二日，發表論文十三篇。

第二次研討會，二○○七年十一月十九至二十日，發表論文二十篇。

第三次研討會，二○○八年七月十七至十八日，發表論文十九篇。

第四次研討會，二○○八年十一月六至七日，發表論文十八篇。

第五次研討會，二○○九年七月十三至十四日，發表論文十六篇。

第六次研討會，二○○九年十一月十九至二十日，發表論文二十篇。

第七次研討會，二○一○年六月十至十一日，發表論文十八篇。

第八次研討會，二〇一〇年十一月四至五日，發表論文二十一篇。

第八次學術研討會，是此一研究計畫的最後一次研討會，我們安排了兩場別開生面的座談會。第一場座談會「民國經學家後代談親人」，我們邀請了顧頡剛之女顧潮女士，童書業之女童教英女士，張西堂之子張銘洽先生，聞一多之孫聞黎明教授四人。這幾位經學家的後代，對臺灣學術界仍重視他們的親人，相當感動。他們說他們在大陸是相當平凡的人，沒想到在臺灣學術界如此重視他們，可說愛屋及烏，反而有受寵若驚的感覺。第二場座談會是「紀念顧頡剛逝世三十週年」，本來安排中央研究院副院長王汎森院士主持，他臨時有事不能來，由本人代為主持。這場的引言人有丁亞傑、車行健、蔡長林、劉德明等教授，經學家的後代則邀了顧潮女士。

四　出版研討會論文集

近年，各級機關學校由於經費短缺，很多研討會都無法出版論文集。甚至於受理工科學術研討會的影響，認為研討會論文的學術水平不高，所以研討會能出版論文集者，少之又少。我個人覺得理工學界研討會發表的論文，也許僅僅是一個構想，大都未寫成完整的論文。這樣的一點構想，也許有創見，但是要和文史哲學界經過嚴格的審查，然後匯集成論文集的論文相比，恐怕不是對手。但是文史哲學界，尤其是中文學界的學者，往往缺乏自信心，一有風吹草動就棄械投降。即使有出版論文集，也不敢用論文集的名稱。辛辛苦苦撰寫的研究成果，竟無法與世人公開見面。這是中文學界最大的悲哀。我們想重建中文學人的自信心，先前發表的論文，經作者修改後，再送學者嚴格審查，審稿者同意發表的才能刊登出來。八次研討會的論文，分成七大冊，總計收入一百二十五篇。各冊之主編及所收論文篇數如下：

第一冊　周易十篇、尚書七篇。由蔣秋華教授主編

第二冊　詩經十九篇。由楊晉龍教授主編。

第三冊　三禮九篇、小學六篇。由范麗梅教授主編。

第四冊　春秋十七篇、四書八篇。由蔡長林教授主編。

第五冊　經學史二十三篇。由本人主編。

第六冊與第七冊　經學家二十六篇。由張文朝教授主編。

除了各經都有學者撰寫論文外，最重要的是屬於經學家的有二十六篇，其中有不少被遺忘的經學家，例如劉咸炘、王樹榮、唐文治、陳柱、楊筠如、蔣伯潛、龔道耕、陳鼎忠等人，都是以前研究經學的人所忽略的，現在一併把他們表彰出來，就可以知道民國時期的經學並沒有衰亡，也未必邊緣化，這是執行這個計畫最重要的目的。這個研究計畫雖然已經結束，但研究民國經學的風氣正逐漸展開，已形成經學研究最熱門的課題。中央研究院中國文哲研究所經學文獻組執行很多計畫都具有開風氣的作用，這是我們做為中國文哲研究領航者所應盡的責任和義務。

五　結語

中央研究院中國文哲研究所成立於一九八八年，至今二十五年間，執行過的計畫無數。尤其是經學文獻組所執行的計畫，對國內經學界有很深的影響。中國大陸的經學逐漸復甦，國內外學人都以為受文哲所經學文獻組的影響，我們不敢說我們有如此的影響力。但是我們已竭盡全力去執行這些計畫。

這套論文集，由此一計畫的共同主持人蔣秋華教授和本人擔任總策畫。經學文獻組六位研究人員每人負責一冊，靠大家群策群力，才能在極短的時間內，完成編輯工作。當然最辛苦的還是蔡雅如學棣，她一個人獨力完成整套論文集的體例統一與校對工作，我們深深的感謝她。也感謝百忙中撰稿參加研討會的先進朋友。

二〇一四年十月十三日林慶彰誌於

中央研究院中國文哲研究所五〇一研究室

總目次

第一冊

周易研究

尚書研究

第二冊

詩經研究

第三冊

三禮研究

小學研究

第四冊

春秋研究

四書研究

第五冊

經學史研究

第六冊

經學家研究

第七冊

經學家研究

本冊目次

尚書研究

經學與哲學
——學術型態變遷中的易學定位

許朝陽
輔仁大學中國文學系副教授

一　前言

經學時代的確立和結束，一般說來起於漢武帝表彰六經，這是較為明確而無疑義的。至於其終點，隨著清末西學東漸、科舉廢除，經學的政教影響力便已漸告衰微；但從學術史的敘述規範來看，民國後五四運動以來對於經學傳統中古史系統的解構，乃至於新式教育中經學被分解、部分列入哲學，可能更正式地代表經學此一知識系統的終結。經學的興起有其外圍因素與其內在任務，其外圍因素與政治體制、社會型態有密切關係，其內在任務則是通經致用的工具性。換言之，儘管經學曾被譽為「恆久之至道，不刊之鴻教」，當內外因素不在，經學時代也不可避免要走向終點，經學與子學因而轉型成為「中國哲學」的一部分。

在經學與哲學兩種學術型態的接縫中，《周易》一書顯得格外特別。從經學的角度來講，它加入五經的時間最晚，但地位卻最高。《周易》原本不在「詩書禮樂」四術四教之中，遲至戰國才加入六藝五經的體系之中；到了漢代古文學派手中，《周易》更在六經的排序中拔得頭籌，成為「五經之原」。從哲學的角度而言，其「冒天下之道」或「易道廣大，無所不包」的學術特質，較諸西方哲學中本體論或第一哲學，又頗有相似之姿，因而在經學時代結束後，《周易》能理所當然地由經學轉型為哲學，在哲學史中佔有一席之地。例如熊十力透過《周易》建構其本體論，其高徒牟宗三甚至以易教會通四因說，為中西哲學之通教，用以解釋中西哲學之共同原理。

不過，《周易》在轉型至哲學的過程中，必須面對內部經學材料的承繼與外來哲學學科屬性合轍的雙重問題。從經學材料的承繼來說，《周易》之所以轉型至哲學乃是由於五四以來經典的歷史化，經學解體成為歷史文獻；但其哲學性卻又源自於當初的經學性：如果不承認古史辨學者所解構的「《易》歷三聖」、「以傳解經」之經學傳統，《周易》只是卜筮之辭，經傳兩不相屬，《易傳》哲學必遲至戰國甚至漢初才能成立，則《周易》根本不能成為最古的百學之原。尤有甚者，易學哲學的建構方法又與漢代今文學派甚至宋學的學術性格有密不可分的關係，這使得《周易》哲學仍保有著極重的經學色彩。然而，從哲學為一外來學科的屬性來說，哲學畢竟有其異於傳統經學的學術系統與規範；「經學」在過去曾起著指導社會的作用，而「哲學」的重點卻在「求真」、「求知」。這使得經學與哲學在學科屬性上本自有其迴異處。而這個根本迴異處也正是我們檢視「中國哲學」合法性或正當性的極佳入口處。

「中國是否有哲學？中國哲學的特質又如何？」「中國哲學」此一學科成立之初，即引發諸多有關其合法性的爭議。《周易》雖然名義上轉型為哲學，但其哲學體系的建立，卻離不開經學傳統，這是否也意味著儘管「中國哲學」的建立，形式上雖然轉型了，但其學術性格或學術定位仍曖昧不明？中國哲學史或思想史的建立，材料來自於傳統經子之書，框架則肇始於日人「支那哲學史」的建構，[1]民初《周易》哲學的轉型，恰好是經學傳統與西方哲學框架的結合。透過易學定位的討論，除了可以考察新舊學術典範轉換的過程，也可藉以說明經學與哲學兩種學術型態的差異。

---

1 葛兆光先生曾指出，中國哲學史或思想史的敘事脈絡大體來自於三個不同的系譜或堆積層：一是古代中國的道統，二是近代日本的「支那哲學史」與現代西方哲學史框架下的中國思想清理，三是二十世紀三〇年代以後逐漸形成的馬克思主義哲學史和思想史敘事。參見葛兆光：〈道統、系譜與歷史──關於中國思想史脈絡的來源與確立〉，《文史哲》2006年第3期，頁48-60。

二　經學的特質：政治性與致用性

有關「經」字所從取義，《說文解字》釋曰：「經，織從絲也。从系，巠聲。」段玉裁注云：「織之從絲謂之經，必先有經而後有緯，是故三綱、五常、六藝謂之天地之常經。」[2]不過，學者考證今存甲骨文中，尚未見「經」或「巠」字，兩字首見於周代青銅器銘文，故而殷商時期尚未有「經」字。而此時「經」的含義主要作「經緯」、「經維」解，遲至戰國時期諸子才有以「經」為書籍的說法。[3]由縱線而引申為經緯、經維，由經緯而有常規典範之義；載有這些常規、被崇奉為典範的書籍也因而有了「經」之名。因此，如段玉裁所言，三綱、五常是經，六藝也是經。在西周教育制度中，六藝原指王室貴族子弟「禮樂射御書數」的教育訓練，除此之外另有《詩》《書》《禮》《樂》等「四術四教」（見《禮記．王制》），此四術四教後來再加上《易》與《春秋》成為儒家特別重視研習的書籍，這六本典籍在戰國時期稱為「六藝」或「六經」。到了漢武帝罷黜百家，設立五經博士之後，《詩》、《書》、《禮》、《易》、《春秋》乃成為政府法定的典籍。經的數目亦非固定不變，漢武帝立的「五經」，到了東漢時由於《論語》、《孝經》升格加入，成為「七經」。唐代時以五經取士，《禮》、《春秋》分為三禮、三傳，五經又成為九經。到了宋代，《孟子》亦升格為經，九經加入《論語》、《孝經》、《孟子》、《爾雅》成為「十三經」。綜上所述，「經」有兩個特點，一是屬於儒家學派的書籍，二是其地位凌駕於群書，但凌駕群書的地位，並非因其自身的學問屬性使成為「諸學之母」或「第一原理」，而是來自政治的賦予，透過政治力的影響，可使特定的儒家書籍升格為經。

這些文獻之所以被認定為「經」，如上所述，是因為曾被認為具備常規典範或亙古不變的真理，在過去的社會型態中可以起著長久的規範作用，這

2　〔漢〕許慎著，〔清〕段玉裁注：《說文解字注》（臺北市：黎明文化公司，1985年），頁650-651。

3　參見許道勛、徐洪興：《中國經學史》（上海市：上海人民出版社，2006年），頁2。

個作用性或工具性才是文獻書籍得到王官肯定、提升為經的主要原因。劉熙《釋名・釋典藝》便明確指出：「經，徑也，常典也。如徑路無所不通，可常用也。[4]」「常典」之所以為常典乃是因其「常用」，因而過去士人讀經並非純粹追求學問自身，而是帶有「致用」的目的。《漢書・儒林傳》便明言「六藝者，王教之典籍，先聖所以明大道，正人倫，致至治之成法也。」[5]經書的主要目的乃是「至治之成法」，《隋書・經籍志》亦持此見，除了接受《禮記・經解》對六經經教的界說外，也肯定六經乃是王者「美教化、移風俗」的依據，突顯出六經的工具性。[6]

六經是達成政治安定的現成方法，既然是現成方法，便帶有技術性的意義，如魏源所言：「道形諸事謂之治；以其事筆之方策，俾天下後世得以求道而制事，謂之經；……士之能九年通經者，以淑其身，以形為事業，則能以《周易》決疑，以〈洪範〉占變，以《春秋》斷事，以《禮》、《樂》服制興教化，以《周官》致太平，以〈禹貢〉行河，以《三百五篇》當諫書，以出使專對，謂之以經術為治術。」[7]對於漢代人而言，讀經的目的是「得以求道而制事」，經書確實有著可供參考的經驗知識，而非僅止於空泛的口號或規範教條。這是因為「漢代去古未遠，又正值文化傳統斷絕後復興的時代，百廢待興，因而擁有傳統文化資源的儒者自然在社會中受到重用。比如以〈禹貢〉治河，如果在今天依然這樣，當然是可笑的，但是在漢代，〈禹貢〉就是最先進的地理學著作，能夠明了〈禹貢〉就是當時最了不起的水利專家了。」[8]由上可知，研讀經學的動機出自於致用性十分明顯，這與亞里

4 〔漢〕劉熙：《釋名》（臺北市：臺灣商務印書館，1966年），頁99。

5 〔漢〕班固著，〔唐〕顏師古注：《漢書》（臺北市：宏業書局，1996年），頁3589。

6 《隋書・經籍志》：「其王者之所以樹風聲，流顯號，美教化，移風俗，何莫由乎斯道？故曰：『其為人也，溫柔敦厚，詩教也；疏通知遠，書教也；廣博易良，樂教也；潔靜精微，易教也；恭儉莊敬，禮教也；屬辭比事，春秋教也。』」參見〔唐〕魏徵等撰：《隋書・經籍志》（臺北市：宏業書局，1974年），頁903。

7 〔清〕魏源著，趙麗霞選注：《默觚：魏源集》（瀋陽市：遼寧人民出版社，1994年），頁27。

8 姜廣輝編：《中國經學思想史・第二卷》（北京市：中國社會科學出版社，2003年），頁11。

士多德口中的哲學家「是為了免除無知而進行哲學思考，顯然他們是為了認識而追求科學，而不是為了任何實用的目的」[9]有很大的差異，[10]《周易》列於經學之中，其工具性當然也是無庸致疑的。

不過，上述六藝或五經的功用，都是六經並提的經書系統，但在先秦文獻中，言及經書多作「詩書禮樂」，如《論語．述而》「子所雅言，詩、書、執禮，皆雅言也。」或《論語．泰伯》「興於詩，立於禮，成於樂。」並未提及《周易》，巧的是，《孟子》、《荀子》基本上所提及的經學科目，也都以「詩書禮樂」為系統。因此，孔門是否以《易》教學，便曾遭到質疑，例如朱熹便斷言孔子「元不曾教人去讀《易》」、「不會將這箇去教人」[11]。然而，如果孔門未以《周易》教人，那麼《周易》如何進入經書體系列於六經之中？在成為六經體系的經書之前，《周易》的地位及功用又究竟為何？而《周易》又何以能進入六經體系更成為五經之原？

三　《周易》的原始功能及經學地位的提升

《周易》原為卜筮之書，在孔子「興於詩，立於禮，成於樂」(《論語．泰伯》)教學體系中，原無一席之地。有關《周易》進入六藝體系的過程，王葆玹先生《今古文經學新論》一書中有頗為詳盡的考察。關於《易》在孔門之教中的原始地位，他指出主要是依附在禮學之中。《儀禮．士冠禮》中有「士冠禮，筮于廟門」的儀式程序，占筮的主題是「筮日」，亦即透過占

9　〔古希臘〕亞里士多德著，李真譯：《形而上學》(上海市：上海人民出版社，2005年)，頁19。

10　方朝暉先生將中國古代學術與希臘哲學區分為「求用」與「求知」兩種傳統，他認為中國傳統學術無論儒道釋都是以求為旨歸、以價值判斷為前提，而希臘哲學一開始即是以求真、以事實判斷為前提。參見氏著：《「中學」與「西學」——重新解讀中國學術史》(保定市：河北大學出版社，2002年)，頁41-47。

11　〔宋〕朱熹著，〔宋〕黎靖德編：《朱子語類》(臺北市：文津出版社，1986年)，卷66，頁1623。

筮來擇定士冠禮的舉行日期。除了士冠禮之外，《儀禮》中各種典禮都有舉行時、地的問題，時地的選擇都透過龜卜和占筮來解決。因此，占筮也是典禮的一部分，在《儀禮》中甚至還記載了占筮禮儀（筮儀）的相關規定，諸如服裝、方位、述命之辭等。故而早期《易》學實涵蓋於《禮》學之中，筮儀為禮儀之一部分。孔子治《易》，既然是以占筮為首要內容，那麼「大致上可以推斷，孔子所治成的《易》僅限於禮學中的《易》學，未能成為與《詩》學或《書》學並立的學科。」[12]

《周易》到了戰國末期終被列為經書之一，但仍非居於主要位置。在西漢初年，文帝時期魯申公、燕韓嬰已被立為《詩》博士，歐陽生為《書》博士。在景帝時期，又以轅固生為《詩》博士，胡毋生、董仲舒為《春秋》博士。《易》要遲至武帝時期，方立田王孫為博士。儘管到了宣帝年間，立了田王孫的弟子梁丘賀、施讎、孟喜等為博士；元帝年間，另立京房一家，但這些官方《易》學博士，都是以卦氣占驗等象數為長，與儒門義理其實並無太大關係。

西漢《周易》地位的提升，劉歆實為關鍵人物。漢初之前學者言五經均以「詩書禮樂易春秋」為序，[13]到了劉歆之際，始改變六藝五經次序。《漢書．藝文志》採用劉歆之說，[14]論六藝時的排序便是首《易》，而後為

---

12 有關孔子治《易》以筮日筮宅，《易》學涵蓋於《禮》學的論點，詳參王葆玹：〈論孔子與《易》及占筮的關係〉，《今古文經學新論》（北京市：中國社會科學出版社，2004年），頁6-11。

13 例如，據考證寫作年代當於戰國中期至漢初的《莊子．天運》言「丘治《詩》、《書》、《禮》、《樂》、《易》、《春秋》。」《莊子．天下》亦云：「《詩》以道志，《書》以道事，《禮》以道行，《樂》以道和，《易》以道陰陽。董仲舒《春秋繁露．玉杯》言「《詩》、《書》序其志，《禮》、《樂》純其養，《易》、《春秋》明其知。」《史記．儒林列傳》序漢初傳經諸儒亦是依「《詩》、《書》、《禮》、《易》、《春秋》」為序，參〔日〕瀧川龜太郎：《史記會注考證》（臺北市：洪氏出版社，1986年），頁1289-1292。

14 《漢書》載明〈藝文志〉之作乃是刪節劉歆說法而成的：「至成帝時，……詔光祿大夫劉向校經傳諸子詩賦，……每一書已，向輒條其篇目，撮其指意，錄而奏之。會向卒，哀帝復使向子侍中奉車都尉歆卒父業，歆於是總群書而奏其七略，故有〈輯略〉、有〈六藝略〉、有〈諸子略〉、有〈詩賦略〉、有〈兵書略〉、有〈術數略〉，有

《書》、《詩》、《禮》、《樂》、《春秋》。《漢書・儒林傳》序漢初傳經諸儒，亦異於《史記・儒林列傳》「詩書禮易春秋」之序而為「易書詩禮春秋」。不僅於此，劉歆更進一步提升《易》的地位為「五經之原」：

> 六藝之文：《樂》以和神，仁之表也；《詩》以正言，義之用也；《禮》以明禮，明者著見，故無訓也；《書》以廣聽，知之術也；《春秋》以斷事，信之符也。五者，蓋五常之道，相須而備，而《易》為之原。故曰『《易》不可見，則乾坤或幾乎息矣』，言與天地為終始也。至於五學，世有變改，猶五行之更用事焉。[15]

六藝五經各有其具體功能，唯有《易》較為特別，統攝五經而為之原。「為之原」的緣故是劉歆認為其餘五學雖亦五常之道，但必須相互為用，始能完備；而且涉及典章制度、經驗知識的運用，必須與世推移，與時俱變，如同五行之更迭用事；《易》則不然，如同天地終始不可毀也。至於《易》如何具有這種類似根本原理的功能，劉歆在〈律曆志〉中以《易》比附《春秋》，[16]構成一個「太極三辰五星」的宇宙圖式，[17]宇宙秩序與人間秩序相

〈方技略〉。今刪其要，以備篇籍。」〔漢〕班固著，〔唐〕顏師古注：《漢書》，頁1701。

15 同前註，頁1723。

16 《周易》與《春秋》原本都不在「詩書禮樂」的系統中，都是儒門中原本較為邊緣的典籍。王風先生指出，「在西漢元帝以前的儒家易學領域，一直沒有出現有分量的學者」，相對的，「《春秋》的地位在西漢得到了迅速的提升，在春秋學領域出現了若干位大師級的人物」，也使得《春秋》對西漢政治有極大的影響力，劉歆提升《周易》地位的方法，就是用《周易》來解釋《春秋》。參見姜廣輝主編：《中國經學思想史・第二卷》（北京市：中國社會科學出版社，2003年），頁332。

17 劉歆在《三統曆譜》中將《易》與《春秋》比附合觀，一為天道，一為人道，兩者相合，是為天人之道：「經元一以統始，《易》太極之首也。春秋二以目歲，《易》兩儀之中也。於春每月書王，《易》三極之統也。於四時雖亡事必書時月，《易》四象之節也。時月以建分至啟閉之分，《易》八卦之位也。象事成敗，《易》吉凶之效也。朝聘會盟，《易》大業之功也。故《易》與《春秋》，天人之道也。」詳見〔漢〕班固著，〔唐〕顏師古注：《漢書》，頁981。

合的天人之道，可能就是「《易》為之原」的原因。以《易》為一宇宙秩序及歷史秩序，也正是《史記．太史公自序》所說的「《易》著天地陰陽四時五行，故長于變。」至於《禮》、《書》、《詩》、《樂》、《春秋》其餘五經的功用，乃是「禮經紀人倫、書記先王之事、詩記山川谿谷禽獸草木牝牡雌雄、樂所以立、春秋辯是非」，[18]相較之下，《周易》所代表的「天地陰陽四時五行」顯得更具有形而上的秩序義，更能總持其餘五經；這也使得《周易》一書在六藝五經之中，從此性質與眾不同，所重不是具體形器層面的典章制度、政事至治成法，而是更形而上的秩序規範，以《易》統攝五經，即《四庫全書總目提要》所謂「推天道以明人事者也。」經書本是百學之原，在劉歆的手中，《易》又為五經之原，這使得《周易》具有亞里士多德《形而上學》中「研究作為存在的存在」之姿態，也為將來《周易》從經學過渡到哲學預留伏筆。

四　經學流派與哲學詮釋的可能性

如前所述，經書之受到重視，主要原因即是其中知識的致用性，而所致之用，往往又符合政治上的需求。前引《漢書．藝文志．六藝略》所載，劉歆認為六藝之中五經各有其「正言、和神、明禮、廣聽、斷事」的具體功能，不過，六藝五經一方面要有符合經驗的致用功能，一方面又要有「恆久」、「不刊」的常道規範，兩者在某種層面上便是衝突的；甚而即便是抽象的、形而上的秩序或天道，也可能隨著時代認知而有所不同。

所謂致用，意謂運用經驗知識於實際的經驗生活之中，達到改善生活的目的。某種經驗知識在古代或許是有用可行的，然一旦經驗生活狀況改變，

18 《史記．太史公自序》：「《禮》經紀人倫，故長于行；《書》記先王之事，故長于政；《詩》記山川谿谷禽獸草木牝牡雌雄，故長于風；《樂》樂所以立，故長于和；《春秋》辯是非，故長于治人。是故《禮》以節人，《樂》以發和，《書》以道事，《詩》以達意，《易》以道化，《春秋》以道義。」參〔日〕瀧川龜太郎：《史記會注考證》，頁1370。

這些知識可能僅剩下歷史意義，古人心目中「經學萬能」、非經學不足以經世濟民的觀念，恰恰可能是「非愚即妄」，如周予同所質疑：「試問假若黃河決口了，你就是將〈禹貢〉由首一字背誦到末一字，你能像靈咒似的使水患平息嗎？……所以現在就是研究經學，也只能採取歷史的方法，而決不能含有些微的漢儒『致用』觀念。」[19]不過，清末之前的知識份子絕非如此作想，在他們心目中，經學不但恆久不刊，而且又能與時俱變。所謂「恆久不刊」，表現在經學作為社會政治的合法依據；至於與時俱變，則體現在經書的解釋與注疏上。經學流派的產生，與經學家的詮釋方法有密切關係，對經學流派的扼要敘述，也有助於我們了解，何以在學術轉型後哲學或哲學史作中，被承認為哲學範疇的易學著作，往往是漢今文學、魏晉玄學以及宋學。

從西漢到晚清二千多年的經學歷史中，因時代以及學風，亦形成數種不同的經學流派，其中最主要的基調當如《四庫全書總目提要》所說「要其歸宿，則不過漢學、宋學兩家，互為勝負。」不過，簡單的漢學、宋學之分，並不能完善地說明經學流變中的其他學派特質，因而傳統除了的兩派說之外，另有三派說、四派說，以及五四之後的三系說與新三派說。[20]這些三派、四派的分法，不外乎是將漢學區分為今文、古文、甚至鄭（玄）學派，或者是在漢宋之外，另獨立清學，謂之「新漢學」。其中周予同在一九二八年注釋皮錫瑞《經學歷史》時提出的「經學的三大派」說，將經學區分為「西漢今文學、東漢古文學、宋學」三大派，[21]頗能呈顯出經學流變的節奏，蓋清學雖然不能等同於漢學的複製，然乾嘉考證、清末公羊學復興的經學步調仍恰與東漢古文學、西漢今文學如出一轍。

漢學分為西漢今文學及東漢古文學；所謂今文學派，指的是西漢今文十

19 參〔清〕皮錫瑞著，周予同注：《經學歷史》（臺北市：漢京文化公司，1983年），頁12-13。

20 許道勛、徐洪興：《中國經學史》（上海市：上海人民出版社，2006年），頁84-92。

21 儘管周氏後來在六〇年代又將其「三大派」修正為「漢學、宋學、新史學」，但其中新增的「新史學」內涵乃是以梁啟超開創的學風，以經學為文化史、社會思想史之一部分，與傳統經學有別，故新三派說可能反而不如舊三派說。可參見許道勛、徐洪興：《中國經學史》，頁92。

四博士之學，由政治力的提倡而成為官方經學，也反過來成為王權、政權合理化的依據。西漢哀、平帝之前，古文經未出，立於學官的經籍全是今文，當然也沒有今古文之爭。到了劉歆，系統地提出建立《春秋左氏傳》、《毛詩》、《逸禮》、《古文尚書》於學官，從西漢末年直到東漢末年，開始了長達二百年的今古文爭論。到了東漢章帝，下詔諸儒聚於白虎觀，講論五異同，結果令「群儒選高才生，受學《左氏》、《穀梁春秋》、《古文尚書》、《毛詩》」(《漢書・章帝紀》)，此後古文學逐漸凌駕於今文學之上。後來由於鄭玄、王肅混亂今古文家法，以及漢末戰亂頻仍，使得今文學澌滅殆盡；漢滅之後，以古文學為主、兼綜今文學的漢學，反而在魏晉義疏乃至唐代正義得以延續下去。

有關今古文學的消長起伏，陳少明先生指出這兩種學派，「用現代術語表達，便是社會——政治解經學和語言——歷史解經學。今文的目標是經世致用，關心的是如何引經據典為現實政治服務，但由於經原本是歷史文獻，而非今文家所說的孔子為漢所制之法典，歷史記載的經驗與現實政治的需求多對不上號。經師們只好通過穿鑿附會講『微言大義』，結果弄出許多『非常異義可怪之論』。這樣，解經可離開原文信口雌黃，經學也成為不同政治勢力爭權奪利的工具。古文代今文而起，目標是正本清源，讓經學回到原期上來。這就得真正奉經書為權威，通過章句訓詁之學，追尋原文，恢復經典的本來面目。」[22]

至於宋學，根據清代乾嘉學者的說法，是與漢學相對的一組概念。根據《四庫全書總目提要》所云，「漢學具有根柢，講學者以淺陋輕之，不足服漢儒也；宋學具有精微，讀書者以空疎薄之，亦不足服宋儒也。」準此，漢學重視的是名物訓詁，宋學側重的則是性命義理。從時代來講，宋學跨越宋元明三代，內容除了程朱、陸王兩派為主的理學，廣義來講也包含兩宋經學。元代脫脫修的《宋史》在〈儒林傳〉之外別立一〈道學傳〉，這顯得宋學乃是有別於傳經之學，而是哲學意味較重的傳道之學。

22 陳少明：《漢宋學術與現代思想》(廣州市：廣東人民出版社，1998年)，頁27。

除了宋學反漢學，魏晉玄學也反漢學。陳少明先生指出，玄學與宋學都具有哲學解經的共同點：「玄學雜老莊，不是正統經學。但受隋唐佛學刺激，理學暗襲玄學的流風餘韻，將經學變成義理之學，即宗教——哲學的解經學。理學之『理』不是學而讀得到，而是理學家自家『體貼』出來的。」[23]除此之外，今文學某種程度上也具有哲學解經「求寓忘指」的傾向：「今文經學講『微言大義』，玄學講『得意忘言』，兩者都不重視經之所指（言）而求所寓（喻）之義（意），但今文實用，其義過於落實，常指鹿為馬，玄學則幽玄，其意著眼於本體，解釋上循隱喻之解讀方式，具有更高的合理性。」[24]

對經學發展、流派作簡要的爬梳後，我們將問題回歸《周易》身上。《周易》本身較無今古文版本的的問題，主要爭論在於依於漢易、宋易所形成的義理、象數學風。可以發現，今文學派、魏晉玄學、宋學廣義地適用於「宗教——哲學解經學」這個現代術語，這種解經方法允許了在字句文義之外，又能彈性地發揮注經者的思想。在民初經學衰亡，學術轉型之際，經學的性質與流派似乎也預告了新的學術科目及史裁——哲學與哲學史，將如何接受、描繪《周易》。

五　新知識體系下的經學解體

明亡之後，顧炎武為了上矯宋明理學末流，提出「舍經學無理學」企圖恢復古文經學，開啟了清代三百年學術的考證學風。這股考證學風到了乾嘉時期更衍生出分別以惠棟、戴震為代表的吳派和皖派。清初考證學的興起，原是為矯宋學之空疏不務實，然而學風演變的結果，學者陷溺於校勘考據中而無補於當世之務，「今紛紜於不可究詰之名物制度，則其為空也，與言心言性者相去幾何？」[25]因此，在東漢古文學「如日中天」之際，西漢今文學

23 同前註，頁21。

24 同註22。

25 梁啟超：《清代學術概論》（臺北市：臺灣商務印書館，1994年），頁115。

「翻騰一度」，[26]由莊存與、劉逢祿、宋翔鳳等人形成了以公羊學為主的「常州學派」。晚經之際，隨著鴉片戰爭爆發、列強入侵，龔自珍、魏源側重《公羊》中的「通三統」、「張三世」之說，藉以「譏切時政，詆排專制」，[27]作為改革變法合理的依據。康有為更指出《周易》「變通」之義佐證《春秋》隨時因革之合理性，[28]固有的經書成為社會政治的合法性依據，於是「在《易》中找變化的理論依據，在『三禮』中找轉換後可以遵循的制度範型，在《春秋》中找創變的歷史事實，在《論語》中找孔子促成轉變的心理基礎，即人格。」[29]不過，隨著戊戌變法的失敗、鋪天蓋地而來的西化思潮、科舉的廢除、讀經運動的失敗，經學終於走向尾聲。而民國建立之後，傳統的封建社會型態不再，教育及學術型態丕變，經學也失去了依附的舞臺與生存的空間，經學要存續下去，唯有轉型。

民國以後，經學地位的下降，先後具體表現在兩次事件：先是新式學堂學科分類中的經學定位，將經學由百學之尊，貶為眾學之一；繼之對傳統經學中神話般的內容、傳承，予以更嚴苛、無情打擊的，是五四之後的古史辨運動。這兩次事件對《周易》有著截然不同的意義：前者雖說降低了經學於傳統學術中的尊貴地位，但《周易》列入哲學門類中，至少仍肯定了《周易》一書中的義理思想；至於史學辨偽則幾乎解消了「以傳解經」的經學傳統以及還原了《周易》的卜筮性質。《周易》之所以稱經，就在於《易傳》所賦予的哲學內涵，否定「以傳解經」的合理性，等於否定《周易》的經學性及哲學性。

新式學堂的開辨，可以溯及一九〇一年晚清新政引進新式教育，開辦各

26 梁啟超：「乾、嘉以來，家家許、鄭，人人賈、馬，東漢學爛然如日中天矣。懸崖轉石，非達於地不止；則西漢今古文舊案，終必須翻騰一度，勢則然矣。」同前註，頁121。

27 同註25，頁122。

28 康有為〈上清帝第四書〉：「昔孔子既作春秋以明三統，又作易以言變通，黑白子丑相反而皆可行，進退消息變通而後可久，所以法後王而為聖師也。」收入蔣貴麟主編：《康南海先生遺著彙刊（三）》（臺北市：宏業書局，1976年），頁76。

29 麻天祥：《中國近代學術史》（武漢市：武漢大學出版社，2007年），頁65。

級學堂，同時張之洞提出「七科分學」方案，大學之中分設「經、史、格致、政治、兵、農、工」等七學。這種「七科分學」所體現的仍是舊式科舉思維，以經學為首而指導其餘諸學；在極為困窘的時局中，張之洞「中學為體，西學為用」的主張仍表現了傳統知識分子的觀念，以為經學可以解決一切社會變革中的問題。不過，一九〇二年清廷交由張百熙擬定的〈欽定學堂章程〉（壬寅學制），其中〈京師大學堂章程〉所劃分的七科（政治、文學、格致、農業、工藝、商務、醫術）取消了經學獨立成科的地位，將經學併入文學科，列為內容之一，與史學、諸子、詞章等學平起平坐，無論在內容與思維上都與張之洞有極大的差異。張百熙的分法固然較合於西方新式知識體系的分類，卻遭到守舊者的反對，並未施行。一九〇三年由張百熙、張之洞、榮慶重新擬定的〈奏定學堂章程〉（癸卯學制），其〈奏定京師大學堂章程〉終仍以經學為首，以「經學、政法學、文學、醫科、格致科、農科、工科、商科」八科定案。

對於〈奏定京師大學堂章程〉的經學為首、不設哲學，王國維提出強烈的反對，他在〈奏定經學科大學文學科大學章程書後〉中認為「其根本之誤何在？曰在缺哲學一科而已。」[30]而張之洞〈章程〉中與哲學較為相關者，僅有經學科附設之「理學門」，而其範圍則「限於宋以後之哲學，又其宗旨在貴實踐而忌空談，則夫《太極圖說》、《正蒙》等必在擯斥之列。」[31]王國維質疑張之洞所以必廢哲學的原因，除了哲學容易鼓動自由革命的政治風潮，另兩個原因是「必以哲學為無用之學」及「必以外國哲學與中國古來之學術不相容」。這三個原因之中，前者涉及的是哲學與政治的關係，與哲學這一學科本身的性質較為無關；後二者涉及的則是哲學為「無用之學」、不務實，以及移自外國的哲學是否見容於中國古學。儘管當時的社會狀況下，「今若以功用為學問之標準，則經學文學等之無用亦與哲學等，必當在廢斥

30 王國維：〈奏定經學科大學文學科大學章程書後〉，《王國維學術經典集》（南昌市：江西人民出版社，1997年），上卷，頁155。

31 同前註。

之列。」[32]張之洞〈章程〉仍表現出了哲學「無用之學」與傳統經學「致用」相衝突的觀念。而王國維對張之洞的質疑，其實已預見了哲學這一外來學科將面對的挑戰：在新的知識體系中以哲學取代經學的領導地位，在中國傳統學術中「經世致用」與「學術獨立」兩者的衝突以及中國是否有哲學、「中國哲學」的合法地位，都是學術形態改變中不可避免的問題。

但新式教育畢竟是時勢所趨，民國成立之後，教育部頒布〈大學令〉後，於一九一三年大學取消經學科，改分為「文、理、法、商、醫、農、工」等七科，同時大學文科底下又分為「哲學、文學、歷史、地理」四門，擺脫了傳統經學，建立了一門新的哲學學科。哲學門分為中國哲學類與西洋哲學類，十三經中的《周易》、《毛詩》、《儀禮》、《禮記》、《公羊傳》、《穀梁傳》、《論語》、《孟子》都列入中國哲學課程中，與周秦諸子、宋理學並列。《尚書》、《左傳》列入歷史學門，《爾雅》列入文學門中的國文類，《孝經》、《周禮》則未列大學課程中。[33]《周易》、《論》、《孟》列入哲學課程是仍然是今日大學文哲科系所認同的，其餘經書的打散、劃分的方式是否恰當則或有討論空間。不過，這卻無疑地表現了經學時代的終結以及指窮於為薪，經學終將被迫傳火於新的知識形態，同時《周易》也正式由經學走向哲學。

一九一九年五四運動後，胡適、顧頡剛、錢玄同等人透過書信往來，對古書真偽進行討論。一九二三年，顧頡剛於〈與錢玄同先生論古史〉提出「層累地造成的中國古史」之說，獲得錢玄同的公開響應，顛覆了傳統三皇五帝古史體系，於是諸方辯難，一場疑古思潮就此展開；隨著論辯文集《古史辨》的出版，這場延及二〇、三〇年代的疑古辨偽運動，史稱「古史辨運動」。顧頡剛和《古史辨》對於經學的影響是，「促使了思想界不再圍著經書轉，掙脫了經學的羈絆。」同時「明確指出儒家經典不是『信史』，要掙脫對經書的迷信，『重新整理』中國的歷史。」[34]古史辨學派對《周易》的考

32 同註30，頁156。

33 房德鄰：〈西學東漸與經學的終結〉，《明清論叢》（北京市：紫禁城出版社，2001年），第2輯，頁337。

34 湯志鈞：《近代經學與政治》（北京市：中華書局，1995年），頁357。

辨集中在《古史辨》第三冊上編，其內容包含卦爻辭的故事、〈繫辭〉觀象制器的學說與故事、《易傳》的時代及作者、經傳的關係、筮辭及占卜源流等。考辨結果對傳統易學有著諸多致命的破壞：「《周易》經傳與儒家所謂的聖人沒有任何關係；《周易》純係卜筮之書，其中不存在什麼聖人之道；《易傳》對《周易》的解釋純屬借題發揮，與《周易》本身的思想毫不相干；《周易》的卦爻及卦爻辭之間沒有任何內在的邏輯關係，不過是筮占之辭的系統編纂。」[35]

六　從經學到哲學的轉換

在史學考辨中，《周易》二千來傳統神聖的經學地位快速崩解，「《易》歷三聖」是虛構的，孔子未贊〈十翼〉，《周易》本身也只是單純的卜筮之辭，並無甚深意涵。不過，另一方面，《周易》卻在新興的哲學學科中又慢慢建立其存在價值，但相對於古史辨運動所帶來的破壞，其恢復過程顯得十分緩慢。儘管古籍中有「哲人」、「明哲」之語，「哲學」（Philosophy）實為一外來語詞，「哲學」一詞之引進中國，最早當見於黃遵憲《日本國誌》（一八九五年初刻）。在十九世紀末之前，相關的譯詞還有「理學」、「愛知學」、「格物窮理學」、「性學」等。經康有為、梁啟超的大量使用，「哲學」成為常見的譯名；但由於是一門外來學問，學界不可避免對之存有誤解與疑慮，因而哲學科不見存於一九〇三年的〈奏定京師大學堂章程〉，即便哲學學科成立後仍不免有「中國是否有哲學」的爭論。

如同方朝暉先生所說，「不管中國古代的一系列學術中是否包含『哲學思想』，今天我們是已經用『中國哲學史』等現代學科概念代替了曾綿延兩千多年的『經學』。」[36]要了解走出經學之後，《周易》寄身在哲學的發展狀況，就必須交叉了解《周易》與哲學的發展情形。根據廖名春、康學偉、梁

35 楊慶中：《二十世紀中國易學史》（北京市：人民出版社，2000年），頁114。
36 方朝暉：《「中學」與「西學」——重新解讀中國學術史》，頁397。

韋弦合著的《周易研究》所載，現代義理易學共列舉了朱謙之、郭沫若、金景芳、李景春、張立文、宋祚胤、徐志銳、黃壽祺、張善文、朱伯崑、蘇淵雷、熊十力、方東美、高懷民等人；而生存年代恰為見證二〇、三〇年代年代哲學學科建立發展者，當為朱謙之、郭沫若、金景芳、蘇淵雷、熊十力等人。其中「金景芳與以郭沫若為代表的大陸的多數易學家一樣，都是堅持歷史唯物論和辨證法觀點治《易》的」，朱謙之融西方哲學於《易》理，蘇淵雷融會中外哲學和儒釋道三家之說，[37]當然這些學者自有留名學術的貢獻，但論及哲學地位，「在中國現代哲學史上，熊十力無疑是最富有思辨性和形而上氣味的原創型哲學家」，[38]因而熊十力的易學觀點，足以代表一個走向哲學的易學觀。如果以民國三十八年（1949）為界的話，這時期「中國哲學史」的相關作品，據筆者所知依出版年份當為陳黻宸《中國哲學史》（1916）、謝無量《中國哲學史》（1916）、胡適《中國哲學史大綱》（1919）、鍾泰《中國哲學史》（1929）、馮友蘭《中國哲學史》（1933）、范壽康《中國哲學史通論》（1936）、張岱年《中國哲學大綱》（1937）。由於「哲學」一詞畢竟為日人所譯，「中國的學者相信『近代歐學東漸，日本漢學家亦受了科學的洗禮』，『都以科學的方法研究中國古代的哲學、文學、史學』，他們願意借日本搭起的橋樑步步前行，靠日本的『重譯』接受西方話語。」[39]因此，當時在中國亦出版了日人相關中國哲學史的著作，如高瀨武次郎著，趙蘭坪編譯《中國哲學史》（1925），渡邊秀芳著，劉侃如譯《中國哲學史概論》（1926），宇野哲人著、王璧如譯《支那哲學概論》（1934）。而由於哲學史作在當時仍屬新的學術體裁，參考日人作品是不可避免的，例如范壽康便自承其編撰上頗借助於武內義雄、宇野哲人、境野黃洋、小柳司氣太、河上肇等日人著作，[40]方東美先生亦指出謝無量《中國哲學史》有仿宇

37 廖名春、康學偉、梁韋弦：《周易研究史》（長沙市：湖南出版社，1991年），頁413-428。

38 景海峰：《熊十力》（臺北市：東大圖書公司，1991年），頁1。

39 戴燕：《文學史的權力》（北京市：北京大學出版社，2002年），頁33-34。

40 范壽康：「但就內容言，疏漏錯誤，自知不免；即間有所得，亦多採自當代著作家之

野哲人《支那哲學史》之嫌。[41]

上述哲學史著作中，陳黻宸《中國哲學史》在今日看來顯得格外奇特，這部作品全然不同於今日我們習見的哲學史作，不但欠缺哲學史應有的歷史系統，對哲學定義也十分籠統，推測這部作品可能是當時課堂講義。從其〈總論〉看來，陳氏大致上是把哲學視為傳統學問另一較新潮之名，甚至直把哲學當道術：「歐西言哲學者，考其範圍，實近吾國所道術。」[42]也因此，全書內容始於伏羲、神農、顓頊、帝嚳、堯、舜……等經學傳統中古史傳說的人物，終於文王、武王、太公，幾乎是經學式的講法。根據馮友蘭〈三松堂自序〉中的回憶，「在我們班上，講中國古代哲學史，就從三皇五帝講起。講了半年才講到周公。當時的學生真是如在五里霧中，看不清道路，摸不出頭緒。當時真希望有一部用近代的史學方法寫出的中國哲學史，從其中可以看出一些中國古代哲學家的哲學思想的一點系統，以及中國哲學發展的一些線索。」[43]陳黻宸這部中國哲學史可說是「哲學史」學術體裁尚未建立規範時的作品。

除了陳氏之作，上述哲學史著作對於《周易》的定位可以分為三種：一是以王官六藝為諸學源頭，謝、鍾、范三人是。二是將《周易》列入子學，

說，出諸創者蓋鮮。而余在是書之編撰上最受其補益者，厥推武內義雄、宇野哲人、境野黃洋、小柳司氣太、河上肇及梁啟超、周予同、胡適、馮友蘭、雷海宗諸家。」見氏著：《中國哲學史通論．付印題記》（北京市：生活．讀書．新知三聯書店，1983年）。

41 方東美：《原始儒家道家哲學》（臺北市：黎明文化公司，1987年），頁5。

42 陳黻宸認為，求知之學，謂之哲學，中國傳統學術堪「強而名之曰哲學」，蓋傳統學術亦有其求知之內容，不過依陳氏所言之知，主要是生命價值或人生智慧：「無知之始，我何自來？有知之終，我何自往？我杋無往，我復何來？往來兩窮，知於何著？謂著自我，我復何著？謂著自知，自知自我。自知自我，何處著我？我既無著，何況於知？」這方向陳氏認為這種「形上之學」係中國哲學強於西方哲學之處，惑於西學者乃數典忘祖也：「瀛海中通，歐學東漸，物質文明，讓彼先覺。形上之學，寧惟我後，數典或忘，自叛厥祖。輾轉相附，竊彼美名，謂愛謂智，乃以哲稱。……我又安知古中國神聖相傳之學，果能以智之一義盡之歟？」見陳黻宸：《中國哲學史》，收入陳德溥主編：《陳黻宸集．上》（北京市：中華書局，1995年），頁413-414。

43 馮友蘭：《三松堂全集．第一卷》（鄭州市：河南人民出版社，1985年），頁183。

為孔子學說之一，胡適為代表。三是以《周易》在漢代之前地位不高，漢武帝立五經博士後，《周易》稱經，藉劉歆之力始提高其經學地位，亦即《周易》的地位是在漢代始獲得肯定，因而《周易》列於漢際哲學，馮友蘭將《易傳》與《淮南鴻烈》之宇宙論並置齊觀可視為此說代表。

這三種的《周易》哲學定位，其觀點都是值得探究的。鍾泰雖未特別論述《周易》，但其與謝無量、范壽康應屬同一觀點。謝無量認為「吾國古有六藝，後有九流，大抵皆哲學範圍所攝。」[44]鍾泰對哲學材料持類似見解，他在書中的〈第一編・上古哲學史〉列有「王官六藝之學」一章，理由是「百家淵於王官六藝之學」，「今言中國哲學，而不本之於六藝，是無卵而有時夜，無父祖而有曾孫也。」[45]謝無量代表的是一種較為典型的傳統觀點，[46]談論學術必從三代說起，故其哲學史乃是由唐虞夏商周而後有六藝，有六藝而後有諸子；鍾泰的看法亦然，只不過其認為王官之學於周為盛，「是故言中國哲學，必當斷自周公為始。」[47]范壽康將哲學史劃分為「子學」、「經學」、「玄學」、「佛學」，在子學之前仍以王官典籍為其淵源，故先概述《易》、《書》而後始言先秦子學。以諸子之學起於王官的觀點當出自《漢書・藝文志》之說，胡適著〈諸子不出於王官論〉一文駁斥此說，這當然影響了胡適在哲學史中《周易》的定位。

顧頡剛在《古史辨》中回憶當年上哲學史課程的情形，第一年由陳漢章授課，從伏羲講起，講了一年只到商朝〈洪範〉。第二年改請胡適教課，「用《詩經》作時代的說明，丟開唐虞夏商，徑從周宣王以後講起。這一改把我們一班人充滿著三皇五帝的腦筋驟然作一個重大的打擊，駭得一堂中舌撟而

---

44 謝無量：《中國哲學史》（臺北市：臺灣中華書局，1980年），頁2。

45 鍾泰：《中國哲學史》（瀋陽市：遼寧教育出版社，1998年），頁10-11。

46 董德福對謝無量的《中國哲學史》評論曰：「胡適之前謝無量曾寫有一本《中國哲學史》，視無所不包的『道術』為哲學，『六藝九流』無不入其範圍，文、哲、經諸門學科均混雜其中，其書名之曰哲學史，實際上是傳統學術的大雜燴。同時，此時以儒家思想為正宗，全未越出經學壟斷學術的傳統藩籬，仍是經學的附庸。」參董德福：《梁啟超與胡適》（長春市：吉林人民出版社，2004年），頁121。

47 同註45，頁8-9。

不能下。」[48]到了胡適的哲學史，顯然是另一個範式的開始，丟開了三代王官六藝，直接從諸子講起，並且不分經學、子學，各家思想一視同仁，使得哲學史截然不同於傳統經學史。[49]胡適將《周易》放在孔子篇論述，同時也限制了易學的範圍，他說「我講《易經》和前人不同。我以為從前一切河圖、洛書、讖緯術數、先天太極，……種種議論，都是謬說。」[50]胡適以為，「一部《易經》，只有三個基本概念，（一）易，（二）象，（三）辭。」如此論述並不能算錯，但材料運用上將卦爻辭、〈文言〉、〈象〉、〈繫辭〉都歸於孔子學說，免不了時代上的爭議。而胡適對這三個所謂重要觀念的論述，也十分淺易，《周易》中的形上學或天道論並未觸及，對於《周易》哲學的挖掘較為有限，當然這與其審定哲學史料「無徵則不信」的方法有關。胡適以為，「至於《易》更不能用作上古哲學史料。《易經》除去〈十翼〉，止剩得六十四個卦，六十四條卦辭，三百八十四條爻辭，乃是一部卜筮之書，全無哲學史料可說。故我以為我們現在作哲學史，只可從老子、孔子說起。」[51]

胡適拋開三皇五帝的寫法對馮友蘭有「掃除障礙、開闢道路」的作用，不過，不同於胡適各家一視同仁，馮友蘭將哲學史分為「子學」、「經學」時代。其意以為，春秋迄漢初，處士橫議，乃中國哲學氣象蓬勃之時代；漢武帝獨尊儒術，子學時代終結而進入經學時代。《禮記》與〈易十翼〉即是中國哲學進入經學時代之前的尾聲。因此，馮友蘭對《周易》時代定位不同於胡適，研究方法也不同。馮友蘭論述《周易》從八卦陰陽、事物之發展變化、變化循環、易象與人事、再到宇宙論，基本上是一「人事——天道」的路線，相較於胡適的「易、象、辭」三個概念，馮說要來得深刻。

三皇五帝古史系統乃是經學傳統中的歷史秩序，由此歷史秩序又衍生諸多聖王治世、道統傳繼等諸多經學意義；古史系統的揚棄無異捨卻這些經學

---

48 顧頡剛：《古史辨・第一冊》（臺北市：藍燈文化公司，1993年），頁36。

49 同註46，頁122。

50 胡適：《中國哲學史大綱》（石家莊市：河北教育出版社，2001年），頁63。

51 同前註，頁23。

意義。在中國哲學史的書寫過程中，胡、馮二人哲學史的寫作都有開一代風氣、為哲學史寫作奠基之功，使傳統經學史過渡到哲學史，關於這一點，鄭家棟先生有很好的說明：

> 馮友蘭的《中國哲學史》，可以說是在比較完全的意義上標誌著一個新的學術典範的確立，標誌著在傳統思想和學問的分化中，由經學到哲學這一轉化與過渡與完成。從此以後，在歷史上處於支配地位，近代亦曾經興盛一時的經學研究，開始處於邊緣的地位，「哲學史」差不多開始成為人們處理傳統學術的一種主要的方式，……。[52]

儘管胡、馮二人的哲學史儘管否定了傳統的經學史書寫，但對哲學的詮釋方法、格局，仍無法完全擺脫漢學宋學的影子，[53]這也說明經學中的某些治學方法是可以轉換到哲學的。不過哲學畢竟是一門外來學科，有其自身的內部規範，經學轉換成哲學，必先向這些規範看齊。蔡元培提及編寫中國古代哲學史的難處之一便是「系統性」的問題：「中國古代學術從沒有編成系統的記載。《莊子》的〈天下〉篇，《漢書．藝文志》的〈六藝略〉、〈諸子略〉，均是平行的記述。我們要編成系統，古人的著作沒有可依傍的，不能不依傍西洋人的哲學史。」[54]所謂「平行的記述」意思是說，學派彼此之間的思想觀念欠缺辯證的流變關係，有的只是各個學派看似獨立不相干的傳承。

在哲學史這種學術體裁之外，也有著另一種以觀念或哲學範疇貫穿時代、學派的寫法，張岱年《中國哲學大綱》（1937）即是當時此種類型之

---

52 鄭家棟：《斷裂中的傳統》（北京市：中國社會科學出版社，2003年），頁655。

53 馮友蘭曾自評他與胡適的哲學史，馮近宋學而胡近漢學，胡適的書「既有漢學的長處又有漢學的短處。長處是，對於文的考證、訓詁比較詳細，短處是，對於文字所表的義理的了解、體會比較膚淺。宋學正是相反。它不注意文字的考證、訓詁，而注重於文字所表示的義理的了解、體會。……胡適的《中國哲學史大綱》對於資料的真偽，文字的考證，占了很大的篇幅，而對於哲學家們的哲學思想則講得不夠透，不夠細。……我的《中國哲學史》在對於各家的哲學思想的了解和體會這一方面講得比較多。」馮友蘭：《三松堂全集．第一卷》，頁190。

54 蔡元培：〈序〉。同註50，頁3。

作。馮友蘭《中國哲學史》參用孟太葛（W.P.Montague）之三分法將中國哲學分為宇宙論、人生論、方法論（知識論）[55]後，這三分法在當時似乎成為建立中國哲學系統的範式。其中的宇宙論，其實又包含了「本體論」在其中。張岱年的《中國哲學大綱》即是以「宇宙論」、「人生論」、「致知論」來架構中國哲學的資料。對於這種趨勢，熊十力則以為「哲學上之宇宙論、人生論、知識論，在西洋雖如此區分，而在中國哲學似不合斠畫太死。」[56]又說：「中國……其道德觀念即其宇宙見解，其宇宙見解即其本體主張，三者實為一事，不分先後。(《十力語要》頁174)」中國哲學之中三者雖不可強分，但仍以本體論最為根本，[57]而體認本體，又以《周易》至為根本。在經學地位中，「《易》為五經之原」，這個地位一度因經學終結而消退，但在經學史轉換成哲學史後，又漸漸恢復其學術根源的地位。

七　易學作為第一原理的建立

中國哲學系統性的欠缺，可以說是治哲學者的共識。傳統知識的傳遞，基本上是以經籍、人物為中心，形成某種經書之學或者某種風氣的學派，許多學術問題的脈絡顯得不是那麼清楚明晰，因而有含混籠統、欠缺系統之弊，透過西洋哲學傳入、比對，這種欠缺更加明顯。本來經學與哲學就是兩種不同類型之學，彼之所有，我不必定有，但經學既然轉型成哲學，很多地方就不得不向哲學看齊；而系統性的建立，便顯得有其必要。

張岱年於一九三七年出版的《中國哲學大綱》，即是為了建立中國哲學的系統性而作，他在此書〈自序〉中自述，當時以問題為綱，展示中國哲學條理系統者尚未有之，「此書撰作之最初動機，即在彌補這項缺憾。此書內

---

55 馮友蘭：《中國哲學史》（上海市：華東師範大學出版社，2000年），頁1-6。

56 熊十力：《十力語要》，收入蕭萐父主編：《熊十力全集》（武漢市：湖北教育出版社，2001年），卷4，頁102。

57 熊十力曰：「談哲學，如不能融思辨以入體認，則其於宇宙人生，亦不得融成一片。……體認，即本體之炯然自識。故惟本體呈露，方有體認也。」同前註，頁15。

容，主要是將中國哲人所討論的主要哲學問題選出，而分別敘述其源流發展，以顯出中國哲學之整個的條理系統，亦可以看作一本中國哲學問題史。」[58]全書分為宇宙論、人生論、致知論三大部分，此書中的宇宙論又分為「本根論」與「大化論」兩篇，相當於現今通行的「本體論」（Ontology）與「宇宙發生論」（Cosmology），《周易》（主要是《易傳》）的哲學分列於此兩篇。

這部作品是以問題為綱，說明中國哲學的源流發展，因而在敘述上仍以時間先後發展為次，也因此無論是本根論或大化論，張岱年先生都持老子為先、《易傳》為次的順序。他說：「關於本根，最早的一個學說是道論，認為究竟本根是道。最初提出道論的是老子。」[59]又說：「關於本根，其次的一個重要學說，以為宇宙之究竟本根是太極。這是《易傳》的學說。《易傳》的本根論之基本觀念是太極與陰陽；先有陰陽的觀念，因以二本為不足，於是創立太極觀念以統陰陽。」[60]《易傳》之中，陰陽觀念仍有差異：「《彖傳》以乾坤即陰陽為宇宙之本根，實為一種二元論。至〈繫辭傳〉，乃於陰陽之上統以太極，而成為一元論。」[61]至於「大化論」中，則於「變易與常則」、「反復」、「兩一」、「大化性質」等概念中涉及《周易》。儘管《周易》在《中國哲學大綱》的宇宙論佔有一定的篇幅，但在張氏所建構起來的哲學系統中，地位並不重要，他認為的中國哲學本根論的發展過程是這樣的：

> 最早的本根論是道論，……斷之者為太極論，……其後乃有氣論，……氣論亦言理，遂導出唯理論與唯心論，以理為氣之本。唯理論又言理具於心，乃又導出主觀唯心論，認為理即是心，心為一切之所本。[62]

---

58 張岱年：《中國哲學大綱》（南京市：江蘇教育出版社，2005年），頁14。

59 同前註，頁46。

60 同註58，頁53。

61 同前註。

62 同註58，頁106。

他認為的本根論三類型是「氣論、理論、心論」，而太極陰陽則被消化於氣論之中。而張岱年的《中國哲學大綱》雖然嘗試系統化中國哲學，但其系統指的是問題、概念、範疇的貫串。這本作品不是個人哲學理論的建構。中國哲學各時期以及儒道釋三家是否存有一個共通的哲學模型，也不是此書關心之處。

此外，張岱年認為此書之作，在古代並非前無所承，南宋朱熹《近思錄》輯錄北宋諸子的思想，分為十四部分，即是一種條理系統的嘗試。儘管張岱年認為朱熹的《近思錄》的分類欠缺系統，並非成功之作，但張岱年《中國哲學大綱》的與朱熹《近思錄》兩者的比對仍可給多我們許多啟發。首先，《近思錄》是北宋周濂溪、程明道、程伊川、張橫渠四子之語的選輯，而《中國哲學大綱》則是打破經子界限，以問題為綱綜攝這些材料，這是從胡適到馮友蘭以來，經學轉型到哲學便不得不面對的結果。其次，《近思錄》卷一「道體」相當於「本根論」或「本體論」，雖然這頗有哲學史的姿態，但其餘「為學大要」、「格物窮理」、「存養」、「改過遷善克復禮」等卷，都可以視為對道體的體認及發用於日常人倫之中，那麼《近思錄》一書架構其實可以化約為「道體」、「道用」兩部分，而「通經致用」的「體用」正是傳統知識系統最重視的一環，也就是說《近思錄》仍只是經學傳統底下的學術作品。哲學則不然，西方的哲學傳統在於求「知」而非求「用」，王國維在〈論哲學家與美術家之天職〉一文中便已論曰：

> 天下有最神聖、最尊貴而無與於當世之用者，哲學與美術是已。天下之人囂然謂之曰無用，無損於哲學美術之價值也。至為此學者自忘其神聖之位置，而求以合當世之用，於是二者之價值失。夫哲學與美術之所志者，真理也。真理者，天下萬世之真理，而非一時之真理也。[63]

經學傳統求用而哲學求客觀之知，這是兩種學科本質的不同。而在「體

63 王國維：〈論哲學家與美術家之天職〉，《王國維學術經典集．上》，頁105。

用」的架構中，中國哲學所論的「本體」是要去「體認」、「默契」而非「認識」，西方哲學中所謂的經驗知識才是要去認識的。保留了類似「本體論」的「道體」，續之以西方的認識論，反而使得傳統的道體之說於用處落空、無所著力。這突顯出經學轉型到哲學的扞格之處。

相較於張岱年中國哲學的條理系統，《周易》在熊十力個人的哲學體系中顯得重要多了。除了晚年的《乾坤衍》之外，熊十力本人並沒有特別的易學專著，不過他的成名之作《新唯識論》（1932年文言本，1944年語體文本）倒是可以看到很重的易學色彩；而他的易學觀點以及易學的哲學地位也散見於《讀經示要》（1945）、《十力語要》（1947）之中。熊十力晚年的《乾坤衍》一書，則更突顯出《周易》在他心目中的哲學地位。

對於漢代以來「《易》歷三聖」易學系譜，疑古學者提出種種否定之說，熊十力只簡單地以「異說」回應之，仍堅信這個經學傳統：「今時士習，競尚疑古，遂有謂《大易》非孔子所作者。此實好異太過。」[64]至於疑古學者所力證的「《易》本卜筮之書」，熊十力更堅持舊說，以《易》為經學、哲學：「吾意《易》之始興，本緣占卜，及經孔子定，則純為哲學思想之書，永為吾民族玄文鴻寶。」[65]由於熊十力堅信《周易》成於「伏羲、文王、孔子」三人之手，在時代上可算是最古遠的哲學作品，因而「中國最古之玄學自是《易經》。」[66]

至於《周易》大義，熊十力《讀經示要》中認為有四：「尊生而不可溺寂、彰有而不可耽空、健動而不可頹廢、率性而無事絕欲」這四者非但「實根柢《大易》以出也」，而且「此四義者，於中西哲學思想，無不包通」，[67]等於是中西哲學的通教。熊十力易學主要得自《易緯》的啟發，[68]而有「變

64 熊十力：《讀經示要》，收入蕭萐父主編：《熊十力全集》，卷3，頁862。

65 熊十力：《十力語要》，收入蕭萐父主編：《熊十力全集》，卷4，頁32。

66 同前註，頁173。

67 熊十力：《讀經示要》，收入蕭萐父主編：《熊十力全集》，卷3，頁916。

68 熊十力謂「初學讀《易》，且先治《易緯》。……《易》之原始思想，多存於緯」。同前註，頁915。

易、不易相即」之說：

> 不易之義，蓋謂本體之流行，雖現作萬物，變化不居，而其虛無感動清淨炤哲、與不煩不撓、淡泊不失諸德、實恆自爾，無有變異。……由體成用，是不易而變易。即用識體，是於變易而見不易。……乃知即不易即變易，即變易即不易。……《新論》由是作焉。[69]

熊十力的易學哲學主要表現在其「體用不二」的觀點，而這也是他歸宗《大易》的原因。他以為，在《易傳》「易有太極，是生兩儀」的宇宙論中，本體太極原本寂然不動，動而分陰分陽遂成乾坤二用：

> 乾元是用，太極是體，體用不得無分。而云乾元即太極者，以即用顯體故，得名太極耳。譬如於眾漚，而知其體用即是大海水，則直目眾漚為大海水可也。……原其寂然無物，而顯為作用，變易萬狀，則萬物繁然，莫非元極。[70]

乾坤或者陰陽皆是太極本體的作用，或者是勢能；[71]然而本體作用不得分而為二，可以說乾坤是太極流行之跡，透過乾坤，太極乃得以顯現，是謂「即用顯體」。由於體用不二，乾元即是太極，但乾元與太極區別的地方在於，體一旦發而為用，即包含了兩相反的功能，因能不守本體自性而成為萬物。這股不守太極、乾元健行不已自性的對反功能謂之坤：

> 乾道變化，必先有所凝聚，是名為坤。坤者，乾之反。而乾資之以成化，乾非坤，則無所籍以運行。故於坤言元者，謂坤含乾元耳。[72]

---

69 同前註，頁921-923。

70 同註67，頁929。

71 熊十力謂太極為體，顯而為用，體用不二：「云何名作用？作者，動作，有勢能也。用者，勢能盛大無有窮竭，是成萬有，即名為用。作即是用，故名作用。太極顯為作用，故作用無自體，而太極乃一切作用之本體也。譬如大海水，顯為眾漚，即眾漚無自體，而其體元是大海水也。」同註67，頁928-929。

72 同註67，頁963。

在熊十力看來，乾與坤兩者是「二而一」的關係，兩種功能不能獨立自存，必須相攝相生，宇宙才能大化流行，這其實與他《新唯識論》中「翕闢」之說如出一轍：

> 一翕一闢之謂變。原夫恆轉之動也，相續不已。動而不已者，元非浮游無據，故恆攝聚。惟恆攝聚，乃不期而幻成無量動點，勢若凝固，名之為翕。翕則疑於動而乖其本也。然俱由翕故，常有力焉，健以自勝不肯化於翕。以恆轉畢竟常如其性故。唯然，故知其有似主宰用，乃以運乎翕之中而顯其至健，有戰勝之象焉。即此運乎翕之中而顯其至健者，名之為闢。一翕一闢，若將故反之而以成乎變也。夫翕凝而近質，依此假說色法。夫闢健而至坤，依此假說心法。以故色無實事，心無實事，只有此變。[73]

熊十力晚年雖然另有《乾坤衍》專門發明乾坤兩卦之義，但「體用不二」的基本觀點並無太大變化。

在漢代建構的「《易》歷三聖」的經學傳統中，《周易》的成書可以遠溯伏羲、神農、黃帝等神話人物，在三皇五帝的古史系統中，相較於其他典籍，《周易》在時代上不但最為久遠，其中蘊含的「天地陰陽四時五行」宇宙秩序亦足以統攝其餘經書，故而有「《易》為五經之原」之語。但由於經學時代終結，部分經學內容在學術轉型後，被收編為哲學材料，在哲學中找到棲身之地，但其地位當然不可同日而語，與子學、玄學、理學等平等並列，不復過去百學之首的領導地位。

古史辨運動中，三皇五帝古史系統的破壞更加速經學地位的下降。在這一波波傳統學術解體、破壞的過程中，熊十力在哲學上可說重新肯定了《周易》的價值，甚至在他個人的哲學體系中，《周易》的地位也近乎回復到經學中的「百學之首」，從他前後期作品中，更可以發現《周易》在他哲學體系中的重要性。在《讀經示要》中，《周易》雖仍與其他經典平列（特別是

---

73 熊十力：《新唯識論（文言文本）》，收入蕭萐父主編：《熊十力全集》，卷2，頁41-42。

《春秋》與《尚書》)，但從哲學角度來看，《周易》較諸其他經典已有其獨特之地位：「孔家經籍研究底程序，在哲學或元學思想方面，大《易》為根本鉅典，誠不宜忽。」[74]到了晚年《原儒》之作，熊十力更肯定《周易》為孔子學術定論性作品。對《周易》的肯定，其實即是對本體論的肯定，熊氏本體論又來自於傳統經學，因而對本體論的肯定其實正是對傳統經學的堅持。而他以為《周易》所開顯出的本體論可做為中西哲學通教，正是漢代以來「《易》為五經之原」的另一種形式。這種找出中西哲學通教的嘗試，其實也就是後來熊十力高徒牟宗三先生以亞里士多德「四因說」論衡中西哲學、儒道釋三家的工作，牟先生將「動力因」、「目的因」套用在乾坤兩卦為「創造原則」、「保聚原則」，[75]並主《周易》的乾坤兩卦乃是一元論而非二元論，這觀點與熊十力可說是一致的。

然而，熊十力認知的哲學是一種具有中國色彩、傳統經學、玄學、理學翻版而成之學。他所謂的哲學是：「義理者，窮萬化之源，究天人之故。其方法雖用思維，而是以體認為主，於日用踐履之間隨處體認，默識本源，所謂精義入神，至於窮神知化。德之盛者，是此派學者之極詣也。此其所治之學在今即所謂哲學思想是已。」[76]從哲學的字源或者西方哲學傳統看來，這個定義可能是不精確甚至不合格的。但這種觀點其實也代表大部分治中國哲學者的哲學觀。由於熊十力的哲學觀是傳統學術的延續，他的本體論仍以踐履、默識為方法，這點與胡適、馮友蘭、張岱年等人所持的哲學三分架構中，本體論後承接以知識論便出現極大的差異。

---

74 熊十力：《十力語要》，收入蕭萐父主編：《熊十力全集》，卷4，頁116。

75 1991年，牟宗三先生於香港新亞研究所講授「四因說」，對乾坤兩卦所代表的創造原則與保聚原則論曰：「〈乾卦〉表示創造原則，〈坤卦〉表示保聚原則。這兩個原則一定要有。坤元是隸屬，隸屬於乾元，它不是綱領。這是主從問題。乾元作主，坤元作從。平常我們靜態地講乾坤並建，是二元論的說法，但《易經》不是二元論，是主從的問題。乾元代表創造原則，創造不能光創造，要有凝聚，有凝聚，萬物才成其為萬物。」參見由盧雪崑整理的《四因說講演錄》，收入《牟宗三先生全集》(臺北市：聯經出版公司，2003年)，冊31，頁38。

76 熊十力：《十力語要》，收入蕭萐父主編：《熊十力全集》，卷4，頁282。

八　結論

經學與哲學在歷史上都曾經是百學之原，從經學傳統而言，所有學問都可視為經學的衍生；從哲學的角度而言，所有學科則是哲學的分化。兩者同樣具有百學源頭的姿態，因此，在哲學引進而經學時告終之後，部分經學內容順理成章地在哲學中重新找到舞臺。而這也是為什麼早期的中國哲學史作中，會把王官六藝、諸子百家都列入哲學範圍。不過，如同鄭家棟先生所說，「由經學模式向哲學的轉換，構成了中國學術近現代發展的一個重要方面。而此種轉化是通過引進西方的『哲學』觀念及其所代表的一整套學術範式完成的。」[77]經學有經學傳統，哲學亦有其學科自身所應有的範式，兩者在過渡之間必然也會有其無法接榫處。

經學與哲學兩者之間雖存在相似處但也存在著極大的差異。就學術性質而言，經學乃是建立在「王教之典籍」上，而王教典籍的數量，政治力可以隨時予以增減；至於經書的認定，其間也不存在一定的標準；而經學的目的是為了「明大道，正人倫，致至治」之成法也。由於經書是國家所認定的王教典籍，可說是國家管理的根本原則，故而其餘諸學都必須原則性的不違經書之教，在此意義之下，可說經學是諸學的根源。故而子學有所謂「諸子之學出自王官」，而劉勰《文心雕龍》論為文則有〈宗經〉、〈徵聖〉之說。政治學、管理學，由於政治、管理涉及秩序，而人間秩序的合理依據又訴諸宇宙秩序，經學之中遂成就一套天人之學。在這套天人之學中，宇宙秩序或者古人所謂的道論，往往是超越經驗、不在感官知識之中，古人也認為天理性命的了解必須透過踐履行持的體認而非知解。

相形之下，西方哲學傳統與中國經學頗不相同。陳嘉映先生指出，哲學和科學本來就系出同門，哲學最初所探討的對象，根本就在經驗之內，他說：

77 鄭家棟：《斷裂中的傳統》（北京市：中國社會科學出版社，2003年），頁656。

> ……在從前，哲學不僅是與科學的關係最近，實際上，哲學就是科學。在柏拉圖那裏，philosophos 愛的、追求的是 episteme。E pisteme 這個詞現在經常就被譯成科學，在英文裏則常譯作 science。哲學家愛智慧、愛客觀真理、愛科學，哲學與 philodoxos 相對，philodoxos 愛自己的看法，愛成說，愛成見。柏拉圖通過 episteme 這個詞把哲學家和詩人或神話區分開來。[78]

在最初，「哲學是個籠統的概念，所有學問都包羅在哲學名下。」也因此，哲學的任務即是「建立整體性的理論，提供對世界的整體解釋，統一理解。」[79]儘管學科分化之後，今日哲學已不再等同科學，而漸漸只剩下思辯的功能，但哲學乃是源自於對自然世界的探索與解釋，畢竟是這門學科的起源。

經學由於是透過政治力量而形成的一門學問，它的出現不免有著強烈的工具訴求。但哲學的出現是一「自由的科學，因為它只是為了它自身的緣故而存在的。」兩者極不相同。因此，當時空條件不再，經學失去其致用性而轉型成哲學，過去的部分致用傳統便必須被捨棄，其實也無法再存在了，它要成為新的知識型態，就必須嘗試成為一門「不為任何實用目的之學」。在嘗試過程中，經學傳統中存在著許多虛構的歷史、人物，隨著經學從時代隱退，這些虛構的古史、神話的人物一一被解構，經書中的思想，其價值也因著經學的解構而遭到懷疑，《周易》由「五經之原」一降而為「卜筮之書」便是一例；即使仍肯定《周易》或《易傳》的哲學價值，但在哲學史作中，也不過是與其餘諸子平起平坐，不復過去位居首席之座。

不過，從〈繫辭〉「夫易，開物成務，冒天下之道」與《四庫總目提要》「易道廣大，無所不包」等對易學的描述，都是一門以天地人一切為研究對象的學問，而這門學問正好具備了宇宙整體第一原理之姿態。亞里士多德《形而上學》中認為，哲學的起源就在於尋找真實可知的知識，「通過它們

---

78 陳嘉映：《哲學　科學　常識》（北京市：東方出版社，2007年），頁9。

79 同前註，頁11。

以及從它們出發，所有其他事物都得以認識」，此謂之第一原理。[80]「冒天下之道」的易學可說最具備此「第一原理」之姿，熊十力的易學最能明顯表現此點。

然而矛盾的是，從本體論的建立而言，熊十力的易學可說最能滿足作為哲學「百學之原」的要求，但其易學的建立卻又是經學式甚至是今文學派的路數。為了在史料上成立《周易》為「最古遠的哲學作品」，熊十力必須堅守「《易》歷三聖」的傳統說法，在哲學材料上他也接受《易緯》之說，同時也承認受王船山易學影響極大，因而他改寫後易學哲學，仍不脫今文學的「社會－政治解經學」以及宋學的「哲學解經學」；而這也正是現行中國哲學史作中，多數材料來自於子經、今文經學及宋學的原因。《周易》哲學的建構、地位的提升，仍須憑藉舊有的經學資源；而舊有的經學在政治社會等外緣條件不再之後，也必須藉由轉型成哲學，才能在現代知識體系中再次尋得空間。這說明傳統經學與中國哲學兩者之間有著某種依存關係。

熊十力的易學以及他所賦予《周易》的哲學地位，畢竟只存在於他個人的哲學觀點之中，除非以《周易》作為中國哲學、甚至中西哲學共通的模型，否則在客觀的哲學史敘述中，不可能再恢復其經學傳統中百學之首的地位。而熊十力的易學乃是其苦心孤詣所構思出來的哲學體系，可說只能自家體貼，而無法視為客觀知識知解之，這頗相背於西方哲學傳統以自然為研究對象，這也正突顯出當年哲學引進中國時，一開始的理解便與哲學這門學科本質有所出入，使得哲學傾向於一人生觀、價值觀，這與哲學原義實有相違之處。但若不如此理解，經學也不可能轉型為哲學了。

---

80 〔古希臘〕亞里士多德著，李真譯：《形而上學》，頁19。

《古史辨》中討論《易經》相關問題之省思

陳進益
健行科技大學通識教育中心副教授

一　前言

研究《古史辨》學派關於《易經》討論的部分，其主要的重點，不在此學派中所討論的《易經》內容是什麼？結果如何？一則是因為他們所討論的內容，今日多已在學術界得到了一種與他們或同或不同的認識，而此種認識在立場不同的雙方，亦無法因之而能有所解決；其次則是因為亦已有人討論《古史辨》學派的《易》學研究。在這裡，我們所想討論的是這些二、三〇年代大有名氣的學者們，他們是如何看待周易？何以如此看待？造成了怎樣的研究影響？以及給了我們怎樣的啟示？這幾個部分反而是我們比較重視的。而這幾個部分都指向一個同樣的面向，那就是一種「學術史」的觀察視野，是以《易》學發展史做為觀察的背景，試著在這個不斷的「動」的歷史發展中，找出《古史辨》學派在他們發生於歷史的「動」之中的運動，何以有著那樣一種研究發展的省思。是故，我們之所以探討《古史辨》學派關於《易》的討論，其實是要在這些內容的認識中，看出他們之所以如此的原因和理由。

《古史辨》所代表的疑古運動，無疑是民國以來學術文化思潮中一股不可漠視的潮流，其所疑的對象幾乎是整個中國傳統，而其所以形成的原因，自然也受著學術本身的發展內在因素與時代風氣環境的外在影響。筆者有鑑於此一運動在民國以來的學術發展中所造成的影響無疑是十分巨大的，（不論是對贊同它，或者反對它的人來說）。因此特以此一運動中，所有討論《易經》的文章為研究對象，集中的來探討此疑古運動風起雲湧之時，學者們對於《易經》中的那些問題中特別感興趣？而他們對於所討論的《易經》相關問題，又取得了那些成果？這些成果以今日的學術研究眼光來看，其影響為何？給我們的啟示又是那些？希望能在這樣的分析耙疏之後，對於這一段時間學者們在疑古陣營中的《易經》研究，有個客觀而準確的認知與評價。

在討論進路上，由於筆者認為個人的思維想法無法自外於當時所生活的時代背景與風氣，所以在本文中，擬先概略論述影響此一運動的時代思潮與學術脈絡，希望能先在這些基本認識當中，看出此輩學人何以對於學術採取了某些特有的態度。當然，這些基本認識並不足以全然影響個人的內在思維，因此，在這學術脈絡的認識與了解之後，本文接著將以《古史辨》中所有討論《易經》的文章為對象，集中的整理出他們這些文章所主要關心討論的議題。並且以這些議題為研究核心，除了探究個別議題在《易》學史中所佔有的位置及其發展，進而以現今對於這些議題的研究成果與之做一比較，看看古史辨運動中的《易經》研究在《易》學史上的價值及其貢獻為何？希望在這樣同時兼重外在思潮環境與內在學術發展的觀照下，對於此一運動中的《易》學研究給予一個適當的評價。

二　顧頡剛〈自序〉所透露的一些消息

首先，筆者想帶領大家從古史辨的主導者顧頡剛在為《古史辨》第三冊專門討論《易經》的專集中所作的〈序〉，看看顧氏對於《易經》所持的基本看法。這些理解將十分有助於我們研究《古史辨》中《易經》相關問題的看法時，何以在不同的作者中會有著一致性的發展？因為顧氏既為此書的主要編輯者，是以能被他所採納的文章，其意見必然不會有太大的歧異。

（一）破壞是掃除塵障，建設只是恢復，研究《易經》只是為了服務其欲建立的古史

他開宗明義的在〈自序〉說出編輯此書的目的：[1]

> 這第三冊《古史辨》分為上下兩編，上編是討論《周易》的，下編是討論《詩三百篇》的，多數是這十年來的作品，可以見出近年的人們對於這二書的態度。其編纂的次序，以性質屬於破壞的居前，屬於建設的居後。於《易》則破壞其伏羲、神農的聖經的地位，而建設其卜筮的地位。於《詩》則破壞其文、武、周公的聖經地位，而建設其樂歌的地位。但此處說建設，請讀書莫誤會為我們自己的創造，《易》本來是卜筮，《詩》本來是樂歌，所以這裡所云建設的意義只是恢復，而所謂破壞也只是掃除塵障。此等見解都是發端於宋代的，在朱熹的文集和語錄裡常有。這類的話，我們用了現代的知識引而申之，就覺得新意義是很多。這一冊書的根本意義，是打破漢人的經說，故於《易》則辨明《易》「十翼」的不合於《易》上下經。

顧氏直接在其序文中說明編輯此書的次序是「屬於破壞的居前，屬於建設的居後。」而「所云建設的意義只是恢復，而所謂破壞也只是掃除塵障。」也就是說，他認為建設之前必先有破壞的工作，而這裡所謂的建設並非從無到有的憑空建立起一套學說，反而只是恢復前人的舊說而已。是故所謂破壞也只是掃除這蒙蔽他們所想恢復的真相的灰塵障礙而已。就《易經》而言，所主張的是「《易》本來是卜筮」，是故其所勠力破壞打擊的便是長期存在在《易》學史中「伏羲、神農的聖經地位」，並且明言這樣的看法並非由他們所開創發現，而是源本於朱熹之說的。並在〈自序〉前的扉頁裡節錄了幾則《朱子語錄》，如：[2]

1　顧頡剛：《古史辨》（臺北市：藍燈文化公司，1993年8月），冊3，頁1。

2　同前註。

> 《易》乃是卜筮之書者，乃藏於太史太卜以占吉凶，亦未有許多說話，及孔子，始取而敷繹為〈文言〉、〈雜卦〉、〈彖〉、〈象〉之類，乃說出道理來。《易》所以難讀者，蓋《易》本是卜筮之書，今卻要就卜筮中推出講學之道，故成兩節工夫。

他只是取了朱子「《易》乃是、本是、只是卜筮之書」這樣的觀念，而對《易經》中伏羲、神農的地位與《易》傳乃孔子所作的說法，皆加以抨擊。不論其所引朱子的立場乃是相信孔子是作〈文言〉、〈雜卦〉、〈彖〉、〈象〉等《易》傳，伏羲、文王是和《易經》有關係的，這自然是顧氏他只信其所信的表現。他所要說的只是朱子已明說「《易》乃是、本是、只是卜筮之書」，並且由此而引伸至討論《易經》與《易》傳究為誰作的問題。因為《周易》經傳既是卜筮之書，那麼它們被拉下聖經的地位便大有可能。是以如果我們看一下《古史辨》第三冊所載論《易》諸文所集中討論的問題，便可明白他們所討論的大多都是與此相關的問題。而其所以願意討論這些在他看來沒有特別意義的經典，乃是為了建立他認為的古史所做的準備工作，所以他說：[3]

> 所以我編這一冊書，目的不在直接整理古史，凡是分析這二經中材料的先後的，或是討論這二經的真實意義的，全都收入，希望秦、漢以前的經部書都能經過這樣的討論，使古書問題的解決，得以促進古史問題的解決。

由此我們可以看見，對於顧頡剛而言，《易經》本身的問題應如何理解之所以重要，並不是因為這部經書本身的價值，而是因為古史建立的必要。也就是因為這樣目的論的指使，導致了以現今的角度來看《古史辨》在《易經》中的研究成果時，常會有些令我們覺得不可思議的大膽推論出現的原因了。

3　詳參顧頡剛：《古史辨》，冊3，頁5。

(二)《古史辨》是為了造成討論，啟人疑竇

那麼，《古史辨》為什麼要集結這麼多似乎仍然有待討論、確定的說法？顧氏難道不知道這樣大膽的做一些仍未能有十分把握的推論，是很有爭議的事？其實造成爭議，引起思考與討論，正是當時正值青壯年的顧頡剛的重要目的之一。他說：[4]

> 許多人看書，為的是獲得智識，所以常喜在短時間內即見結論。但《古史辨》中提出的問題多數是沒有結論的，這很足以致人煩悶。我希望大家知道《古史辨》只是一部材料書，是蒐集一時代的人們的見解的，它不是一部著作，譬如貨物，它只是裝箱的原料而不是工廠裡的製造品。所以如此之故，我實在想改變學術界的不動思想和「暖暖姝姝於一先生之說」的習慣，另造成一個討論學術的風氣，造成學者們的容受商榷的度量，更造成學者們的自己感到煩悶而要求解決的慾望。……所以人們見解的衝突與淩亂，讀者心理的徬徨無所適從，都不是壞事。

對於當時的術空氣，顧頡剛是有著不滿的，因此他集結《古史辨》的目的，其實並不是為了要給一個什麼確定的答案，反而只是想要藉著引起學術界公開討論的風氣，達到問題得以解決的目的。因此，他認為人們見解的衝突與淩亂，讀者心理的徬徨無所適從，從這個角度來看，反而都不是不好的事了。他又更進一步的說道：[5]

> 凡是一件事情可以發生疑竇的地方，這人會想到，別人也會想到，不過想到的程度或深或淺，或求解答，或不求解答。若單把論文給人看，固然能給人一個答案，但讀者們對于這個答案的印象決不能很

4 詳參顧頡剛：《古史辨》，冊3，頁3。

5 詳參顧頡剛：《古史辨》，冊3，頁3-4。

> 深，……現在我們把討論的函件發表，固然是一堆材料，但我們的疑竇即是大家公有的疑竇，我們漸漸引出的答案，即是大家注意力漸深而要求得到的答案。這樣才可使我們提出的問題成為世間公有的問題，付諸學者共同的解決。

集結各種書信的目的，其實是為了引起學者們的集中注意，再進而造成相同與不同意見的討論，然後希望能在大家的討論中，逐漸得到比較公允的答案。因此，沒有確切的答案，便成為《古史辨》一個十分重要的自覺的特色。然而，我們在序中看到他明白的說著：[6]

> 所以現在我們處於這研究古史的過程中，正應借著《古史辨》的不嚴謹的體例來提出問題，討論問題，搜集材料，醞釀為有條有理的古史考，使得將來真有一部像樣的著作。

其讓《易經》引起討論，啟人疑竇，造成讀者的徬徨無所適從，呈現人們見解的衝突與淩亂，其目的都在完成他心心念念的古史。

三　「疑古」與「疑經」觀念的思索與延續

順著上文對於顧頡剛在《古史辨》第三冊的〈自序〉中所揭示的，討論《易經》是做為其為了完成建立自己的古史概念的過程。我們可以進一步的看到，看似大張旗鼓的現代學術討論運動，其實是有著內在的學術傳承的。這種看法，學界早有不少人提出，如彭明輝在《疑古思想與現代中國史學的發展》中就這樣說道：[7]

> 民國十五年（1926），顧頡剛主編的《古史辨》第一冊問世，開啟現代史學的一個革命性運動，參與這場古史討論的學者，（不論贊成或

6　詳參顧頡剛：《古史辨》，冊3，頁4。

7　彭明輝：《疑古思想與現代中國史學的發展》（臺北市：臺灣商務印書館，1991年9月），頁1。

> 反對）幾乎涵蓋了當時的整個學術思想界。姑不論古史辨運動的成績如何，其所引起的爭議，可說是空前未有的。當然，任何一個思潮或運動的形成，都不是單一線索所能解釋，古史辨運動也是一樣。論析這個運動的形成背景，有幾個層面的意義必須面對：其一，由儒學「六經」所建構的中國古史，面臨空前未有的挑戰。事實上，植基於「六經」的歷史結構，是二千年來，有關中國古代歷史惟一的解釋。

這裡明白的以對於歷史詮釋的主導權做為看待古史辨這個運動的一個重要角度，而對於中國古史的主要詮釋結構一直是由儒學「六經」所主導的情況，也表達了十分的不滿。因此，我們可以在古史辨運動中，清楚的看到他們對於「六經」的傳統價值極盡所有能力的予以打擊，而這全力打擊「六經」的主要原因之一，便是中國古史詮釋權的主導的爭奪。只是這樣重新思考如何詮釋中國古史的精神和行動，是否為古史辨運動所獨創的？顯然古史辨運動的發生，除了當時的社會環境與政治空氣的大變動的外在刺激之外，更有其內在的學術發展脈絡可尋。

彭明輝在同一書中說道：[8]

> 中國歷代的疑古思想，大部份和「疑經」扯不開關係，其中主要的原因當然是緣於「六經」為儒學體系建構中國古史的重要根本，也是儒學建構其道統與倫理的重要據點。疑古思想最早可以追溯到《論語．八佾》中所說的「夏禮吾能言之，杞不足徵也。殷禮吾能言之，宋不足徵也。文獻不足故也。足，則吾能徵之矣！」這種以文獻足徵與否為考信的態度。疑者存疑，信者存信，可以說是疑古思想的起源。……《論衡》書中的「書虛」、「語增」、「問孔」、「疾虛妄」諸篇，對儒學權威的挑戰及其疑古精神，在漢代的學術環境來說是相當突出的。……王充不祇對文獻抱持當懷疑的看法，他對聖賢之說也頗不相信，因此，對古史的某些傳說，當然也就大加撻伐了。……這類

8　同前註，頁7-12。

> 以諸說對比的方式，論析其為不可信的方法，也是康有為在《孔子改制考》一書所善用的。在古史辨運動時更廣為顧頡剛等人所繼承，但最直接師承王充《論衡》的要算劉知幾。劉知幾《史通》一書中的「疑古」與「惑經」篇，對古史事與經書記載，抱持相當的懷疑，……降至宋代，疑經風氣與疑古思想合而為一，其實「疑古」與「疑經」本不可分，因「經」之所記載即為「古」史「古」事。歐陽修對愈到後代古史越長也愈駁雜就相當不滿，後來崔述便繼承了這個說法，……崔述與歐陽修的說法，到了古史辨運動時成為顧頡剛「層累造成說」的源頭活水，就指陳之史事而言，可說無分軒輊。那麼，古史辨運動是否祇是又一次大規模的疑古活動？古史辨運動和歷代的疑古思想有什麼不同？尤其像崔述那樣鉅構的疑古工程，古史辨運動是否僅為拾其餘唾？……簡單地說，古史辨運動是疑古思想由「量變」到「質變」的過程，亦即是從量的增加到質的改變，使疑古思想以一個新的面貌出現，而有了異於昔往的意義。

在這一段的引文中，我們可以看到因疑古而考信的思想，自孔子以來便或隱或顯的在中國的歷史中流傳著。其間或如漢代的王充、隋唐的劉知幾、宋朝的歐陽修，乃至於清代的崔述與康有為等人，他們都以各種不同的方式，在不同的歷史時間發出疑古與考信的呼聲。而中國古代歷史的主要詮釋權既然建構於儒家的「六經」之中，則「疑古」與「疑經」之間的關聯性便由此而生，並且愈加的緊密不分。因此，顧頡剛等人在古史辨運動中為了建構其以為的中國古代歷史，不可避免的就要先解構儒家的「六經」，《易經》既為六經之首，自然也就成為其打擊的對像之一。

在上面一段所提諸人在「疑古」與「惑經」的思索中，又以崔述與康有為因時居清代晚期，與古史辨諸主要運動者年代相續，故其直接影響的痕跡尤為明顯可見。彭明輝在同一書中繼續說道：[9]

---

9 同註7，頁24-43。

梁啟超《清代學術概論》指出清代二百餘年之學史，主要即「以復古為解放」。胡適稱此為「漢學運動」，亦即「反而求之六經」，余英時則以「回向原典」稱之。但清代漢學運動的目的，是要「正偽書之附會，闢眾說之謬誣」，他們攻擊的對象主要是宋儒，而不是秦漢百家之言。……在清學「復古」的過程中，並不直接回到六經，而間接從漢儒回到六經，……漢學運動走的是間接的路子，即假道於漢儒以至於六經，崔述則推翻秦漢百家言以直接回到六經。漢學運動因不滿於宋儒，所以回頭去推崇漢儒，崔述因為不信任漢儒，反而推崇宋儒疑古辨偽的精神，……崔述想根據「六經」以正群書之失，而「經」之所載乃係古史，於是引發了全部古史的史料問題。……崔述說：「故《考信錄》但取信於經，而不敢以戰國魏晉以來度聖人者遂據以為實也。」……嚴格的說，崔述相信的並不是「經」，而是「聖人之道」。……當他發現不合「聖人之道」的「經」文時，便斥之為偽書。……但崔述的「層累說」先有一「聖人之道」橫亙心中，所以他是從「尊孔衛聖」的心理而發出的「層累說」。顧頡剛則是由故事傳說之演變建構其「層累說」，並用以打破古史的黃金世界，……崔述的立足點卻是「聖人之道」，這和顧頡剛、錢玄同的「疑經叛道」，恰成顯明對比，……崔述由尊孔衛聖而邁向「疑古」、「疑經」的過程，是相當微妙而有趣的；就像康有為本意在藉儒學經典以為其變法之依據，卻發展成破壞「六經」的歷史結構。……清代今文學的復興，由莊存與、孔廣森一脈相承的思想，主要在於尋出最接近六經原意的經典，……從莊存與、孔廣森到魏源、康有為，都是順著「回向原典」的精神在走。「回向原典」的背後有一大的趨力，即求為「經世致用」。公羊家的「三科九旨」乃衍生成一套繁複的政治哲學，……晚清今文學派到康有為可以說是已經走到極致，就公羊學而言，康有為是今文學派的殿軍。然就疑古思想的線索言，卻又成了反儒學的先鋒，……康有為作《新學偽經考》，全盤否定古文經，肯定今文經。《孔子改制考》提出諸子並起創教，託古改制，而終之以儒學定於一

> 尊，孔教一統天下，並判定「六經」皆為孔子所作，以行其素王改制的理想。……這樣一來，「六經」就不再是「先王政典」了，而是孔子一人所「託」之「古」，換句話說，「六經」的歷史結構是孔子的心理事實（Psychological truth）而非歷史事實（Historical truth）。……崔述由「考信於六藝」發展出來的疑古思想，到康有為本於今文學卻導致「六經」歷史結構的破壞，正好說明了造成疑古思想的各種不同動機，也為古史辨運動開啟了一道大門。事實上，康有為相信的衹是「六經」為孔子所述作，而不是相信「六經」所載的是上古信史。就如同崔述用「聖人之道」來判斷經典的可信度，卻意外發展出疑古思想；到了反儒學運動的五四時期，顧頡剛、胡適、錢玄同等人，全面推翻整個上古信史，將古史的黃金世界打破，古史辨運動於焉展開。

我們可以由此看到民初以來的學者，不論是梁啟超、胡適、或者是余英時，他們基本上都以一定程度的「復古」來看待清代學術的某種趨勢。而要「復古」，就必然得面對一定程度的「疑古」與「考信」，若心中沒有懷疑，那麼便只有「信古」的問題，那會生出要求「復古」的呼聲？因有疑而要考信，故不論是清代學者的某種揚漢抑宋，或者崔述的直接將「六經」視為「聖人之道」而做為考證古史之可信或不可信的基本標準，又或者是康有為那樣獨斷的以「六經」為孔子所述作，是孔子託古改制的理想所依，本欲以孔子為依靠而高舉其政治思的可信度，卻反而導致「六經」為古代信史的信仰的崩解。這些學術本身的發展，都一定程度的為民初古史辨運動的學者們提供了相當美好的疑古養份，讓他們得以在這一條學術發展的脈絡中取得主流的地位，展開他們全面重新討論中國古代歷史的運動。

另外，像章實齋在《文史通義．易教上》所提的「六經皆史」之說，[10] 其對古史辨運動的影響也是十分明顯而重要的。彭明輝在同一書中這樣說

10 〔清〕章學誠：《文史通義校注．卷一．內篇一．易教上》云：「六經皆史也。古人不著書，古人未嘗離事而言理。六經皆先王之政典也。」（北京市：中華書局，1994年3月），頁1。

道[11]：

> 表面上，章實齋的理論似乎看不出有任何疑古思想的影子，但深一層看，「六經皆先王之政典」的觀念一提出，其實便有了否定孔子作「六經」的伏線在焉。但無論如何，章實齋基本上仍相信「六經」所建構的古史，不管「六經」是否真為子所作。……如「淮南子・洪保辨」說：「古人有依附之筆，有旁託之言，有偽撰之書，有雜擬之文，考古之士，當分別觀之。」這和古史辨運動時，顧頡剛認為古史多出於有意的偽造，楊寬認為傳說由於自然演變者多，有意偽造者少的爭論，也有某種程度的相契。……

由此，我們可以看到，不論是古文經的代表章實齋所服膺的六經所建構的古史觀念，還是今文學代表的康有為那樣的相信六經為孔子所作，在今古文經學之爭的學術發展中，我們卻看到了一個弔詭而有趣的現象，就是這兩個在經學認識與發展過程中相互對抗的學說派別，他們不論如何批駁對方的見解，基本上都仍是站在信古的立場，希望回復他們心中的古代理想價值。然而歷史的詭戲卻讓他們同時都提供了一個與他們的最大基本立場不同的古史辨運動者「疑古」的最大養份。當然，除了這些學術本身發展的脈絡影響了古史辨運動者之外，如顧頡剛、錢玄同等人，都也曾經或多或少的師事過上述的幾位清末重要學者，而這樣的師承關係，也影響了這個運動的發展方向。[12]

其實學術界持類似清學實際影響了民初以來學術主流發展的論調，尚有許多深具思考的說法，如陳平原在《中國現代學術之建立——以章太炎、胡

11 同註7，頁16-21。

12 如彭明輝在：《疑古思想與現代中國史學的發展・第三章 超越儒學的疑古思想》中說道：「由於胡適與顧頡剛有師生關係，……也更加強了顧頡剛受胡適影響而從事古史辨運動的說服力。……由於錢玄同曾師事今文學派的崔述，又從古文學派的章太炎受業，……錢玄同提到了古史辨運動的淵源，即崔述與康有為的影響。」同註7，頁54-58。

適之為中心・導言》中便這樣說道：[13]

> ……晚清的社會轉型與學術嬗變，或許不如五四新文化運動面貌清晰，但其對於二十世紀中國文化的深刻影響，足證其絕非只是「清學的殿軍」。……經學家周予同稱康、章為今、古文經學的最後大師，……斷言「新史學」的崛起「實開始於戊戌政變以後」，最初的動力來自康氏為代表的今文經學。不管是章太炎、梁啟超，還是羅振玉、王國維，都喜歡談論清學，尤其推崇清初大儒的憂世與乾嘉學術的精微。對於清學的敘述成為時尚，並非意味著復古，反而可能是意識到變革的歷史契機。假如將蔡元培、錢玄同、胡適、顧頡剛等五四一代學人對待清學的態度考慮在內，此一走向更能得到清晰的呈現。從宗旨、問題到方法，中國現代學術都將面目一新。……承認晚清新學對於當代中國文化的發展具有某種潛在而微妙的制約，這點比較容易被接受，可是本書並不滿足於此，而是突出晚清和五四兩代學人的「共謀」，開創了中國現代學術的新天地。「五四」一代學人，似乎更願意在具體學問的承傳上，討論其與先賢的聯繫。……顧頡剛一九二六年為《古史辨》第一冊撰寫長篇自序，突出康有為、章太炎的影響。晚年所作〈我是怎樣編寫《古史辨》的？〉，則強調「我最敬佩的是王國維先生」，類似的論述，如魯迅懷念章太炎，鄭振鐸追憶梁啟超，以及錢玄同談論康、梁、章、嚴、蔡、王等十二子的「國故研究之新運動」，均能顯示晚清與五四兩代學人的勾連。……古史辨運動與晚清經學的聯繫脈絡清晰。

陳平原也指出了古史辨運動看似大張旗鼓的學術新面貌，其實都是某種程度的承繼著清學的發展脈絡，他們或者相當程度的同意，或著反對清代學人的某些看法，但不可諱言的，不論是反對或著同意，他們仍舊是站在清代學人的學術脈絡之中，發展著自己的學術理念與研究。至於晚清和五四兩代學人

13　陳平原：《中國現代學術之建立——以章太炎、胡適之為中心》（臺北市：麥田出版社，2000年5月），頁11-15。

是否有「共謀」開創中國現代學術的新天地？或許仍有商榷討論的餘地。[14] 但他們的學術傳承與影響，卻是我們在探討民初以來學術發展時所不可不知的重要內涵。而我們也必須在有了這樣的基本學術脈絡的發展理解之下，才有可能正確的看待古史辨運動中，他們何以如此研究《易經》、看待《易經》？也才能真切的爬梳出他們討論《易經》的真正內涵，以及這些討論在學術史上的意義。

四　《古史辨》中關於《易經》的主要討論內容

在對於古史辨運動學術脈絡有了清楚理解之後，我們此節要集中討論《古史辨》第三冊中討論《易經》的相關文章的內容。

（一）以李鏡池、顧頡剛所寫篇數、字數最多

在《古史辨》第三冊中，分為上編與下編兩個部份。上編皆為討論《易經》的文章，所收錄的時間起自民國十五年（1926）十二月，至民國十九年（1930）十二月止，前後共有五年之久，其內容共有顧頡剛的〈周易卦、爻辭中的故事〉（44頁）、〈論易繫辭傳中觀象制器的故事〉（25頁）、〈論易經的比較研究及彖傳與象傳的關係書〉（6頁）三篇文章，以及在胡適〈論觀象制器的學說書〉後所附的〈跋〉（1頁），疑古玄同的〈論觀象制器的故事出自京氏易書〉（1頁）、〈讀漢石經周易殘字而論及今文易的篇數問題〉（10頁）兩篇文章，馬衡的〈漢熹平石經周易殘字跋〉（4頁）、胡適的〈論觀象制器的學說書〉（5頁）、錢穆的〈論十翼非孔子作〉（6頁）、李鏡池的〈易傳探

---

14 如陳平原在同書〈第六章　關於經學、子學方法之爭〉中提到章太炎「日本講學期間多次抨擊西方和日本的『漢學』，其中一個重要話題便是嘲笑其不識大體而只務瑣碎。晚年之攻擊甲骨學與疑古史學，也與其不滿『專在細緻之處吹毛求疵』的治學風格有關。」（同前註，頁262。）如此則謂其與五四時代新學人「共謀」開創一個新的中國現代學術的天地，仍是不免令人有所保留的。

源〉（38頁）、〈論易傳著作時代書〉、（1頁）〈左國中易筮之研究〉（16頁）、〈周易筮辭考〉（65頁）及因其師顧頡剛〈論易經的比較研究及彖傳與象傳的關係書〉一文所作的〈答書〉（3頁），余永梁的〈易卦、爻辭的時代及其作者〉（28頁）及容肇祖〈占卜的源流〉（57頁）等文，共有十四篇專文討論《易經》的文章，（另有一篇跋及一篇答書）三百〇八頁。而這些篇章曾出現過的報章雜誌則分別有：《燕京學報》一次、《燕大月刊》三次、《北京大學圖書部月刊》二次、《蘇中校刊》、《國立中山大學語言歷史學研究所週刊》各一次（這兩份刊物同是登載錢穆的〈論十翼非孔子作〉）、《燕京大學史學年報》一次、《中央研究院歷史語言研究所集刊》二次，我們可由此看到古史辨運動參與者在當時的《易》學界的某種曝光度。

以寫作篇數言，其中李鏡池有四篇專文加一篇答書最多；顧頡剛則以三篇專文及一篇〈跋〉居次，他們二人所作幾乎佔了一半。其他則為錢玄同的兩篇，馬衡、胡適、錢穆、余永梁及容肇祖各只有一篇。再以論文篇幅來做比較，李鏡池最多，共寫了有一百二十三頁；顧頡剛其次，有七十六頁；另外容肇祖五十七頁，余永梁二十八頁，錢玄同十一頁，錢穆六頁，胡適五頁。（約有二頁的差距是因為篇章之間或多少數行的原因）雖然篇數的多少，字數的多寡，不一定與其學術研究的內容與深度成正比，然而為了提供大家一個仔細的數據比較概念，且以實際的研究貢獻度而言，至少在《古史辨》第三冊中所討論的《易經》相關問題上，篇數、字數最多的李鏡池與顧頡剛兩位學者，無疑是最主要，也最熱衷於《易經》的討論者，也是提出了對《周易》經傳最清楚立場的論述者。而這幾位討論《易經》的學者之中，除了顧頡剛本是古史辨運動的主導者之外，李鏡池則成為日後以《易》名家的唯一一人。因此筆者仍認為此處有稍稍提及在此冊中各位學者討論易經的篇數字數的必要。

（二）探討《周易》經傳的成書時代與作者

古史辨中關於《易經》的討論，其絕大部份是集中在《周易》經傳的作者與年代的討論。這當然與當時的時代不滿中國傳統文化的氛圍有關，故大多在古史辨中呈現的觀點，皆是要將經典拉下與聖賢有關的地位來，而討論《周易》經傳的作者與時代的文章，又可以下面幾個方法來分別觀之：

1 以故事觀點探討

在《古史辨》第三冊裡，明白以故事命名的文章分別有：顧頡剛的〈周易卦、爻辭中的故事〉、〈論易繫辭傳中觀象制器的故事〉，疑古玄同的〈論觀象制器的故事出自京氏易書〉三篇專文。這以故事做為研究《周易》經傳的途徑，是顧頡剛這些古史辨運動者的一種普遍研究古史的手段之一。他在〈周易卦、爻辭中的故事〉中這樣說道：[15]

> 一部《周易》的關鍵全在卦辭和爻辭上，……所以卦、爻辭是《周易》的中心，而古今來聚訟不決的也莫過於卦、爻辭，究竟這兩種東西（也許是一種東西）是文王作的呢？是周公作的呢？是孔子作的呢？這是很應當研究的問題。……現在我先把卦、爻辭中的故事抽出來，看這裏邊的故事是哪幾件？從何時起？至何時止？有了這個根據，再試把它著作的時代估計一下，因為凡是占卜時引用的故事總是在這個時代中很流行的，一說出來大家都知道。

這裡有個值得注意的地方，顧氏認為：「凡是占卜時引用的故事總是在這個時代中很流行的，一說出來大家都知道」，因此，只要把《周易》卦、爻辭中的故事抽出來，看看這些故事大約在什麼時代很流行，便可依此推測出《周易》卦、爻辭成立的年代，必然無法比這些故事發生的年代更早了。這樣的思維方式與推理模式，一直是顧氏的主要研究方法。他樂觀的以故事出現時代為考訂書本出現時代的主要方法，在同篇文章中找出了下列幾個故事，並因之而對於《周易》的成書年代有了一個初步的論定，這幾個故事分別如下：

---

15 詳參顧頡剛：《古史辨》，冊3，頁4-5。

（1）王亥喪牛羊於有易的故事[16]

這個故事在《周易》中存在的地方分別是：大壯六五爻辭的「喪羊于易，无悔。」以及旅上九爻辭的「鳥焚其巢，旅人先笑後號咷，喪牛于易，凶。」

（2）高宗伐鬼方的故事[17]

這個故事在《周易》中存在的地方分別是：既濟九三爻辭的「高宗伐鬼方，三年克之，小人弗用。」以及未濟上九爻辭的「震用伐鬼方，三年有賞于大國。」

（3）帝乙歸妹的故事[18]

這個故事在《周易》中存在的地方分別是：泰六五爻辭的「帝乙歸妹，以祉元吉。」以及歸妹六五爻辭的「帝乙歸妹，其君之袂不如其娣之袂良。月幾望，吉。」

（4）箕子明夷的故事[19]

這個故事在《周易》中存在於明夷六五爻辭的「箕子之明夷，利貞。」

（5）康侯用錫馬蕃庶的故事[20]

這個故事在《周易》中存在的地方是：晉卦辭的「康侯用錫馬蕃庶，晝日三接。」

上述幾個故事，為習《易》者所熟知，對於《周易》卦、爻辭的成書年代的考證，有著極大的助益，學界多已詳論之，此處不再多做說明，僅引其說之大概，供讀者參考。

（6）其他被說成是文王的故事[21]

另外，顧頡剛還認為下列卦爻辭中的故事，也是被當做文王時的故事來

16 詳參顧頡剛：《古史辨》，冊3，頁5-9。
17 詳參顧頡剛：《古史辨》，冊3，頁9-11。
18 詳參顧頡剛：《古史辨》，冊3，頁11-15。
19 詳參顧頡剛：《古史辨》，冊3，頁15-16。
20 詳參顧頡剛：《古史辨》，冊3，頁17-19。
21 詳參顧頡剛：《古史辨》，冊3，頁19-25。

看，而他卻未必同意的。他說道：

> 除了以上幾事約略可以考定之外，還有幾條爻辭也是向來說成文王的故事的。其一、升六四云：「王用享于岐山，吉，无咎。」王弼注云：「岐山之會，順事之情，无不納也。」孔氏《正義》申之曰：「六四處升之際，下體二爻皆來上升，可納而不可距，事同文王岐山之會，故曰『王用享于岐山』也。」這是把「王」釋為文王，把「享于岐山」釋為岐山之會的，該有岐山之會一段事，但文王有岐山之會嗎？在我們看得見的文籍裏毫沒有這件事的踪影，不知道王弼是怎樣知道的？周之居岐，從公亶父起到文王已好幾代了，周之稱王，從太王起到文王時已三傳了，這條爻辭只可證明周王有祭于岐山的事，至于哪一個周王去祭，或是每一個周王都應去祭，這一條故事說的是一件故事，或是一個典禮，我們都無從知道。其二，隨上六云：「拘係之，乃從維之，王用享于西山。」……鄭注云：「是時紂存，未得東巡，故言『西山』。」這也是把王釋為文王的。其實沒有確實的根據，和上一條一樣。……其三，既濟九五云：「東鄰殺牛，不如西鄰之禴祭，實受其福」鄭玄注《禮記》，於〈坊記〉引此文下注云：「東鄰，謂紂國中也。西鄰，謂文王國中也。」《周易集解》引崔憬曰：「居中當位於既濟之時，則是當周受命之日也。」他們以西鄰屬文王，正和上條的西山一樣，只因周在商的西面，而且周和商的對峙是在文王時，故西鄰東鄰應屬於文王與紂。其實那時，鄰國相望，就使有這故事，也何嘗定屬於商周呢？……

其實上述幾個故事，顧頡剛反駁傳統說法時，都是十分無力的，他用的多是後人對他的方法論中最大的批評之法──「默證」，[22]亦即是如他在解說升

---

22 如彭明輝在《疑古思想與現代中國史學的發展．第三章　超越儒學的疑古思想》引張蔭麟對顧頡剛濫用「默證」討論古史的大力抨擊云：「凡欲證明某時代無某某歷史觀念，貴能指出其時代中有與此歷史觀念相反之證據，若因某書或今存某時代之書無某史事之稱述，遂斷定某時代無此觀念，此種方法謂之『默證』。（Argument from

六四「王用享于岐山，吉，无咎。」時說的「但文王有岐山之會？在我們看得見的文籍裡，毫沒有這件事的踪影，不知道王弼是怎樣知道的」云云，他不能證明不是文王，便反過來說因沒有見到這個享于岐山的王是文王的確切資料，故不一定是文王。這樣的說法其實可笑，我們也可以照他的邏輯做推論，既沒有說不是某某，所以便可能是某某了？那歷史不知得如何擴大的、無限的被任意解釋了。不論隨上六的「王用享于西山」，或者既濟九五的「東鄰、西鄰」，鄭玄、王弼以來既已如此說之，則其說必有所承，是秦、漢以來家法中必有此說，我們既不能確定的否認這個說法必然為非，那麼至少在就與事件發生時間距離的遠近關係來看，在某種程度上，秦、漢間人的說法既然較我們與事實發生時要近兩千年，那麼與其相信我們現代人的沒有證據的推論，當然不如去相信更接近歷史發生事實時人的說法來得更客觀些。《古史辨》中許多令人詬病之處，實多與他們濫用類似方法做推論斷定有關。

他又因上述的幾個《周易》中的故事，推出了以下幾個否定了上古聖賢故事傳說的結論。「第一是沒堯舜禪讓的故事，第二是沒有聖道的湯武革命的故事，第三是沒有封禪的故事，第四是沒有觀象制器的故事。」基本上都是延續者前述幾個《周易》故事所做的推論。簡單的說，顧頡剛心底已先認定〈繫辭傳〉晚出，所以只要其他秦、漢間的書與〈繫傳〉所說有類似之處，他便一律的說成是〈繫傳〉抄襲自旁書的，這樣意氣的推論，當然來自於其心中早已橫梗一個論點了。

經過了本文以上所引的論述後，顧氏做了一個結論：[23]

> 作卦、爻辭時流行的幾件大故事是後來消失了的。作《易》傳時流行的幾件大故事是作卦、爻辭時所想不到的，從言些故事的有與沒有上，可以約略地推定卦、爻辭的著作時代。它裏邊提起的故事，兩件

Silence）默證之應用及其適用之限度，西方史家早有定論，吾觀顧氏之論證法幾盡用默證，而什九皆違反其適用之限度。」同註7，頁8-89。

23 詳參顧頡剛：《古史辨》，冊3，頁43-44。

> 是商的，三件是商末周初的，我們可以說，它的著作時代當在西周的初葉，著作人無考，當出於那時掌卜筮的官，（即巽爻辭所謂「用史巫紛若」的史巫）著作地點當在西周的都邑中，一來是卜筮之官所在，二來因其言「岐山」言「缶」，都是西方的色彩。這一部書原來只供卜筮之用，所以在《國語》（包《左傳》）所記占卜的事中引用了好多次，但那時的筮法與筮辭不止《周易》一種，故《國語》所記亦多不同。此書初不為儒家及他家所注意，故戰國時人的書中不見稱引，到戰國末年，才見於《荀子》書，比了《春秋》的初見於《孟子》書還要後。《春秋》與《易》的所以加入「《詩》、《書》、《禮》、《樂》」的組命而成為六經的緣故，當由於儒者的要求經典範圍的擴大。到《周易》進了「經」的境域，於是儒者有替它作傳的需要，在作傳的時候，堯、舜禪讓的故事，湯武征誅的故事早流行了，就是黃帝、神農、伏羲諸古帝王也逐漸出來而習熟於當時人的口耳之間了，所以《易》傳裏統統收了進去，請他們作了《周易》的護法，這時候（漢初），正值道家極發達的當兒，一般儒者也受了道家的影響，所以《易》傳裏很多道家意味的說話。這時候《世本》出來了，《淮南子》出來了，作〈繫辭傳〉的人就取了《世本》中的古人創作的一義和《淮南子》中的「因其患則造其備」的一義，杜造了觀象制器的一大段故事，以見《易》的效用之大。

以這段結語來看，顧氏對於《周易》卦、爻辭和作者的推論，大致與今日我們所知的情形相近。因此，我們可以知道顧氏的《周易》研究是有一定的可信度的。但何以其對《易》傳的推論卻與今日我們所知的情況有較大的差距？這之間主要的原因，還是在於他自己的主見實在太過強烈。凡是與三皇五帝聖賢等有關的東西，他都要一律斥之為後代所偽，而絕不肯客觀的去做研究，這當然與他所以為的中國古史的概念有相當重要的關係。以當時的社會氣氛而言，西風極為強勢，而中國傳統文化幾乎一律被視為落後無益之物，既是如此，那裡會有什麼古代聖賢美好的事實？如果中國古代文化那樣美好，就不致於會讓現代中國如此落後。因此，在某種自尊又自卑的強烈情緒之下，客觀的學術研究也就十分難以存在了。再者，若以他對《周易》卦、爻辭的制作時代為周初的推論來看，何以幾條他所提出的漢人以「文王」釋卦爻辭中的「王」字，如升六四「王用享于岐山，吉，无咎。」隨上六「拘係之，乃從維之，王用享于西山。」皆被他以幾乎無法理解的論調予以否定，說成「未必是文王」云云。既然卦、爻辭在周初完成，那做為周王朝正式成立的始祖文王而言，掌管卜筮之事的周代史巫，以其開國之君為卦、爻辭中的例子，不正是最為合情合理？為何顧式卻又絕不承認其時代的符合性？其中的原因也在其深植心中的自尊又自卑的民族情緒了。這自然也是左右了他某些研究十分突出，而某些推論卻又極不合理的心理原因了。

另外兩篇明白宣稱以故事做為理解研究《周易》經傳途徑的專文，分別是顧頡剛的〈論易繫辭傳中觀象制器的故事〉及疑古玄同的〈論觀象制器的故事出自京氏易書〉，另外胡適之先生亦有〈論觀象制器的學說書〉，對顧氏之文做了回應。基本上這些都是源自於上一篇〈周易卦爻辭中的故事〉的寫作而來的。[24]儘管顧頡剛在為這篇文章命名時，仍以「故事」突顯出他在此文中以這個方法做為理解《周易》經傳著作年代的途徑，然而我們卻發現這篇文章的前面一大部份都不是以故事來討論《易》傳的著作時代，而是引了許多當時學界前輩的說法做為證明。這些說法在當時關於《易》傳著作年代的討論中，是具有十分重要的影響與份量。

在〈論易繫辭傳中觀象制器的故事〉[25]一文中，顧氏專就〈繫辭傳〉中觀象制器的那一段文字做討論，他以為〈繫辭傳〉這段將伏羲、神農、黃帝、堯、舜等聖人連結起來，並且各自因《周易》六十四十卦而製作出許多

---

24 顧頡剛在〈論易繫辭傳中觀象制器的故事〉一文中，有一段前言說到這篇文章寫作的原由云：「去年秋間作〈周易卦爻辭中的故事〉一文，刊入〈燕京學報〉第六期。作完了之後，又發生了些新見解，因就編講義的方便，編入中國上古史研究講義去。適之、玄同兩先生見之，皆有函討論……。」（詳參顧頡剛：《古史辨》，冊3，頁45）可見這些文章基本上都是〈周易卦爻辭中的故事〉這一篇文字的延續，故筆者皆將之歸入「以故事做為理解《周易》經傳的途徑」一類之中。

25 詳參顧頡剛：《古史辨》，冊3，頁50-51。

日常用物，如伏羲因離卦的卦象而結繩為網罟，以佃以漁；神農因益卦卦象而作耒耨，因噬嗑卦象而以日中為市，交易天下之物；黃帝、堯、舜則因乾、坤二卦而垂衣裳以治天下，因渙卦卦象而作舟楫，因大壯卦象而作宮室，因大過卦象而作棺槨等，是〈繫辭傳〉以為所有日用器物皆是這些聖人因看了六十四卦卦象而作，這六十四卦又是本於八卦而來，而八卦則是伏羲觀天法地與鳥獸等各種自然現象而造出來的。如果依而推論，我們得到的答案應是，這些聖人之所以製作出這麼多的日用器物，乃源於其觀察自然界一切現象變化而來。（因八卦而來自伏羲對自然外界的觀察）然而顧氏卻因為一心想要建立其所以為的古史，打倒其所不認可的中國古代三皇五帝的傳說歷史，因此便將這麼簡單的推理，直接跳過伏羲觀察外界事物而作八卦，而有六十四卦，因之而製造諸多日常用物的邏輯，而變成「一切的物質文明都發源於《易》卦，沒有《易》卦則聖人便想不出這種種的東西來。」顧氏的邏輯推理當然不可能如此差，這自是由於其有一既定觀念早已橫梗於心中，為了圓成此一既定的觀念，所以或自知，或不自知的犯了如此簡單的錯誤。類似這種意氣的目的論式的推論，在其文字中，是屢見不鮮。[26]

接著顧氏又將〈繫辭傳〉分別與《世本》及《淮南子》做比較，而這樣的比較在第一篇〈周易卦爻辭中的故事〉中已經寫了一次，他也在文章前面提了關於這一部份的重複出現而不刪的原因，大抵上他要說明的就是〈繫辭傳〉這段觀象製器的故事乃是後人加入的，時代是比這兩本書都還要晚出。

---

26 如他在〈論易繫辭傳中觀象制器的故事〉中這樣說道：「……因為照它說，制器之理既全具於卦象，則畫卦之後馬上可以推演出許多新東西來。而伏羲是畫卦的人，他早已把卦象卦變弄清楚看明白了，為什麼他只把這個方法使用了一次，作成了罔罟之後就停手，不再造船以便捕魚，乘馬以便打獵呢？神農既會觀象而制耒耜，為什麼不再觀象而制杵臼，使田裏出產的五穀可以舂掉了稃皮呢？……」如果顧氏這種推論是合理的話，那麼人類的歷史演進自可不必了。因為一切都可以在伏羲時都被完成了。蓋人類的歷史自有其演變的過程，或者進步，或者倒退，這是自然之理。有人能夠觀象制器，這並不是什麼大事，就如今人不斷的能有各種創意是一樣的，但怎能說一個人可以發明罔罟，便也得會發明舟楫、乘馬，才算合理。一個人發明了耒耜這種農作工具之後，就也得發明杵臼來舂米才是合理。這樣的意氣之論，實在令人不敢苟同。（詳參顧頡剛：《古史辨》，冊3，頁61）

他認為淮南子善《易》、喜《易》，若〈繫傳〉是孔子所作，淮南子晚了孔子三百多年，理當襲用〈繫辭傳〉中這些類似的話來佐證自己的說法，可是《淮南子》中卻沒有這樣做，因《淮南子》沒有引〈繫辭傳〉中類似說法以為佐證，可以反推回去說明《淮南子》時，〈繫辭傳〉此篇文字仍未出現。

像顧氏這兩段說明的不合理與推論的過於獨斷，我們都可以由本文註二十二中關於前人對於顧氏濫用默證之法的批評，得到其所言的不合理的佐證，是以不必再多做說明。但在這裡我們仍要說的是，以顧氏當年的學術熱情與努力，（看他寫作所引用的古今書目及在古史辨中所發表的字數可以得知）都不可避免的不斷犯著「目的論」下的錯誤，實在可以讓處於今日的我們在做學術研究時，對於自己是否已先有「定見」再找資料說明的問題，多做更深一層的思考與自我提醒。這亦可說是古史辨運動的這批健將們，給予我們的一個重要提醒與示範。在本篇文章的最後他又談及〈繫辭傳〉這一章是基礎於〈說卦傳〉的物象而來的，而〈說卦傳〉則是建築於「九家易」的互體和卦變上的，而這互體卦變之說是京房一派所出，因而說：[27]

> 〈繫辭傳〉中這一章是京房或是京房的後學們所作的，它的時代不能早於漢元帝，因為它出現在西漢的後期，所以《世本》的作者不能見它，《史記》的作者不能見它，其他早一些的西漢人也都不能見它。……

並且對〈繫辭傳〉已被司馬遷的父親引用過，此篇文字怎麼會晚到漢元帝時才出現的問題提出回答，云：[28]

> ……就說是京房一班人假造的，然《易經》的本子尚有施讎、梁丘賀諸家，這偽作的一章，即使僥倖插入了孟喜一家的本子，如何可以遍偽他家而盡欺天下之目呢？我說，古書的被人竄亂是常有的事情，一篇之數，大體不偽而部份偽的，所在多有。

27 詳參顧頡剛：《古史辨》，冊3，頁67。
28 詳參顧頡剛：《古史辨》，冊3，頁67-68。

其以為「古書的被人竄亂是常有的事情，一篇之數，大體不偽而部份偽的，所在多有。」然而他以這個理由說明〈繫辭傳〉此章被京房一派竄入是不無可能的，實在是理由太過牽強。此處並不討論這篇文字是否真為京房一派竄入與否，想要探討的是這樣過度牽強附會且無限延伸的推斷，實在給予我們這些後生晚輩不小的警惕。

而錢玄同的〈論觀象制器的故事出自京氏易書〉則只是短短的一頁書信，主要是對顧氏在〈論易繫辭傳中觀象制器的故事〉一文中謂〈繫辭傳〉某一段文字為京氏學者竄入的看法大加肯定，並且提出「熹平石經」為京氏《易》的證據，有「坎」字作「欿」可作證明。(關於「熹平石經」事，本文將於下一小節〈關於漢石經周易問題的討論，亦涉及周易經傳年代作者問題〉中論之)。

相較於錢玄同對於顧氏說法的大表贊同，胡適則作〈論觀象制器的學說書〉，表示了他在「觀象制器」說上有不同的意見。胡適不憚煩瑣的逐一就顧頡剛所提作為〈繫辭傳〉晚出的證據，包括《世本》、《淮南子》、《三統曆》、《史記》中的文字，一一予以反駁之後，更對於顧氏「太不依據歷史上器物發明的程序，乃責數千年前人見了『火上水下』的卦象，何以不發明汽車、船？似非史學家應取的態度。」而云：[29]

> 至於「觀象制器」之說，本來只是一種文化起源的學說，原文所謂「蓋取諸某象」，正如崔述所謂「不過言其理相通耳，非謂必規摹此卦然後能制器立法也。」〈繫辭〉本說「《易》者，象也。象也者，像也。」所謂觀象，只是象而已，並不專指卦象。卦象只是象之一種符號而已。……事物之發明，固有次第，不能勉強。瓦特見水壺蓋衝動，乃想到蒸汽之力，此是觀象制器。牛敦見蘋果墜地，乃想到萬有引力，同是有象而後有制作。然瓦特有瓦特的歷史背景，牛敦有牛敦的歷史背景，若僅說觀象可以制器，則人人日日可見水壺蓋衝動，人人年年可見蘋果墜地，何以不制作呢？故可以說「觀象制器」之說不

29 詳參顧頡剛：《古史辨》，冊3，頁86-87。

> 能完全解釋歷史的文化。然不可以人人觀象而未必制器，乃就謂此說完全不通。更不可以說「在〈繫辭傳〉以後也不曾有人作出觀象制的事」。……制器尚象之說只是一種學說，本來不是歷史，六十四卦的象傳皆不明說某帝某王，只泛說「君子」「先王」而已。〈繫辭傳〉此章便坐實了某帝某王，可說有稍後出的可能。然〈象傳〉六十四條皆有觀象制器之意，與〈繫辭〉此章確是同一學說，同出于一個學派。……至於你的講義中說制器尚象之說作于京房一流人，其說更無根據。……

比較胡適與顧頡剛二人的說法，我們可以清楚的看出，顧氏強烈目的論下的推論之不合常理。與顧氏有師生之誼的胡適其雖覺顧氏之推論有諸多不是之處，然提筆為文仍皆十分客氣，展現了他一代學人的風度。相對的，顧氏在此文（作於民國十九年二月一日）之後，附錄了一小段自己的回覆，（於民國十九年十二月十二日）這段回覆之無力卻仍強要辨駁之語，就更不足道了。

以上是就《古史辨》第三冊中，在文章題目上明白宣稱以故事的路徑來探討《周易》經傳的時代作者等問題的詳細內容。疑古最力的顧頡剛與錢玄同，他們大柢認為《周易》卦、爻辭成於周初卜筮之官之手，而非文王、周公等聖人之作，而對於《易》傳的部份，他們則認為最早不能過戰國之末，最遲也不能過西漢之末。其至〈繫辭傳〉觀象制器一段，則是襲用了《世本》與《淮南子》中的某些說法，可能是在漢宣帝以後才出現的，是京氏學者所竄入，故這七種《易》傳皆是西元前三世紀中逐漸產生的，至於作者大部分是曾受道家深刻暗示的儒者。而胡適之則提出〈繫傳〉觀象制器一段不可能晚於《世本》、《淮南子》，亦不可能是京房一派的學者所竄入，〈繫辭傳〉至晚在戰國末楚、漢間人已知有此書的不同看法。

2 以其他書籍佐證之

在《古史辨》第三冊中，討論《周易》經傳作者及時代而不以「故事」

的觀點說之的則有：錢穆〈論十翼非孔子作〉，余永梁〈易卦爻辭的時代及其作者〉，李鏡池〈易傳探源〉、〈論易傳著作時代書〉，顧頡剛〈論易經的比較研究及彖象傳的關係書〉。簡單的將們的主要論點整理如下：

（1）錢穆〈論十翼非孔子作〉

這篇文章於民國十七年（1928）在蘇州青年會學術講演會講過，並刊入《蘇中校刊》第十七、十八合期，又載於民國十八年（1929）《國立中山大學語言歷史學研究所週刊》第七集．第八十三、四合期中。可以分為兩個部分來看，一是前六項證據證明〈十翼〉非孔子所作，其主要內容為：其一，魏文侯尊儒好古，又以子夏為師，何以晉朝在河南汲郡魏襄王的古墓裡得到一大批古書，內有《易經》兩篇，卻沒有〈十翼〉？其二，《左傳》魯穆姜論元亨利貞四德與今〈文言〉篇首略同，以文勢看，是《周易》抄《左傳》。其三，《周易》艮卦〈象傳〉有「君子思不出其位」，《論語》作「曾子曰」，若孔子作〈十翼〉，《論語》不應誤作「曾子曰」。其四，〈繫辭〉中屢稱「子曰」，明非孔子手筆。其五，《史記．自序》引〈繫辭〉稱《易》大傳，並不稱經，故不以此為孔子作品。其六，《史記》極尊孔子，〈繫辭〉中詳說伏羲、神農制作，太史公並不是沒有見到，何以五帝託始黃帝，更不敘及伏羲、神農？可證在史公時尚不以〈繫辭〉為孔子作。

其二，則更進一步以四條證據論證說孔子亦無讀《易》韋編三絕之事。其一為，《論語》只有「加我數年五十以學易可以無大過矣」一條，據《魯論》「易」字當作「亦」，《古論》上妄錯易一字。其二，《孟子》書內常稱述《詩》、《書》而不及《易》，〈繫辭〉中有「繼之者善，成之者性」，孟子論性善也不引及。荀子也不講《易》。（今《荀子》書中有引及《易》的幾篇並不可靠）其三，秦人燒書，不燒《易經》，以《易》為卜筮之書，不和《詩》、《書》同樣看待，若孔子作〈十翼〉，《易》為儒家經典，豈有不燒之理？其四，《論語》和《易》在對於道、（《論語》視道為合理的行為，《易》則以抽象的獨立事物說之）天、（《論語》視天為有意志人格的，《易》則將天地並舉為自然界的兩大法象）鬼神（《論語》視鬼神是有意志人格的，《易》則視之為神秘且為氣之和合的）等思想不同，並認為〈繫辭傳〉思想近於老、莊而遠於《論語》。(如〈繫傳〉與老、莊皆言利害，而孔子言義不言利；〈繫傳〉、〈老子〉皆重因果，而孔子則貴知命，僅求活動於現有的狀態之下。)[30]

(2) 余永梁〈易卦爻辭的時代及其作者〉

這篇文章刊於民國十七年十月《中央研究院歷史語言研究所集刊》第一本·第一分之中，主要可以分為下列幾個部分來看：

一，是以商、周兩民族之間的文化關係來看。商、周不是同一民族，商是東方民族，發祥地在山東，盤庚以後不遷徙的主因是因為商中期已由游牧進步到農業社會。周民族的文化較商為低，故周之文字與商同，乃是因與商文化接觸後而用商之文字之故。以理論來看，文化較低的民族征服文化較高的民族是世界的常例，周的一切建設，實在文王遷豐以後發展的，而東方諸器文字在春秋戰國時雖距商已數百年，然其字體結構往往與甲骨文相同，可見周承受商的文化制度似無很大疑義。[31]

二，是商代並無八卦與筮法之興。其主要明有下列幾點：[32]

> (一)、從文字上論，甲骨就沒有卦字、筮字、蓍字，……商如有筮法，甲骨卜辭不應一次都沒有。……(二)、甲骨卜辭所紀的範圍，幾乎沒有一件事不用卜，……那時似是沒有筮法。……(三)、卜法的起源是有特殊物質上的條件，……刻辭是需要大宗的獸骨，也須牧畜社會才能供給，而殷墟出土的甲骨，正是獸骨佔十之七八，龜甲才十之一二而已。筮法是社會進到農業社會，脫離了畜牧時代，大家沒有許多獸骨來刻辭，才有它來適應救濟這種缺乏而產生。(四)、據古書所載，事實上都是先卜後筮，……《哀九年傳》「晉趙鞅卜救鄭，遇水適火，又筮之。」從卜筮次序的先後，也可以證卜筮發明的先後。西南民族也多用雞骨卜法，……《易》卦辭、爻辭是與殷人的甲

---

30 詳參顧頡剛：《古史辨》，冊3，頁89-94。

31 詳參顧頡剛：《古史辨》，冊3，頁143-147。

32 詳參顧頡剛：《古史辨》，冊3，頁147-151。

> 骨卜辭的文句相近，而筮法也是從卜法蛻變出來的。……這種繇辭視兆而作，出于臨時，占辭出于新，亦多有沿用舊辭。如有從前相同的兆所發生的事與占辭，則沿用其舊，如前無此兆，則須新造。兆象這樣地繁難，不易辨識，筮法就是起來解決代替這種繁難的。卦數有一定，則于卦、爻之下繫以有定之辭，筮時遇何卦何爻，即可依卦爻辭引申推論，比龜卜的辨別兆象，實在是進步多了。筮法興後，雖然簡便，但沒有龜卜的慎重，所以只有小事筮，大事仍用龜。《周禮》「以邦事作龜之八命……。」……例如《周易》筮婚事的很多，卜辭很少見。卜辭記祭祀、田獵、征伐的很多，《易》就少見了。從《尚書》、《左傳》中，亦大事歸之卜，小事屬之筮。

三，是卦爻辭與卜辭的比較。其主要明有下列幾點：一、在兩者的句法上，他列出了十六個例子，說明其相似之處。如卜辭「貞我旅吉」，《周易》「旅貞吉」之類。二、在成語的比較上，他舉了八個例子，如卜辭「有它」，《周易》「亡它」；卜辭「克」，《周易》「弗克」；卜辭「得」、「亡得」，《周易》「有得」、「无得」之類，來證明易之方自卜辭。[33]

四，是從史實上證卦爻辭為周初作。他的主要看法如下：[34]

> ……（一）風俗制度　卦、爻辭本是日常所用書，故取日常之事，我們考《易》所言的古代民俗，如（甲）、屯六二「屯如邅如，乘馬班如，匪寇，婚媾，女子貞不字，十年乃字。」六三「即鹿無虞，惟入于林，君子幾不入舍，往吝。」六四「乘馬班如，求婚媾，往吉，无不利。」上六「乘馬班如，泣血漣如。」古代婚姻掠奪之情畢現。……（乙）、臣妾奴隸制度在卜辭中常見，如奴、妾、奚等，臣最初的意義當是對外族而言。奴隸發生的來源有二，一為對外獲得的俘虜，一為對內有罪的百姓。微子「我罔為臣僕」，就指俘虜而言。

---

33 詳參顧頡剛：《古史辨》，冊3，頁151-157。

34 詳參顧頡剛：《古史辨》，冊3，頁157-162。

《禮記・少儀》「臣而左之」，注「臣謂囚俘」，亦是其義。遯九三「畜臣妾」、損上九「得臣无家」，正可與盂鼎「錫汝臣十家」互證。……（丙）、用貝　最古的貨幣制度是用朱、玉、貝，殷墟亦出有骨貨。……在周初也還有用貝的，如〈公中彝〉之「貝五朋」，〈撫叔敦蓋〉之「貝十朋」，……損、益二卦的「或益之，十朋之龜」，亦用「十朋」這名詞，——東周前的常語。（二）、史事　……〈繫辭〉還沒有把《易》當做文王、周公作的，現考知為文王事的有：（A）、帝乙歸妹　泰六五「帝乙歸妹，以祉元吉。」、歸妹「帝乙歸妹，其君之袂，不如其娣之袂良，月幾望，吉。」《易》是周卜官作的，何以他去記帝乙嫁女的事呢？原來並不奇怪，因為正是嫁女與文王呢！……（B）、享于西山、享于岐山　隨上六「拘係之，乃從維之，王用享于西山。」升六四「王用享于岐山，吉，无咎。」……西山也是岐山，皆文王之事。……（D）、既濟「東鄰殺牛，不如西鄰之禴祭，實受其福。」周初對商稱東土，己稱西土，如〈牧誓〉「逖矣西土之人。」……以上四事，皆可認為卜官記文王的事。……卦、爻辭所記之事皆在周初，最晚的事也只到康侯，……康侯這時還沒有封衛，則是在武庚、管叔未叛之前。從上面史實推知卦、爻辭作於成王時，大概可以說有些根據。卦、爻辭在當時一卦一爻之下，儘有不同的繇辭，後來才刪削成定本，所以卦、爻辭有同樣的事實而分隸於不同的卦爻之下，如「帝乙歸妹」的事兩見，「高宗伐鬼方」的事兩見，可知卦爻辭是逐漸增易，到後來才完整。

余永梁此處對卦、爻辭的制作年代，基本上與顧頡剛的看法一致，只不過在一些卦、爻辭中的故事之外，再加上一些文字與風俗習慣的考證，來更證明卦、爻辭成於周初。至於他將卦、爻辭重複出現在不同的卦爻之下，看做是《易經》逐漸增益而成，非成於一人一時之手，反而可以對比出古人，如清・焦循他們將之視作聖人寓意之處的不同。[35]蓋當我們的觀念想法不同

35 關於焦循的解《易》，可參看筆者：《清焦循易圖略・易通釋研究》（桃園縣：國立中央

時，對於同樣的東西，其看法與詮釋便可能有南北兩極截然不同的差距，此例亦可做如是觀。至於關於歷來各種《易》的作者的說法，不論是孔子作《易》，還是卦辭文王作，爻辭周公作，或者三《易》之說（他認為〈連山〉、〈歸藏〉皆是漢人所偽）等，都被他一一的加以否定，並在文章的最後總結說道：[36]

> ……《易》本來只是一部卜筮之書，所以秦焚六書，而《易》獨以卜筮之書得存。在西周巫史未分家的時候，巫者之流作了《易》，浸入民間很深。至東周巫、史分了家，史的位置漸高，向士大夫階級一邊走，巫只有落在下層了。《易》本是卜巫的專利品，史與儒家結合，還把《易》抓在手，一部《易》在戰國以至秦、漢，就各家都生影響。儒家、道家、陰陽家，以及方士、讖緯，都是言《易》的。

余氏此處結語，以其對《易》在歷史中的發展言，無寧是十分持平之論。其謂「一部《易》在戰國以至秦、漢，就各家都生影響，儒家、道家、陰陽家，以及方士、讖緯，都是言《易》的」，正一言道中今人或有人持《易》與儒近，或有人謂《易》與道近，實則《易》在歷史的發展之中，實已浸入各家的學說之中了。

（3）李鏡池〈易傳探源〉、〈論易傳著作時代書〉

這〈易傳探源〉刊於民國十九年（1930）十一月《燕京大學史學年報》第二期之中，而〈論易傳著作時代書〉乃是在民國十九年三月十三日寫給他的老師顧頡剛的書信，顧氏則於民國十九年三月二十一日回以〈論易經的比較研究及彖象傳的關係書〉一文，而後李氏又作一〈答書〉回給顧氏，故這幾篇文字應視為同一個主題的作品討論之。首先關於〈易傳探源〉一文，是李鏡池對《易》傳研究的力作，其主要可以分為下列兩個部分來看：

一，是「《易》傳非孔子作的考證」，他先扣緊「五十以學《易》」與孟

大學中國文學研究所碩士論文，1994年6月）。

36 詳參顧頡剛：《古史辨》，冊3，頁168。

子不談孔子作《易》，來談論孔子與《易》無關，（案：此說與前面各家論孔子與《易》的關係大同小異）其次則是引歐陽修、趙汝談、姚際恆等人曾對孔子與《易》傳的關係發出疑問的說法，並引近人馮友蘭在思想方面考證《易》傳非孔子所作，（案：此方面前引錢穆先生之文亦已提之）並引了馮氏其中一段話：[37]

> ……一個人的思想本來可以變動，但一個人決不能同時對于宇宙及人生真持兩種極端相反的見解，如果我們承認《論語》上的話是孔子所說，又承認《易》〈彖〉〈象〉等是孔子所作，則我們即將孔子陷於一個矛盾的地位。

然而如果我們稍微細心對這段話思考一下，將會發現其中有些不合理的推斷。首先是一個人對於宇宙人生在不同的心情與感受之下，能不能、會不會有矛盾不同的見解？人在順心與逆境之中，對人生的看法態度都會始終相同？這是不無疑問的。再者，《論語》與《易》傳對天、道等的思想的不同，為什麼就會是陷孔子於矛盾之地？誰說孔子是同時期傳授這兩部作品？如果傳授這兩種作品的時間或者情緒與生命的境界、人生的感受不同時，難道人不會有所感悟與成長？我們今日以客觀的態度來看這些前輩的看法推論時，其實是不難發現處處都有十分強烈的目的存在其中，更別說以今日出土的資料，愈發的可以證明孔子與《易》是有關係的，他是極可能傳授過《易》的，（本文將在後面章節提之）而李鏡池便據馮氏這樣粗疏的看法而謂：[38]

> 現在我們可以乾脆的說了，孔子並未作過《易》傳，說「孔子傳《易》」底，出于後人底附會。

且不論孔子作《易》傳與否，像李氏這樣跳躍式的把「未作過《易》傳」直

---

37 詳參顧頡剛：《古史辨》，冊3，頁100。

38 詳參顧頡剛：《古史辨》，冊3，頁101。

接與「未傳過《易》」畫了等號，實在是不知教人如何苟同了。

其次是「《易》傳著作年代先後的推測」，這當然是先基於決定了孔子與《易》傳的關係之後，再做更進一步的討論。他將《易》傳七種分為三組來討論，第一組是關於〈彖傳〉與〈象傳〉，他認為是有系統且較早出現的釋經之傳，年代約在秦、漢間，作者是齊、魯間的儒家者流。第二組是〈繫辭〉與〈文言〉，他認為這是彙集前人解經的斷簡殘篇，並加以新著的材料，年代約在史遷之後，昭、宣之前。第三組是〈說〉卦、〈序〉卦與〈雜〉卦，這是最晚的作品，年代在昭、宣之後。在這篇文章中，他對《易》傳七種的著作年代都給了一個推論，接著在給他的老師顧頡剛的書信〈論易傳著作時代書〉裡，對這《易》傳中的〈繫辭〉、〈文言〉二傳的著作年代再更進一步確認的說：[39]

> 上星期曾把《易》傳中的〈彖〉、〈象〉兩傳的著作後先猜想過，同時說及〈繫辭傳〉為較後出，其大約的年代，〈彖〉、〈象〉二傳當著于戰國末年至秦、漢之間，至〈繫辭傳〉恐怕是從漢初直到西漢末。讓我現在更說說我對于〈繫辭〉、〈文言〉二傳的推想，願你切實指教。我頗疑〈文言傳〉就是〈繫辭傳〉中的一部分，後人因為它解釋乾、坤二卦頗為完備，所以分出，另立名目。……《易》傳中，別的傳都是很有系統，很有條理的，只有〈文言〉、〈繫辭〉是「雜拌」。……〈繫辭〉(包括〈文言〉) 實是西漢時代一班《易》學家說《易》的遺著彙錄。

直接說明他認為〈繫辭傳〉、〈文言傳〉可能是同一個東西，而編著年代恐怕是從漢初一直到西漢末年。而顧氏則寫了一篇〈論易經的比較研究及彖象傳的關係書〉的書信給李鏡池，他並沒有針對李的求問，而是對於《易經》標點時的應注重文法的比較對李氏做提醒，並舉例說明。而又說明他之前認為〈彖傳〉即是〈象傳〉的看法，並且比較了一些《周易》〈彖〉、〈象傳〉之

39 詳參顧頡剛：《古史辨》，冊3，頁133-134。

文，而表明他認為「〈象傳〉之爻的部分原與〈彖傳〉相合這一種出現在前，至〈象傳〉的卦的部分則是後來出的。自從出了後一種，而前一種遂分裂。……故我懷疑〈象傳〉之文即是把〈彖傳〉這種話擴充而成的。如果如此，其時的後先就可判定了。」[40]也就是說，顧氏認為今日所見的〈象傳〉是自〈彖傳〉中分出來而成的。然而李氏進一步的對他的老師的這封信又做了一篇〈答書〉回應，除了贊同他的老師「〈象〉後於〈彖〉」的說法外，又再一次的申說〈繫辭傳〉遠後於〈彖〉、〈象〉二傳的看法。基本上他們師生二人對於《易》傳作者年代的看法是差不多的。雖然以篇章來看，似乎收錄了許多在《古史辨》第三冊中，實際上他們的看法幾乎相同。而所最關注的也都是在《周易》經傳作者及成書年代的問題而已。這些看法，有些今日看來依然可信，如《周易》卦、爻辭的成書年代約在周初，〈彖〉、〈象〉二傳約成於戰國末到秦、漢間，但有些看法則已不可信了，如對於其他《易》傳年代的看法，幾乎都已被今日出土文物所否定了。當然，他們（或者錢穆、余永梁等人）皆認為孔子沒有傳《易》的事實，或孔子對《易經》並未有「韋編三絕」的精深研究的看法，以今日來看，恐怕也都有著再商榷的餘地了。

（三）關於漢石經《周易》問題的討論，亦涉及《周易》經傳年代作者問題

這個論題主要由馬衡刊於民國十八年十二月二十日《北京大學圖書部月刊》第一、第二期的〈漢熹平石經周易殘字跋〉和錢玄同刊於同時同期刊物中的〈讀漢石經周易殘字而論及今文易的篇數問題〉兩篇文章所論及。馬衡的文章主要是做校勘的工作，且文字語辭的運用十分嚴謹，全文絕無絲毫過度的推論及意氣用語，與錢玄同、顧頡剛等人的書寫風格大相逕庭。其文在校勘出此出土的漢石經《周易》部份與各本之間的異同，其就校勘後之所得

---

40 詳參顧頡剛：《古史辨》，冊3，頁134-139。

而云：[41]

> ……蓋宋人錄熹平石經，多至千七百餘字，獨未見《周易》，不意後八百年，更得此經數百字，吾輩眼福突過宋人，何其幸歟！以今本校讀，每行七十三字，……茲錄其存字之異文如下：……後漢博士十四人，《易》有施、孟、梁丘、京氏四家，《書》有歐陽、大、小夏侯三家，《詩》有魯、齊、韓三家，《禮》有大、小戴二家，《春秋公羊》有嚴、顏二家。熹平石經之例，以一家為主，而著他家異同於後。……然則《周易》亦必於四家之中以一家為主，而此一家果誰氏乎？以此石證之，蓋用京氏本也。陸氏謂「坎」，京、劉作「欿」。……是用京氏本無疑矣！其碑末校記中，當著施、孟、梁丘之異同，如《詩》、《公羊》、《論語》之例，又可斷言也。

此文經校勘熹平石經所得的結論，熹平石經蓋以京房為主，其他家為輔於後的結論，得到了錢玄同的贊同。而在〈讀漢石經周易殘字而論及今文易的篇數問題〉中說道：[42]

> 馬先生因為此殘字中的「坎」字作「欿」，證以經典釋文所云「坎，京、劉作欿」，疑熹平石經刻石時係用京氏《易》，雖然只有一字的證據，但這一個字非常重要，我認為馬先生的意見是狠對的。

並且因此石經而對〈說〉卦、〈序〉卦、〈雜〉卦這三篇做了一個結論云：[43]

> ……熹平刻石是根據當時立於學官的今文經，東漢立於學官的今文經，其師承有自，都是根據西漢立於學官的今文經。所以漢石經的篇數，我們敢斷言，還是西漢中葉的面目。現在總結幾句，我相信《論衡》和《隋・志》的記載，戴東原和嚴鐵橋的解說，認為——西漢初

41 詳參顧頡剛：《古史辨》，冊3，頁71-73。

42 詳參顧頡剛：《古史辨》，冊3，頁74。

43 詳參顧頡剛：《古史辨》，冊3，頁83-84。

年田何傳《易》時，只有上下經和〈彖〉、〈象〉、〈繫辭〉、〈文言〉諸傳。西漢中葉，（宣帝以後）加入漢人偽作的〈說卦〉、〈序卦〉、〈雜卦〉三篇。這是今文《易》的篇數之變遷，施、孟、梁丘、京都是一樣，到了東漢立十四博士時還是不變。

（四）關於卜筮問題的討論

這類文章在《古史辨》第三冊中，有李鏡池分別寫於民國十九年夏的〈左國中易筮之研究〉及民國十九年十二月十二日的〈周易筮辭考〉，以及容肇祖刊於民國十七年十月《國立中央研究院歷史語言研究所集刊》第一本．第一分的〈占卜的源流〉。李鏡池在〈左國中易筮之研究〉中，將《左傳》、《國語》中有關卜筮的記載與周易的引文作比較，發現《左傳》中約有五、六條，《國語》中約有兩條是引《周易》之文的，也就是說，在《左》、《國》時期，《周易》之外，似乎仍有其他占卜之書。又或者當時的《周易》仍未只定於一本而已，故會有不同的說法。他分幾個小節探討此三者的關係，我們大約說明如下：就「占法」言，他主要相信趙汝楳（周易輯聞附筮宗）的意見而云：[44]

> ……（1）、一爻變，則以變爻占，……（2）、數爻變，則以彖辭（即卦辭）占，……（3）、六爻皆不變，亦以彖辭占，……這些條例，是後人按所載加以推測的，能否得其本來之真相，那就不敢說了。……春秋時所用的占法，未必是原始的占法，正如秦、漢以後的占法，不是先秦的占法一樣。然而春秋時代確曾用《周易》來筮占，筮占又一定有筮占之法。……關於這一點，趙汝楳在《易雅》一書中已先我們說過，他道：「夫儒者命占之要，本於聖人，其法有五，曰身、曰位、曰時、曰事、曰占，求占之謂身，所居之謂位，所遇之謂時，命筮之謂事，兆吉凶之謂占。故善占者，既得卦矣！必察其人之素履，

---

44 詳參顧頡剛：《古史辨》，冊3，頁173-177。

> 與居位之當否，遭時之險夷，又考所筮之邪正，以定占之吉凶。」（〈占釋第九〉）這是從《左傳》、《國語》所載占驗之事加以綜合的解釋的，這個解釋很能揭出筮占變化的原則。……看《左傳》、《國語》所載，《周易》之所以那麼靈驗，斷不是像一爻變用甚麼占，數爻變用甚麼占，不變又用甚麼，那樣簡單的幾條條例所能濟事的。必定要參稽這「身、位、時、事、占」五物，才足盡筮占之能事，得筮占之妙竅，探《周易》之神奇。

而在談「卦象」時，他舉了《左傳》、《國語》中之言卦象的，如：[45]

> 坤，土也；巽，風也；……明夷，日；比，入；隨，出。

等卦象，來說〈說卦傳〉與〈雜卦傳〉之言各卦之卦象是其來有自，而不是自已造作出來的。接著他再討論「卦爻辭釋」時，則比較了《左傳》、《國語》和《易》傳中，相同卦爻的筮辭，認為《易》傳的釋卦爻辭比《左》、《國》的解釋為差，其云：[46]

> ……我們比較各種解釋，覺得《左傳》、《國語》所載比《易》傳為較詳盡切實，其中最沒意義的是〈象傳〉的話，往往說了等于沒說。他的原因，我想是因為前者是卜官或于《周易》有研究的人所解釋，故較為得當。而著《易》傳的作者們，只是儒家者流，他們本來是不大理會《周易》的。……〈象傳〉作者大概還跟卜官之徒有來往，得到點傳授，故所言尚覺不差。至〈小象〉（解爻辭）作者，簡直是東施效顰，直抄爻辭而已。……實則《易》傳之釋《易》，都較《左》、《國》筮辭為差。

將《左傳》、《國語》釋《易》卦爻辭較《易》傳詳盡切實的原因，完全歸究於作者的身份，以為《左傳》、《國語》的作者是卜官或精於《易》的人，所

---

45 詳參顧頡剛：《古史辨》，冊3，頁177-179。

46 詳參顧頡剛：《古史辨》，冊3，頁181-185。

以自然解釋的較拿手。而《易》傳的作者為本不擅《易》的儒家者流，故解釋的便比較不好。其實這已有一預先的立場存在了，也就是他認為孔子是不傳《易》的，故儒家本不熟於《易》，及至戰國以來，占卜盛行，故儒家者流才慢慢對之產生興趣，因研究較晚，故解釋較差。然而如以今日對於出土資料的研究所得來看，孔門確有傳《易》的系統，孔子也很可能真的是「晚而喜《易》」，因此，把《易》傳釋卦爻辭較差的看法歸之於儒家者流不熟《易》，沒有傳《易》的傳統，是有問題的。筆者認為，《左傳》、《國語》與《易》傳之間釋《易》卦爻辭之不同，乃在於立場不同，目的不同而已。《左》、《國》之例，皆是實用之例，有故事背景與當下要用的急迫性，故詮釋某卦之卦爻辭，當是貼近卦爻辭本身實義來講，以論其吉凶當否，給予問者一個方向與答案。然而《易》傳作者多是儒家者流，其雖或者因春秋戰國各種學說紛陳，而多少已混雜他家的學說看法，然而基本上他們在詮釋卦、爻辭時，未必皆如《左傳》、《國語》那樣的在歷史需求的當下，而是對於卦、爻辭文字與意義做更進一步的生命義理的闡釋發揚，故其或者與卦、爻辭之本義關係較《左傳》、《國語》解釋時遙遠，但若謂如此便是較差，我想則又未必了。因為他們各自的當下目的不同，自然所用的語言文字與詮釋方向便有所異，我們不如兩存其美的去回到歷史的當下看待他們之所以不同之故，而不一定要什麼都是近於原意最好。

另外，李鏡池在〈周易筮辭考〉中，於「筮、占與卦、爻辭著作體例」一節的比較分析中，得出同一卦爻中的筮辭，有一次占得的，也有兩次以上不同時空環境下占得的，故筮辭中常有上下文不連貫之處，其云：[47]

> ……我對于《周易》卦、爻辭的成因有這樣的一個推測，就是，卦、爻辭乃卜史的卜筮記錄。《周禮・春官》說：「占人……凡卜筮，既事則繫幣以比其命，歲終則計其占之中否。」所占一定有一爻數占的，因而有數種記錄，到了歲終，就把所占的各種記錄彙集比對，而計其占之中否。所以，卦、爻辭中，很有些不相連屬的詞句，這不相連屬

47 詳參顧頡剛：《古史辨》，冊3，頁187-195。

> 的詞句，我們要把它分別解釋，若硬要把它附會成一種相連貫的意義，那就非大加穿鑿不可。舉例說罷，師之六五「田有禽，利執言，无咎。長子帥師，弟子輿尸，貞凶。」「无咎」以上，當為某次占詞，「長子」以下，當為又一次的占詞。……

這樣的推論，是很有說服力的，並且也解決了許多卦爻辭上下不相連屬而難以詮釋的窘境。除了這種卦、爻辭本身的「不相連屬」狀況的證據之外，他順著這個「不相連屬」的思路，比對出了《周易》中敘事吉凶有時雜沓紛陳的情況，與甲骨文中的占卜之例做比較，更加強了他這種卦、爻辭非全是一次占卜之記錄的看法。其謂「(一)、卦、爻辭是筮占的筮辭，與甲骨卜辭同類。《周易》是卜筮之書。(二)、卦、爻辭其中著作體例與卜辭相同的，為一次的筮辭。其繁複異于卜辭者，為兩次以上的筮辭的併合。」

其次，李鏡池又於「『貞問』及其範圍」一節中，綜合了各種《周易》卦、爻辭中有關「貞」字的組合，論述「貞」為卜問之義，而貞的結果亦有或吉或凶或者指定某種範圍而論吉凶的狀況，並且將卦爻辭的各種貞問內容整理出來，以看出當時人們最在乎或最重大的事。其云：[48]

> 《易》卦爻辭中用「貞」的地方不少，現在分為數項列舉于下：(1)貞吉……(2)貞凶……(3)貞厲……(4)貞吝……(5)利貞……(6)可貞……(7)不可貞……(8)蔑貞……(9)貞……。綜觀卦爻辭所載，大概有下列幾種結果，(1)貞而問吉的，如「貞吉」。……(2)貞而不全吉的，如「貞吉、悔亡、无不利、无初有終。」……(3)指定一種範圍的貞問，如「貞大人吉。」……(4)貞問而凶的，如「貞凶。」……綜觀卦、爻辭所記，筮貞的人物約有下列幾種：(1)君王……(2)侯……(3)大人……(4)君子……(5)丈人……(6)武人……(7)幽人……(8)職官……(9)婦女……(10)小人……(11)丈夫……(12)小子……。我們更統計卦、爻

48 詳參顧頡剛：《古史辨》，冊3，頁195-207。

> 辭所載關于筮占的範圍，可以知道那時代的人的重要生活。……（1）行旅……（2）戰爭……（3）享祀……（4）飲食……（5）漁獵……（6）牧畜……（7）農業……（8）婚媾……（9）居處及家庭生活……（10）婦女孕育……（11）疾病……（12）賞罰訟獄……。

李鏡池在《周易》上所下的工夫，我們可由這篇文章中的各種細節資料的羅列對比當中，看到其之所以成為這幾位《古史辨》時討論《易經》的相關學人之中，最以《易》名家的緣故了。

接著，他又在「卦爻辭中的故事」一節中，全然的引用了顧頡剛之前發表於《燕京學報》第六期的〈周易卦爻辭中的故事〉中的文字（此文本小節最前面已詳細討論過了）而云：[49]

> ……顧先生的結論所定，卦、爻辭的著作時代著作人及著作地點，我認為很對。不過這裏還要補充一下，卦爻辭的材料，大部分是周民族還在遊牧時代的記錄，西周初葉的材料比較的少。……這是說，卦爻辭的大部分著作年代在西周之前，然而《周易》之成功為《周易》，是經過一次編纂而成的，這編纂的時期是在西周初葉。

李氏在此地將《周易》的逐漸形成的背景時代又更進一步的說明清楚，編纂成書固然在西周初葉，然而其所編纂的資料必然來自於編纂前的長期發展之中。

然後，他在「《周易》中的比興詩歌」裡，注意到了《周易》的文學成分，並且與《詩經》做了簡單的比較，擴大的《周易》的研究範疇，同時也以此再度佐證卦、爻辭編纂於西周初年的看法。

接著，他在「卦爻辭中的格言」裡，發現了《周易》中除了故事，還有格言。這種在生活經驗中所學習到的一種綜合觀念而形成的格言，正可以做為他們生活的指導。他舉了兩個例子，分別是泰九三的「无平不陂，无往不復。」及損六三的「三人行則損一人，一人行則得其友。」然後在「卦名與

49 詳參顧頡剛：《古史辨》，冊3，頁207-211。

卦爻辭之編纂」一節中，分析卦名的三種樣式為：一、單詞獨立的，如「乾」、「坤」。二、於他文的，如「履虎尾」、同人于野」。三、省稱的，如「坎」本為「習坎」，「无妄」〈象傳〉謂「物與无妄」等等，並將卦名與卦爻辭之間的關係分為六類，在這樣的比分較分析卦、爻辭的內容之後，無疑的讓人們對於《周易》卦、爻辭的部分有了更深入且詳細的了解，也進一步證成其《周易》是經人有意編纂而成的看法。然後，他又在「『文王演《易》』的傳說的時地背景」對這一個老問題提出自己的看法，他認為：[50]

> ……我們可以把文王的名字除去，推翻他的著作權，但六十四卦的發明者，當是周民族的一個無名作家，或許是一個卜官，他在某一個空閒的時期中，發明出這樣地一個頑意兒。——這是我對于「文王重卦」的傳說的解釋。

他們就是不相信有聖人作《易》這件事，因此儘管他已證成《周易》卦、爻辭編纂完成於周初，這些被編纂的資料則早於周代至少有一段時間，而文王的生存年代亦在此一段時間之中。但他仍寧願自己猜測是某個卜官在某個無聊的空閒時所作的，也不願意承認自古以來文王重卦的傳說。我們在此並不是說文王重卦的這個說法為真確無疑，而是指出，即使傳說中的作者真的身處於那個年代之中，他們也不願意在仍沒有明顯證據證明其非的前題之下，暫且保留這種說法的可能性。

最後他在「卦、爻辭的佚文錯簡」中，談到卦、爻辭在秦火之前與之後都有可能有簡脫的可能。其比較了《左傳》與《周易》，而得出《左傳》所載繇辭有與今《易》略不同或全不同者，亦有卜官筮時臨時所撰者，因此卦、爻辭在春秋戰國時期，似仍未全然定於一尊，而仍有著各種不同的樣貌。最後他對這篇文章做了八點的總結說道：[51]

> 從上面所討論的，我們歸結為幾點：(一)、從卦、爻辭中筮占貞問等

50　詳參顧頡剛：《古史辨》，冊3，頁240。

51　詳參顧頡剛：《古史辨》，冊3，頁250-257。

> 字可以證明《易》是卦筮之書，由卜筮而成，為卜筮而作。(二)、從卦、爻辭的著作體例及其中的格言及詩歌式的句子，可以看出《周易》是編纂而成的。(三)、從《易》辭中所表現的時地性，及「文王演《易》」的傳說的時地背景，可以看出《周易》是周民族的占書。(四)、從《易》辭中所表現的時代性及所敘的歷史故事，可以看出《周易》的編纂年代是在西周初葉。(五)、卦的發明及卦與蓍的關係，我們假定，是蓍先於卦，卦由蓍作。(六)、關於卦與辭的關係，我的假定，其初是沒有關係，後人才從這方面推求。(七)、關於爻之稱「九」「六」，我以為是後起的名稱。(八)、現存的卦、爻辭，是有佚文錯簡的，並不完全。

這些結論，大抵已對《周易》卦、爻辭的相關問題，做了詳細且大致可信的研究，較之其師顧頡剛只就故事觀點談論卦、爻辭的成書年代，這篇對於《周易》卦、爻辭的研究，相對的在結果的深度與廣度上，都更向前推進了一層。

最後則有容肇祖刊於民國十七年十月《國立中央研究院歷史語言研究所集刊》第一本・第一分的〈占卜的源流〉，這篇文章全以時間的先後順序，探討占卜的流傳與演變，首列「從殷墟甲骨考證出古代占卜的實況」一節，謂甲骨占卜盛於殷朝而未必起於殷朝，並引《殷墟書契考釋》之「凡卜祀者用龜，卜它事皆以骨，故殷墟所出獸骨什九，龜甲什一而已。」說明龜甲是卜祭祀的大事，而獸骨則卜其他一般生活之事，並從該書而知「殷代的卜法，或鑿或鑽，而契後又用灼以求兆。」其云：[52]

> ……殷墟甲骨所記的卜辭，很是簡單，不過紀所卜的事和所卜的吉凶而止。據《殷墟書契考釋》所記，除斷缺不可讀的外，卜祭的三百六，卜告的十五，卜享的四，卜出入的一百二十八，卜田獵漁魚的一百三十，卜征伐的三十五，卜年的二十二，卜風雨的七十七，這八事

52 詳參顧頡剛：《古史辨》，冊3，頁255-256。

> 外，尚有其他所卜的事情。……看這些卜辭，都是簡單的對事表示吉凶可否，是沒有定辭的。

因此，我們知道甲骨卜辭對於吉凶的表示都是簡單而清楚的，其所卜的內容則以祭祀、出入、田獵、風雨等事最多，可見當時人們除了敬天地鬼神之外，最重視的仍是出入行旅的安全與飲食的取得等生活尋常之事。

接著在「周代的占卜—龜、筮、筳篿及星占等」一節中，則對於周代開始出現的各種占卜之法予以說明，他專以占筮的演變與對比《左傳》、《國語》中的占筮之辭與《周易》間的異同，將周代時各式各樣的占卜技術記錄下來，並且由卜辭的對比而看到殷商時仍簡單的卜辭，到周代時已變得繁複了，而這個繁複的現象，便是後來在《左傳》、《國語》中有許多占卜之辭是沿用《周易》一書的緣故。此乃一逐漸的演變過程，由簡到繁到有人逐漸整理成冊，供占卜者參考之用，是故春秋時代占筮者多本於《周易》。由此可見，《周易》成書的年代必在春秋以前了。至於占筮之法，則仍因筮師的各自傳授而有些不同，如《左傳》、《國語》的不用今見《周易》常用的初、二、三、四、五、上的名稱，因此，春秋時代的占卜之法應仍各有不同的發展，只是占卜之辭多已沿用當時通行的《周易》了。他接著引述了如同前面所提顧頡剛、李鏡池等人一再提及的卦、爻辭中的幾個故事，說明〈繫辭傳〉說《易》之興在殷之末世，周之盛德的時候是很對的。

然後，在「秦、漢間至漢哀平前的占術及其哲學化」一節中，容氏將《周易》與孔子發生關係的時代，仍歸之於漢初的尊孔之故，且不信《古論》「五十以學《易》之文」，只信《魯論》改「易」為「亦」之說，與顧頡剛、李鏡池、錢穆等人的看法相同，蓋他們對於《易》傳的著作年代皆早有定見矣！容氏認為〈十翼〉之所以能與孔子發生關係，不是因為占術，而是因為它逐漸的哲學化。其云：[53]

> ……所謂伏義畫卦的說話，原於〈繫辭〉。以殷墟卜辭證之，知殷以

53 詳參顧頡剛：《古史辨》，冊3，頁265-270。

> 前絕無卦畫，依託附會是卜師的能事，所謂伏羲、文王、孔子作《易》，卻原來沒有一點的痕跡。〈彖〉、〈象〉、〈繫辭〉、〈文言〉、〈說卦〉的〈十翼〉出於秦、漢之際，而秦、漢以前的書絕沒有引過，當是這時期的出產品。……他的哲學化就是所以依託於孔子，和得到儒家承認的原由。……《周易》既從占術的一方面走入孔門，又有這種說《易》的哲學使他成為儒術化，得以高踞六經的首座而貌似師儒。從此卜祝之流，便居然是儒林之首了。然而《易》學一方面固然傾向於哲學化，他方面仍然是受術士的影響而保存他的筮占的神秘的性質。……可知哀平以前的《易》學雖則是經過儒家化，然而很有人仍要保存他的占術的作用和神秘的性質。

在這裡，容氏指出了漢代《易經》一方面從純粹的占卜之書逐漸哲學化的過程，並且也同時指出了另有一些人，如孟喜、梁丘賀、焦贛、京房等，仍然持續著傳統卜筮之路，保持其神秘的特色，並以《漢書．藝文志》所載的三大類占術書籍——蓍龜、天文、雜占，來證明漢代是個占驗術複雜的迷信時代。

緊接著，他以「漢哀平以後的占術」為題，延續著上面《周易》哲學化與儒學術士化的兩種潮流並行不止的說法，論及哀平以後大為興起的讖緯預言之術。引後《漢書．張衡傳》中張衡上疏之言，「劉向父子領校秘書，閱定九流，亦無讖緯。成哀之後，乃始聞之。……則知圖讖成於哀平之際也。」之語證之。並謂與讖同時出現的《易》緯「都是陰陽家的說話，把《周易》重新做成一種哲學和占驗解釋」，而這種《易》緯的說法，對於東漢鄭玄等人的《易》注也都發生了影響。接著他提及《易林》、《連山》、《歸藏》及揚雄的《太玄》，皆是此時出現的占卜之書。不過儘管有著這些新的占卜之術陸續出現，他仍引《白虎通》中蓍龜一段「卜，赴也，爆見兆」及「龜非火不兆」，懷疑此時龜卜之法似仍尚存。[54]然後在「魏晉南北朝至唐的占術」中，說明《周易》的哲學化在孔穎達作義疏用王棄鄭，將《周易》

54 詳參顧頡剛：《古史辨》，冊3，頁273-279。

離占術愈遠而哲學化愈深之外，又列舉出如魏伯陽《周易參同契》的周易丹術化，《京氏易傳》的八宮世應說，乃至於引《隋書‧經籍志》、《新、舊唐》兩志所記天文五行之書，如《開元占經》、《靈棊經》之類，以及六朝到唐時所出現的杯珓占卜之術。

最後在「宋明以來周易的變化和占術的發展」一節中，說明邵雍《易》學的原本於道家，《皇極經世》則將《易》附會成推步擇吉的東西，程、朱等人將《周易》的理學化，司馬光規摹《太玄》而擬《周易》所作的《潛虛》，蔡沈倣《潛虛》而作的《洪範皇極內外篇》，以及宋以來通行的擲錢占卦的火珠林。而籤占此時也已通行，五代末已有籤筒出現。他並比較搜隻了廣州籤書共有十八種之多，謂同一神廟地方不同，所用籤詩未必相同，而籤數是不固定的，吉凶的分配大致是上中下平均，或者是上、中較多。籤書內容遠祖《周易》、《易林》，而卻是近據《靈棋經》云云。另有牙牌神數、金錢卦等等，由於這些占卜之術雖說是源自於《周易》發展的，然而其內容實在與《易》越來越遠，故本文便不再詳加討論了。

五　《古史辨》中討論《周易》相關問題的現代看法

在我們如此不憚繁瑣的檢視了《古史辨》第三冊中各篇文章關於《周易》經傳的各種討論與看法之後，站在現代的歷史位置上，在經過七十年的學術發展與演變之後，他們當年所討論出來的結論，以今日的研究成果來看，有那些是值得我們繼續相信的？又有那些是明顯的有問題？我們立此小節比較今日與當時他們看法的異同，並不是為了突顯出他們的不足，而是站要在學術史的傳承不斷，發展遞演不斷的角度上，以學術史的角度分析古史辨學派的位置與貢獻。

在上述的討論中，我們可以發現，《古史辨》第三冊討論《易經》的文字，其所主要關心的論題皆在「《周易》經傳的成書年代與作者」之上，而這樣集中的關心，自然是與當時他們極想重建一個新的中國古史的需求有著密切的關聯。因此，我們將引述今日幾個在此論題上被大致公認可以相信的看法於下，讓這個論題的發展被呈現出來。而由於近三十年來地下資料的出土，對於《周易》的研究起了十分重大的影響，藉著這些出土資料的幫助研究《周易》的人與論文數量實在很多，因篇幅有限，我們僅引其中較為主要全面的幾篇文章，供學人參考。

(一) 張善文的〈論帛書周易的文獻價值〉[55]

一九七三年湖南長沙馬堆第三號漢墓出土的帛書《周易》，相當大程度的對《易經》的研究提供了一些更容易確定的方向，尤其是在時代作者的推論上，更有著很大的助益。張善文在〈論帛書周易的文獻價值〉中，明白的以帛書《周易》為資料，並引用時人如李學勤、張立文、廖名春等人對於帛書《周易》所做的各種研究所得的結論，做出了與《古史辨》學者們對於《易》傳的時代與孔子與《易》的關係上，絕然不同的結論。他依據這最新出土的資料，一方面肯定了《古史辨》學者對於《周易》卦、爻辭成於西周初年的看法，同時卻否定了他們一直認為《易》傳乃出現於戰國末期至西漢末的看法，將《易》傳出現的時間提早到春秋末至戰國中期，而孔子與《易》的關係，更從《古史辨》學者們認為的絕然無關，變成了孔子與《易》有密切的關係，孔子的確如《史記》、《漢書》所言的「晚而喜易」，並且曾以《易》傳授其弟子。這帛書《周易》的出土，讓《周易》經傳的時代問題與孔子與《易》的關係得到了更為真確可信的看法，並且可看到漢代以來的學者對於《易經》與孔子的關係的普遍看法是沒有問題的，反而是後來的學者因歐陽修〈易童子問〉的《易》傳非出自一人之手的懷疑，便不斷的引伸，否定前人的普遍看法，歐陽修那裡有說過孔子未曾傳《易》？如今孔子傳易說得以因帛書《周易》出土的資料而得到證明。孔子既然傳《易》，那麼這些在今本《易》傳，或帛書《周易》中的各篇文章內出現的

55 張善文：〈論帛書周易的文獻價值〉，《中華易學》第16卷第10期（1995年12月），頁12-21。

儒家思想，更可見儒家實是對於《易經》早有研究，並且已有一套與最初卜筮不同角度的論《易》方式，這方式便成了後以義理解《易》的濫觴。

（二）廖名春的《周易經傳與易學史新論》[56]

廖春是現代學者中十分專心致力於帛書《周易》研究的一位學者，在他總結目前自己對於《易經》研究心得之《周易經傳與易學史新論》中，有許多地方都論及了《周易》經傳的時代及作者的問題，當然，也論及了孔子與《易》的關係，他以出土資料再加上傳統文獻的比較研究，說明了《周易》與孔門間的密切關係，證明了史記孔子老而好《易》、晚而喜《易》等說法的其來有自。孔子晚年是有以《易》教弟子的事實。除了年輕的子貢對於其師晚年喜《易》的思想變化，有著不能認同的表達之外，商瞿、子夏、子張等孔門高弟皆傳其《易》。而在孔子死後，商瞿傳楚人馯臂子弓，子張之居於被楚所滅的陳，皆是儒學與儒家《易》學在楚地流傳的明證。而郭店楚簡的出土，更與文獻的記載相互證成，[57]這樣的研究與其對帛書《易》中的研究，一方面說明了孔門傳《易》的事實，一方面也說明了今本《易》傳在帛書《易》出現前皆已大部分存在，而帛書《易》至晚也不會在戰國末以後出現的證據，證明了今本《易》傳至少在戰國中晚期便已出現流傳。除了對於《周易》卦、爻辭的形成年代有共識之外，在其他與《易》相關的研究，在最新陸續出土的地下資料的支持下，再將傳統文獻的說法重新檢視論證與對

---

56 廖名春：《周易經傳與易學史新論》（濟南市：齊魯書社，2001年8月）。

57 同樣的看法，如陳來在〈馬王堆帛書易傳及孔門易學〉一文中亦說道：「馬王堆帛書自然使人聯想到楚地的《易》學，帛書《易》傳最後兩篇〈繆和〉、〈昭力〉，記載繆和、昭力、呂昌、吳孟、張射、李平等人與傳《易》經師的答問。繆通穆，穆與昭都是楚氏，據《史記》可知，楚為孔門傳《易》的重地，馯臂子弓為楚人，故帛書《易》傳很可能是馯臂子弓所傳。李學勤先生甚至認為，繆和、昭力所問的『先生』，可能就是馯臂子弓，則帛書《易》傳是孔門《易》學在楚地的一支所傳，應可定論。」見陳來：〈馬王堆帛書易傳及孔門易學〉，《哲學與文化》，第21卷第2期（1994年2月），頁163。

比，反而是回到了傳統對於《周易》的主流認知系統，《易》是六經之一，在先秦時已廣為流傳，《易》與儒家的關係是密切的。

（三）黃沛榮的〈論孔子與周易經傳〉[58]

黃先生為臺灣《易》學名師，此文以各種角度論述了《周易》經傳與孔子間的關係，包含了關於「孔子作《易》之問題、孔子讀《易》之問題、孔子贊《易》之問題、孔子傳《易》之問題」，他都做了十分詳細的討論。一方面對所有前人相關的說法進行了研究，一方面又依據新出土的資料與各種先秦以來的傳統古籍當做佐證，深刻而中允的對孔子與《周易》經傳間的關係提出了他的看法。他釐清了孔子讀《易》、傳《易》卻未作《易》，《易》傳乃其門人弟子一方面傳其師之讀《易》心得，一方面也發展了自己處於戰國時期百家交融時代下，受到道家等各家思想影響下的踪影。他這樣的理解《易》與孔子的關係，更是站在學術史的不斷演進的「動態觀」的角度，看待《易》與孔門間關係的可能發展，並且也正視著人在時代風氣下絕無可能不受影響的社會背景，解釋了《易》傳中諸多與道家相關的名詞與思想。這較之一些必以《易》歸之於儒家，或歸之於道家者，要更客觀而公允的看到了歷史發展的痕跡，自然，這樣的說法，無疑是更可能接近於歷史的真實樣貌的。

（四）何澤恆的〈孔子與易傳相關問題覆議〉

這是何先生曾在一九九九年五月發表於中國經學研究會第一屆學術研討會的文章，後來並於《臺大中文學報》發表，其對孔子與《易》傳關係的持

58 黃沛榮：〈論孔子與周易經傳〉，《孔孟學報》第71期，頁74。

論則異於上述三者，何先生的主要說法如下：[59]

> ……近代學者如錢賓四師〈易經研究〉，馮友蘭先生〈孔子在中國歷史中的地位〉等文，已分別就「天、道、鬼神」的觀念比較《易》傳與《論語》中的歧異，就思想的內涵判定《易》傳非孔子所作，……此後下逮戰國，善學孔子者莫如孟子，通《孟子》全書，又何嘗有一言及《易》？……若說傳世〈十翼〉內容可疑，則這些新出土文獻的內容亦未必不可疑。陳鼓應先生曾撰兩篇論文，舉出不少論證，推定這幾種佚傳當出秦漢儒生之所為，其中多摻入黃老思想，鄭萬耕先生在著成時代上也有近似的看法。……我們不應忽略，子貢不但追隨孔子至於其卒，並在其他門人心喪三年紛紛離去之後，還再廬於冢上凡六年而後去，他對先生的感情是特別深厚的。……子貢一人也還罷了，何以其他弟子也都抱持一致立場，甚至四傳以下，號稱最善學孔子的孟子，也還一樣不能理解。荀子亦學孔子，並不認同孟子，但在這一立場上卻又站在孟子一邊。……竊意以為，〈要〉中記孔子和子貢論《易》，說到「夫子老而好《易》，居則在席，行則在囊。」這其實並不能據以推證《史記》「孔子晚而喜《易》」之說為史實，但卻可以證明《史記》之說，非出太史公杜撰。……孔子贊《易》、作十傳，其說自《史記》以來，二千年成為傳統舊說。然自北宋以還，即不斷有學者提出質疑，下逮民初，疑古辨偽學風盛興，主張〈十翼〉非孔子作者便漸居上風。可是到了近二十年，由於馬王堆帛《易》的出土，除了與傳世《周易》相若者外，還有若干久佚說《易》篇章，其中記載了許多有關孔子與人論《易》的內容，因此，爭議千年的孔子與《易經》關係的討論，又重新掀起。少學者根據新出材料，主張回歸舊說。……蓋前人疑《易》傳，揭以質疑者亦云夥矣！主舊說者似亦未能盡釋諸疑，竊謂過去學者所提疑議，實未宜盡束高閣。……

59 何澤恆：〈孔子與易傳相關問題覆議〉，《臺大中文學報》第12卷（2000年5月），頁21-53。

> 如果真象帛《易》所顯示的情況，孔子常以《易》義告戒弟子，還和其他許多人談論過，在材料的量上遠逾今傳十傳。那麼在《論語》中了無痕跡，豈不更怪。……這也似乎無視乎《論語》編纂於孔子身後，而也已記載及於孔子晚年言行的事實。再退一步說，即使說這是孔子晚年最後的學術心得，孔子卒後，他的門人弟子為何不加以稱述？甚至孟子終身以學孔子為職志，對此也曾無一言道及。諸般疑竇，恐怕並不因為近時發現更多孔子說《易》的文字而有所澄清，反而益增舊說之可疑而已。

他的看法與前三者十分不同，同樣是面對新出土的資料，何先生則是採取了古史辨以來對於孔子與《易》無涉的主流看法，他不僅舉出一些仍令他無法理解的歷史發展，如《論語》、《孟子》、《荀子》等主要儒家典籍皆無孔子說《易》的記載的不合理，也舉出今人如陳鼓應等對於這批資料可能出於秦、漢儒生之手，而非如廖名春、張善文、黃沛榮等人視為戰國時的作品。因之，帛書《周易》只能證成《史記》孔子晚而好《易》之說非憑空臆造而已，並不能證成孔子真有傳《易》的事實。他認為前人疑《易》傳所舉出的疑惑甚多，當這些因出土資料而主回舊說的人還未能盡釋這些人所提出的疑惑前，孔子傳《易》之說仍是具有爭議的。這當然是持平的論說，只是，歷史已然過去，而歷史的記載自古至今本無所謂周全者，總是掛一漏萬的多。如果真要等到所謂「盡釋諸疑」之後才能有個終了，那麼這個期望恐怕是遙遙無期了。蓋人的思想無限，時刻都在變化，可以提出的疑問實在可以日新月異的變化者，然而歷史留下的資料在時間與空間，自然與人為的有意或無意摧毀之下，能留存者又有多少？以千百年前留存有限的資料要盡釋千百年後不斷思考的學人的所有疑惑，實在是幾無可能了。歷史無法重演，我們能在歷史的灰燼中找到一些能夠拼湊盡量近似歷史真相的資料，也已難能可貴，不如像黃沛榮先生那樣，願意站在歷史是不斷的進展的動態觀點下，注意到戰國以降各種學說相互影響浸染的可能性，來看待這批新出土的資料。在當時的時空環境之下，純儒（這個純儒還符合我們在兩千多年後給他的定義）或者純粹的某家看法，已難存在的事實。因此帛書《易》中某些我們定義的某時代，某家的看法、詞語混雜其中應是合理的情況。更何況孔子讀《易》、好《易》、傳《易》與作《易》，乃是分明清楚的不同問題，實應將作《易》與否和其他問題分清來看才是。[60]

六　結語

對於現代《易》學發展史中，古史辨運動的內容及角色等，亦有人論及。如楊慶中在《二十世紀中國易學史》第二章〈古史辨派與唯物史觀派的易學研究〉中，提到了他對於古史辨派《易》學研究的影響與評價時說道：[61]

> ……古史辨派的這些結論，對于傳統《易》學造成了致命的破壞。《周易》經傳與儒家所謂的聖人沒有任何關係，《周易》純系卜筮之書，其中不存在什麼聖人之道。《易》傳對《周易》的解釋純屬借題發揮，與《周易》本身思毫不相干。……不過站在世紀之末重新審視古史辨派的《易》學研究，似乎也可以得出這樣一個結論，即「影響很大，問題很多」。……作為一種研究方法和研究理念，實證固然是可取的，也是科學的。但若時時都把「疑古」之念橫在胸中，時時都把打破成說作為目的，就難免使材料成為觀念和方法的奴隸，把證「實」變成為證「虛」，使真問題變成假問題。……

他明白的看出了《古史辨》學者因為胸中橫著一個疑古的念頭，因此展開的

60 關於孔子與《周易》的關係，可以參閱黃慶萱《周易縱橫談．周易與孔子》中，他斬釘截鐵的說孔子讀過《周易》，而很少直接引《周易》的文字來教訓學生，至於《周易》經傳則皆非孔子所作。然而《易》傳卻是孔子弟子們所記孔子的話。見黃慶萱：《周易縱橫談》（臺北市：東大圖書公司，1995年3月），頁151-156。而關於何先生的諸多疑問，亦可參看同書中〈易學書簡〉一文，李怡嚴先生對黃先生所提關於孔子與《易》關係問答說明（頁271-303）。

61 楊慶中：《二十世紀中國易學史》（北京市：人民出版社，2000年2月），頁114-115。

《易》學研究遂有了「把證『實』變成為證『虛』」的問題，一切只要證明是虛的，便馬上可以轉過來說自己的猜測是實的。這種過度的使用默證的問題，前文已經談過。而因《古史辨》派的疑古太過，遂也產生了「影響很大，問題很多」的發展。這樣的發展提醒了我們，《周易》經傳仍有許多仍待研究的問題，同時也告訴了我們解決問題與製造問題間的一線之隔。

鄭吉雄在〈從經典詮釋傳統論二十世紀易學詮釋的成期與類型〉一文中，認為二十世紀《易》學詮釋宜分為三個時期，分別是：民國十九年（1930）以前的第一時期，民國二十至六十二年（1931-1973）的第二時期，以及民國六十三年（1974）以後迄今的第三時期，古史辨學派便在他所分的第一期之中。他認為促成百年來《易》學風氣的轉變因素主要有二：一是新思潮的激盪，二為新材料的出土。前者帶來了價值觀念的重整，後者促使了研究對象的擴大。《古史辨》學派在治《易》成果上，便清楚的展現了這兩個因素的影響。他對《古史辨》學派的看法主要如下：[62]

> 第一個時期的治《易》學者，深受當時的歷史環境影響，……隨著當時中西文化衝突的高峰，撕裂成兩股力量，一股是對中國傳統抱推翻或不信任的態度，而產生的「疑古」思潮，另一股則為激於反傳統的潮流，而轉為維護中國傳統的文化本位思想。……（顧頡剛）他的發難引起了許多治《易》學者紛紛對於《周易》經傳的內容、性質、時代、作者、文獻等各方面的問題作出爬梳，最有意義的是這種「歷史」的取向進一步發展為利用考古材料來闡釋《周易》。……「歷史」取向的《古史辨》學派以科學的精神辨析出土文物和紙上遺文的年代，用以詮《易》，得到許多突破性的結果。……甲骨文、金文、石經等材料固然提供了重要的助力，但《古史辨》派學者在《易》學思潮與觀念上凝聚了全盤修正的動力，將新材料集中指向一種強調科學古史辨偽的新研究方向。

---

62 鄭吉雄：〈從經典詮釋傳統論二十世紀易學詮釋的成期與類型〉，《人文學報》第20、21期合刊（1999年12月-2000年6月），頁193-202。

他指出了《古史辨》學派對於現代《易》學的影響，其實不在於他們的研究成果，而是在他們所揭櫫的現代研究的科學精神。在這個求真的精神引領下，對於現代《易》學思潮與觀念的發展上，起了凝聚修正的作用，這是我們在看待《古史辨》學者的《易》學研究的貢獻上，十分重要的一環。

最後我們要說的是，本文之所以如此不憚煩瑣的論述《古史辨》學者對於《周易》經傳的各種看法，並且將之所以如此疑古、反古的學術傳承脈絡（與晚清學者的關係）做說明，正是為了證成每一個時代的某一些看法，不論如何的標新立異，其內在都有不可抹滅的歷史傳承。在各種或者贊同，或者反對的聲音下，歷史依然以他自己的步調緩緩向前走去。在《古史辨》學者的論點說明之後，我們也以現今由於出土資料的發現的幫助之下，學界對於《周易》經傳的時代、作者等問題的主要看法說明於後，呈現出一種十分特別的狀態：《古史辨》學者一向強調引用的地下資料卻在五、六十年後，相反的證明著在這個作者、年代的問題上，大多數的秦、漢以來的傳統說法正確的可能性。而他們所欲將中國信史縮短，以及因為國勢頹敗而對於以孔子儒家文化為主流的中國文化傳統所產生的厭惡，這些潛伏在《周易》經傳研究背後的隱性需求，竟也在出土資料日益增多的情況下，一一的被證明了他們一些論證的謬誤與意氣。歷史的進展如此弔詭，學術史的演變遞嬗有其自己的節奏，又那裡是某一些人，或者某一個時空的集中論述所能扭轉改變的？也因此，對於學術或者歷史，我們不得不有更為深沈且真切的敬意，對於歷史，我們所能做的，或許最好的是「呈現」，而不是恣意的「改變」。

從《續修四庫全書總目提要‧易類》析論尚秉和《易》學

陳進益

健行科技大學通識教育中心副教授

一　《續修四庫全書總目提要》編纂背景

在《四庫全書》整理後，我國傳統典籍得到了一次較完整總結；當然，對於這次總結成果得失優劣的評價也隨之而現。且不論《四庫全書》的得失評價如何？順著這個對傳統典籍總整理的發展，便有了補足傳統典籍因各種原由而沒被收進《四庫全書》的需求，《續修四庫全書》就在這樣的歷史發展下出現了。本文所討論的《續修四庫全書總目提要．經部．易類》（後文提及此書時一律簡稱作《續修提要．易類》），便是對《四庫全書》未收《易經》類書籍的總整理與說明。我們想透過民國以來的《易》學大家尚秉和在《續修提要．易類》中對各種《易經》相關書目的評論，探究尚氏《易》學立場是否一致，並藉此檢視清代的《易經》發展情況。

首先，筆者想先對《續修提要》的背景做基本說明。據中國科學院圖書館古籍組羅琳執筆《續修提要．整理說明》所云：

> 清乾隆年間由紀昀總纂的《四庫全書總目提要》，是一部重要的書目工具書，但因時代侷限和條件限制，這部書仍存在著諸如對重要書籍的失收、未收，以及部份內容和評價的失當等缺陷。自嘉慶年間阮元為《四庫》未收書一百七十餘種補提要之後，直至近代，許多學者在

> 個人著述中對這部《提要》做了許多匡謬補遺工作，如近人余嘉錫所撰《四庫提要辨證》。嘉慶、道光以後，隨著學術文化的發展，各類著述和輯佚書日益增多，新發現的古籍及各種版本亦有不少。這樣，《四庫全書總目提要》也就難以滿足學者的需要了。……一九二七年十二月，「北京人文科學研究所」成立，確定由柯紹忞任總裁，以日本退還的部份庚子賠款為經費，先行纂修《續修四庫全書總目提要》。據研究所〈暫行細則〉記載，該項工作分兩層進行：一、搜集《四庫全書總目提要》失載各書；二、搜集乾隆以後至宣統末年名人著作，今人生存者不錄。具體工作為：選定著錄書目。凡所著錄，以平允為主，不可有門戶之見。然須擇要典雅記，其空疏無用之書一概不錄。至釋道二氏暨小說諸書，有關於文學考訂及有裨人心風俗者，均可著錄。各研究員所擬的著錄書目須注明卷數、已刊、未刊及刊本之種類，提交全體研究員開會決定後，再由研究員分別纂擬。……擬定書目工作從一九二八年開始，至一九三一年六月結束，共擬出書目二萬七千餘種。此後續有增補。提要的撰寫工作從一九三一年開始，至一九四二年基本結束，共撰成提要稿三萬二千九百六十餘篇。根據檔案及現存原稿統計，參加撰稿工作的共七十一名學者。……現從原稿上作者簽名時間所見，有部份作者在一九四五年七月還在呈繳提要稿。[1]

我們可以知道，《續修提要》基本上是針對《四庫全書總目提要》的缺失與不足做補強工作，而其主要工作分為：一、搜集《四庫全書總目提要》失載各書；二、搜集乾隆以後至宣統末年名人著作，今人生存者不錄。又其所擬書目須提交全體研究員開會決定，光擬書目就花了三年的時間（1928-1931），而《提要》的撰寫則花了近十年（1931-1942）才大體完成。然而，根據資料顯示，一直到一九四五年七月還有人在交稿，可見這是一件多麼巨

1 中國科學院圖書館整理：《續修四庫全書總目提要》（北京市：中華書局，1993年），頁1-2。

大的工程。

當然，受了八年抗戰及國共戰爭的影響，這部書完成過程的坎坷與不易是可以想見的。羅琳在〈整理說明〉中這樣寫著：

> 一九四九年以後，鄭振鐸、葉公綽、李根源、梁啟雄等學者先後多次建議整理出版《續修四庫全書總目提要》稿，但由於各種原因，一直未能實現。一九八〇年初，原中國科學院副秘書長張文松建議整理出版該書稿，同年七月，科學院圖書館古籍組開始進行整理工作。一九八二年該項目正式列為國務院古籍整理出版規劃項目。[2]

他並沒有直接明說《續修提要》未能順利出版的「各種原因」是什麼？但由歷史的發展來看，我們可以推知與一九四九年後大陸的各種政治運動脫離不了關係。因而一直延遲到一九八〇年後才開始整理，於一九九三年始全部完成。在此，羅琳也對臺灣較早出版的《續修提要》提出了看法，他說：

> 臺灣商務印書館曾於一九七二年出版了一套《續修四庫全書總目提要》（十二冊，附索引一冊），關於這套書與本書的關係，特加以簡要說明。一九三五年後，「北京人文科學研究所」曾陸續將提要原稿打印分送給日本「東方文化學院京都研究所」（日本京都大學人文科學研究所的前身），在分送了一萬零八十餘種書目提要後便告中止，這部份提要稿僅及原稿的三分之一。臺灣本即是以此稿整理出版的。由於打印稿既非完本，又錯漏較多，整理時無原稿覈對，工作亦失之倉促，錯字、錯簡和句讀、分類方面的疏誤頗多，使利用價值受到相當大的局限。應當指出的是，《續修四庫全書總目提要》原稿本身存在著不少缺陷，主要原因是當時沒有進行總纂工作，擬目分類不盡完善合理；《提要》成於眾手，學術水平和工作態度上的差異，使原稿精粗詳略不一。[3]

2　同前註，頁3-4。

3　同註1，頁4-5。

由此可知，儘管原稿本身就有擬目分類不完善及書寫提要者態度水平不一的問題，然而臺灣在一九七二年出版的《續修提要》只有原稿件三分之一左右的缺憾，無疑使用價值不如握有原稿的中國科學院在一九九三年出版的版本。因此，中國科學院這個版本至少在目前看來，是最能彌補我們對《四庫全書總目提要》之外學術總體現象所知不足的工具書了。

二　《續修提要．易類》中尚秉和論《易》狀況分析

尚氏在《續修提要．易類》作了三百篇提要，從第一、二篇的《三墳》、《古三墳》，直到最後一篇為日本東都講官物觀纂修的《周易改文補遺》，可以看出尚氏對於《易經》研究的深度與廣度。在這些提要裡，也可以看到尚氏的治《易》方法與論《易》態度。他對《易經》的核心觀念有所堅持，他對《易》學史的發展提出立場，他對每個《易》學家與其著作提出褒貶，他也受這些前人《易》學著作有意無意的影響。這些觀念、立場與褒貶、影響，我們將於下文陸續說明。

(一) 以象解《易》立場的一再宣誓

「以象解《易》」一直是尚氏《易》學的最大特色，筆者已在「變動時代的經學和經學家（1912-1949）」第六次學術研討會中以專文探討，讀者可參看之[4]。而這種治《易》方法的堅持，尚氏在《續修提要．易類》裡也不斷加以說明。如他在為清甘泉黃奭輯《京房易章句》一卷（漢學堂叢書本）作的提要中說道：

……受《易》於梁人焦延壽，延壽《易》傳自孟喜，喜事田王孫，獨

4 陳進益：〈以象解易——尚秉和周易尚氏學研究〉，「變動時代的經學和經學家（1912-1949）第六次學術研討會」論文（臺北市：中央研究院中國文哲所，2009年11月19、20日），頁1-38。

得陰陽災變嫡傳，為施讎、梁丘所不及，故焦京亦深於陰陽災變。觀《漢志》有《孟氏京房》十一篇，又有《孟氏京房》六十六篇，知京之學同於孟喜。……阮孝緒《七錄》有《京房章句》十卷，《隋、唐志》同，今皆佚。歷城馬國翰輯之，除幾世卦外，得三十九條；平湖孫堂輯得八十條，後黃奭復輯之，增七條，共八十七條。今觀其注，如復朋來无咎，朋來作崩來。山覆曰崩。剝窮上反下，謂艮山下覆為震也。覆象人知之，至象覆，《易》即於覆取義繫辭，如困之有言不信，以正覆兌也。震之婚媾有言，以正覆震也。泰城復于隍，以三至上艮覆為震也。頤之慎言語節飲食，以正覆震相對也。中孚之鳴鶴子和，或鼓或罷，或泣或歌，以正覆艮震也。凡如此等《易》辭，漢魏人說之，無不誤者，獨其師焦延壽知之。《易林》屯之蒙云：「山崩谷絕。」蒙二至四艮覆，故曰山崩。又蹇之屯云：「作室山根，人以為安，一夕崩顛。」屯初至四亦復體，艮覆為震，故崩顛。然則朋讀為崩，自其師已如此。又京氏以无妄為大旱之卦，萬物皆死，无所復望。蓋无妄亢陽在上，艮火在下，巽為草莽為禾稼，而巽為枯，為隕落，故曰萬物皆死。自巽枯巽隕落及艮火之象失傳，故虞翻不知京氏之所謂，詈為俗儒。豈知《易林》復之无妄云：「跨牛傷暑，不能成畝，草萊不闢，年歲无有。」又无妄之革云：「枯旱三年，草萊不生。」皆以无妄為大旱。故京氏承其師說，盡與之同。昔劉向目京氏為異黨，蓋焦、京所用之象，在西漢儒者，已不能知，至用覆象，如朋讀為崩之類，尤為駭怪，而不知其象其義，無一字不本於經。自經義不明，後之人不於經求其象，昧厥本原，第見焦、京所言，不與眾同也，目為異黨，何足怪乎？觀焦氏《易林》，自漢迄清，無一人知林辭用象，盡本於經，即可知其故矣！且劉向本非《易》家，班氏不知其言之謬，動採其說，以為定評，斯亦過矣！[5]

其以艮與震為覆象，而艮為山，震乃震動之象，故復之「朋來作崩來」，山

5　同註1，頁5-6。

崩之義也，而此義《易林》屯之蒙因蒙二至四艮覆，故云：「山崩谷絕。」蹇之屯因屯初至四亦復體，艮覆為震，故云：「作室山根，人以為安，一夕崩顛。」是朋讀為崩，漢時已然。而兌、震皆有言象（卦象上斷有缺，故有言象），故「困之有言不信，以正覆兌；震之婚媾有言，以正覆震；頤之慎言語節飲食，以正覆震相對；中孚之鳴鶴子和，或鼓或罷，或泣或歌，以正覆艮震」。又謂京氏以无妄為大旱之卦，萬物皆死，无所復望。乃因无妄亢陽在上，艮火在下，巽為草莽為禾稼，而巽為枯，為隕落，故曰萬物皆死。然此艮為火象之義失傳，（艮卦象下斷，故有火象）无妄下火上木，萬物皆死，无所復望之義亦因之而不傳。其以象解《易》多以《易林》為參考，並用於自身為他人占卜經驗而屢試不爽，故自信若此，謂不知以象解《易》者，如劉向、班固、虞翻等人乃是昧於《易經》之本原也。

又如他在提要《陸績易述》一卷（漢學堂叢書本）中說道：

> 《隋書．經籍志》陸績《易注》十五卷，……注《易》釋玄，皆傳於世。其原書久佚，〈隋志〉祇言《易注》，《釋文．序錄》則云陸績《周易述》十三卷，由是後之輯陸注者，皆以《周易述》為名。其始輯者為明姚士麟，……其所輯《周易述》一卷載《鹽邑志林》。……又嘉慶間平湖諸生孫堂字步升，復就姚本補輯之，得二百零五條，較姚本增四分之一，載《漢魏二十一家易注》中。阮元盛稱其博洽。……大抵陸注之最要者，莫過於巽為風。注云：「風，土氣也。巽，坤之所生，故為風。」由陸說，則坤本為風。文言云：「雲從龍，風從虎。」即謂坤從乾，陰從陽也。此象知者甚鮮。故風從虎句，詁者無不誤，獨《易林》與陸注闇合，其有裨於經學甚大。[6]

此條除可見陸績《周易述》之輯佚過程外，亦可知尚氏引陸績注巽為風云「風，土氣也。巽，坤之所生，故為風。」而謂巽為坤所生，故坤亦為風象，因之而云「雲從龍，風從虎。即謂坤從乾，陰從陽。」蓋雲、風皆指

6　同註1，頁11。

坤，陰象；龍、虎皆指乾，陽象。《易》象因時、地、人、物而不同，是以一卦可有許多象徵，端視占者之活用而已。其他如在《孫輯虞翻周易注》十卷（《漢魏二十一家易注》本）中說：

> 平湖諸生孫堂輯。……翻奏上獻帝《易》注云：「家世傳孟氏《易》，前人通講，雖有秘說，於經疏闊。臣祖父鳳、先考故日南太字歆，世傳其業，為之最密。穎川荀諝，號為知《易》，乃解西南得朋，東北喪朋，顛倒返逆，了不可知。馬融復不及諝。若北海鄭玄、南陽宋忠，雖各立注，皆未得其門。」頗自高稱許。今按其注，以考其言。孟喜《易》於陰陽災變，獨得其傳，為施、梁所未及。而焦延壽親問《易》於孟喜，凡《易林》所用之象，如坤為水、為風、為疾病，坎為夫、為矢，及以正反兌、正反震為有言，與《易》極有關之象，何以虞氏皆不知？世傳孟《易》之言，寧足信乎？《易》象至東漢多失傳，象失故《易》多不能解。先儒遇此，闕疑不解，《易》說疏闊，職是之由。翻則反是，於象之不知者，則強命某爻變以就其象。如利涉大川，《易》本以坤為大川，陽遇陰則通，故曰利涉。乃虞翻不知坤水象，必以坎為大川，坎陷坎險，胡能利涉？然如需、訟、謙卦有坎，猶可強以此為說；他若蠱頤大畜益，卦無坎象，則強命某爻變成坎，以當大川，否則用卦變，如頤以艮為龜，翻不知艮堅在外亦為龜，則謂頤從晉來，晉、離為龜；中孚以震為鶴，翻不知震鶴象，則謂中孚從訟來，訟互離為鶴。夫一卦可變為六十四卦，於象所不知，語所不解者，若盡以卦變當之，尚何求而不得？尤異者，虞令某爻變，以之正為說也。乃家人漸三爻本正，而亦命之變，使之不正，又大過因不知巽為少女，兌為老婦象，令初應五，二應上，以使其私。惡例一開，群視為方便，於是自唐迄清，治《易》者雖號稱復古，如李鼎祚、朱震、晁以道、毛大可、惠士奇、惠棟、張惠言、姚配中、俞樾等人，無不用之，而焦循尤甚。於是《易》象、《易》理之混雜虛偽，其害遂過於王弼之掃象矣！以上所舉，特見存虞注中，千百之

一二。以焦氏用象考之，十六七皆強不知以為知，不強命某爻變，不曰某卦從某卦來，不能解也。……蓋《易》學之晦，厥有二因：一虞翻不知說卦之象，略引其端，又不知經之取象與說卦常相反，不知而不闕疑，盡恃爻變卦變以為解，後之人以其便利無所不通，遂相率祖述之，而《易》象失真。一王弼掃象，以空虛說《易》，唐、宋人以其易也，學遂風行。有此二因，人遂不知《易》為何物矣！今錄之者，一則因其注古，古訓尚存；一則因其注多，死學者不知其謬妄而惑之，故詳為論辨焉。[7]

尚氏以《易林》所用之象如坤為水、為風、為疾病，坎為夫、為矢，及以正反兌、正反震為有言等，虞氏皆不知，而云「世傳孟《易》之言，寧足信乎？」蓋以為孟喜所傳之象於今日所言孟喜《易》中已不得見，可知象至東漢多已失傳，也因為象失而《易》多不能解。即使如此，先儒遇此不可解處，則闕疑不解，雖然《易》說因而疏闊，但還不致於有胡亂解《易》之病。但虞翻不知象，卻於其不可解處開始以卦變爻變解之，如解利涉大川，不知《易》本以坤為大川，陽遇陰則通，故曰利涉。虞翻不知坤有水象，必以坎為大川，坎有陷險之義，怎能利涉？又如蠱、頤、大畜、益等卦無坎象，虞翻則強命某爻變成坎，以當大川，否則用卦變，如頤以艮為龜，翻不知艮堅在外亦為龜，則謂頤從晉來，晉離為龜；中孚以震為鶴，翻不知震鶴象，則謂中孚從訟來，訟互離為鶴。他對虞翻這種不知卦象多端，卻無原則的強以卦爻變化以就其所知之象來解《易》的方式大表不滿。然而由於這種隨意令卦爻變化以就己說的方式極方便使用，遂使隋、唐以後的《易》學家雖號為復古，但只是用這種隨意變化卦爻的方式，而不知以「《易》理」節制之，其弊更甚於以義理解《易》的王弼。

尚氏對虞翻所代表的強命某卦爻變以就其象的漢《易》及王弼所代表以義理解《易》的宋《易》之說皆表不滿，並謂此二者是讓《易》學湮晦的重要因素，清楚的代表尚氏《易》學自立於二派之外的宣言。在《九家周易集

7　同註1，頁11-12。

注》一卷（漢學堂叢書本）的提要中，亦云：

> ……昔管輅謂何晏《易》美而多偽，由其說考之，其王弼以來野文家說，固無不有此病。其言象若虞翻，可謂密矣！然象不識則用爻變，義不知則用卦變，乍觀似密，實按皆非，則偽而亂矣！獨《九家注》樸實說理，原本《易》象，無虛偽之美談，無卦變之惡習，猶不失春秋古法。[8]

除謂《九家注》原本《易》象不失春秋古法外，對虞翻與王弼之《易》同樣表示了不滿。而在《周易傳義音訓》八卷（光緒刊本）中提要，則舉朱子晚年亦以象為《易》本原之說，對自己以象解《易》的立場做了漢、宋大家皆亦如此看待的佐證，其云：

> ……毛大可極力攻本義，謂其解說籠統，失詁經體。豈知朱子常自謂《本義》簡略，以義理《程傳》既備故也。蓋宋時《程傳》，家讀戶誦，故《本義》中，往往言《程傳》備矣，而不再詳。及其後以本義為宗，《程傳》少讀者，於是《本義》遂有渾括不明之病。至程子不言象，《本義》亦不言，程子誤解，《本義》往往從之，少正者，此則《本義》之病。然朱子晚年，云：「《易》出門便是象」。又云：「程子謂明辭則象數在其中，吾以為先見象數，方說得理，不然事無實證，虛理易差。」又云：「《易》別是一箇道理，某枉費多年工夫。」是朱子晚年，深知程子之說，本末顛倒，而自悔其盲從。後世不察，反以本人極不滿意之書為宗主，是定此功令者之失考，於朱子何尤？[9]

可見尚氏除不滿程子專以義理言《易》外，更引朱子晚年亦以象為《易》之根本，做為自己以象解《易》乃於《易》有深見之證也。

8　同註1，頁15。

9　同註1，頁30。

（二）「《易》理」與義理的不同

其實尚氏並不是對以義理解《易》有特別不同意的態度，《易》為聖人所作，當然有聖人所想說的義理在，只是，《易》中有《易》中的義理，它和聖人放在其他經書中的義理表現方式是有所不同的。因此，尚氏不同意宋人那種沒有將《易經》的特殊性展現出來就大談聖人義理的解《易》方式，他認為對的解《易》方式，應是在合乎《易經》原理的情況下再談聖人的義理，也就是說《易經》的義理得在合於「《易》理」的前題下才有其特殊的存在意義。這點是大家在只是以漢、宋《易》來分判《易》家時所最易發生的誤解，尤其是對尚氏以象解《易》的外貌認識下，總只以為他是漢《易》，所以反對宋《易》的義理，這種說法自然是與真實的尚氏《易》學有極大的差距。如他在《古易匯詮》無卷數分四冊（雍正刊本）中的提要說：

> 清劉文龍撰。……按不訓詁章句，而衍空理，自王弼開其端，然尚及《易》理。至程傳則專以演其聖功王道之學，不惟舍象數不談，並《易》理不顧，此風一開，宋人除朱震等數人外，無不以義理言《易》。至明、清八比興盛，又雜以高頭講章之濫語，凡事宋《易》者，皆不識《易》為何物矣！劉氏僻處山邑，獨能靜悟其非，則卓識獨優也。[10]

他雖對王弼專以義理解《易》的方式有所不滿，但王弼仍在「《易》理」的範圍下，所以仍是《易》學；而《易程傳》專以講聖人義理為目的，不管象數，不論「《易》理」，其影響至鉅，讓《易》學有所謂不管「《易》理」為何的宋《易》一派興起，尚氏對這種沒有「《易》理」的義理《易》是無法接受的。他在《周易》三卷（九經白文本）提要中亦云：

---

10 同註1，頁49-50。

……祇有正文，無注，題錫山秦鏷訂正。……自元、明以來，學者承南宋之餘風，以《程傳》、《本義》為學《易》之正宗，而於《周易》大本大源象數之所在，反忽忘之，乃漢儒所言《易》象《易》理不知可也。左氏內外傳，春秋人說《易》者，無一字不根於象，凡學者皆誦習之矣！亦茫然不知其所謂，殊可異也。[11]

對於元、明以來以《易程傳》為正宗，對象數，全然忽之的狀況，大表不滿。但是不是只要以象解《易》，尚氏就贊同推揚？此又不然。如他在《周易闡象》五卷（嘉慶庚申刊本）的提要中說道：

清蔡首乾撰。……今按其書，以闡象為主，其闡象之法，有正對、有反對、有上下互、有總互、有移置上下等。……夫《易》者象也，象不明，則辭皆不能通，後世言《易》者多捨象言理，既已無據，而或者談象，又往往不根於古，任意比附，致流於泛濫無歸，是二者皆未能無弊。[12]

尚氏雖然認為象不明則不能通《易》辭，但對於不根於古，任意比附以談象的《易》家，同樣是給予評擊的。蓋不論是以義理談《易》，或者以象數解《易》，若未能合於《易》中的原理法則，則皆是泛濫無歸不可相信之說。因此，對於以義理解《易》而能合於「《易》理」者，尚氏也表示了他的欣賞。如在《虞氏易言》二卷（《張皋文全集》本）的提要中，他說道：

清張惠言撰。……通體舍象變而談義理，雖未知其悉中虞氏之旨與否，要其說理樸實，遣辭典雅，无穿鑿附會之弊，支離轇轕之習，較其他書，特為平正。苟能合劉氏補完之說而行之，雖未足以輕視王、程，要亦為言義理者所必當取資焉爾。[13]

11 同註1，頁3。

12 同註1，頁74。

13 同註1，頁75。

對於張惠言雖舍象變而談義理，但說理樸實，且無穿鑿附會之弊，故謂之說《易》平正。可見尚氏並非對以義理解《易》的流派有所偏見，只是對於漫無「《易》理」的《易》學家感到不滿。所以同樣是以義理解《易》的書，他在《周易平說》二卷（咸豐刊本）的提要說道：

> 清郭程先撰，……咸豐十年進士，治《易》甚有名，……因尚理學，故說《易》純以義理為主。……至所謂《易》理者，不惟不詳，且多違背，而象數更不待言矣！故夫借《周易》以為束身寡過之助，或習八比者，閱此書當有益。若欲治經，則疏陋無涉矣！[14]

對郭程先純以義理論《易》，而違背「《易》理」，不懂象數則深表不滿。故若只在束身寡過上談道理，自然可以這樣說，但若以這樣的說法治《易》，就是疏陋無比了。

那麼，什麼是尚氏所謂的「《易》理」？簡單的說，即是指卦爻之陰陽與時位等基本運行原則而已。我們可以在荀爽《周易注》一卷（《漢魏二十一家易注》本）提要中看到他談陰陽關係，其云：

> 乾隆間平湖諸生孫堂輯。……爽字慈明，……其注之最要者，如坤龍戰于野云：「消息之位，坤行至亥，下有伏乾，陰陽相和。荀《九家》云：『乾坤合居，故言天地之雜。』」夫曰和曰合，則所謂戰者乃交接，非戰爭。知侯果謂「窮陰薄陽故戰」、干寶謂「君德窮至于攻戰」者非。凡「月幾望」，幾皆作既，知荀以兌為月，以巽為十六日也。中孚六三「得敵」云：「三四俱陰，故稱敵也。《易》，同性者為敵。艮傳云：『上下敵應不相與』是也。」此實全《易》之大綱，凡陰陽爻之吉凶，以此義求之，無或有爽。大過以初六巽為女妻，以上六兌為老婦，明經用象，不盡與說卦同，與焦氏《易林》合若符契，知虞注最妄。[15]

---

14 同註1，頁121。

15 同註1，頁9-10。

他以荀爽注中孚六三「得敵」云「三四俱陰，故稱敵也。」而謂「《易》，同性者為敵。」尚氏以為同性為敵，異性為友是全《易》大綱，而《易》之陰陽吉凶皆應以是敵是友的狀況推闡，不可以離此基本「《易》理」而牽扯附會的。

以尚氏著作來看，我們也可以整理出他所謂的「《易》理」大約可分兩類[16]，一是專以《易》中卦爻之陰陽相遇相敵來看，如上述所言，同性為敵，異性為友，依此原則而又可分為：凡言「有慶」者，皆謂陰遇陽；凡陰得陽應必吉，陽得陰應不必吉；《易》以陰陽相遇為類（朋、友），反之為敵；凡言「志在外」、「志在內」者，皆謂應爻；凡「我生」皆謂應與；凡云「得志」、「得願」、「上合志」謂陽往遇二陰，或陰往遇二陽也；孚之故在陽遇陰；凡爻有正應者，初雖有阻，終必相合；六十四卦言「利貞」者，亦指陰陽相遇也；遠謂應，近謂比，遠近不能兼取也等。二是專以《易》象之用，取其義，宜其用論，依此又可分為：凡《易》取象，不於本爻必應，爻在此而象在應，為《易》之通例；象每以相反見義；象同故辭同；《易》凡於人名地名，無不從象生等。讀者可參看之。

（三）考訂前人之誤

除了上述兩個關係《易》學內部問題與立場的說明外，我們也可以由尚氏在為各類《易》學著作寫提要時，看到他時時糾正那些著作的一些錯誤，以省去我們在引用時因無知而犯的錯誤。如他在《三墳》無卷數（天一閣叢書本）的提要中云：

> 此本題明范欽訂。欽字堯卿，一字安卿，號東明，嘉靖進士，有天一閣集。案《三墳》之名，見《春秋左氏》，《傳》云：「楚左史倚相，能讀《三墳》、《五典》、《八索》、《九丘》。」其次則為孔安國《尚書・序》云：「伏犧、神農、黃帝之書，謂之《三墳》，言大道也。」

16 同註4，頁1-39。

> 據此則古有《三墳》其書，然自《漢書・藝文志》以迄隋、唐二志，並未著錄，而周、秦以來經傳子史，亦從無一引其說者，則是書之亡佚蓋已久。且據劉熙《釋名》及〈偽孔序〉之言觀之，則是書乃書類非《易》類。今此書首曰山墳，為天皇伏犧氏之《連山易》；次曰氣墳，為人皇神農氏之《歸藏易》；末曰形墳，為地皇軒轅氏之《乾坤易》。《三墳》均有卦爻大象，由八卦重為六十四卦，……皇策及政典之辭，大氐模仿《尚書》之意，太古河圖代姓紀則純是摭拾讖緯諸書，雜湊而成。……前提要（指班書閣為《三墳》書一卷說郛本所作提要）謂古來偽書之拙，莫過於是。[17]

指出此書即使存在亦非《易》類，明分類之錯誤。又如在《古三墳》無卷數（明天啟丙寅刊本）提要中云：

> 案此書題明新都唐琳訂。其本正文與各本均無異同，惟有圈點及眉批。眉批采錄之說凡三家，一劉辰翁、一茅坤、一孫鑛。……察辰翁之意，既疑朱子謂伏犧以上無文字之說，而又以《周易》及《乾鑿度》皆出其後，似篤信此書，不疑其偽。而茅氏與孫氏則均極贊嘆其文辭，……是茅、孫二氏均不疑其偽。夫此書偽作，昭然若揭，而歷代賢士尚有篤信若此者，足見世之好奇者之多。[18]

則指出此書為偽。又如在《仲軒易義解詁》三卷（鈔本）提要中云：

> 鈔寫本，卷上首尾不具，中下兩卷均題江都焦循定稿。……其家有仲軒，因藏仲長統石刻得名，則仲軒誠為循之軒名。惟按循子廷琥所撰事略，述循先後著作甚詳，……獨未聞有《易》義解詁之說，此其可疑者一。……是循于漢儒納甲卦氣五行十二辟之術以及宋儒先後天之說，皆所不信，而此書於納甲卦氣五行十二辟之術，既屢屢稱述，而

---

17 同註1，頁1。

18 同註1，頁1-2。

> 於先後天之說，尤篤信不惑。……此其可疑者三。……可知此書乃鄉曲俗士所為，久而殘闕，佚其名氏，作偽者乃嫁名於循以圖射利明矣！不足重也。[19]

以內證外證雙邊論證的方法指出《仲軒易義解詁》三卷乃俗士藉焦循《易》家大名而圖利，皆可看出尚氏考訂真偽之功。

（四）顯示清人整理前人《易》說潮流，並指出此潮流的問題

尚氏所作提要，除了表現出清人對於前人各類《易》說有著整理統合的想法與作法外，同時也指出某些強要整理前人《易》說潮流下所易犯的錯誤。如他在《周易梁丘章句》一卷（玉函山房本）提要中說道：

> ……梁丘賀字長翁，瑯邪諸人，與孟喜、施讎同受《易》於田王孫，得田何嫡傳。西漢所謂施、孟、梁丘三家《易》也。晉永嘉亂後，施、梁丘二家皆亡，獨孟喜尚存，故《集解》、《釋文》，有時引之，不能指為誰也。故輯《易》注者，如孫堂、黃奭之流，搜羅廣博，於施、梁二家，獨付缺如，誠以其不能輯也。馬氏勉輯之，或據蔡邕《五經異義》，或據漢碑，或據石經，共得十七條，除童蒙來求我等九條，與施義相同，不能確指外，餘多據王莽傳，及蔡邕碑文，強定為梁丘《易》，皆不可信。歎馬氏好古之篤，用心之勤，而所獲之少也，故辨明之。[20]

指出馬氏強輯古書之有問題。又如在《費氏易》一卷（玉函山房本）提要中云：

> ……長於卦筮，亡章句，故李氏《集解》無有費說。陸氏《釋文》

19 同註1，頁85-86。

20 同註1，頁7。

> 云：「某字古文作某字。」亦未言費氏，徒以劉向云以中古文《易》校三家，或脫去无咎悔亡，惟費氏經與古文同。夫曰與古文同，明費氏非古文也。同者言其字之多寡，同於中古文，無脫缺也。其校《尚書》，亦專重脫簡，豈謂其字皆從古文乎？如費《易》字皆古文，凡東漢馬融、荀爽、鄭玄皆習費《易》者，胡為其讀不盡同？且不盡用古文乎？今馬氏悉依釋文，及晁氏古《易》所列古字，悉以屬之費氏，其不當可知矣！然喜其將全《易》古文輯錄無遺，如坤古文作巛、凝古文作疑、恤作血、墉作庸、砎作介、趾作止、埸作易、狩作守、箕作其之類，共百三則，彙萃成篇，檢查甚易，故過而存之，以便後學焉。[21]

與前條提要同指出馬氏強輯古書之問題，正可以給我們引用這些說法時有所警惕。在《向秀周易義》一卷（《漢魏二十一家易注》本）提要中云：

> 清孫堂輯。……世傳郭象《莊子注》，是向之本書，而《易》則罕傳。《隋志》、《唐志》皆不著錄，張璠採二十二家《易》為集解，依秀為本，……《釋文》及李氏《集解》閒有徵引，堂輯為一卷。其書採拾精審，較之馬國翰所輯《周易向氏義》殊勝。蓋馬氏之弊，在貪多務得，故往往不免濫取。[22]

可見在馬國翰與孫堂所輯的前人《易》說中，尚氏對二人的優劣判斷，亦可做我們採取何人之作的選擇參考。而在《周易鄭氏注》三卷（道光刊本）提要中云：

> 清張惠言輯。……嘉慶四年進士，……曾著《虞氏易、周易鄭荀易》，復輯《鄭氏注》三卷。按《鄭氏注》初輯者為王應麟，作三卷，刊於《玉海》中。至明胡孝轅附刻於李氏《集解》後，後姚叔祥

---

21 同前註。

22 同註1，頁16-17。

> 增補二十五條，刊於津逮秘書中。清惠棟復加審正，刻於《雅雨堂叢書》中。其王輯下皆不著其所本，惠棟於每條下注之。至惠言又即惠氏本，參以歸安丁小疋後定本，盧抱經、孫頤谷、臧在東各校本，復為上中下三卷。蓋每輯而加詳，至惠言而審正益精備，視前者愈詳焉。書內之善者，如惠氏好改經，雅雨堂李氏《集解》經惠氏審定，擅改經文，不可勝數，後儒頗罪其亂經，乃輯鄭注注文，為惠氏增改者尤多，初學不知，幾疑經文注文原即如是，最淆亂耳目。惠言於惠氏改字，皆為指出。如謙字惠皆改作嗛、逸皆改作佚、……賁卦注艮止于上，坎險于下，作坎險止于下，擅加止字，致于卦象不協，……致義皆背戾，失鄭注本義，就一己私說。書內遇此，並為指出，以正惠氏之妄，則此書之功也。[23]

則指出惠棟輯鄭氏《易》擅改之誤外，亦言及鄭注輯佚的流傳經過，給予後學者引用時揀擇之方便。

（五）對清代《易》學著作的各種淺陋現象表示可惜與不滿

清代《易》家如焦循在尚氏的眼中是有褒有貶的，如在《雕菰樓易學》四十卷（焦氏叢書本）提要中云：

> 清焦循撰。……蓋循生平，邃於天文算學，因以測天之法測《易》，以數之比例，求《易》之比例，而悟得《易》學有三，一曰旁通，二曰相錯，三曰時行。……然今考循所破漢儒卦變、半象、納甲、納音、卦氣、爻辰之非，咸能究極其弊。至其所自建樹之說，則又支離穿鑿，違於情理，實有較漢儒諸術過之而無不及焉者。……初觀其法似密，實按其義皆非，牽合膠固，殆過於虞翻遠甚，而竟不自知其

23 同註1，頁9。

謬，豈非明於燭人，而暗於見己乎？[24]

他對焦循所破漢儒卦變、半象、納甲、納音、卦氣、爻辰之非，表示了讚賞；而對至其所自建樹之說，（旁通、相錯、時行、當位失道、比例）以測天法測《易》，以數之比例求《易》之比例，則批為支離穿鑿，違於情理[25]。

除此之外，他對清代《易》學著作雖多，卻有許多淺陋不堪的現象，表示了不滿與可惜。如在《通宗易論》（無卷數，《唱經堂才子叢書》本）提要中云：

> 清金人瑞著。……又名喟，字聖嘆，為人狂傲，評點演義小說，頗為世俗所稱，清初以抗糧哭廟案被誅。……至謂乾內一筆為電光三昧，坤內一筆為首楞嚴三昧，尤怪誕謬妄。……至謂《易》中有樓閣卦，有光影卦，有沐浴卦，則又不知其所謂。第三篇論五十之數，謂五十合一，即是世尊胸前卍字輪。第四篇論乾坤之義，謂讀〈周南．召南〉而能事畢。第五篇論乾坤震巽坎離艮兌否泰損益咸恆既未濟十六卦之義，謂大雄氏有《十六觀經》，《尚書》有十六字，《妙法蓮華經》有十六王子，其義一也。末篇謂屯蒙卦達磨遇神光時也，需卦香巖辭撝山時也。又謂達磨大師東來，只為得一屯卦，一部《五燈會元》都是弄粥飯氣。凡此各篇，時或引《詩》、《論語》、《孝經》以相參證，時或引佛書禪學以相比附，支離轇轕，語無倫次，苟非病狂者決不至此，知其陷于刑辟，有由矣！其書本不足論，恐俗士不識，詑為奇妙，故具詳之。[26]

對以評點演義小說聞名的金聖嘆「或引《詩》、《論語》、《孝經》以相參證，時或引佛書禪學以相比附，支離轇轕，語無倫次」的情況，大表不滿。在害

24 同註1，頁83。

25 請參看拙作：《清焦循易圖略易通釋研究》（桃園縣：國立中央大學中文研究所碩士論文，1994年）。

26 同註1，頁42。

怕俗士不識，好奇賞怪而有礙《易》學的考慮下，詳作提要而說明之。又如在《易義選參》二卷（翠薇峰易堂刊本）提要中云：

> 清寧都三魏著，邱維屏評選。三魏者，魏伯子際瑞、叔子禧、季子禮是也。……其注頗留心《易》象，惜未能根據〈說〉卦及漢、魏諸儒所傳逸象，往往以臆測推，致漫衍無經。……蓋《易》自元、明以來，皆空談心性，循至流于狂禪，其能鉤稽象學者，自吳澄、熊過、陳士元、來知德、魏濬數家外，鮮知窮究。三魏兄弟，極知其弊，而思有以匡正之。其用意可嘉，惜其用力太淺耳。[27]

對於魏家三兄弟雖知《易》自元、明以來，空談心性，流於狂禪之弊，而能鉤稽象學以注《易》表示肯定，但也因其未能根據〈說〉卦及漢、魏諸儒所傳逸象，往往以臆測推，致漫衍無經的現象表示可惜。其他如在《大易象數鈎深圖》三卷（康熙刊本）提要中則云：

> 清納蘭成德原著，張文炳重訂。……於數之原理，頗能鈎深闡幽。……總之此書，除於《易》數有取外，於象皆不切無關，且有誤者，名曰象數鈎深，不副其實。[28]

對納蘭成德於數能有所闡幽，於象則全然不知也表示可惜。在《周易本義闡旨》八卷（嘉慶十七年蘭桂堂刻本）提要中云：

> 清胡方者。……蓋方生居窮僻，潦倒棘圍，既不獲與通人達士交游，又罕覯漢、魏《易》說，故孤陋如是也。[29]

在《周易本義引蒙》十二卷（康熙刊本）提要中云：

> 清貢生姚章撰。……蓋自明初學者，以胡廣之《周易大全》為正宗，

---

27 同註1，頁43-44。

28 同註1，頁46-47。

29 同註1，頁47。

> 而《大全》以程、朱為主體，不知象數為何物。而鄉曲之士，見聞孤陋，幾不知《程傳》、《本義》、《大全》以外，尚有其他《易》解。[30]

在《易經揆一》十四卷（乾隆刊本）提要中云：

> 清梁錫璵撰。……其《易經揆一》，當時曾命翰林二十人，中書二十人，寫以晉呈。以此書故，以舉人遽授以翰林清職，當時榮遇，可謂無比。……統觀全書，立說蕪雜，雅詁甚少，於所不知不甘缺疑，所創誤解，觸目皆是。不知當時君若臣，何以矜重若是，豈果明《易》者無一人乎。[31]

對清代學人或由於地處偏僻，或因為交遊有限，不知前人《易》學之作有多少，只以政府所用之《程傳》、《本義》、《大全》等論《易》，因而造成淺陋現象表示了可笑也可嘆。同時對於梁錫璵因《易經揆一》十四卷而受皇帝榮寵，然細觀其作卻錯誤百出而發出難道當時舉國上下都沒有一個了解《易經》的人的感慨。

三　尚秉和提要中所顯示的清代《易》學史現象

在尚氏提要中，我們還可以看到《易》學發展的一些現象，談義理的宋《易》仍主宰《易》學絕大場域，而溝通漢、宋二家的努力也同時存在。此外，以史解《易》與道家神秘《易》的著作也是有的。

(一) 以義理解《易》依然是清代主流

只要稍讀經學史就會知道清代《易》學在朝廷科考選書的引導下，仍是以程、朱所代表的宋《易》為主要潮流，在尚氏所作的提要中，同樣的證明

30 同註1，頁48。

31 同註1，頁63。

了這種現象。現以時間先後順序佐證之，在《孔易》七卷（康熙刊本）提要中云：

> 清孫承澤著，……明崇禎進士，……至於訓詁，蓋以義理為宗，而疏於易理，故每多歧誤。……蹈宋儒空滑之病，不足貴也。[32]

謂清初孫承澤《易》作「以義理為宗，而疏於『《易》理』」。在《周易彙統》四卷（康熙壬午刊本）提要中云：

> 清佟國維撰，……初任一等侍衛，康熙九年授大臣，……此書一以程朱為主。[33]

指出康熙佟國維作《易》以程朱為主。在《碩松堂讀易記》十六卷（乾隆刊本）提要中云：

> 清邱仰文撰，……雍正進士，……其說《易》以宋人義理為主，故極力推崇《程傳》，……蓋邱氏於《易》理甚疏淺，而自信頗堅，故其論說多浮泛不切也。[34]

指出雍正時人鄄仰文說《易》以宋人義理為主，論說多浮泛不切。在《周易客難》一卷（道光刊十三經客難本）提要中云：

> 清龔元玠撰，……乾隆甲戌進士，……名客難者，設為問答，以申其義。惜所據皆王注《程傳》、《本義》，及其他宋《易》而止，兩漢古注，似未寓目，故所說多疏淺。[35]

指出乾隆時人龔元玠《易》作所據皆主王注與《程傳》、《本義》，似未見過兩漢古注。在《周易偶記》二卷（道光間誠意堂家塾刊《七經偶記》本）提

32 同註1，頁43。

33 同註1，頁46。

34 同註1，頁55。

35 同註1，頁90。

要中云：

> 清汪德鉞撰。……嘉慶進士，……以宋《易》為宗，以義理為主，……一切訓詁，浮泛說之，蹈宋儒空疏之病，又漢人舊訓，似皆不知。[36]

指出嘉慶時人汪德鉞《易》作以宋《易》為宗，義理為主，蹈宋儒空疏之病。在《周易本義補說》五卷（道光刊本）提要中云：

> 清蔡紹江著，……嘉慶二十四年進士，……此書能補本義之闕漏，並能言象，不但為朱子之功臣，亦晚近義理家之少有者也。[37]

謂嘉慶時人蔡紹江《易》作能補朱子《本義》之缺，為晚近義理家少有。在《易經輯說》五卷（道光丁亥年刊本）提要中云：

> 清徐通久著，……道光間為陝西中部縣知縣，其所集《易》說，以朱子《本義》為主，……凡漢、魏諸儒象數之學，《周易》本原之所在，不惟不錄，似亦不知者。[38]

謂道光時人徐通久《易》作以朱子《本義》為主，對漢、魏諸儒象數之學似乎不知。在《周易玩辭》一卷（同治刊本）提要中云：

> 清王景賢著，……咸豐間舉孝廉方正，平生服膺理學，以朱子為宗，故所為《易》說……祇以成其性理之學，其於易解，固多未能明也。[39]

謂咸豐時人王景賢《易》作只以朱子性理之學為主，於《易》多未能明。在《周易明報》三卷（光緒壬午家刻本）提要中云：

---

36 同註1，頁79-80。

37 同註1，頁111-112。

38 同註1，頁116。

39 同註1，頁131-132。

> 清陳懋侯撰，……光緒丙子進士，……全書訓釋簡略，大抵在明義理，不取象數。[40]

謂光緒時人陳懋侯作《易》大抵明義理而不取象數。由上述諸例可知有清一代自初至末，實為宋《易》昌盛之時代。

（二）融合漢、宋《易》的努力也在《易》學史的流傳中前進

除了宋《易》的義理說仍為清代《易》學主流外，也有一些人因見宋《易》空疏之弊而努力的融通漢、宋《易》的鴻溝，如在《周易後傳》八卷（初刻本）提要中云：

> 清朱兆熊撰，……乾隆甲寅舉人，……竊其意，似欲原本象數，發為義理，治象數義理二者於一爐，以救漢、宋二家偏勝之失，宗旨甚正，然察其實，與其所志，多不相副。……雖然，義理象數，偏勝久矣，朱氏能兼收並蓄，所采漢、宋二家之說，亦尚扼要，雖其自序之言，略失之誇，要不宜以之盡棄其書也。[41]

指出乾隆時人朱兆熊欲「治象數義理二者於一爐，以救漢、宋二家偏勝之失，宗旨甚正」，雖然未必能全符其所希冀，但已為知義理象數皆不能偏失而欲兼採漢、宋二家者。在《易理象數合解》二卷（道光元年刊本）提要中云：

> 清聶鎬敏撰，……嘉慶辛酉進士，……此合解蓋欲以《易》理象數兼明，矯漢人重象數不重義理，宋人言義理不本象數之弊。其實宋人如《程傳》、《本義》，所詳者義理，非《易》理也。義理者乃治國平天下修身齊家之事，如《程傳》動云某爻之才，皆借易以演其內聖外

40 同註1，頁150。

41 同註1，頁91。

> 王，治人治已，經世涉世之務，而於《易》理，多不相涉，且多相背之處。《本義》大體以《程傳》為本，然義理之中，兼顧《易》理，故優於《程傳》。[42]

謂嘉慶時人聶鎬敏治《易》欲以《易》理象數兼明，「矯漢人重象數不重義理，宋人言義理不本象數之弊。」然因其「懵然莫辨，將《程傳》等書之義理，與『《易》理』混而為一」，故雖疏陋，仍表現出已知象數義理不能偏廢。此處亦表出尚氏不滿前人者，乃在不知「《易》理」與義理之分，而非漢、宋二家治《易》的方法手段。在《河上易註》十卷（道光元年刊本）提要中則云：

> 清黎世序著，……嘉慶進士，……蓋皆其治河時所著，故名河上。黎氏蓋以義理與象數宜並重，深以《程傳》、《本義》，空演義理，不求象數為非。而《御纂周易折中》，以程、朱為主；即《御纂周易述義》，名宗漢《易》，仍於象數甚略。黎氏蓋深以為非，……揆其宗旨，蓋欲取漢、宋二家，治為一爐，甚正當也。[43]

謂嘉慶時人黎世序治《易》以義理象數並重，「欲取漢、宋二家，治為一爐」。在《易經解注傳義辯正》四十四卷（光緒二十二年刊本）提要中云：

> 清彭申甫撰，……道光乙未科舉人，……自漢迄清，凡名家注皆採入書中。如李氏《集解》之古注，並《集解》所無者，皆採輯無遺。此外如王注、如《正義》、如《程傳》、《本義》、《漢上易》，以及楊萬里、蘇軾、陸希聲、項平甫、來知德等《易》說《易》注皆備。而於清《易》家祇取王夫之、李光地，間及顧炎武、王引之等說。其古注有可疑者，則加案語辨正其是非可否，寒士得此一書，并苞群書於其內，省檢查之煩，收合流之益，甚便也。其所辯正，亦多可取。惜其

42 同註1，頁93。

43 同註1，頁99。

偏重義理，忽視《易》象，略於訓詁，故所錄之注，宋人獨多。[44]

謂道光時人彭申甫《易》作能將「自漢迄清，凡名家注皆採入書中。如李氏《集解》之古注，並《集解》所無者，皆採輯無遺。」尚氏並贊之云「寒士得此一書，并苞群書於其內，省檢查之煩，收合流之益。」雖難免作重義理而忽視《易》象，但已甚有益於學者。在《周易學統》九卷（光緒刊本）提要中云：

清汪宗沂撰。宗沂字仲伊，歙人，光緒進士，……其說《易》以西漢為宗，而益之以唐李鼎祚之《集解》、宋周、邵、程、朱之學，及元、明以來各家之說。……蓋說之善者，雖宋亦取；不善者，雖漢不錄。有是非之判斷，无漢、宋之區別。故凡鄭氏爻辰、虞氏卦變爻變，无一取者。……惟於《易》理，所入不深，故所采之注，往往不合。[45]

謂光緒時人汪宗沂《易》注「首舉西漢《易》說，再旁及各家，雖斥王弼及宋人之義理空疏，然亦頗采其說。蓋說之善者，雖宋亦取；不善者，雖漢不錄。有是非之判斷，无漢、宋之區別。」在尚氏眼中雖仍於「《易》理」所入不深，但可見清代學者融通漢、宋《易》說之企圖，自乾嘉至清末未曾中斷，且有越來越好的趨勢。

（三）以史解《易》的流派仍在

除了上述兩大潮流外，以史解《易》的流派依然存在，如在《易鑑》三十八卷（同治甲子重刊本）提要中云：

清歐陽厚均撰，……嘉慶進士，……其書既盡屏棄漢、魏諸儒所用之

---

44 同註1，頁148。

45 同註1，頁172。

> 象數，亦不專尚王弼、程子所談之義理，它如陳摶、邵子所傳之河洛先後天諸說，亦不闌入一語。凡六十四卦三百八十四爻，皆引據古今史事，以相參證。采取於古人者以此，其自加案語者亦以此，大致蓋與楊誠齋《易傳》同。[46]

謂嘉慶時人歐陽厚均《易》作「凡六十四卦三百八十四爻，皆引據古今史事，以相參證。采取於古人者以此，其自加案語者亦以此。」而不主於象數義理之分判去取，大致與楊誠齋《易傳》以史解《易》相同。在《周易本意》五卷（光緒間刻本）提要中則云：

> 清何西夏撰，……道光間隱君子，……其註釋經傳之辭，大氐推闡義理，而証之史事。說理尚為平實，援引亦多切當，蓋宗法《程傳、本義》，而益之以李光地、楊萬里之說者歟！[47]

謂道光時人何西夏《易》作「推闡義理，而証之史事」，是「宗法《程傳、本義》，而益之以李光、楊萬里之說者」，也是以史解《易》的著作。而在《周易人事疏證》（宣統二年同文書館鉛印本）提要中云：

> 清章世臣撰，……生平致力於經學，尤好《易》，……自謂仿宋李光地、楊萬里而作。按李光地《讀易詳說》、《誠齋易傳》皆以史事徵引《易》說，而《誠齋易傳》二十卷所引尤繁多，而於經義之訓詁，及陰陽消長，《易》理原本所在，反略而不說。[48]

謂清末章世臣《易》作自謂「仿宋李光地、楊萬里而作」，而他們的《易》作皆是以史事徵引《易》說者。由上述諸例可知以史解《易》的傳統雖然不是《易》學主流，卻未曾中斷。

---

46 同註1，頁109。

47 同註1，頁122-123。

48 同註1，頁157。

（四）道教（家）與神秘主義的附合依然

又有如道教神秘者仍與《易》的附合，如在《卦極圖說》（雲南叢書本）提要中云：

> 清馬之龍撰，……道光中出遊，寓昆明幾二十年，此圖說乃其在昆明時，有客見其學《易》，請其著書，傳授於人，乃援筆作太極圖……按邵子先天方圓各圖，本出自道家，今觀馬氏各圖，全以陳邵為本，而語涉玄虛，似祖述郭象《莊子注》，王弼《老子注》者。知馬氏隱居深山，從事道家之學。惟其圖說太簡略，迷離恍惚，莽不得其實際。[49]

謂道光時人馬之龍在雲南二十年，所傳《易》學以陳邵為本，而語涉玄虛，迷離恍惚，似祖述郭象、王弼，蓋其從事道家之學故也。在《太極會通》六卷（鉛印本）提要中云：

> 翟衡璣撰。……然觀其書，殆近世習道教者之所為，故其自負，妄誕不經。……其篇首所謂一經六緯者，一經似謂太極，六緯訖不知其何所指。因語無倫次，故端序不明。近世假經文以文飾其雜說，如此者多矣，不足取也。[50]

謂翟衡璣乃習道教者，故說《易》語無倫次，並云「近世假經文以文飾其雜說，如此者多矣」，蓋民間說《易》亦流於此也。

四　尚秉和論杭辛齋

除了清代及前人的《易》說外，在尚氏的提要中亦論及了時人之作，尤其是對民國《易》學大家杭辛齋的評價，相較於其他人，可以看出他對杭氏

---

49 同註1，頁117-118。

50 同註1，頁188。

《易》學評價是很高的。如在《學易筆談》四卷（民國八年排印本）提要中云：

> 杭辛齋著。辛齋海寧諸生，幼好學《易》，清末常主持報社，入民國為國會議員，四年以反對帝制，被補入獄。自言在獄中遇異人，傳授京氏《易》，故於《易》所入益深邃。……民國九年卒。茲本乃其初集，其說《易》不章解句釋，不分漢宋，謂門戶之見，最為誤人。然於宋、程朱之《易》，每多微詞，謂後世所以有宋《易》之名者，以邵子能發明先天各圖，創前此所未有，故有漢《易》宋《易》易之名。若程、朱等《易》，仍不出王弼之範圍。至論三《易》之源流，及漢、魏、晉、唐《易》注之派別得失，及宋、元、明、清之漢、宋兩派之《易》說，博洽詳盡，足見其於《易》注搜羅之廣，涉獵之富，而能詳人所不能詳者。唯在《易》數，如一生二，二生三，及二與四，三與五，用九用六諸說，皆能自發新義，貫通透徹，與端木國瑚之《周易指》，後先媲美。而卷三中之〈象義一得〉，尤精微奧妙，合《易》理與數術，揉而為一，發前人所未發，為近代罕有之《易》家。惟其考據，頗有疏略。[51]

杭氏雖自幼學《易》好《易》，但於《易》能有大長進乃在入獄遇異人傳授京氏《易》的因緣，京氏《易》即漢《易》，故雖謂門戶之見最為誤人，卻對宋代程、朱《易》學多有微詞。並謂其「論三《易》之源流，及漢、魏、晉、唐《易》注之派別得失，及宋、元、明、清之漢、宋兩派《易》說，博洽詳盡，足見其於《易》注搜羅之廣，涉獵之富，而能詳人所不能詳者。」對於《易》數能自發新義，貫透通徹；對於《易》象，亦能發前人所未發，譽為近代罕有之《易》家。蓋杭氏乃能在合於「《易》理」的前題下言象與數，故備受尚氏肯定。而其唯一的缺失在考據訓詁上略有所疏。在《易數偶得》二卷（民國鉛印本）提要中云：

---

51 同註1，頁177。

海寧杭辛齋著。……辛齋所言數理，迴環往復，妙義環生，多本之李，（善蘭）然皆算學之事。辛齋聰明，通之於《易》，如謂數皆以天地為本，凡演數皆以參天兩地為用，及數有順逆是也。[52]

亦謂杭氏聰明而精於算數，其所言數理「迴環往復，妙義環生。」而在《學易筆談二集》四卷（民國鉛印本）提要中則云：

海寧杭辛齋著。……大抵杭氏《易》學，長於博覽，短於切詁，華美有餘，而樸實不足。[53]

同樣指出杭氏《易》學乃「長於博覽，短於切詁。」

尚氏對於民初杭辛齋能以象數論《易》且合於「《易》理」，贊為近代罕有，那麼，我們不妨也由此看杭氏〈象義一得〉內容，以求尚氏所贊為何。其云：

凡言象者，不可忘《易》之義，《易》義不易者其體，而交易、變易者其用，故八卦之象，無不交錯以見義。……執片面以言象，象不可得而見；泥一義以言象，象不可得而通也。凡言象者，不可忘其數，天一地二天三地四天五地六天七地八天九地十，黃帝而後，皆以干支紀之，卦有定位，即有定數。……自舍數言象，而象茫如捕風矣！凡言象者，不可不明其體，體者用之主也，故卜筮者亦日取用。（每卦六爻，先取所用者一爻為主即體也）以所用者為主，而後察他爻之或從或違或動或靜，為利為害，吉凶始可得而斷焉。……凡言象者，不可不視其所以，以者與也、即也。……所與者而善，乃吉之幾，所與者而不善，乃凶之兆，而善惡又有大小之殊，所與者又有遠近之別，〈繫辭〉曰：「遠近相取而悔吝生」。……凡言象者，不可不觀其所由，〈繫辭〉曰：「辭也者各指其所之。」此有所之者，即彼有所由，

52 同註1，頁178。

53 同前註。

〈文言〉曰：「臣弒其君，子弒其父，非一朝一夕之故。」其所由來者漸矣！……凡言象者，不可不察其所安，安也者，位也。〈繫傳〉曰：「君子安其身而後動。」觀象者既定其主體之所在矣，必察其所在之處，能否得位？位得矣，必察其位之能否得時得用，後其象始可得而言。……凡言象者，不可不明消息，消則滅，息則茲，……凡一卦本體之消息，或因時言之，或以位論之，當其消焉，象雖吉而未可言福；當其息焉，象若凶而亦長其禍。其時值消而位當息，或位據息而時見消，則須辨其輕重，……未可泥於一端也。言象之大要如此，故夫陰陽之順逆，五行之休廢，氣數之盛衰，均不可不辨焉。嚮之言《易》者，曰吾治經，非以談休咎，奚用此術數為？而不知《易》以道陰陽，原本天地之數，以著天地之象，以通神明之德，以類萬物之情，非數則無以見《易》，非數即無以見象，未有象不明而能明《易》者也。舍象以言《易》，故宋儒之性理往往流於禪說而不自知；舍《易》以言象，方士之鼎爐，每每陷於魔道而殺其身，唯之與阿，相去幾何？[54]

杭氏雖未能對《易經》章解句釋，故不免有所遺憾，然觀上述所論《易》象之義，或云「執片面以言象，象不可得而見」，或云「舍數言象，而象茫如捕風」，或謂「不可不明其體，體者用之主」，或謂「不可不視其所以，以者與也、即也」，或云「不可不觀其所由」，或云「不可不察其所安，安也者，位也」，或道「不可不明消息，消則滅，息則茲，凡一卦本體之消息，或因時言之，或以位論之，當其消焉，象雖吉而未可言福；當其息焉，象若凶而亦長其禍」，凡此論象之言，皆在「《易》理」之陰陽承乘比應及消息時位的關係下談，故最為尚氏所贊，蓋尚氏所堅持論《易》原則者，便是此「《易》理」而已。至於以象數論，或以義理言，皆聖人之道，又何有勝負可言哉？故治經者以為談陰陽順逆、五行休廢、氣數盛衰乃休咎之術數，故略而不論，豈知亦因此而空論義理而與《易》漸無涉矣！由此可知杭氏論《易》之

54 杭辛齋：《易學妙理要訣筆談》（臺南市：龕巨書局，1985年），頁70-83。

立場與尚氏極近，故在前輩《易》家中，尚氏對杭辛齋特為青睞[55]。

五　結論：《續修提要・易類》中的尚秉和現象

除了上述所言尚氏提要所顯示的各種現象，如其一再宣誓以象解《易》的立場，並著重分辨「《易》理」與義理的不同，考訂前人著作之誤，指出清代整理前人《易》說的努力與問題，並呈現出清代《易》學以宋《易》為主流，同時融通漢、宋二家《易》學的努力也同時存在，並特別對民國杭辛齋之《易》學多有讚譽之外，最後值得一提的是，當我們整理《續修提要・易類》後，發現此書寫作的數量分布狀況極度不平均，大多的《提要》書寫只落在一兩人的身上，這是十分奇怪的現象。更特別的是，尚氏一人所寫的提要就佔了近整個《續修提要・易類》的一半，因此，我們才說《續修提要・易類》裡有尚秉和現象。

《續修提要・易類》共收有六百三十七條書目，分別由十九人作提要。其中以尚秉和寫了三百條最多，其次是總編纂柯紹忞的一百五十條，其他較多者尚有吳承仕四十七條、高潤生三十五條、黃壽祺三十條、葉啟勳二十四條、孫海波十八條，最後還有劉白村八條、韓承鐸四條、班書閣四條、謝興堯四條、劉思生二條、劉啟瑞二條、奉寬二條、傅振倫一條、羅繼祖一條、張壽林一條、倫明一條、趙錄綽一條。另外有六條提要沒有註明何人所寫。此六篇分別為：明諸生蔡鼎《萬遠堂易蔡》（頁 39）、清洪其紳《易通》（頁 73）、清李兆元《說卦傳輯注》（頁 79）、清蕭光遠《周易屬辭》（頁 102）、清黃應麒《周易述翼》（頁 115）以及清王景賢《周易玩辭》（頁 132）。顯而

---

55 關於對杭辛齋的評論，讀者亦可參考楊慶中：《二十世紀中國易學史・上編》（北京市：人民出版社，2000年），第一章第二節〈杭辛齋及其易學〉。而對於象數《易》的使用規定與限制，今人亦有所討論，讀者可參見鄭吉雄：〈論象數詮易的效用與限制〉，《中國文哲研究集刊》第29期（2006年9月），頁205-236。其論說雖夥，謂「象數詮《易》有所多重要的預設，最基本的當然是預設宇宙是一個規律性的、機械性的結構，然後再運用象數理論以解釋此一結構中的規律。」並提出十種象，三種數，對其所討論的象數詮《易》的效用與限制加以說明，要之即本文所謂的「《易理》」。

易見，尚秉和在這之中的地位十分特殊，他的書寫佔了近一半，而總編纂柯紹忞雖佔有近四分之一，卻也只是尚氏的一半而已。由這著作數量多少的整理，我們可以推知尚氏在民國初年的《易》學領域中，地位應是十分重要的[56]。

56 這裡還有一個殊堪玩味的現象是，在《續修提要・易類》中所有提要作者竟與同時期的《古史辨》討論《易經》的作者群，無一重複。而且他們關於《易經》的討論問題也南轅北轍，《古史辨》學者群所討論的無非是《周易》卦爻辭及〈十翼〉的作者、年代等問題，多為史學的、《易經》外部的問題探討；《續修提要・易類》作者群所討論的則是《易經》該如何詮釋理解才是對的，因而也涉及《易》學史的發展討論。至於《周易》經傳的作者、年代等問題，在這群經學家的心中似乎沒有特別討論的必要。這當然可以從一群是經學家，一群是史學家的簡單觀點論之，（然而這樣的理解自然很有問題，僅就錢穆先生而言，其雖只在《古史辨》中討論《周易》經傳作者、年代等外部問題，然而他一生讀《易》，自謂對《易》學名著鮮不瀏覽，中年時有《易學三書》之作，並在七十七與八十二歲時二次以火珠林占國事，詳用象數與義理論卦爻含義而奇準，可知錢先生於《易》的理解研究實不少於《續修提要・易類》作者群。關於錢先生的《易》學，可參見拙作：〈錢穆先生與易經〉，《變動時代的經學和經學家（1912-1949）第六次學術研討會論文集》，2009年7月，頁1-25）但亦可由此見民初以來學界百花齊放卻又涇渭分明的發展現象。關於古史辨中的《易經》討論，詳見拙作：〈古史辨中討論易經相關問題之省思〉，《變動時代的經學和經學家（1912-1949）第五次學術研討會論文集》，2007年7月，頁1-44。至於尚氏所作〈提要〉哪些是自己所寫？哪些又是其弟子黃壽祺所代筆？由於時間與篇幅關係，筆者已來不及在此詳做處理，只好待將來重檢此文再列一專節細論之了。

以象解《易》
——尚秉和《周易尚氏學》研究

陳進益
健行科技大學通識教育中心副教授

一　前言：實用為其《易》學核心

尚秉和先生（1870-1950）在民國二十八年（1939）時為自己的一生寫下一篇〈滋溪老人傳〉，可做為我們了解其生平之大概，其云：[1]

> ……自通籍後，處京師，出入於各座師之門。凡王公貴人，及當世宰相，莫不親接其顏色，習見其晉接僚屬承奉輦轂之勞，而為時勢所拘，皆不克行其志，慨然於崇高富貴者如斯。至四五品以下朝士，能酬應奔走，趨附形勢者，即可超遷，否則庸碌不足數也。其煩勞、其情狀，自料非孱軀所能堪。而文學者，吾所素習也，始欲以著述自見矣！……乃集《古文講授談》十二卷，凡文章家講求義法，傳授心印之言，靡不輯錄，而於敘事之法講論尤詳。……自此書出，河北大儒王晉卿先生、桐城姚仲實、姚叔節諸名士，皆叩門來訪，引為同氣。至辛亥革命，國體變更，私忖此變為數千年所未有，蹶然興曰：「是吾有事之日也。」乃搜集傳記，存錄報章，凡百七十餘種，以十年之力，成《辛壬春秋》四十八卷。繼又思中國歷史，皆詳於朝代興亡，

1　尚秉和：〈附錄三、滋溪老人傳〉，《周易尚氏學》（北京市：九州出版社，2005年），頁582-583。

> 政治得失，文物制度之記載，至於社會風俗之演變，事物風尚之異同，飲食起居之狀況，自三代以迄唐宋，實相不明。一讀古書，每多隔閡。……因即經史百家，及晉唐宋以來小說，凡人所習焉不察，而於事物之歷史有關者，詳細輯錄，解說原委，連綴成篇，成《歷代社會風俗事物考》四十四卷。

由此我們可知尚秉和並非一開始就專研《易經》的學者，而是先從官場上的不能適應轉往他所熟習的文學上去發展，輯錄了古人的文章家法成《古文講授談》，並與當時大儒名士如王晉卿、姚仲叔等人相往來，可知其原本不脫清代桐城古文一派。而後歷經辛亥革命的影響，知此為千古所未有的變化，花了十年的時間成《辛壬春秋》一書，記錄了開國兩年間的社會事件與變化。繼之又對社會事物風尚、飲食起居等人所習焉而不察，卻與歷史發展有關的一切發生興趣，欲補只記政治得失、文物制度的歷史的不足，而成《歷代社會風俗事物考》一書。也因為尚秉和在進入《易經》前，先經歷了這些人事、文學、歷史及社會觀察等生命經驗，遂使得他在進入《易經》研究領域時，能很快的看見在《左傳》、《國語》等史書中的筮例對於《易經》研究的重要性，也同時不會只在道德義理上宣說《易經》教義，而更能在《易經》的實際筮案中學得實用的《易經》學問。這「實用」的研究《易經》方式，便成為我們認識尚氏《易》學最最重要的核心價值了。他在〈滋溪老人傳〉中接著敘說自己研《易》的過程：[2]

> ……老而學《易》，自古如斯，亦不知其所以然也。欲學《易》，先明筮，然古筮法皆亡，乃輯《周易古筮考》十卷，羅古人筮案，以備研討。象者，學《易》之本，而《左傳》、《國語》為最古之《易》師，乃著《左傳國語易象解》一卷。漢人說《易》，其重象與春秋人同。然象之不知者，浪用卦變或爻辰以當之，初不敢謂其非，心不能無疑也。初在蓮池時，讀《焦氏易林》而愛之。繼思即一卦為六十四繇

2　同前註，頁583-585。

> 詞，必有所以主其詞者，無如《易林》所用之象，與漢魏人多不同，故仍不能通其義。……於是著《焦氏易林注》十六卷、《焦氏易詁》十二卷，以正二千年《周易》之誤解。卦氣者卜筮之資，乃必與時訓相附。初莫明其故，久之知七十二候之詞，皆由卦象而出。……初以為偶然耳，既求之各卦無不皆然。且用正象、覆象、半象，靡不精切。……乃著《周易時訓卦氣圖易象考》一卷。文王演《易》，本因二《易》之辭，而改易舊卦名者，約二十餘卦。……又二《易》繇詞，雜見於傳記者，其卦名雖異，其取象則同，可考見《周易》之沿革，乃著《連山歸藏卦名卦象考》一卷。《易》理之真解既明，《易》象之亡者復得，於是由漢魏以迄明清，二千年之誤解，遂盡行暴露，非前人知慧之不及，乃《易》象失傳之太久也。因之及門諸友環請注《易》，乃復成《易注》二十二卷，以其與先儒舊說十七八不同，而又不敢自匿其非也，因名曰《周易尚氏學》。

尚氏本不知為何古人云「老而學《易》」的真諦，然而在他自己有了前述的生命經歷之後，漸能體會古人此語的深意。而其所以找古代筮案研究，找《左傳》、《國語》為例，皆源自於其原本仕途的不順心，又再經歷國家之大變化，是以知學《易》若無深刻的生命經驗與體會，對於史上各種筮案中，用象比喻以解卦的「用」《易》之法，是不能理解的。蓋尚氏《易》學全在體會「《易》本實用」之深意也。《易經》的產生，本在解決人類實際生活中的一切疑惑，而在解釋《易》卦時，自然會以眼之所見，耳之所聽，人們所習知之事物為喻，然後在筮案的越來越多之後，才有所謂《易》詞的統一整理。故《易》的發生，原本於實際解決人們的疑惑需求，所以如果不能直探其實際需求的原意，而在文句義理上糾結，自然是會離《易》越來越遠的。於是《易》象變成其詮釋《易經》的主要方法，因為「象」是前人釋《易》時隨時所用的，故其著作幾乎全在《易》象上著力。而其所以不斷以《焦氏易林》為注《易》重心，也正是因為在《易林》中有各式各樣的《易》象可供實際解釋《易》卦之用，與《易經》出現的原因相合。所以他說千古

《易》理之所以不明，乃由於《易》象失傳之故，反之，若明《易》象，則《易》理就自然明白了。

尚氏所著關於《易經》之書，除了引文中的幾部之外，尚有《易林評議》十二卷、《讀易偶得錄》二卷、《太玄筮法正誤》一卷等。[3]又有在其七十以後所作而未及寫此傳中者，如《洞林筮案》、《郭璞洞林注》、《易卦雜說》、《易筮卦驗集存》、《周易導略論》等書。[4]尚氏云其學《易》甘苦則謂：[5]

> ……而《易》學十種，其伏根在二十年前，其考求遺象而成書，則在二十年后。其念茲在茲之艱苦，有非言語所能形容者。蓋《易林》既通，以《易林》注《易》，而《易林》未通以前，實以《易》注《易林》，嗚呼困矣！

其二十年來念茲在茲的把《易》放在心中，時時的考求遺象以求能通解《易經》的辛苦，自非言語筆墨所能形容。而其之所以廣用《易林》之象，亦非如一般人之隨意或偶然拿一書而比附之，實是深心研討所得而參用之者。其云老年之體會則云：[6]

> ……凡吾儒謗佛者，皆不知佛之實際與吾儒同，且不知吾儒中庸之道與佛無異也。……禪語既會，再讀諸經，立知歸宿，然仍不能解脫也。十四年冬，因時局兀臬不能去懷，偶閱馬祖與百丈觀野鴨因緣，遂脫然放下。因說偈曰：「參得江西過去禪，應無所住得真詮。森羅萬象飛飛過，不許些微把眼穿。」因發棄時事，安心著書。后讀僧璨信心銘曰：「大道無難，惟嫌揀擇。但莫愛憎，洞然明白。」又曰：「才有是非，紛然失心。」凡著書不能無揀、無是非，於是著書之念亦放下。放下再放，回思舊夢，盡是雲烟，歷歷數之，真多事也。

---

3 詳參尚秉和：《周易尚氏學》，頁586。

4 詳參尚秉和：《周易尚氏學》，頁588-589。尚氏之子尚驥所補記之文。

5 詳參尚秉和：《周易尚氏學》，頁587。

6 詳參尚秉和：《周易尚氏學》，頁588。

這裡的「應無所住」、這裡的「但莫愛憎」、這裡的「放下再放」，都是尚氏的生命體悟。而《易經》本是中國人對於生命有所疑惑時，用以尋求解決之道的智慧結集，則尚氏此老年的生命體悟，自然也值得吾人省思再三，能體悟生命的循環往復，起落的自然無常，則於《易經》的智慧或能有所得也。

二　《周易尚氏學》之〈自序〉、〈說例〉及〈總論〉

《周易尚氏學》為尚氏一生《易》學之結晶，全書將《易經》從頭到尾梳理一遍，對於六十四卦的每卦每爻的詮釋說明，無不費心考究，詳加說明。其雖為一家之學，但如果我們深入讀去，自可見其獨到的《易》學心得與實用的卦爻分析。全書首列〈自序〉，總說尚氏對於《易》學二千餘年來傳承的得失大概。次為〈說例〉，大約是將其注釋整部《易經》的心得簡要摘出，並且以例說明。再次為〈總論〉，是他對《易經》傳統周邊問題的看法，如《周易》誰作？《易傳》誰作？等問題的簡說。最後則為《周易尚氏學》的核心，是對《易經》各卦爻的逐一注釋與說明。自卷一至卷八為上經三十卦，自卷九至卷十七為下經三十四卦，另有卷十八至卷二十的〈繫傳〉、〈說〉、〈序〉、〈雜卦傳〉等的解說，全書把《易經》從頭到尾的注釋了一遍。在進入其逐一詮釋易經六十四卦之前，讓我們先對此書前三部份加以簡單說明，因為這三個部分可說是他對自己治《易》多年的精簡說明。了解了他的基本治《易》方法與立場後，再進入他解釋《周易》經傳本身，就容易理解多了。

(一)〈自序〉：說《易》之誤，乃因《易》理與《易》象失傳

1　《易》理的陰陽相遇相敵，非只在應爻，比爻亦須參看

這篇〈自序〉是尚秉和對《易》學發展兩千餘年來得失如何的自我體

會，他說：[7]

> 《易》理至明也，而說者多誤。說何以誤？厥有二因：一因《易》理之失傳。太史公曰：「《易》以道陰陽。」陰陽之理，同性相敵，異性相感。〈艮・傳〉云：「上下敵應，不相與也。」謂陽與陽，陰與陰為敵也。〈中孚・六三〉云：「得敵。」〈同人・九三〉曰：「敵剛。」謂陰比陰，陽比陽為敵也。陰遇陰，陽遇陽，既為敵而不相與，則不能為朋友，為類明矣！〈咸・傳〉曰：「二氣感應以相與。」〈恆〉曰：「剛柔皆應。」夫陰陽相與相應，則必相求而為朋為類明矣！……同性相敵，異性相感之理一失，于是初四二五三上陽應陽，陰應陰者謂之失應，人尚知之。至于陽比陽，陰比陰，如夬、姤之三四，如頤之六二，說者茫然。于是全部《易》，如「征凶」、「往吝」、「往不勝」、「壯于趾」、「其行次且」及「慎所之」等辭，全不知其故矣！又如陽遇重陰，陰遇重陽而當位者，所謂「往吉」、「征吉」、「利涉」、「利往」、「上合志也」。……又如陽爻，下乘重陰者亦多吉，與前臨重陰同也。……有此一因，于是《易》解之誤者，十而四五。

這段話是解說二十年來說《易》者之所以往往有誤，乃因「同性相敵」、「異性相感」的陰陽之理失傳。尚氏認為一般《易》家雖仍知初四、二五、三上三組對應之爻若陰陽相遇則吉，若陰遇陰、陽遇陽則不吉的相應、失應之理，卻不知爻與爻之間的上下關係的陰陽相遇相敵，也是爻辭中之所以有吉凶悔吝厲无咎等差別之故。以其所舉夬卦三、四爻為例，澤天夬卦，是除了上爻為陰之外，其他五爻皆陽之卦，故夬之九三、九四二爻前後所遇皆為九二與九五之陽爻，陽遇陽則為敵不相與，非為類、為朋，故九三爻辭云「壯于頄，有凶，君子夬夬獨行，遇雨若濡，有慍，无咎。」[8]其所以「有凶」，所以「夬夬獨行」，乃因上下皆陽，是同性相敵之故。而之所以「遇雨无咎」，則是與上六爻相應，上卦兌為澤，故「遇雨」，是以九三爻雖當位且有

7　詳參尚秉和：《周易尚氏學》，頁1-2。

8　詳參尚秉和：《周易尚氏學》，頁263-264。

應，但因前後皆遇陽爻難行，故僅能因與上六相應而无咎，沒有吉的可能。又九四爻辭云「臀无膚，其行次且，牽羊悔亡，聞言不信。」[9]，九四與九三爻情形類似，前後二爻皆陽，故「其行次且」，然而又與初九爻不相應，是以九四爻之「悔亡」不只因其不當位且失應，亦因其前後皆陽爻而同性不相與，與九三爻之「无咎」又不同也。

又如天風姤卦，除初爻為陰之外，其他五爻皆陽。其九三爻辭云「臀无膚，其行次且，厲，无大咎。」，九四爻辭云「苞无魚，起凶。」[10]九三向前遇九四九五，皆陽而同類，故是「其行次且」，雖厲无大咎。乃因其九三爻當位，九四前亦遇二陽爻同類，雖與初應，但中間已隔九二、九三二陽爻。尚氏謂「初已為二所擄，已无魚，故四與之應則動而凶也。」這裡正所以可看出相比之爻的同類異類與否，是與卦爻的吉凶判斷有著十分緊密的關係的。

又如山雷頤卦，除初上爻外，中間四爻皆陰。是六二爻辭云「顛頤，拂經，于丘頤，征凶。」[11]其六二往前所遇三四皆是陰爻，與其相應的五爻亦陰，是比應皆為同類的陰爻，故「征凶」。舉此三例說明，可見凡陰陽相遇則為吉，不只有相應而已。故尚氏又謂「陰遇重陽，陽遇重陰而當位者亦多吉也。」此為尚氏所謂《易》理，陰陽同性相敵，異性相感之理，此理千古《易》家盡知，有未知者，乃在前後爻的陰陽是否影響本爻的吉凶悔吝耳。

2 《易》象之用，取其義，宜其用耳，當與時俱進而益廣益精

接著他又說：[12]

> 其則象學失傳，〈說卦〉乃自古相傳之卦象，只說其綱領，以為萬象之引伸，並示其推廣之義。如乾為馬，坤、震、坎亦可為馬。乾為

---

9 詳參尚秉和：《周易尚氏學》，頁264。

10 詳參尚秉和：《周易尚氏學》，頁269。

11 詳參尚秉和：《周易尚氏學》，頁181。

12 詳參尚秉和：《周易尚氏學》，頁2-3。

> 龍，震亦可為龍。巽為木，艮、坎亦可為木。非謂甲卦象此物，乙卦即不許再象也，視其義如何耳。至文王時，又歷數千年，其所演《易》象，必益廣益精，故《周易》所用象，往往與〈說〉卦不同。〈說〉卦以坎為月，《經》則多以兌為月。月生西，坎、兌皆位西也。〈說〉卦以離為龜，《經》則以艮為龜。離為龜，取其外堅。艮亦外堅也。……自東漢迄清，于此等義例，都未能明。見《經》所用象為〈說〉卦所無，則用卦變、爻變或爻辰以求之，謬法流傳，二千年如一日。加此一因，于是《易》解之誤者，十而七八矣！

此段最重要的，也是尚氏《易》學最為核心的，便是他不但以象解《易》，並且認為《易》卦取象不是死板的「甲卦象此物，乙卦即不許再象也」。他認為古人之所以取象，乃視其義如何而取的，也就是取象說卦的目的在於「用」而已！只要能用、堪用，則隨時隨地、萬事萬物皆可以取也。而且《易》象的取用是與時與世並進的，不是一成不變的，所以他才說「至文王時，又歷數千年，其所演《易》象，必益廣益精。」我們不知《易》這種卜卦的解決人類疑惑的方式倒底已經使用多久，但可以知道的是在春秋已經規模化、組織化的《周易》，必然不會是一時一地突然發生的，必然是人類長久的社會發展下，與時俱進的產物。因此，隨卦而取象的解釋方式，也必然不能以死板的方式看待，以為甲卦象此則乙卦不得再象，否則為矛盾、為錯亂云云。尚氏橫跨清末與民國，其正好生存在對一切皆所懷疑的民國古史辨時代，不可能不知道當時學人對於《周易》經傳的諸多懷疑與批評。[13]然而，他提出了對於《易》象重複出現在不同卦的問題的看法，非但不認為這是雜錯，非一人所作的證據，在尚氏看來，這正是《易經》取象與時俱進的特色，蓋其核心乃在一「用」字而已。取象是為解釋卦爻之義，給予問者一個方向，而不是讓後人排比成書，拿來研究用的。因此，隨時、隨地、隨

---

13 關於民國古史辨時期對於《易經》的研究與看法，可參看筆者：〈關於古史辨中討論易經相關問題之省思〉，「變動時代的經學與經學家第一次學術研討會」論文（臺北市：中央研究院中國文哲研究所，2007年7月12、13日），頁1-44。

物、隨事取象來用，便成了尚氏《易》學的最重要核心，也是他與兩千年來《易》家最大的不同之處。故乾、坤、坎、震皆可象馬，巽與坎、艮亦皆可為木，此非但沒有淆亂的問題，如何取用以正確的預示未來方向，正所以展示卜者的高下了。

（二）〈說例〉：二十一條研《易》多年的心得整理

這是在全書正文前的二十一條分別獨立的說明，類似今日的「凡例」，在每條說明中皆舉例，故謂之〈說例〉。簡單摘要於下：

（1）韓宣子適魯，見〈易象〉與〈魯春秋〉，（2）《易》理无不相通，（3）乾坤二卦為六十四卦根本，（4）《易》辭本為占辭，故其語在可解不可解之間，（5）卦名皆因卦象而生，（6）說《易》之書，莫古于《左傳》、《國語》，其所取象，當然無訛，（7）〈時訓〉為《逸周書》之專篇，其所準《易》象與《易經》所關最鉅，（8）《焦氏易林》後儒皆知其言《易》象，然以象學失傳之故，莫有通其義者，（9）凡《易》之古文，必仍其舊例，（10）古書多音同通用，而《易》尤甚，（11）《易》用覆象，（12）卦有卦情，（13）同此一爻，而爻辭吉凶不同，（14）《易》辭與他經不同，他經上下文多相屬，《易》則不然，因《易》辭皆由象生，（15）卦爻辭往往相反，（16）《易》辭皆觀象而生，故不能執其解，（17）解經惟求其是而已，無所謂派別，（18）漢儒以象數解《易》，與春秋士大夫合，最為正軌，（19）《易》義有絕不能解者，先儒雖強說之，實皆無當，（20）吳摯父先生《易說》，（21）眼前事物，皆為《易》理，俯取即是。此二十一條可分為幾類理解：

1 陰陽相遇相敵之《易》理類

此類可歸納如下：

（2）《易》理无不相通條云：[14]

---

14 詳參尚秉和：《周易尚氏學》，頁2。

如〈大壯・初九〉「征凶」，以陽遇陽也，而〈夬・初九〉之「往不勝」，〈大有・初九〉之「无交害」可知。又如〈隨・初九〉「出門交有功」，〈无妄・初九〉「往吉」，以前遇陰也，而〈大畜・九三〉之「利往」可知。

（20）吳摯父先生《易說》條云：[15]

吳摯父先生《易說》于〈大畜〉云：「凡陽之行，遇陰則通，遇陽則阻，故初二皆不進，而三利往。」于〈節〉云：「《易》以陽在前為塞，陰在前為通，初之不出，以九二在前，二則可出而不出，故有失時之凶。」此實全《易》之精隨，為二千年所未發。

（21）眼前事物，皆為《易》理，俯取即是條云：[16]

例如雄雞與雄雞見則死鬥，驢馬尤甚，若有宿仇者，是何也？陽遇陽也。〈大畜・初九〉曰「有厲利已」，「厲」，危已止也。初有應，但為二三所隔，遇敵故曰「有厲」，止而不動，則災免矣！……豈知〈大壯・初九〉「壯于趾，征凶。」〈夬・初九〉「壯于前趾，往不勝。」壯，傷也，其故皆在陽遇陽。

以上雖分三條，但其說明的內容皆在陽遇陰則吉，遇陽則阻而凶。陰遇陽則吉，遇陰則阻而凶的一再舉例明之。故雖條例不同處，但可歸於一類。

2 取義而用之《易》象類

（1）韓宣子適魯，見〈易象〉與〈魯春秋〉條下云：[17]

夫不曰見《周易》，而曰見〈易象〉，誠以《易》辭皆觀象而繫。〈上繫〉云：「聖人觀象繫辭焉而明吉凶」是也。故讀《易》者，須先知

15 詳參尚秉和：《周易尚氏學》，頁9。
16 詳參尚秉和：《周易尚氏學》，頁9-10。
17 詳參尚秉和：《周易尚氏學》，頁1-2。

> 卦爻辭之從何象而生，然后象與辭方相屬。辭而吉，象吉之也。辭而凶，象凶之也。故甲卦之辭不能施之乙，乙卦之辭不能施之丙，偶有同者，其象必同。……至王弼掃象，李鼎祚目為野文，誠以說《易》而離象，則《易》辭概無所屬，其流弊必至如宋人之空泛謬悠而后已。茲編所釋，首釋卦爻辭之從何象而生。辭與象之關係既明，再按象以求其或吉或凶之故，還《易》辭之本來。

此條所強調的乃在象在辭先，故辭之所以吉，乃是象吉之故，辭之所以凶，自是象凶之故，若不同卦爻之辭相同者，則必是其象相同之故。如此，則對於相同《易》辭重複出現在不同卦爻上的問題提出了他的解釋，也因此，他對於王弼掃象之後，使得《易》辭無所歸屬，後世空泛謬悠以說《易》者，表示了不滿。

（5）卦名皆因卦象而生條下云：[18]

> 卦名不解，因之卦爻辭亦不解，如睽為反目，謂兩目不相听，故一目見為此，一目見為彼，三、上爻辭是也。此義不知，遂多誤解。……茲綱所釋，先及諸卦得名之義，其名有沿革者，亦並考其異同。

此條則說卦名亦因象而來，要之，象在辭先，卦名之義也須由象而方能得解。

（6）說《易》之書，莫古于《左傳》、《國語》，其所取象，當然無訛條下云：[19]

> 坎變巽，左氏曰「夫從風」，以坎為夫也。曰「震車也」、曰「車有震武」，以震為車為武也。……尤要者，明夷之謙，即離變艮。左氏曰「當鳥」，是以艮為鳥也。鳥，黔喙也，于是小過「飛鳥」之象有著。……故茲編所取象，除以《易》證《易》外，首本之《左傳》、

18 詳參尚秉和：《周易尚氏學》，頁3。

19 同前註。

> 《國語》，以明此最古最確之《易》象。

此條則說明《左傳》、《國語》之象是今可見最古之《易》象之例，故其釋《易》取象，除《易經》本身之外，亦最重《左傳》、《國語》也。

（7）〈時訓〉為《逸周書》之專篇，其所準《易》象，與《易經》所關最鉅條下云：[20]

> 如于屯曰「雁北鄉」，以屯上互艮為雁。于巽曰「鴻雁來」，亦以巽為鴻雁，而漸之六鴻象得解。……《易》而用覆象、半象尤精，如于復曰「麋角解」，震為鹿，艮為角，角覆在地，故曰「解」。于鼎下曰「半夏生」，離為夏，巽為草，初二半離，故曰「半夏」，而昔儒无知者。茲編所取象，除《左》、《國》外，多以〈時訓〉為本。

此條與上條相同，除引用《左傳》、《國語》之象外，再加上〈時訓〉之象，不過在本條中又多敘述了《易經》用半象、覆象之語。

（8）《焦氏易林》後儒皆知其言《易》象，然以象學失傳之故，莫有通其義者條下云：[21]

> ……說者因誤解經，而失其象，故于《易林》亦不能解。愚求之多年，亦无所入。后讀〈蒙之節〉云「三夫共妻，莫適為雌，子无名氏，翁不可知。」因節中爻震、艮，上坎三男俱備，故曰「三夫」，只下兌為女象，故曰「三夫共妻」。震為子，艮為名為翁，上坎為隱伏，故曰「无」、曰「不可知」，字字皆從《易》象生。由此以推，凡《林》詞皆豁然而解。故茲編取象，除《左傳》、《國語》、〈卦氣圖〉外，多本《易林》。

此條可做為上述三條之總結，說明《周易尚氏學》一書之取象，除上列諸書外，多本《焦氏易林》。以上諸書，亦正是尚氏取象解《易》最大的倚靠。

---

20 詳參尚秉和：《周易尚氏學》，頁4。

21 詳參尚秉和：《周易尚氏學》，頁4-5。

（11）《易》用覆象條下云：[22]

> 如〈大過·九五〉之「枯楊」，用覆巽，〈豐·上六〉用覆艮，「重門擊柝」以豫上震為覆艮，荀爽及虞翻皆知之，而不能推行。……凡正反震、正反兌相背者，不曰「諍訟」，即曰「有言」，于是〈困〉、〈震〉之「有言」皆得解。此似我創言之，然仍左氏及《易林》所已言。

此條說《易》用覆象，《左傳》、《易林》中已有之。

（12）卦有卦情條下云：[23]

> 〈中孚〉之「鶴鳴子和」，以中爻正反震相對也，故下之震鶴一鳴，三至五即如聲而反，故曰「子和」。又如〈兌〉「朋友講習」，以初至五，正覆兌相對，若對語然，故曰「講習」、曰「商兌」。

此條雖說卦有卦情，但舉例說明時，亦是以象說之，蓋《易》之一切，準於象而言之。

（13）同此一爻，而爻辭吉凶不同條下云：[24]

> ……豈知爻有上下，由此爻上取，而象吉者，下取或凶。下取而象吉者，上取或凶。如〈漸·九三〉「婦孕不育凶」，下又曰「利御寇」是也。

此談同一爻而爻辭吉凶不同之故，亦以《易》象說之。

（14）《易》辭與他經不同，他經上下文多相屬，《易》則不然，因《易》辭皆由象生條下云：[25]

> 觀某爻而得甲象，又觀某爻而得乙象，故《易》辭各有所指，上下句

22 詳參尚秉和：《周易尚氏學》，頁5-6。
23 詳參尚秉和：《周易尚氏學》，頁6。
24 詳參尚秉和：《周易尚氏學》，頁6-7。
25 詳參尚秉和：《周易尚氏學》，頁7。

> 義不必相聯。如〈損・象〉曰「利有攸往」，指上九也。下又曰「曷之用」、「二簋，可用享」。……舊解無知者，故于上下句，常強為聯屬，致橫杅不合。茲編遇此，先指明《易》辭之說何爻何象，至其意義之不相屬者，亦必指明。

此條解釋《易》辭，多有上下不相接連的現象之故，乃在因觀爻所取之象不同，故所繫之辭不同，因而時有上下辭不相屬之情況，這也是以象論之。

（16）《易》辭皆觀象而生，象之所有，每為事之所無，故不能執其解條下云：[26]

> ……又若〈豫・九四〉之「朋盍簪」，震為髮，艮為簪，而坎為穿，陰以陽為朋，以一陽橫貫于群陰之間，有若簪之括髮，故曰「朋盍簪」。為事之所必無，理之所難有，而在《易》則為維妙維俏之取象。……故讀《易》只可觀象玩辭，而不可泥其解。

此條亦在說明解卦爻辭時，應以象為先，讀《易》只可觀象玩辭而不可泥於辭也。

（18）漢儒以象數解《易》，與春秋士大夫合，最為正軌條下云：[27]

> 乃鄭玄于象之不知者，則用爻辰，取象于星宿。虞翻則用爻變，使變出某卦，以當其象。若此者，亦不敢從也。

此條表明以象解《易》與春秋習慣相合，故其說自是最古。鄭玄、虞翻諸家於象未有深知，所以變出的各種為後世所沿用以解《易》的方法，如爻辰、卦變等法，為其所不取也。

總的來說，以象釋《易》為春秋以來之古法，易辭皆觀象而生，讀《易》當觀象玩辭，方能得《易》義之真詮，不得執於《易》辭以解《易》。

---

26 詳參尚秉和：《周易尚氏學》，頁7-8。

27 詳參尚秉和：《周易尚氏學》，頁9。

3 其他類

除了可以其治《易》核心的「《易》理」、「《易》象」歸類之外，其他又可分為論《易》辭者，如（4）《易》辭本為占辭，故其語在可解不可解之間條下云：[28]

> 惟其在可解與不可解之間，故能隨所感而曲中肆應不窮，所謂仁者見仁，智者見智也，此《易》理也。《易》理與義理不同，……此編只明《易》理，至其用則任人感觸之。

此條雖亦謂為《易》理，然此《易》理與陰陽相相敵、相應之理無關，而是指《易》辭之所以在可解不可解之間，乃正是讓人能隨所感而釋之，此所以《易》理肆應不窮也。而這種看法與其論《易》象的與時俱進的說法是一致的。又如（15）卦爻辭往往相反條下云：[29]

> 如〈履．象〉曰「不咥人」，爻曰「咥人凶」，〈无妄．象〉曰「不利有攸往」，爻曰「往吉」是也。……先儒無知其故者，豈知卦有卦義，爻有爻義，象有象義，絕不同也。

此條則謂卦辭、爻辭、象辭往往相反之因，乃在其義各各不同，而其之所以能各各不同而存在同一卦中，正因為當時所見象不同，故所繫之辭自不相同耳。若能明白辭由象生，則便不會因此相反之義在一卦爻中而有所迷惑了。而此條亦可與（19）《易》義有絕不能解者，先儒雖強說之，實皆無當條同看。

其他尚有明白談論《易經》的語言文字者，如（9）凡《易》之古文，必仍其舊例，及（10）古書多音同通用，而《易》尤甚。另有謂（17）解經惟求其是而已，無所謂派別，及最後（3）〈乾〉、〈坤〉二卦為六十四卦根本，則是明白說出自己對《易經》相關問題的看法，本文就不再贅論了。

---

28 詳參尚秉和：《周易尚氏學》，頁2-3。

29 詳參尚秉和：《周易尚氏學》，頁5-6。

（三）〈總論〉：對《易經》傳統周邊問題的看法

這部分總共分為十二項，大約都是對《易經》傳統相關的周邊問題的看法，較重要的有：

1 論《周易》二字本詁：「易」是占卜，「周」是《易》道周普之義

關於《周易》二字的看法，尚氏大致採取了他的老師吳摯父的意見，其云：[30]

> 吳先生曰：「《易》者，占卜之名。〈祭義〉『《易》抱龜南面，子卷冕北面。』是《易》者占卜之名，因以名其官。……說者以『簡易、不易、變易』釋之，皆非。」愚案：《史記．禮書》云「能慮勿《易》」，亦以《易》為占，「簡易、不易、變易」皆《易》之用，非《易》之本詁，本詁固占卜也。

他認為把《易》字解釋為「簡易、變易、不易」的說法，都只是在《易》的作用上說，並非其原本之義。並引《史記．禮書》說法證明《易》之原義乃是占卜也。至於「周」字，他是贊成鄭康成與賈公彥「《易》道周普」的說法，而不贊成孔穎達將周看做朝代名。[31]

2 《周易》卦爻辭純為文王一人所作，〈十翼〉為孔子所說而門人所記

他認為《周易》卦爻辭為文王所作，其云：[32]

---

30 詳參尚秉和：《周易尚氏學》，頁11。

31 關於這個問題，尚氏弟子黃壽祺先生在〈周易名義考——六庵讀易叢考之一〉，《周易研究論文集》（北京市：北京師範大學出版社，1988年），第1輯，頁155-156。亦有詳論之。文中引及尚氏此段文字，其結論為「《易》主變易，周為代名」。視占卜為《易》之用，而非《易》之本義，並不同意其師之說，讀者可參看之。

32 詳參尚秉和：《周易尚氏學》，頁16-18。

> 〈繫辭〉云：「《易》之興也，其當殷之末世，周之盛德邪？當文王與紂之事邪？」是孔氏以文王演《易》。后太史公、揚子雲之屬，亦以文王演《易》於羑里，既曰「演《易》」，則卦爻辭皆文王所作，自西漢以前，無異議也。……至東漢王充、馬融、陸績之儔，忽謂文王演卦辭，周公演爻辭，孔穎達、朱子等信之，而究其根據，則記載皆無。……今謂不合自稱為王，以文王追謚為說，故疑為周公，其謬一也。至〈明夷〉六五之「箕子」，與〈彖傳〉之「箕子」絕對不同。〈彖傳〉之「箕子」，紂臣也，六五之「箕子」，則趙賓讀為「荄茲」，劉向、荀爽讀為「荄滋」，王弼讀為「其茲」，蜀才讀為「其子」，而《焦氏易林》讀為「孩子」。「孩子」指紂，與《論衡》讀「微子之刻子」為「孩子」同也。且以六五之君位，而使紂臣居之可乎？……其謬二也。至〈既濟〉九五之「東鄰、西鄰」，原以離坎為東西，以離為牛，以互震為祭，純是觀象繫辭。乃漢人忽有「東鄰指紂，西鄰自謂」之曲說，在文王固不合，在周公尤不合也。周公時何來與紂為鄰？且語意之膚淺，聖人有若是者乎？其謬三也。

尚氏認為《周易》卦爻辭皆為文王所作，引〈繫傳〉與西漢人如司馬遷、揚雄之說證之，此三證據至少皆可謂西漢以前的說法無疑，並且他又對把爻辭歸於周公作的說法予以駁斥。不論此訟論多時的卦爻辭作者是非為何？尚氏引經據典的解釋以建立自己的看法，是不可將其與一味只信《易》為聖人所作者同樣看待的。

至於卦爻辭的時代與作者問題，單篇論文討論實在甚多，說法或有如林炯陽之卦辭為文王所作，爻辭為周公所作；[33]其時代或如詹秀惠謂在西周初葉，成於太卜之流；[34]或如陸侃如謂寫定約當東周中年，起源或在商周之際；[35]或如李漢三謂在武王克殷之后，東周中葉之前；[36]或如王開府云卦爻

33 林炯陽：〈周易卦爻辭之作者〉，《周易研究論文集》，第1輯，頁438。

34 詹秀惠：〈周易卦爻辭之著成年代〉，《周易研究論文集》，第1輯，頁454。

35 陸侃如：〈論卦爻辭的年代〉，《周易研究論文集》，第1輯，頁254。

辭之編集為定本，當在春秋前。[37]大約在時代上都不早於殷周之際，不晚於東周中葉。

在〈十翼〉作者這個問題上，他始終相信與孔子有關的，其云：[38]

> 自太史公、揚子雲、班孟堅諸儒，皆以為孔子所作，無異論也，至宋歐陽公始疑之。……蓋《周易》若無〈十翼〉左右推測，與二《易》等亡耳！人仍不知其義蘊也。惟〈十翼〉解釋「元亨利貞」之義，〈彖〉、〈象傳〉與〈文言〉不同，又或〈彖傳〉與〈彖傳〉，〈文言〉與〈文言〉亦不同，由是知〈十翼〉之義，有采集古《易》說者，……如〈文言〉一再釋〈乾〉六爻之義，疑亦采集古說，故義不同。蓋自伏羲至孔子，有數千年之久，前后筮法，雖有不同，而理則無二。其間《易》說必多，其為夫子所常常稱述者，門人從而輯錄之也。有薈萃夫子之說者，夫子之說，如〈彖傳〉言「時乘六龍以御天」、言「雲行雨施」，〈文言〉亦言之，而上下〈繫辭〉意重複者尤多，蓋皆夫子所說，前后不一時，而記錄者亦未必為一人，故辭重複如是，而非夫子自為也。……朱子云「有文王之《易》，有孔子之《易》。」孔子之《易》即〈十翼〉，故〈十翼〉非孔子不能為、不敢為，而紀錄〈十翼〉者，則孔子之門人也。

尚氏認為自古皆謂〈十翼〉為孔子所作，宋人歐陽修因見其間有重複為文者，而以為非出自一人之手。對歐陽修這樣的說法，尚氏並沒有像一般傳統護古派的直斥其非，而是更深刻的進入〈十翼〉的世界，仔細觀察思考其間或有重複者，或對同一字詞而有不同見解之處，於是他有了自己對〈十翼〉的看法。基本上，他認為〈十翼〉與孔子必然有關，其中有孔子自己所說的，亦有采集自古以來不同的《易》說，而在與門人討論時稱述引用者，而其門人則為記錄孔子說《易》之人。然因孔子說《易》非只在一時一地，其

36 李漢三：〈周易卦爻辭時代考〉，《周易研究論文集》，第1輯，頁302。

37 王開府：〈周易經傳著作問題初探〉，《周易研究論文集》，第1輯，頁459。

38 詳參尚秉和：《周易尚氏學》，頁20-21。

間斷續記錄孔子《易》說的門人亦非只有一人，因此〈十翼〉中雖時有重複或矛盾之處，然而此皆為孔門《易》教，是孔子所說者無疑也。這樣的看法，即使以七十年後，出土文物如此頻繁的現代研究來看，也與今日許多學人對於《易傳》時代與作者的看法十分接近的。廖名春在對帛書等出土文物做了研究之後云：[39]

> 《易傳》各篇非成於一時，它的作者自然也並不只一個人，說它們都是孔子親手所著的傳統觀點，今天已經被大多數人所否定了。……總體來說，《易傳》的思想源於孔子，孔子與《易傳》有著密切的關係。但戰國時期的孔子后學對《易傳》各篇也作了許多創造、發揮工作，因此《易傳》的作者主要應是孔子及其後學。

這種認為《易傳》與孔子及其門人相關的看法與六、七十年前的尚氏相同，學界雖對孔子與《易》的關係仍有不同意見，然而尚氏在無出土文物可以佐證的前題下，以其深心研《易》之所得而有了與今人引用出土文物所研究的相近看法，實是其數十年研《易》學力之心得。[40]

---

39 廖名春：〈易傳概論〉，《周易經傳與易學史新論》（濟南市：齊魯書社，2001年），頁282-284。

40 關於近人對《周易》經傳作者及成書年代的研究與看法，如疑古最力的顧頡剛、錢玄同亦認為《周易》卦爻辭成於周初卜筮之官之手，《易傳》則應在戰國末至西漢末之間。張善文先生則引用諸多出土資料，一方面肯定《周易》卦爻辭成於周初的看法，另一方面將《易傳》出現的時間提早到春秋末至戰國中期，並認為孔子與《易》有密切關係，《史記》、《漢書》孔子晚而喜《易》，以《易傳》授弟子之說是可信的。黃沛榮先生亦認為孔子雖未作《易》，卻有讀《易》、傳《易》的事實，《易傳》乃孔門弟子傳其師之讀《易》心得。何澤恆先生則仍對孔子與《易》的關係採取保留的態度，並引陳鼓應先生之說，對這些出土文物提出出於秦漢儒生之手的質疑。關於此等討論，可參看筆者：〈關於古史辨中討論易經相關問題之省思〉，「變動時代的經學與經學家第一次學術研討會」論文（臺北市：中央研究院中國文哲研究所，2007年7月12、13日），頁1-44。

3 對漢以後之《易》派發展，不論漢、宋，皆表不滿

由於尚氏對於其所謂《易》理的陰陽相比、相應關係與《易》象的極度重視，因此對於虞翻卦變、王弼掃象之後的《易》學發展有了這樣的看法，其云：[41]

> 凡春秋人說《易》，無一字不根于象，漢人亦然。惟古書皆竹簡，本易散亡，王莽亂起，中原經兵燹者十數年，至漢末，西京《易》說皆亡，獨存孟京二家，以無師莫能傳習，於是韓宣子所謂《易象》者，頗多失傳。東漢儒者，知說《易》不能離象也，於象之知者說之，其不知者，則當敬闕其疑。乃虞翻浪用卦變，鄭玄雜以爻辰，虛偽支離，使人難信。王輔嗣遂乘時而起，解縛去滯，掃象不談，唐李鼎祚所謂野文也。自是《易》遂分為二派，其以輔嗣為宗者，喜其無師可通，顯于晉，大于唐，而莫盛于宋，所謂「義理」之學也。實所謂義理者，于《易》理無涉。朱子晚年，深悟野文之非，詆訾《程傳》先辭后象之顛倒，然卒不敢改其《本義》，以違忤時尚。《易》學之衰落，蓋莫甚于此時。其以荀虞為宗者，號為「漢《易》」，以別于野文家，極力復古，惟其所宗，適當《易象》失傳之后，于象之不知者，仍用卦變爻變，奉虞氏遺法，為天經地義，于是焦循變本加厲，于象之不知，義之不能通者，以一卦變為六十四，以求其解，其弊遂與空談者等。然漢學家于訓詁必求其真，無空滑之病，少越軌之談，一洗元明以來講章之霾霧，于初學較便也。

此文雖表面是對漢、宋《易》派，動輒以象數、義理分別之，對《易》學派別以此二家為宗表示了不滿，而其對於這兩派的不滿，乃是基於他對於《易》象的重視。因為不論漢、宋《易》家各自著重什麼，對於他們皆沒有看到《易》象為解《易》核心的無知，是十分不以為然的。因之，不論是虞翻的卦變，焦循的旁通，這些變化卦爻以解《易》，或者如王弼、程頤等掃

41 詳參尚秉和：《周易尚氏學》，頁28。

象數而只談義理，皆表示了他的不同意見。此等以《易》象為解《易》的最核心的看法，遂成為尚氏《易》學的最大特色。

除了上述幾個對《易經》周邊較重要的問題的看法之外，其他還有如：他認為《周易》之大義是「否泰往來、剝復循環」的，故吉時不必喜而凶時亦未必憂，天地人間皆此循環往復之理。而古《易》有三，《連山》、《歸藏》亡於永嘉，重卦之人為伏羲，〈彖〉、〈象〉附於經文下者始於鄭康成，並認為消息卦之說非出自漢人，而是在《左傳》已有，是自古已用以注《易》了。[42]

三 《周易尚氏學》之分析

在我們對尚氏《易》學有了前述的理解之後，本節將進入其逐一注釋《易經》六十四卦的內容方法討論，其基本上就是將《易》理、《易》象這兩個核心解《易》理念的充分運用，在我們通讀《周易尚氏學》後，有了以下的分析：

（一）《周易尚氏學》所建立的《易》例

除了前述尚氏說明自己注《易》的凡例：〈說例〉之外，尚氏在逐一注釋《易經》卦爻辭時，亦有或者自覺的、或者不自覺的在字裡行間，建立了一套自己的《易》例。我們可以將之與〈說例〉同看，以做為更全面了解其易學的基礎，茲將之歸納整理如下：

1 陰陽相遇的《易》理類

陰陽相比相應的關係是尚氏易學的核心《易》理之一，所以他在注釋《易經》卦爻辭時，多以此論之，並因之而建立起《易》例，如：

42 詳參尚秉和：《周易尚氏學》，頁14-25。

(1)《易》凡言「有慶」者，皆謂陰遇陽

如其注釋〈坤・彖〉曰「先迷失道，后順得常。西南得朋，乃與類行。東北喪朋，乃終有慶。」時云：[43]

> ……純坤與純乾相遇，天地合德，萬物由此出生，故曰「有慶」。《易》凡言「有慶」者，皆謂陰遇陽。

此條明說《易》凡言「有慶」者，皆謂陰遇陽。其注〈大畜・六五・象〉曰「六五之吉，有慶也。」時云：[44]

> 六五承陽，故「有慶」。〈晉・六五〉、〈睽・六五〉皆上承陽，皆曰「往有慶」，茲與之同。

謂六五爻因上承上九之陽，故為「有慶」，與〈晉・六五・象〉曰「失得勿恤，往有慶也。」及〈睽・六五・象〉曰「厥宗噬膚，往有慶也。」等的「慶」皆同因上承陽爻也。又其注〈兌・九四・象〉曰「九四之喜，有慶也。」時云：[45]

> 九四獨履陰，履陰故有喜，故曰「有慶」。

是兌之陰爻在三上，故只有九四能獨履陰爻，因六三陰爻上遇九四之陽爻，故曰「有慶」。由此數例可知尚氏《易》學有一《易》例謂：《易》凡言「有慶」者，皆謂陰遇陽。

(2)凡陰得陽應必吉，陽得陰應不必吉

如其注〈否・六二〉「苞承，小人吉，大人否亨。」時云：[46]

43 詳參尚秉和：《周易尚氏學》，頁55。
44 詳參尚秉和：《周易尚氏學》，頁178。
45 詳參尚秉和：《周易尚氏學》，頁334。
46 詳參尚秉和：《周易尚氏學》，頁114。

> 「苞承」者，言下三爻皆承陽有應也，小人謂二，二得中有應，故「小人吉」。凡陰得陽應必吉，陽得陰應皆不吉。而否卦陽氣上騰，不能下降，故大人否亨。大人謂五。否，不。言五雖得二應而不亨也。

其謂此爻辭之所以小人吉，乃是二爻得中且與九五相應也，而所以大人否亨，則大人指九五爻，九五下降與六二相應，雖應，但因是陽得陰應，故否亨也。是以其謂「凡陰得陽應必吉，陽得陰應皆不吉。」但其注〈既濟〉卦辭「亨，小利貞，初吉終亂。」時云：[47]

> 蓋《易》之為道，以陽為主，陰與陽絕不平等，故陰得陽應必吉，陽得陰應則不必吉，且有以為凶者。如大過四爻、中孚初爻皆是。既濟二、四承乘皆陽，又三陰皆有陽應，故小者亨。〈彖傳〉專以亨屬小，亦謂大者不然。大何以不然？凡陽遇重陰必吉，一陰則否。既濟三五皆陷陰中，雖三陽皆得位有應，然所應者陰，固與柔爻異也。此〈傳〉所以專以亨屬之小也。

此條則說《易》之為道，以陽為主，故陰與陽絕不平等。由於陽主陰副，故陰（副）得陽（主）應必吉，是副得主之眷顧也；而陽（主）得陰（副）應則不必吉，是主已是主，得副之顧未必是吉，而且也有凶的可能。如其注〈大過・九四〉「棟隆，吉。有它吝。」謂「『有它吝』者，言四應在初，四若它往應之，則為二三所忌，而致吝矣！……若四只不與初應，則吉也。」[48]是四陽與初陰應反而吝也。又如其注〈中孚・初九〉「虞吉，有它不燕。」時云「初陽遇陽不宜動，與〈節・初九〉『不出戶庭，无咎』同。即謂安吉也。『它』謂四，四巽為隕落，『有它』謂不安于初，不顧二阻，而它往應四，則不燕也。燕與宴通，亦安也。」[49]是謂中孚初九陽爻若不顧九二陽爻之阻而應六四陰爻，則反而不安也。所以陰應陽則吉，陽應陰不必吉也。

---

47 詳參尚秉和：《周易尚氏學》，頁355。

48 詳參尚秉和：《周易尚氏學》，頁187。

49 詳參尚秉和：《周易尚氏學》，頁344-345。

以此二例論之，此條《易》例乃因尚氏認為《易》以陽為主陰為副，陰陽絕不平等，此自然與尚氏生存之清末民初仍是重男輕女之時風有關。然而其之所以如此看《易》，實亦與《易》之生成年代，時風亦為男重女輕，陽重於陰有關。故此雖為其注《易》特殊處，與一般陰陽應皆吉的觀念不盡相同，但深觀其理由，或不可遽謂其非也。要之，亦為尚氏注《易》時的《易》例也。

(3)《易》以陰陽相遇為類(朋、友)，反之為敵

如其注〈同人·象〉曰「天與火，同人，君子以類族辨物。」時云：[50]

> 《易》以陰陽相遇為類。族，《正義》云「聚也。」聚居一處，故曰同人。然所以能聚者，以其類也，設失類而為純陽或純陰，則不能聚矣！……《易》之道，同性相違，異物相感，自類字失詁，義遂不明。

此條明謂陰陽相遇方為類，純陰純陽則為失類。其注〈頤·六二·象〉曰「六二征凶，行失類也。」時云：[51]

> 二无應，前遇重陰，陰遇陰則窒，故曰「征凶」。陰陽相遇方為類，今六二不遇陽，故曰「失類」。象義如此明白，乃二千年《易》家，皆以陰遇陰為類，于是〈文言〉之「各從其類」、〈坤·彖傳〉之「乃與類行」、〈繫辭〉之「方以類聚」，乃此皆失解，與「朋」、「友」同。

此亦舉陰遇陰為窒則「征凶」，以說明其失類也。又如其注〈繫辭上傳〉「方以類聚，物以群分，吉凶生矣！」時云：[52]

> 方以類聚，言萬物能聚于一方者，以各從其類也。陰陽遇方為類。

50 詳參尚秉和：《周易尚氏學》，頁120。
51 詳參尚秉和：《周易尚氏學》，頁182。
52 詳參尚秉和：《周易尚氏學》，頁366。

〈頤・六二・象〉曰「行失類」，言陰不遇陽也。〈坤・傳〉曰「西南得朋，乃與類行。」〈中孚・六四〉曰「絕類上」，言陰遇陽也。陰陽遇為類，類則聚，聚則和合而吉矣！物者陰物陽物，純陽或純陰為群，乾曰「見群龍无首」，以純陽（書中誤印作陰）為群。〈否・二・象〉曰「不亂群」，以純陰為群。純陽純陰則不交而陰陽分，分則類離，離則凶矣！《九家》注「死生之說」云：「陰陽合則生，離則死。」自類字失詁，舊解不知吉凶之故何在，可喟也。

此又是集中數例而申述其陰陽相遇為類為吉之理也。又其注〈中孚・六三〉「得敵，或鼓或罷，或泣或歌。」時云：[53]

〈子夏傳〉「三與四為敵，故曰『得敵』。」荀爽曰：「三四俱陰，故稱敵也。」中四爻艮震相反覆，震為鼓，艮止故罷。……震為歌，震反則泣矣！與艮為山陽，艮反為山陰義同也。蓋三不當位而遇敵，故不常如此也。得敵與頤二之失類，艮之敵應，為《易》義之根本，所關甚大。乃「得敵」韓子夏與荀知之，「失類」則无知者，致陰遇陰，陽遇陽之處皆失解，可喟也。

其注〈兌・象〉曰「麗澤兌，君子以朋友講習。」時云：[54]

陰陽相遇相悅為「朋友」。兌口故曰「講習」。初至五正反兌相對，正朋友互相講習之象，故君子法之。虞翻謂兌二陽同類為朋，夫陽遇陽，陰遇陰，則為害為敵，艮與中孚皆言之，豈得為朋友。又云「伏艮為友」，蓋取義于〈損・六三〉「一人行則得其友」，豈知艮之為友，以一陽上行，遇二陰為友，與兌之以一陰下降，遇二陽為朋友同，皆取義于陰陽相遇。

此則除喟嘆後人不知陰陽相遇方謂類之理外，亦謂陰遇陰陽遇陽為敵之理則

53 詳參尚秉和：《周易尚氏學》，頁346。

54 詳參尚秉和：《周易尚氏學》，頁332。

前人已知，並以兌之「君子以朋友講習」說明朋友講習之象乃是陰陽爻相遇之故，故知陰陽相遇方為類朋友而為吉者，為尚氏之《易》例之一也。

（4）凡言「志在外」、「志在內」者，皆謂應爻

如其注〈繫辭上傳〉「是故列貴賤者存乎位，齊大小者存乎卦，辨吉凶者存乎辭，憂悔吝者存乎介，震无咎者存乎悔。是故卦有小大，辭有險易。辭也者，各指其所之。」時云：[55]

> 之，往也。辭也者，各指其所之。言凡《易》辭，皆視其爻之所在而定吉凶也。此有二義，一、初之四，二之五，三之上，其爻在此，而其辭往往指應爻，應爻即所之。例如〈蒙・六三〉曰「見金夫不有躬」指上爻象也，〈泰・九二〉曰「朋亡得尚于中行」指六五言。有應故所之皆利，无應則不利也。又凡言「志在外」、「志在內」者，亦指所之也。二、凡爻之所比，得類失類，所關最大。例如〈頤・六二〉前遇重陰，〈象傳〉曰「行失類也」。〈中孚・六三〉前亦遇陰，爻辭曰「得敵」，皆以陰遇陰為敵、為失類，故所之不利也。又鼎九二曰「慎所之」，革九三曰「征凶又何之矣」，皆以陽遇陽，敵剛，所之不利。

此條論所之者，乃指爻之去處。爻之去處有應有比，應者如初四、二五、三上，比者則為爻與其前後爻之關係。要之，皆指爻的變動去處而言，其理亦是陰陽相比相應為吉，反則為凶。而特別提出「志在外」、「志在內」者，皆謂應爻之《易》例。又如其注〈臨・上六・象〉曰「敦臨之吉，志在內也。」時云：[56]

> 言頓止之故，因陽息即至三，有應也。《易》之道貴將來，將來有應，故吉。不然內无應，何吉之有？凡云「志在內」、「志在外」者，皆謂應爻。

---

55 詳參尚秉和：《周易尚氏學》，頁370-371。

56 詳參尚秉和：《周易尚氏學》，頁146。

其注〈復・六五・象〉曰「敦復无悔，中以自考也。」時云：[57]

> 向秀曰：「考，察也。」五中位，應在二，亦中位，陽息即至二，五有應，故「无悔」。「中以自考」者，釋敦之故。《易》之道貴將來，言頓止以待中二之陽息，自考省也，與〈臨・上〉之「志在內」義同。

此二條皆謂「《易》之道貴將來」，故將來有應則吉。並謂「志在外」、「志在內」者，皆謂應爻，因此知此亦為尚氏之《易》例也。

（5）凡「我生」皆謂應與

其注〈觀・六三〉「觀我生，進退。」時云：[58]

> 凡我生皆謂應與。《詩・小雅》「雖有兄弟，不如友生。」《易》以陰陽相遇為朋友，故謂應與為「我生」。三應在上，故曰「觀我生」。

此雖為孤例，但因尚氏謂凡「我生」皆謂應與，而應與即陰陽相遇之義，故亦是尚氏《易》例之一也。

（6）凡云「得志」、「得願」、「上合志」謂陽往遇二陰，或陰往遇二陽也

其注〈无妄・初九・象〉曰「无妄之往，得志也。」時云：[59]

> 「得志」，謂往遇二陰也。〈大畜・九三〉云「上合志」、〈渙・九二〉云「得願」，上皆无應，皆以前遇二陰。虞翻不知此為《易》不刊之定理，命四爻變陰，初應釋得志，清儒從之，訛誤至今。

此條明舉〈大畜・九三〉云「上合志」與〈渙・九二〉云「得願」，上皆無應，但皆前遇二陰，故謂「合志」、「得願」，為往遇二陰也。又其注〈大畜・九三・象〉曰「利有攸往，上合志也。」時云：[60]

---

57 詳參尚秉和：《周易尚氏學》，頁168。

58 詳參尚秉和：《周易尚氏學》，頁148。

59 詳參尚秉和：《周易尚氏學》，頁172。

60 詳參尚秉和：《周易尚氏學》，頁177。

三遇重陰，陽遇陰則通，故曰「上合志」。上謂四五，此與〈升・初六〉之「上合志」同。初六之上謂二三，陰遇陽則通，與陽遇陰同也。虞翻謂上為上爻，故《易》本一失，說无不誤。

此舉〈大畜・九三・象〉之前遇二陰為「上合志」，並舉〈升・初六〉之「上合志」為前遇二陽之故，是知陽前往遇二陰與陰前往而遇二陽皆可謂「上合志」也。又其注〈渙・九二・象〉曰「渙奔其機，得願也。」時云：[61]

陽遇重陰志行，故曰「得願」，舊解无有知其故者。

其注〈革・彖〉曰「革，水火相息，二女同居，其志不相得曰革。」時云：[62]

息，長也，言更代用事也。但兌離皆陰卦，《易》之道陰遇陽，陽遇陰方志得，若陰遇陰，陽遇陽，則為敵矣！

此數例皆申說陰陽相遇得志、得願之《易》例也。

（7）孚之故在陽遇陰

其注〈坎〉「習坎，有孚，維心亨，行有尚。」時云：[63]

……孚，信也。「有孚」，謂二五居中，遇陰，陽孚于上下陰也。舊解不知孚之故在陽遇陰，故說皆不當。

此直說孚之故在陰陽相遇。又如其注〈豐・六二・象〉曰「有孚發若，信以發志也。」時云：[64]

有孚故信。巽為志，「信以發志」者，言陰孚于陽，得行其志也。

此亦言孚信之故在陰陽相遇，又其注〈兌・九二〉「孚兌吉，悔亡。」時

61 詳參尚秉和：《周易尚氏學》，頁337。
62 詳參尚秉和：《周易尚氏學》，頁288。
63 詳參尚秉和：《周易尚氏學》，頁190。
64 詳參尚秉和：《周易尚氏學》，頁318。

云：[65]

> 孚于三，陽遇陰故吉，得中，故悔亡。

注〈中孚・九五〉「有孚攣如，无咎。」時云：[66]

> 五下乘重陰，得類，故曰「有孚」，言孚于二陰也。

皆一再申說孚之故在陰陽相遇之《易》例也。

（8）凡爻有正應者，初雖有阻，終必相合

其注〈井・九三〉「井渫不食，為我心惻，可用汲，王明，並受其福。」時云：[67]

> 三應在上，上居坎水上，故曰「井渫」。……初為泥則上為渫，正上居坎水上之象也。夫水潔宜食矣！乃竟不食者，以五亦陽為阻，三不得應上也。兌為食，為使也。坎為心，為憂。「為我心惻者」，言三被阻，不能汲上，使我心憂也。然三與上究為正應，上水既渫而清，三儘可汲，五豈能終阻之。王謂五，五坎為隱伏，故不明。然王終有明時，王明則三上汲引，養而不窮，天下普受其福矣！凡爻有正應者，初雖有阻，終必相合。〈同人・九五〉曰「先號咷而后笑，大師克相遇」，言五克去三四之阻，終能遇二也。〈漸・九五〉曰「終莫之勝吉，得所願也」，言五終能勝三，與二相合也。

此舉〈井・九三〉之終必與上六相應而九五之陽不能始終阻之之理，故謂凡爻有正應者，初雖有阻，終必相合。並引〈同人・九五〉曰「先號咷而后笑，大師克相遇」，言五克去三四之阻，終能遇二，與〈漸・九五〉曰「終莫之勝吉，得所願也」，言五終能勝三，與二相合之例以證之。又其注

---

65 詳參尚秉和：《周易尚氏學》，頁333。
66 詳參尚秉和：《周易尚氏學》，頁347。
67 詳參尚秉和：《周易尚氏學》，頁285。

〈鼎・九二〉「鼎有實，我仇有疾，不我能即，吉。」時云：[68]

> 乾為實、仇、匹也，指五。五乘陽勢逆，不能即二，故曰「有疾」。〈豫・六五〉乘剛曰「貞疾」，茲與之同。我謂二，二為三四所隔，既不能即五，五因乘剛有疾，亦不能即二。然我與我仇，究為正應，始雖阻，終必合也，故結之曰「吉」。〈象〉曰「終无尤」，即謂二五終合也。

其注〈漸・九五〉「鴻漸于陵，婦三歲不孕，終莫之勝，吉。」時云：[69]

> 巽為高，五應在二，二艮體，五居艮上，故「漸于陵」。巽為婦，震為孕，震伏，下敝漏，故不孕。又五應在二，為三所阻，不能應二，故「三歲不孕」。坎為三歲，言其久，然五與二為正應，三豈能終阻之，故終勝三，得所願而吉也。

此二例皆申說若是正應，則始雖有阻而終必相合相應之《易》例也。

（9）六十四卦言「利貞」者，亦指陰陽相遇也

其注〈兌〉「亨利貞。」時云：[70]

> 兑，悅也。兑何以悅？以一陰見于二陽之上，陽得陰而悅也。剛中柔外，與泰義合，故亨。陰陽相遇，故利貞。

此處直謂「陰陽相遇故利貞」。又其注〈中孚〉「豚魚吉，利涉大川，利貞。」時云：[71]

> 「利貞」，〈傳〉釋為應乎天，五天位，三四皆陰爻，陽得陰則通，陰順陽，故曰「應乎天」。

---

68 詳參尚秉和：《周易尚氏學》，頁293。

69 詳參尚秉和：《周易尚氏學》，頁310。

70 詳參尚秉和：《周易尚氏學》，頁331。

71 詳參尚秉和：《周易尚氏學》，頁344。

此是以〈中孚・九五〉之「應乎天」、之「利貞」，乃是遇三四之陰爻也。是知「利貞」乃陰陽相遇之故，亦為尚氏《易》例也。

（10）遠謂應，近謂比，遠近不能兼取也

其注〈同人・六二〉「同人于宗，吝。」時云：[72]

> 乾為主為宗，二五正應，故「同人于宗」。但卦五陽皆同于二，今二獨親五，則三四忌之，致吝之道也。〈下繫〉云「遠近相取而悔吝生」，遠謂應，近謂比，遠取應則不能近取比，如〈无妄・六二〉往應五而利，則不繫初。近取比，則不能遠取應，如〈中孚・六四〉「絕類上」則不應初，而馬匹亡是也。是故遠近萬不能兼取。〈同人・六二〉遠應五，則有近不承陽之嫌，近承陽則失遠應，故吝也。彼夫〈咸・六二〉、〈遁・六二〉皆有應，象皆與此同。乃〈咸・六二〉曰「居吉」，〈遁・六二〉曰「執之」，皆戒其動，俾遠近皆不取，不取則悔吝免也。舊說皆不知其故在三四，故鮮有得解者。

此舉〈同人・六二〉「同人于宗，吝。」為例，說明其吝之故在六二獨應五而為三四所忌，並舉〈咸・六二〉曰「居吉」與〈遁・六二〉曰「執之」皆與其九五爻相應之例同看，而謂遠應近比不得兼取之《易》例。又其注〈繫辭下傳〉「遠近相取而悔吝生，情偽相感而利害生，凡《易》之情，近而不相得則凶，或害之，悔且吝。」時云：[73]

> 凡萬物之象，皆包括于八卦之中，筮得某卦，必有四象，上下卦並上下互是也。至于卦爻辭則明卦情，占者以象為本，以情為用。……陽遇陰，陰遇陽，則相求相愛。……陽遇陽，陰遇陰，則相敵相惡。……「遠近相取則悔吝生」者，遠謂應，近謂比。例如〈同人・六二〉，遠取五為正應，近又比三，故吝。咸六二亦然，故遠近不能兼取。〈中孚・六四〉曰「絕類上」，近取也。近取上則不能遠取初，

72 詳參尚秉和：《周易尚氏學》，頁121。

73 詳參尚秉和：《周易尚氏學》，頁409-410。

故曰「馬匹亡」也。

此例亦說明遠近不得兼取之義，雖釋〈繫傳〉之文，然則其所舉之例與上例皆同，蓋此亦為尚氏注《易》之例也。

以上十例是我們細讀《周易尚氏學》全文後摘出的《易》例，而這看似繁瑣的十種《易》例，總而言之，皆在陰陽相遇相敵之《易》理的運用而已。其間較為特別者有如：「遠近不能兼取」、「爻有正應者，初雖有阻，終必相合」，以及「凡陰得陽應必吉，陽得陰應不必吉」等例，是我們在讀尚氏《易》學時，可以特別注意之處。

2 以象解《易》的《易》象類

以象解《易》是尚氏《易》學在二千年《易》學史中最為獨到，也是其《易》學最為核心之處，所以他在注釋《易經》卦爻辭時，幾乎皆以此論之。其因之而建立起的《易》例有：

(1) 凡《易》取象，不于本爻必應，爻在此而象在應，為《易》之通例

其注〈小過・六五〉「密雲不雨，自我西郊，公弋取彼在穴。」時云：[74]

> ……蓋五應在二，二巽為繩，艮為矢，以繩繫矢，弋象也。而艮為穴為狐，艮手為取，穴居之物，豈能弋取，言二不應五，有如此也。凡《易》取象，不于本爻必于應，應爻有應予，如〈明夷〉初爻應在四震，則曰「飛」、曰「翼」、曰「攸往」、曰「主人有言」，全取震象而直言之。應爻无應予，亦往往取其象而明其不應，如〈歸妹・上六〉應在三兌，則曰「女承筐」、曰「士刲羊」，女與羊皆兌象，而三不應上，故又曰「无實」、「无血」，及此爻皆是也。舊解不知其例，見象无著，則用卦變以當之，于是《易》義遂亡于講說矣！

此例舉〈小過・六五〉「密雲不雨，自我西郊，公弋取彼在穴。」之辭在五而象在二，〈明夷〉初爻之辭在初而象在四，〈歸妹・上六〉之辭在此而象在

---

74 詳參尚秉和：《周易尚氏學》，頁352-353。

三，皆是辭不必象于本爻，亦多有象于應爻者。且若應爻不相應，則亦可取象以明其不應也，如〈歸妹・上六〉與六三不應之例。又如其注〈豫・初六〉「鳴豫，凶。」時云：[75]

> 初應四，四震為鳴，故曰「鳴豫」。爻在此而象在應，如〈蒙・三〉之「金夫」、〈泰・二〉之「包荒」、「憑河」及此，為《易》之通例。自此例不明，于是〈明夷・初九〉之飛及翼，皆以離為象矣！初六得敵，不能應四，故凶。

此舉〈豫・初六〉「鳴豫，凶。」之象在四震為例，明說爻在此而象在應為《易》之通例，並舉〈蒙・三〉之「金夫」、〈泰・二〉之「包荒」、「憑河」以證之。又其注〈噬嗑・上九〉「何校滅耳，凶。」時云：[76]

> 坎為校為耳，上應在三，三坎體亦艮體，艮為背為何，坎校為艮背上，耳則遮矣，故曰「滅耳」。《易》爻在此，而象全在應，此其一也。

其注〈明夷・初九〉「明夷于飛，垂其翼，君子于行，三日不食，有攸往，主人有言。」時云：[77]

> 此與〈師・六五〉義同也。辭在五而象全在應，初應在四，四體震，震為飛為翼，坤在下，故曰「垂其翼」。震為君子，為行，數三，離日，故曰「三日」。震為口為食，坤閉，故「三日不食」。震為往，為主人，為言，故曰「有攸往」、「主人有言」。蓋初雖應四，而為三所阻隔，故飛則不能高，行則不得食，凡有所往，而為主人所惡，責讓不安。

75 詳參尚秉和：《周易尚氏學》，頁131。

76 詳參尚秉和：《周易尚氏學》，頁153。

77 詳參尚秉和：《周易尚氏學》，頁224-225。

注〈既濟・初九〉「曳其輪，濡其尾，无咎。」時云：[78]

> 初應在四，四坎為曳、為輪、為濡，四居坎下，故曰「曳」、曰「尾」，所有象皆在應爻。舊解苦于本爻求，胡能合乎？曳濡當有咎，得正故无咎。

以上三例引〈噬嗑・上九〉「何校滅耳，凶。」〈明夷・初九〉「明夷于飛，垂其翼，君子于行，三日不食，有攸往，主人有言。」及〈既濟・初九〉「曳其輪，濡其尾，无咎。」等，以明辭在此而象在應為《易》之通例也。

（2）象每以相反見義

其注〈賁・象〉曰「山下有火，賁。君子以明庶政，无敢折獄。」時云：[79]

> 山下非山旁，火在山下，與地下同，直明夷耳！后儒謂明不及遠者誤也。艮為君子，明庶政，象每以相反見義，如〈同人〉曰「煩族辨物」、〈无妄〉曰「時育萬物」、〈蠱〉曰「振民育德」皆是。茲因賁不明，君子反以明庶政。坎為獄，折獄須明，離在下不明，故「无敢折獄」。而「无敢折獄」尤賁為无色无明之確徵。

此處除舉〈賁・象〉曰「山下有火，賁。君子以明庶政，无敢折獄。」為例，說明君子以明庶政，而折獄須明，但因離在下，故不明，而有辭曰「无敢折獄」也。因此而知《易》中有「象每以相反見義」之例也。並舉〈同人〉曰「煩族辨物」、〈无妄〉曰「時育萬物」、〈蠱〉曰「振民育德」等例置此處，以明此為通例也。又如其注〈大過・象〉曰「澤滅木，大過。君子以獨立不懼，遁世无悶。」時云：[80]

> 不曰「澤中有木」，而曰「澤滅木」，此漢人死卦之說所由來也。滅者

---

78 詳參尚秉和：《周易尚氏學》，頁356。

79 詳參尚秉和：《周易尚氏學》，頁155。

80 詳參尚秉和：《周易尚氏學》，頁185-186。

> 人之所懼，君子則獨立不懼。巽為寡，故曰「獨」。乾為惕，故曰「懼」。兌悅，故「不懼」。陽陷陰中，陰伏不出，故曰「遁世」。遁世宜有憂矣！乃君子則遁世无悶，以兌悅在終也。〈大象〉每反以見義，此亦其一也。

其注〈大壯·象〉曰「雷在天上，大壯。君子以非禮弗履。」時云：[81]

> 震為履，震履乾，即卑履尊，非禮甚矣！陸績曰「君子見卑履尊，終必消除，故以為戒。」〈大象〉每相反為義，此其一也。

此二例引〈大過·象〉曰「澤滅木，大過。君子以獨立不懼，遁世无悶。」及〈大壯·象〉曰「雷在天上，大壯。君子以非禮弗履。」皆云「〈大象〉每以相反見義」也，可知此實為《易》之通例。

其他尚有如其注〈无妄·象〉曰「天下雷行，物與无妄，先王以茂對時育萬物。」時云：[82]

> ……艮為時，震巽皆為草莽，而震為生，故曰「時育萬物」。即嚴畏天命，順時育物也。〈象〉有以相反為義者，如〈蠱〉曰「振民育德」、〈剝〉曰「上以厚下安宅」、〈明夷〉曰「用晦而明」，及此皆是也。

其注〈夬·象〉曰「澤上于天，夬。君子以施祿及下，居德則忌。」時云：[83]

> 祿謂恩澤，澤在天上无用，故君子思以下施。乾為富，故為德。德，得同。《荀子·禮論》篇「貴始得之本也。」注「得當為德。」居，積也。下乾，二至四，三至五，皆乾，乾多故曰「居德」。「居德則忌」者，言蓄積太多，多藏厚亡，為人所忌也。〈象〉辭每相反以取義，此亦其一也。

---

81 詳參尚秉和：《周易尚氏學》，頁216。

82 詳參尚秉和：《周易尚氏學》，頁171。

83 詳參尚秉和：《周易尚氏學》，頁262-263。

直舉數例同明「〈象〉有以相反為義者」，實是《易》之通例，非其一人之說也。

（3）象同故辭同

其注〈渙．初六〉「用拯馬壯吉。」時云：[84]

> 震為馬，初承之，故曰「拯馬」。鄭云「拯，承也。」拯馬即承陽，震健故壯吉，此與〈明夷．六二〉象同，故辭同。故〈象傳〉皆以順釋之，拯，順也。

蓋〈明夷．六二〉云「明夷于左股，用拯馬壯吉。」是與〈渙．初六〉「用拯馬壯吉。」同，而其辭相同之故乃在其象相同也。又如其注〈渙．上九〉「渙其血去逖出，无咎。」時云：[85]

> 血，古文恤字。逖與惕音同通用。〈小畜．六四〉「血去惕出。」與此同也。

此舉〈小畜．六四〉「血去惕出。」與〈渙．上九〉「渙其血去逖出，无咎。」辭同之例，以說明象同故辭同之《易》例也。

（4）《易》凡于人名地名，无不從象生

其在注〈明夷．彖〉曰「內文明而外柔順，以蒙大難，文王以之。……內難而能正其志，箕子以之。」時，謂「坤為文，震為王，故曰『文王』。文王囚羑里，幾經艱難，而后出之，故曰『以蒙大難』。……震為子為箕，故曰『箕子』。《易林．賁之屯》云『章甫荐屨，箕子佯狂。』以屯震為箕子也。箕子紂諸父，故曰『內難』。紂囚箕子，箕子佯狂為奴，晦明不用，僅以身免，故曰『箕子以之』。以，用也。」後，自做小注云：[86]

> 《易》凡于人名地名，无不從象生。除焦延壽外，无知此者。震箕象

84 詳參尚秉和：《周易尚氏學》，頁336。

85 詳參尚秉和：《周易尚氏學》，頁338。

86 詳參尚秉和：《周易尚氏學》，頁224。

> 形，《易林》履用。

明白謂《易》凡於人名地名，无不從象生之《易》例。

以上四者為尚氏《易》學以象注易之通例，亦為尚氏勾合全《易》之核心。[87]

3 專論爻之吉凶類

尚氏還有專論某爻之吉凶悔吝者，如：

（1）三本多凶

其注〈兌・六三〉「來兌凶。」時云：[88]

> 在內稱「來」，來就二陽以為悅，行為不正則有之，无所謂凶。但三本多凶，又不當位，來而不正，遂不宜矣！

此處直謂〈兌・三〉之凶在三本多凶之故也。

（2）凡五皆謂中行

其注〈夬・九五〉「莧陸夬夬，中行无咎。」時云：[89]

> 孟喜云「莧，陸獸名。」夬有兌，兌為羊也。《說文》亦云「莧，山羊細角。」諸家說此二字，人人異辭，獨孟氏于象密合。凡五皆謂中行。又「夬夬」，于羊行貌獨切。

此例如謂中行指第五爻也。

（3）凡九四比六五，例終升五

其注〈旅・九四・象〉曰「旅于處，未得位也。得其資斧，心未快

---

87 其實自古以來，治《易》名家多在《易》辭相同之處找尋所謂「聖人一貫之旨」，或者貫通全《易》精要之鑰。有以卦爻變化之法以貫通者，如焦循；而尚氏則以象貫通之。關於此等之例，見拙作：《清焦循易圖略易通釋研究》（桃園縣：國立中央大學中文研究所碩士論文，1994年）中已詳論之，讀者可以參看。

88 詳參尚秉和：《周易尚氏學》，頁333。

89 詳參尚秉和：《周易尚氏學》，頁265。

也。」時云：[90]

> 凡九四比六五，例終升五。〈歸妹．九四〉曰「有待而行。」待升五也。〈豐．九四〉曰「遇其夷主，吉行也。」〈六五〉曰「來章。」亦言四來五也。茲曰「未得位」，因未得五位，故處以俟也。下〈六五〉曰「終以譽命。」即謂四終升五也。

此處以〈歸妹．九四〉與〈豐．九四〉為例，說明若九四比六五，則終升五之《易》例也。

（4）凡巽體上爻多不吉

其注〈蠱．九三〉「干父之蠱，小有悔，无大咎。」時云：[91]

> 三震體，故亦曰「父」。按：九三上雖无應，然當位，前臨重陰，與〈大畜．九三〉象同，當吉。乃〈大畜．九三〉「利往。」此云「小悔无大咎」者，以體下斷也。凡巽體上爻多不吉，先儒不知其故在本弱，故多誤解。

此謂〈蠱．九三〉與〈大畜．九三〉象同，當與其一樣為吉。然而卻謂「小有悔，无大咎」者，乃是因為〈蠱〉之下卦為巽，巽風象，體弱，故九三爻雖前臨重陰且當位，卻只能无大咎者，實因巽之風體弱之故也。故謂「凡巽體上爻多不吉」乃《易》例之一也。

（5）凡中爻不通利者，上九必利

其注〈離．上九〉「王用出征，有嘉，折首，獲匪其丑，无咎。」時云：[92]

> 此與〈大有〉、〈鼎．上九〉義同也。〈大有．上九〉云「自天祐之，吉无不利。」〈鼎．上九〉云「大吉。」蓋〈大有〉、〈鼎〉中爻皆不

---

90 詳參尚秉和：《周易尚氏學》，頁324。

91 詳參尚秉和：《周易尚氏學》，頁142。

92 詳參尚秉和：《周易尚氏學》，頁79-80。

> 利，凡中爻不通利者，上九必利。〈大畜〉中爻為〈艮〉所畜，至上九忽亨，則以上九高出庶物，不為所畜也。〈大有〉、〈鼎〉、〈離〉與〈大畜〉理同也。

此條舉〈大有〉、〈鼎〉、〈離〉與〈大畜〉四卦中之「吉无不利」、「大吉」、「无咎」與「亨」，說明此四卦之中爻不曰利，故上九必利之《易》例也。

（6）凡上六多不吉

其注〈復．上六〉「迷復，凶，有災眚，用行師，終有大敗。以其國君凶，至于十年不克征。」時云：[93]

> 凡上六多不吉，上窮也。坤為迷為死喪，故「有災眚」。坤為眾，故為「師」。坤為死喪，故「行師終有大敗」。坤為國，震為君，故曰「國君」。坤為十年，震為征，「不克征」，言不能興起也。〈比．上六〉「后夫凶」，〈師．上六〉「小人勿用」，皆以其不承陽也。不承陽則背叛君命，而殃及國君，故曰「以其國君凶」。

此以〈復．上六〉之凶，說明凡上六多不吉之《易》例，乃因上六無法承陽之故也。

（7）《易》之旨，陽剛不宜在外，在外則氣窮，有陽九之厄

其注〈无妄．彖〉曰「无妄，剛自外來，而為主于內。……无妄之往，何之矣！天命不祐，行矣哉！」時云：[94]

> ……乾為天，巽為命也。〈臨．傳〉云「大亨以正，天之道也。」天命與天道同也，故當時元亨而動，時當利貞，即不宜動，不宜動而強動，違天者也。違天而行，天所不福。右，福也。「何之」者，言時值无妄，无往而可也。蓋《易》之旨，陽剛不宜在外，在外則氣窮，有陽九之厄，故卦辭以行為戒，以貞定為主。

93 詳參尚秉和：《周易尚氏學》，頁168。

94 詳參尚秉和：《周易尚氏學》，頁171。

此以〈无妄・上九〉之「无攸利」說明《易》中有陽剛不宜在外之例，因陽在外則氣窮，而會有陽九之厄。蓋此例與上六多不吉之例之義近似，上之為亢，故《易》多有警惕之義也。

4 其他各自獨立類

其他還有尚氏在注《易》時，隨其所注而云之例，如：

（1）凡《易》云「有言」、「聞言不信」、「有言不信」者，皆爭訟也，非言之有无也

如其注〈需・九二〉「需于沙，小有言，終吉。」時云：[95]

> ……「有言」者，爭訟也。乾為言，見《左傳》。「兌口亦為言」，見《易林》。乃兌言向外，與乾言相背，故爭訟。〈夬・四〉之「聞言不信」，即如此取象也。兌為小，故「小有言」。有言不吉，然而吉者，〈象〉曰「衍在中」，以居沙衍之中也。……〈象〉曰「雖小有言，以終吉」者，明有言本不吉，然而吉者，以得中位也。虞翻用半象，謂三四震象半見，為小有言，穿鑿之說也。凡《易》云「有言」及「聞言不信」、「有言不信」者，皆爭訟也，非言之有无也。

此處以〈需・九二〉及〈夬・九四〉說明凡《易》云「有言」、「聞言不信」、「有言不信」者，皆爭訟也，非言之有无之例也。

（2）重剛與卦位無涉，乃謂上下爻之關係也

如其注〈乾・文言・九三〉「重剛而不中，上不在天，下不在田，故乾乾因其時而惕，雖危无咎矣！」時云：[96]

> 「君子終日乾乾夕惕若」，是自朝及夕，无不乾惕也，故曰「因時」。所以然者，初二剛，三仍剛，故曰「重剛」，陽遇陽則窒。

95 詳參尚秉和：《周易尚氏學》，頁199-200。

96 詳參尚秉和：《周易尚氏學》，頁50。

此處以〈乾・九三〉之重剛說明，重剛者，乃指初二剛，三又為剛，陽遇陽而窒，故謂重剛，非指九三陽爻居陽位之故也。又其注〈乾・文言・九四〉「重剛而不中，上不在天，下不在田，中不在人，故或之。或之者，疑之也，故无咎。」時云：[97]

> 侯果曰：「〈下繫〉云『兼三才而兩之』，謂兩爻為一才也。初兼二地也，三兼四人也，五兼六天也。四是兼才，非正，故言不在人。朱子疑四非重剛，豈知重剛與卦位无涉，乃謂上下爻也。

此處直謂重剛與卦位無涉，乃指上下爻皆剛也。

（3）爻例上為角，下為趾

其注〈晉・上九〉「晉其角，維用伐邑，厲吉，无咎，貞吝。」時云：[98]

> 爻例上為角，故曰「晉其角」。

而其注〈艮・初六〉「艮其趾，无咎，利永貞。」時云：[99]

> 爻例在下稱趾，足趾不動，故无咎。利永貞，利于永遠貞定也。蓋初失位无應遇敵，故貴于无為也。

此二條明言《易》中有上爻為角，下爻為趾之例也。

以上皆為《周易尚氏學》中之《易》例，是尚氏注《易》時所立的體例，其有自覺而整理出者，已在〈說例〉中明言之，而其未在〈說例〉明言者，吾人則在此小節中補述之，以求能明白尚氏《易》學之全貌而無所遺也。

---

97 同前註。

98 詳參尚秉和：《周易尚氏學》，頁223。

99 詳參尚秉和：《周易尚氏學》，頁303。

(二)《周易尚氏學》非議與贊同前人之說者

在我們從頭到尾細讀《周易尚氏學》，並隨手筆記其注釋《周易》經傳時，隨文寫下對前人《易》說的一些質疑與不滿後，做了一個初步的統計，發現尚氏雖對於《易》學傳統漢、宋二派皆表示了諸多的不滿，但其實是有著輕重不同的批判的。其最贊同者自是引其象以注《易》的《焦氏易林》，其次，則對於清代的茹敦和則表示了很高的敬意。茲將其非議與贊同前人之說者統計如下：

1 非議前人之說統計表

	頁數	總計	附錄
虞翻	28、45、54、55、58、60、68、75、77、79、91、94、96、97、98、99、100、105、108、115、121、122、127、128、137、138、143、147、160、161、165、167、170、171、172、173、174、176、177、178、179、180、183、184、187、188、194、195、196、206、214、218、220、221、222、234、235、239、241、243、247、252、253、254、260、265、270、273、274、280、289、291、292、294、296、299、300、304、305、309、312、313、316、318、323、325、332、339、342、349、371、378、394、404、408、417、422、429	98	
荀爽	52、54、60、62、64、97、100、102、114、115、127、128、129、188、217、232、243、253、269、270、276、283、303、304、410	25	
王弼	28、62、66、75、82、87、88、100、109、142、161、173、178、190、216、238、245、287、289、295、368、401、411、412	24	

惠棟	53、65、75、81、91、110、119、121、129、160、199、203、226、235、245、252、254 314	18	
朱子	16、28、32、39、50、62、74、75、92、136、178、221、243、266、294、417	16	
鄭玄	28、87、161、172、179、206、216、232、245、265、266、282、298、359、422	15	
孔疏正義	12、16、56、57、62、69、71、87、92、116、190、229、321	13	
馬融	16、41、54、88、142、161、245、411、412、422	10	
九家	36、55、62、100、146、226、275、416	8	
俞樾	84、88、92、105、161、187	6	
宋衷	65、91、291、349、350	5	
李鼎祚	52、63、129、131、178	5	
程子	28、256、295、401、432	5	
朱震	74、114、121、348、371	5	
焦循	28、81、121、312、367	5	
侯果	62、156、254、321	4	
干寶	58、62、92、408	4	
王肅	136、142、162、247	4	
毛奇齡	61、81、121、129	4	
王引之	56、120、162、194	4	
陸績	16、87、245	3	
崔憬	88、170、203	3	
惠士奇	72、97、349	3	
王充	16、41	2	
許慎	121、423	2	
何妥	170、408	2	

劉瓛	41、388	2	
孔安國	386、388	2	
釋文	84、171	2	
姚配中	121、252	2	
朱升	114、115	2	
端木國瑚	53、348	2	
孟喜	66	1	
子夏傳	269	1	
京房	45	1	
郭京	155	1	
歐陽修	20	1	
王宗傳	74	1	
王安石	74	1	
臧琳	86	1	
項安世	86	1	
楊慎	86	1	
王夫之	92	1	
朱芹	86	1	
姚信	41	1	
張軌	324	1	
李道平	110	1	
王陶廬	32	1	
雅雨堂集解	314	1	
陸道平	246	1	
毛大可	75	1	
孫堂	246	1	
宋翔鳳	132	1	
張惠言	252	1	

馬國翰	246	1	
來知德	304	1	
杭辛齋	416	1	
共計		330	
諸家、後儒、舊解、清儒等未指名者	3、37、38、46、47、48、49、59、60、63、80、95、99、105、111、116、117、121、129、137、138、142、144、146、155、157、158、163、168、172、176、181、182、183、185、190、218、220、221、225、226、227、228、230、235、236、237、240、243、244、246、247、250、252、253、258、263、264、268、269、270、274、276、278、280、286、290、294、296、299、302、304、309、310、316、319、320、321、324 329、335、337、348、350、351、352、353、359、366、378、388、396、405、414、416、419、426	97	

上表乃以《周易尚氏學》中所引及次數多少先後排列之，由此表之統計可得幾個結果：

（1）因其法近漢《易》，故對漢《易》批駁最多

在總共五十七人，三百三十條對他人個別《易》說引用的不滿中，較多被他引來批評的分別是：虞翻的九十八條、荀爽的二十五條、王弼的二十四條、惠棟的十八條、朱子的十六條、鄭玄的十五條及孔疏《正義》的十三條、馬融的十條、九家的八條，其他尚有俞樾六條及宋衷、程子、朱震、焦循的五條等。此外，其所引文而批駁的，尚有自漢的孟喜、京房乃至晚清民國的杭辛齋等數十人。在這些不滿的引文中，他光批判虞翻的就高達九十八條，將近全部的三分之一。而荀爽、王弼的比例也各近十分之一。若將他們以後人所謂的漢《易》、宋《易》派別分開比較，則其對虞、荀、惠棟三個漢《易》家的批判共有一百四十一條，佔了總數的將近二分之一。而對王弼、朱子、程子等三個宋《易》家的批判則共有四十五條，近總數的七分一。以此二者比例來看，可知表面上尚氏雖批判漢《易》家的次數較多，卻非其贊同宋《易》家之說，而是因他專門以象解《易》的方法，實際與傳統漢《易》學派被以象數之說視之相近有關。就因他的方法在後人習以漢《易》、宋《易》分判《易》學流派時，是容易被視為漢《易》一流的，因此反而特別著重在批判漢《易》家的說法，以立自己非傳統所謂漢《易》一路者。其實，他本對宋《易》學派多以義理說《易》者，是覺得謬悠恍惚，不值一駁的。因此反而只稍為引而批之，故與其批漢《易》之次數相較起來不成比例。

（2）因後代漢《易》學家多以荀、虞為宗，故對此二人批駁最多

尚氏批駁虞翻一人之說者就高達九十八條，將近全部的三分之一；而對荀爽的批駁亦有二十五條之多，其比例也近總數的十分之一。尚氏對虞翻與荀爽之所以批駁最多者，自是因為後代漢《易》學派，每多以荀、虞二人之說而泛濫發展之故也。

（3）其所引之人自西漢至民國都有，另有不具名指出誰說者九十七條

尚氏另有以「諸家」、「后儒」、「舊解」、「清儒」等未具名指出何人所說的不滿引述共有九十七條，佔全書批判他人之說者有五分之一之多，與其批駁虞氏一人之說相近。總計全書共引前人之說而批判之者約有四百二十七條，其所引之人自西漢孟喜、京房以降至民國杭辛齋都有，由此初步的統計來看，尚氏治《易》之勤之深之廣，可清楚明白。

2 贊同前人之說統計表

	頁數	統計	附錄
揚雄太玄	29、33、38、39、41、55、56、413	8	
虞翻	70、269、338、404、410、412	6	
王弼	71、83、96、235、252	5	
荀爽	119、359	2	
焦延壽	55、56	2	
九家	45、119	2	

端木國瑚	67、292	2	
俞樾	49、129	2	
焦循	336、371	2	
吳（先生）摯甫	70、341	2	
鄭玄	336	1	
乾鑿度	413	1	
王肅	70	1	
李鼎祚	41	1	
孔疏正義	83	1	
朱子	361	1	
惠士奇	62	1	
宋衷	419	1	
來知德	416	1	
茹敦和	46	1	
沈善登	432	1	
馬國翰	414	1	
王引之	70	1	
共計		46	

上表乃以《周易尚氏學》中所引及次數多少先後排列之，由此表之統計可得如下結果：

（1）對漢、宋《易》家贊同者少而相近，示其獨立於此二派之外也

由以上統計表可知，在《周易尚氏學》中，尚氏引前人之說而贊同者共有二十三人四十六條，然而卻沒有特別著重引用漢《易》家或宋《易》家者，蓋因其本就對漢《易》家的卦變爻變之說，宋《易》家的義理說《易》之法，都表示了不敢苟同的意見，因此對他們過去解《易》之處，自然贊同的地方就特別的少了。相對之下，也就表示出了自己《易》學有別於傳統漢、宋《易》家的治《易》方法了。

當然，如果簡單的把《周易尚氏學》全書其批駁他人之說共四百二十七條與其稱引他人之說共四十六條相比，可知尚氏批駁他人者較同意他人者多了三百八十一條，批駁次數是同意次數的九倍多近十倍，由此可見尚氏對於兩千年來傳統《易》家對於《易經》的研究，不滿之處自是遠勝於同意之處了，而這或許正是他不得不寫出《周易尚氏學》，以明《易經》真諦之故了。

四　結語：尚氏《易》學皆源於實用而起

總結上面的討論與說明，我們可以清楚的了解尚氏《易》學之所以獨特於二千年來治《易》諸家，乃在其治《易》數十年後體會的《易》理與《易》象之法。他的陰陽為類為朋，陰陰、陽陽為敵失類的看法；在論斷爻之變化時，除了傳統初四、二五、三上的應的關係外，兼論初二三四五上諸爻的上下相比的關係，除了爻之相應與否外，與鄰爻的相比關係如何，亦在吉凶悔吝的論斷上佔有極為重要的關鍵因素。如其謂「凡《易》之情，近而不相得則凶或害之」，[100]此與一般《易》家著重應爻關係者已稍有不同。再加上其論《易》最重《易》象，甚至謂「《易》辭皆觀象而生」，[101]「辭由象生，故上下句不必相屬」，[102]「說《易》而不求象，未有能當者也」，[103]「《易》无一字不由象生」，[104]「正象之旁尚有伏象，故曰索隱、曰鉤深、曰旁行」，[105]「象覆，即于覆取義，《易》通例也」，[106]「《易》字不能定者，當定之以象」，[107]「象同故辭同」[108]等等，可知其全以象解《易》的獨

100 詳參尚秉和：《周易尚氏學》，頁204。
101 詳參尚秉和：《周易尚氏學》，頁397。
102 詳參尚秉和：《周易尚氏學》，頁368。
103 詳參尚秉和：《周易尚氏學》，頁178。
104 詳參尚秉和：《周易尚氏學》，頁348。
105 詳參尚秉和：《周易尚氏學》，頁49。
106 詳參尚秉和：《周易尚氏學》，頁136。
107 詳參尚秉和：《周易尚氏學》，頁193。
108 詳參尚秉和：《周易尚氏學》，頁336、338、357。

特之法，實最為其《易》學的核心要義。然而他為什麼處處以象論《易》？最大的原因還是在「實用」二字而已。參之以其附錄於《周易尚氏學》後的《周易古筮考》，判斷卦爻吉凶時，不論是靜爻或者動爻，他的看法都與傳統不同，而以實用為主。如其於朱子曰：「六爻不動，占本卦辭」後作〈按語〉云：[109]

> 古人成例，固以占彖辭為常，然彖辭往往與我不親，則視其所宜者而推之，斯察象為貴耳。茲將古人占得六爻全靜之推匯錄于左，固不拘一法也。

雖遇靜爻以占彖辭是常例，但卻在實用時發現彖辭常與其所占的情形不能相吻合，而謂「不可泥於此例，而要視其所宜，並察象為貴」。為什麼察象為貴？自是因為象是天地萬物所處可以取用的。其於動爻條下亦云：[110]

> 卦有一爻動、二爻動、三爻動，甚至四爻、五爻、六爻全動，吾人遇之，如何推斷乎？茲按古人成例，及朱子所論定以為法式，然不可泥也。蓋《易》占貴變，象與辭之通變，及事實之拍合，神之所示，千變萬化，有不可思議者，故不可執也。須就事以取辭察象而印我，棄疏而用親。

本來占卦常例，多如朱子所謂「一爻動則以本卦變爻辭占」、「二爻動則以本卦二變爻辭占，並以上爻為主」、「三爻動則占本卦及之卦彖辭，以本卦為貞，之卦為悔，貞我悔彼」、「四爻動則以之卦二不變爻辭占，以下爻為主」、「五爻動，以之卦不變爻占」、「六爻動，則乾坤占兩用，餘占之卦彖辭」[111]，然而尚氏卻仍強調《易》占以變為貴，不可泥於一式，須就事以取辭察象而印我，棄疏而用親，可見其所高舉《易》學最核心的《易》理、《易》象，實則都來自於《易》要實用的要求。有此理解，自然也就可以清

---

109 詳參尚秉和：《周易尚氏學》，頁444。

110 詳參尚秉和：《周易尚氏學》，頁459。

111 詳參尚秉和：《周易尚氏學》，頁459-519。

楚尚氏為何要搜羅古之所有筮例一一研究說明，並將自己為他人所占筮之例列入《周易古筮考》中，而有〈筮驗輯存〉一章，以證其所說之法可以實用。而其更略舉古來斷卦之法，如〈納甲〉、〈六親〉、〈世應〉、〈五行生克〉、〈天干地支沖刑合〉、〈五行生旺墓絕〉、〈六神〉等法，以備讀其書者可以實際操作，以證斷卦之準確與實用。凡此種種，在在說明其一生治《易》專在求得「實用」而已，此為尚氏《易》學與一般《易》學家對《易經》研究之態度最大的不同，庶可謂其《易》為「《易》學家之《易》」也，與其他之「漢學家之《易》」、「宋學家之《易》」不同者，最在「實用」二字之第一要求也。

回到《易》發生之最初，若不實用，何以《易》之？至於後來《易》學之發展，當然有其一定的價值，然而尚氏之《易》學實用的要求，無寧是給予今日如吾輩《易》學研究者，一個最大最好的提醒了。[112]

---

112 對於尚氏《易》學的研究，過去雖然少見，但自二〇〇〇年以後已有不少，學位論文如：李皇穎：《尚秉和周易注釋案語析論》（彰化縣：國立彰化師範大學國文研究所碩士論文，2005年）；賴怡如：《尚秉和易學研究》（桃園縣：銘傳大學應用中國文學研究所碩士論文，2006年），皆有一百四、五十頁的篇幅研究。單篇論文如劉光本：〈尚秉和易學思想初探〉，《周易研究》1995年第4期總第26期（1995年4月），頁27-33；黃壽祺：〈庸言〉，《周易研究》2002年第1期總第51期（2002年1月），頁78-80；黃黎星：〈以象解筮的探索──論尚秉和等生對左傳、國語筮例的闡釋〉，《周易研究》2002年第5期總第55期（2002年5月），頁30-41；趙杰：〈本易理以詁易辭，由易辭以準易象──試論尚氏易學的特色及其對易學史的貢獻〉，《周易研究》2002年第6期總第56期（2002年6月），頁40-45。有一連串對尚氏《易》學各角度的研究，皆已針對尚氏《易》學做了或大或小，或廣或精的研究，如楊慶中亦在〈尚秉和及其尚氏易學〉，《二十世紀中國易學史》（北京市：人民出版社，2000年）亦做短結云：「尚氏《易》學，主《易》象而反對東漢以後的卦變、爻變及爻辰之說；主《易》理而反對王弼以至宋儒所謂義理之學，頗有清代『正統派』之遺風。但他對宋《易》中的圖書之學，先天、後天之學又很認可，故較『正統派』的視野為寬。與同時代的杭辛齋相較，則嚴謹有餘而開新之氣勢不足。」（頁59）前人所說雖多，然此為筆者細讀尚氏《易》學之心得，故敢將此等或前輩已說出者，或前人未明說之餘論寫出。實乃筆者自一九九〇年接觸《易經》，中間經歷碩士論文與博士論文對於《易》學之探索，而又細讀尚氏之書後，實深有所感，故不敢不將之寫出，獨拈「實用」二字，以供諸位先進參考也。此與正文無關，故於小註中稍說明之。

熊十力易學創造性詮釋探析
——以《乾坤衍》為例

趙中偉
輔仁大學中國文學系教授

「囊括古今，平章華梵」的熊十力（1885-1968）先生[1]，「是今日國內最能苦學深思的一位學者」[2]。更是一位「新儒之最重要人物」，且是「民國以來理學最重要人物，真能運其偉大之綜合創造力，以建構其規模宏大之思想系統之大儒」[3]。因此，熊氏的學養與成就，堪稱中國現代最傑出的哲學家之一。

他在學術上最大的成就，亦是其一生最重要的成就，就是創立《新唯識論》[4]。此書「完成自己獨立的形貌」[5]，是「他深入佛學營壘，進入儒學的

1　參見馬浮：《文言本新唯識論．序》（臺北市：文景出版社，1973年4月），頁2。

2　參見胡適：〈要在根本處注意〉，《獨立評論》，第51號，引見景海峰：《熊十力》（臺北市：東大圖書公司，1991年6月），附錄3，頁294。

3　參見曾昭旭：〈六十年來之理學〉，《六十年來之國學》引見宋志明：《熊十力評傳》（南昌市：百花洲文藝出版社，1993年8月），第10章，頁220。

4　熊氏於一九二三年作《唯識學概論》講義，開始唯識論相關著作；並為《新唯識論》理論創造的起點。一九二六年，寫出第二種《唯識學概論》，《新唯識論》體系初具雛形。一九三〇年作《唯識論》，內容基本上接近《新唯識論》（文言本）。從一九三二年完成《新唯識論》（文言本），包括此本，熊氏共有四本關於《新唯識論》相關的著作，其他三本為：一九三三年《破破唯識論》、一九四四年《唯識論》（語體本）、一九五三年《新唯識論》（刪節本）等。

5　參見景海峰：《熊十力》，附錄2，同註2，頁262。

堂奧，採擷西方哲學的精華，取乎眾家又超乎眾家，付出畢生的心血與精力。他的大部分著作，都是為了闡發這一思想體系而寫的」[6]。可見《新唯識論》，是熊氏思想的核心，一生精粹的所在。

《新唯識論》，被人稱為「近年來的一部奇書」[7]。他曾說：「《新唯識論》雖從印土嬗變出來，而思想根底實乃源於《大易》，旁及柱下、漆園，下迄宋明巨子，亦皆有所融攝」[8]。原來《新唯識論》雖以探究佛學唯識為主，然其根源主要為我國五經之源的《周易》[9]；且又涉及《老子》、《莊子》以及宋明理學等思想。又說：「《新論》文言本猶融《易》以入佛，至語體本，則宗主在《易》」[10]。最終歸納《新唯識論》的核心源頭，無論文言本或語體本，就是《周易》一書。誠如其所一再言及的，「余平生之學，頗涉諸宗，卒歸本《大易》。七十年來所悟、所見、所信、所守在茲」[11]。綜言之，熊氏一生所學雖涉及中西各主要哲學；然其所感、所受、所證、所念、所見、所悟、所信、所守，「卒歸本《大易》」。

一　乾坤，是《周易》的大寶藏

熊十力對《周易》的喜愛，是無與倫比的；對《周易》的深刻認知，更是「得其環中，超以象外」的。他在《乾坤衍》一書中，對《周易》深一層的分析指出：

> 易經全部、實以乾坤為其縕。（縕、猶云寶藏也。言乾坤二卦是易經

6 參見宋志明：《熊十力評傳》，第1章，同註3，頁23。

7 參見景海峰：《熊十力》，附錄2，同註2，頁262。

8 同註2，頁264。

9 〔東漢〕班固：「五者（指《樂》、《詩》、《書》、《禮》、《春秋》），蓋五常之道（指仁、義、禮、智、信），相須而備，而《易》為之原。」參見《漢書．藝文志》（臺北市：弘道文化公司，1974年3月），冊5，卷30，頁1723。

10 同註7，頁265。

11 參見《新唯識論》（刪節本），引見景海峰：《熊十力》，附錄3，同註2，頁315。

> 中之大寶藏也）又曰、乾坤、其易之門耶。（論語曰、誰能出不由戶、云云。戶、猶門也。此言乾坤二卦、乃其餘諸卦諸爻之所出也）孔子自明本懷、如此。可見易道在乾坤。學易者必通乾坤、而後易經全部可通也。衍者、推演開擴之謂。引伸而長之。（治學、如抽絲。絲之端、最微小、如無物。引而伸之、則愈伸愈長、將無窮也。學亦如是）觸類而通之。……是為衍。余學易而識乾坤。用功在於衍也。故以名吾書[12]。

熊先生主張《周易》一書及易道內涵的總括，在〈乾〉、〈坤〉兩卦；而〈乾〉、〈坤〉兩卦之所以有其重要性及價值，主要在〈乾〉、〈坤〉兩卦，是易道的門戶，其餘六十二卦以及三百七十二爻，皆由〈乾〉、〈坤〉兩卦的變化而形成。其並認為通〈乾〉、〈坤〉兩卦，就能通《周易》，明易道，掌握孔子儒學整個思想。析言之，〈乾〉、〈坤〉兩卦，可以深一層的濃縮為乾坤兩個概念，只要明瞭乾坤，就能明白易道；明白易道，就能瞭解熊氏哲學整個思想架構。一言以蔽之，熊十力思想「盡在乾坤」。

由上可知，熊氏一生之精粹在《新唯識論》，而《新唯識論》源於《易經》；而《易經》的核心在〈乾〉、〈坤〉二卦，〈乾〉、〈坤〉二卦的精華在乾坤概念。換言之，熊氏思想的精粹，即在乾坤概念。至於「衍」，則為熊氏對易學的闡發與擴充，是一種創造性思維與詮釋的展現。

而「衍」，進一步言，是指「推演開擴」的意義，是一種創造性及本體性的詮釋。至於如何「衍」？如何「推演開擴」？將於下文進一步說明。

《乾坤衍》，是熊十力先生晚年除《存齋隨筆》外，唯一之易學專著，也可說是思想最為成熟之作品[13]。此書作於一九五九年（熊氏七十五歲）

---

12 參見氏著：《乾坤衍・自序》（臺北市：臺灣學生書局，1976年3月），頁1-2。本文引用熊十力《乾坤衍》，皆根據本書。下引此書原典，僅註明篇章別及頁數，不再註明出處。

13 熊氏在《乾坤衍》完成後，至其過世前，僅於一九六三年十二月作《存齋隨筆》，又名《略釋十二緣生》，主要是其對佛學思想的闡發；一九六五年八月作《先世述要》，此書是熊氏晚年最後之遺作，然並未完稿。

夏，完成於一九六一年（熊氏七十七歲），共約二十二萬字，後由科學出版社石印出一百餘部流通。

我們對乾坤要提出三問。

首先要問熊氏為什麼以乾坤作為易學的核心，更成為其思想的核心？

二問在熊氏的解讀下，乾坤其主要意義為何？

三問如何才能掌握乾坤的樞機？

第一問牽涉乾坤之價值問題，第二問主要解析乾坤之內涵，第三問為釐清乾坤思想體系後的實踐方法。

為什麼熊氏以乾坤作為易學的核心，更成為其思想的核心？主要在於熊氏重視易學。他說：「惟大易體用不二之論、則以全體既成大用。（實體是大全的、故云全體。用而言大者、贊美之辭）故萬有以外，無有獨存之體。（萬有、即是大用。亦即是現象。萬有以外、無有獨存之實體。譬如眾漚以外、無有獨存之大海水）大用成於全體。故生生無盡、足徵根源深遠（〈第二分廣義〉，頁236-237）。」

「體用不二」之「體用論」，是熊氏哲學思想的核心。他說：「體和用、是宇宙人生根本問題，未可忽視而不究（同上，頁308）。」「體用論」，在熊十力心目中，是宇宙人生最根本的問題，也是最重要的問題。所謂「哲學之本務、要在窮究宇宙基源。（基源為本體之代詞。亦可說為本體之形容詞。）故談宇宙論者、（此中宇宙論是廣義、即通本體與現象而言之。）未可茫然不辨體用」[14]。「體用論」，就是探析第一哲學——形而上學。既然要辨析形而上學，就不能不分辨體與用之間的關係。

當代著名的哲學專家沈清松（1949-），就深有所感的指出，「哲學是百學之母，形上學則是哲學的冠冕，是人類理性至為徹底的努力，試圖為人類思想所關懷的終極性問題，加以探索，並提出解答」[15]。

---

14 參見熊十力：《原儒．原內聖第四》（臺北市：明倫出版社，1972年8月），下卷，頁25。

15 參見沈清松：《物理之後：形上學的發展．序》，（臺北市：牛頓出版公司，1991年11月），頁4。

形而上學，是研究超越一切不可經驗之第一根元、或始元的學問。亦即是超驗的學問，不僅超越經驗，為經驗所不能達到；更存在於認識之外，而與認識無關。誠如沈清松所賦與的定義，形上學是「對於存有者的存有以及各主要存有者領域的本性與原理所做全體性、統一性、基礎性的探討」[16]。而存有者領域，則包括了自然存有者（或稱物理存有者）、人性存有者以及神性存有者等三大類。進言之，形上學所要探析的是，化生萬有的「存有者的存有」，以及其本質及其屬性的關係和內涵。

形上學一名，源自於《易傳》「形而上者謂之道，形而下者謂之器」[17]，主要說明精神與物質的差異。凡是在形體之上之精神內涵的稱為「道」，而在形體以下之物質內涵的稱為「器」。基於此，關於「道」的研究的學問，就稱為形上學。在我國哲學中，「道」不僅作為萬物化生之本體，是第一因；又是宇宙化生之源，化生一切萬有。即是「道」具有本體論及宇宙論的雙重內涵，而形上學的內涵，亦即包括本體論與宇宙論雙重部份。

就本體論而言，主要是研究「存有者的存有」，即是宇宙本性的研究。而本體論所要研究的存有，不是具體的存有形式，而是超出具體存有之上的「存有者的存有」。因為，具體的存有形式是相對的，有始有終的。「存有者的存有」，則是普遍的、絕對的、永恆的。它在邏輯上在先，具有「本原」、「普遍本質」的含義。由此之故，吾人稱「存有者的存有」，叫做「本體」。而研究「本體」的目的，主要是：

（一）「存有者的存有」要從理論上、邏輯上作為具體存有物的產生的依據，通過它來說明大千世界的發展及變化。

（二）「存有者的存有」來解釋人生，借此做為吾人尋求安身立命的主要依據和標的。

因故，「存有者的存有」，也就是本體論所要探討的問題有：什麼是「存有者的存有」、「存有者的存有」的本質是什麼、「存有者的存有」的終極原

---

16 同前註，頁20。

17 參見〔唐〕孔穎達：〈繫辭上傳‧第十二章〉，收入《周易注疏》（臺北縣：藝文印書館，1973年5月），卷7，頁158。

因是什麼、「存有者的存有」有那些屬性、「存有者的存有」如何落實等。

就宇宙論言，即是對於「自然的本性與原理之研究」[18]。亦即是主要研究宇宙起源、結構、永恆性、有機性或機械性規律、時間、空間、因果性等性質。綜言之，即是探求宇宙的發生及化生過程。而宇宙論所要探討問題有：宇宙是什麼、宇宙是什麼材料構成、有沒有神靈或造物主、自然和社會是不是神的安排賜予等。

熊十力對形而上學的研究特重在本體論的探析，研究「存有者的存有」，強調體用不二。景海峰就分析指出，「熊十力對中國哲學的重大貢獻，即在於對體用問題作了歸結性的闡明」[19]。並認為其此項成就如同「朱子之於理氣、陽明之於知行、船山之於道器，乃具有劃時代的意義和恆久的理論價值」[20]。

甚而，他的《新唯識論》，就是「本為發明體用而作」[21]。可見其格外重視「體用論」。郭齊勇在《熊十力與中國傳統文化》一書中，就稱讚說：「熊十力先生的哲學，以『體用不二』為宗綱，融本體論、宇宙論、人生論、認識論與方法論於一爐，博大精深，萬方悉備。」[22]宋志明更總括的認為，「熊十力一生中所作的最主要的工件就是圍繞著『體用不二』原則重建儒家的本體論系統，奠立現代新儒家思潮的根基」[23]。良有以也。

「體用論」，也就是「體用不二」，其主要內容為何？

> 創明體用不二之論（體者、實體之簡稱。用者、現象之別名。不二者、實體是現象的實體、不可妄猜實體是超脫乎現象而獨在。譬如大海水是眾漚的自身、不可說大海水超脫乎眾漚而獨存。『大海水、以

---

18 參見沈清松：《物理之後：形上學的發展》，第1章，頁21。

19 參見景海峰：《熊十力》，第4章，同註2，頁131。

20 同前註。

21 參見熊十力：《十力語要初續．略談新論要旨（答牟宗三）》（臺北市：樂天出版社，1973年4月），頁5。

22 參見郭齊勇：《熊十力與中國傳統文化》（臺北市：遠流出版公司，1990年6月），頁93。

23 參見宋志明：《熊十力評傳》，第5章，同註3，頁112。

譬實體。眾漚、以譬現象。……由斯譬喻、可悟現象及功用、名雖為二、其實是一』)(〈第二分廣義〉，頁236)。

體，指實體，亦即形上本體，現象背後的真實存在；用，指現象，指一切萬有。此兩者非二元對立，而是合而為一的「不二」。進一步分析，體本身不顯現，經由用，也就是現象的顯現，此即是即用顯體。而體並非超越在現象之上，顯現在現象之外，離用是無法認識體、體證體的，此即是攝體歸用。熊氏最喜以「大海水與眾漚」為例，表示體用關係。其中大海水是體；眾漚，即海面上的白泡，表示用。眾漚即是大海水，大海水顯現在眾漚之中；並不是在眾漚之上，尚有一超越意義之大海水。即是眾漚之外無有大海水，大海水與眾漚相融為一，是不可分的。雖然如此，大海水是體，是全體，更是整體；眾漚是部分，是整體中之部分，是整體化生而成。大海水與眾漚，仍有整體與部分的不同。同中有異，異中有同，這是必須要分辨明白的。

關於熊先生論證「體用關係」，據景海峰剖析，可從三個面向說明[24]：

(一)本體流行即全顯現為萬殊之大用，用外無體

因為本體是流行不已的，流行即成大用，變動之體必顯為用；反過來，變動即是實體之功用，體必有用，方成為體，無用即無體可言。熊氏在《體用論》明確的指出，「實體完完全全的變成萬有不齊的大用、即大用之外、無有實體。譬如大海水全成為眾漚、即眾漚外無大海水。體用不二亦猶是。夫實體渾然無象、而其成為用也、即繁然萬殊」[25]。用外無體的最佳例證，就是吾人在觀海時，僅見眾漚，不見大海水；但並非沒有大海水，只是大海水全成了眾漚，每一漚皆具有海水完整的功能及特性，此充分說明了由用見體之意義及內涵。

24 參見景海峰：《熊十力》，第5章，同註2，頁204-6。

25 參見熊十力：〈明變〉，《體用論》(臺北市：臺灣學生書局，1976年4月)，頁10。

（二）用是體的完全顯現，離用無從識體

現象是實體的真實反映，實體即通過現象而顯現出來，體用本不二。「余將實體、直說為現象的自身。譬如大海水是眾漚的自身。便掃除障礙。須知、實體者、本是現象之真實的自身。何可推出現象以外去。實體、是以其全體、統行變動、而成現象。所以說實體不是超脫現象而獨在。一一現象、都是以實體為其自身。所以說現象以外沒有實體（〈第二分廣義〉，頁253）」。此是熊氏恐怕時人不明其學說，一再說明其「體用論」，不是要人向外探求最高的本體，而是要強調本體即是在現象之中，從現象中即可體證本體。所謂「實體者、本是現象之真實的自身。何可推出現象以外去」。就如同「大海水與眾漚」，吾人從一一漚水中，即可證知大海水；眾漚之外，無有大海水。

（三）體只能由用上來識得，即用顯體

宇宙萬象皆真實呈現，變動不居，無有一瞬間空無，由此即可證得本體真實不虛。用是體的顯現，實已涵攝了體的真實本性，故從現象界入手便可把握真實本體。並且只有從用才得識體，識體必依用。以「大海水與眾漚」為喻，「猶如大海水、是眾漚之自身。眾漚以外，無有獨存之大海水（同上，頁275）」。體是大海水，用是眾漚；要認知大海水，必須從眾漚上識得，也惟有從眾漚上方能顯現大海水。熊十力進一步分析說：「實體變動而成功用。祇有就功用上、領會實體的性質。……汝若欲離開功用別求實體的性質、（此種迷誤、便如欲離開眾漚而求大海水的性質）將無所得。（功用以外、無有實體。向何處求實體性質。譬如眾漚以外、無有大海水。向何處問大海水的性質）……汝若徹悟體用不二、當信離用便無體可說。」[26]此段清

26 同前註，頁4。

楚指出，只要透悟「體用不二」，自能明白體只能由用上來識得，即用顯體。

由此之故，「體用論」是熊氏哲學的核心思想；《周易》主要內容，就重在「體用不二」之「體用論」，萬有以外，無有獨存之體，大用成於全體。他並直接表示：「大易決定體用不二，是其根本原理，不可搖奪。實體非固定性、元是變動不居。即從其變動不居、名之為功用。現象者、功用之別一稱。（別一稱，猶云別名）不是由實體變動了、又別造出一種世界、名為現象也。故說現象是功用之別一稱。（譬如大海水是騰躍不已的。即從其騰躍、說為眾漚。而眾漚的本身、元是大海水。豈是離於大海水而別為一世界乎）余嘗言、現象與實體、不是兩重世界。此是大源頭處。須徹底了解、方能斷一切疑（〈第二分廣義〉，頁251-252）」。《周易》的主要原理，就是「體用不二」，展現了現象與實體的作用。而實體並非固定，是變動不居的；此變動不居，就是功用，也就是現象。然欲瞭解實體，必須從現象入手及認知。因為，實體寓於現象之中，離開現象，便無實體，此是「體用不二」的主要內涵所在。

再者，熊先生的「體用不二」，是強調「本體流行即全顯現為萬殊之大用，用外無體」、「用是體的完全顯現，離用無從識體」、「體只能由用上來識得，即用顯體」。統言之，「體用不二」重在用外無體，由用以顯體，即用識體。而《周易》正好重在功用，即是肯定現象。所謂「夫惟大易創明體用不二。所以肯定功用、而不許於功用以外、求實體、實體已變成功用故。肯定現象、而不許於現象以外、尋根源、根源已變成現象故。（尋者、尋求。根源者、實體之形容詞、已見上）肯定萬有、而不許於萬有以外、索一元、一元已變成萬有故（同上，頁237-238）」。充分說明《周易》重在功用，也就是肯定現象。因為用外無體，由用識體，方才符合「體用不二」的主旨。同時，「余書、發明大易體用不二義、本以現象為主。此是吾書根底。須識得此意。（吾書不承認有離開現象而獨在的實體。祇收攝實體、以歸藏於現象、說為現象內在根源。故曰現象為主）（同上，頁493）」。他更一進釐清了「體用不二」的結構性問題，以現象為主，而非重在本體。現象是收攝本體，本體寄寓在現象之中。是以熊先生再三表示，《乾坤衍》一書，「本以現象為主。此是吾書根底。須識得此意」。是有其深意在其中的。

「惟孔子周易、攝體歸用。即將實體收入于萬物與吾人身上來（同上，頁308）」[27]。熊氏一再強調《周易》一書，就是攝體歸用，闡明「體用不二」之宗旨。而《周易》的主要重點，又總括在乾坤。因此，乾坤更是「體用不二」的總源頭。「孔子內聖學之綱要、特詳於大易之乾坤二卦（同上，頁231）」。此就是熊氏為何以乾坤作為易學核心，更成為其思想的核心的最主要原因。

二　乾，為生命心靈；坤，為物質能力

既然乾坤的重要性如此，熊氏對乾坤的意義是如何詮釋？

「乾」，指生命心靈；「坤」，指物質能力。

熊先生明確界定乾坤的內涵說：「聖人所謂乾者、乃生命心靈之都稱耳（都、猶總也）。聖人所謂坤者、乃物質能力之總名耳。（同上，頁235）。」析言之，「乾為生命和精神。（精神、亦稱心靈。）坤為物質和能力。宇宙萬有、祇是此兩方面（同上，頁249）」。整個宇宙萬有，就是乾坤二者的變化創生作用而成。簡言之，「乾」，也可指生命；因為生命包含心靈；「坤」，也可指物質；因為物質包含能力。即其所謂「本書中、凡言物質、即攝能力在內。凡言生命、即攝心靈在內（同上，頁265）」。

雖然，「乾為生命、為心靈。坤為質、為能（同上，頁243）」。但是，乾坤是一整體，不能分割。此即是「體用不二」的真義所在。以用顯體，攝體為用。如同熊氏最常且取喜歡譬喻的「大海水與眾漚」為例。大海水為體，即一元實體；眾漚為用，即乾坤相合；由眾漚以顯萬物各各自有的生命，為用；大海水為全體之大生命，為體。即如其所言：

乾為生命和心靈。坤為質和能。人生與大自然渾然為一完整體、不可

27 熊十力在《體用論‧贅語》亦說：「余之學宗主易經。以體用不二立宗。」同前註，頁6。

> 分割。易言之、人與大自然同稟受一大生命、以生。譬如眾漚、同稟受一大海水以生。眾漚、以譬人與大自然。一大海水、以譬一大生命。此云一大生命者、即是吾人與大自然各各自有的生命。不可誤會、以為吾人與大自然各各自有的生命以外、別有超獨存于外界之一大生命也。（不可誤會四字、一氣貫下。）譬如大海水即是眾漚的自身、不是超脫眾漚而獨存（同上，頁236-7）。

再言之，乾坤雖明分為二，而實質上此兩者必須相合一體，方能形成現象。乾為心靈，坤為物質；乾有力，主動；坤有力，以引起心。兩者相合，符合物質原則，化成現象，形成功能，推動整個萬化騰躍發展。切不可分為兩片，各自獨立。即是「乾為心靈。坤為物質。乾坤皆現象也。現象有心物兩方面。而不可拆裂心物為各各獨立之兩物。物的方面、有力引起心。心的方面、有力主動、以符合物則、而動不失宜（同上，頁493-494）」。熊十力舉例說：「如汝步行市區街道。望見汽車奔跑而來。汝心即於此時、主動起來、測定汽車行動之規律、同時、指導兩足、迅速移步道旁。決不亂撞汽車。據此而論。汝心主導乎物、即是乾主導乎坤。事實分明、何可否認。（此中物字、指兩足和汽車。物即坤也。心即乾也）（同上，頁493-494）」。吾人如果在路上步行，遭遇汽車，必須展現乾，即心之功能；面對坤，即汽車之行駛，必會適時因應躲避。由此，亦可以看出，乾是主導坤，心靈是指導物質的[28]。

在熊氏的哲學體系中，是「心御物故、即物從心、融為一體」之「心本論」[29]。乾既是心靈，坤為物質，自然乾是主導坤的。「乾為生命、為心靈。有大生等力用、本為坤之主導者（〈第二分廣義〉，頁490）」。同時，「夫乾為生命、為心靈。必須改造物質為生機體、方得憑藉之顯發光大。若非物

---

28 熊氏在《乾坤衍》中，亦明白表示：「物質之性、順承生命心靈之主導。而不得與剛性之物同類也（〈第二分廣義〉，頁240）。」

29 熊十力：《新唯識論》（語體本）（臺北市：廣文書局，1970年5月），卷下之二，頁43。郭齊勇說：「熊先生的本體論是一種心本論，主要是揚棄佛學唯識論和陸王心學而形成的。」參見郭齊勇著：《熊十力與中國傳統文化》，第4章，頁93。

質宇宙完成、生機體亦無從造起。此乾所以自居勿用、而任坤之專其成物之功也。而坤之自專、將消乾。則亦此始矣（同上，頁488）」。乾不但是主導者，且是改造者，必須改造坤之物質，為生機體，方能彰顯其「剛健、生生、升進、炤明等性（同上，頁239）」。再者，光只有乾也不行，必須配合坤之成物，才能改造物質，成為生機體。反之，如果沒有坤的配合，完成物質宇宙，生機體亦無從改造。所以熊氏稱乾自居於「潛龍勿用」，坤專責其「成物之功」，是其來有自的。

吾人是如何經由乾坤化生而成？

「人之生也、稟乾（生命心靈）以成其性。（性者、言乎生之真實而非虛幻也）稟坤（質與能）以成其形。（形、謂身體）陰陽性異、（此中性字、猶俗云性質之性。乾為陽性、坤為陰性、說見前）而乾坤兩物。性異者、以其本是一元實體內部含載之複雜性故。非兩物者、乾坤之實體是一故。（譬如眾漚之自身、同是一大海水故）（同上，頁242）」。即是經由乾之生命心靈，形成吾人本性；再結合坤之物質能力，形成吾人肉體，兩者合一，即形成人類。質言之，吾人是乾與坤是綜合體，缺一不可。吾人即是眾漚，而根源同一實體，即是一元實體之大海水。

吾人創生過程是如此，萬有生物之創生過程亦當如何？亦同於人類，亦是經由乾坤化生而成。

熊氏對此剖析說：「云何說乾為生命心靈、云何說坤為物質能力。則以萬有現象之發展、蓋自鴻荒肇啟。無量諸天體逐漸凝成、散布太空。是為物質現象盛著之始。（凡言物質、即含攝能力在內。有質、即有能故）無機物世界既成。生物相繼出世。是為生命力、以剛健自勝、轉化固閉之物質、而創成生機體。（自勝者、生命力、能自強勝、不為物質所折撓也）生命出而潛而見。（見、讀發現之現）從微至著。（微者、隱藏未露、而其勢力似微小。『似者、言非真微小、故言似耳。』著者、盛大貌。生命破除固閉而出、則日進乎盛大）未幾、生機體改進、益臻完善。生命得優良之憑藉、則發揚日盛。心靈初露於植物或低級動物中、頗有曖昧不明之象。及生機體改進、至高級動物、以極乎人類、生命力充實不可以已。心靈亦離曖昧、而大顯其明睿炤哲無虧無蔽之光輝（無虧云云者、言其光輝甚盛、無虧損、無掩蔽也）（同上，頁238-239）」。大化萬有之化生，熊氏從「無量諸天體逐漸凝成、散布太空」開始說明其化生經過，此為物質現象形成之始。再經由無機生物——生機體——高級動物——人類，而整個宇宙大化形成，此皆由乾之生命心靈與坤之物質能力共同結合而成。然而，「惟人為萬物之靈」[30]，具有旺盛之生命力，能夠衝開肉體的蔽障，「大顯其明睿炤哲無虧無蔽之光輝」。

在《乾坤衍》一書中，熊十力的「體用論」，即是「體用不二」學說，是以一元實體作為大海水，以乾坤經由乾之生命心靈與坤之物質能力結合成之現象，表示眾漚。即現象即是本體，本體顯現在現象之中。所以熊氏特重乾坤的創生作用，從乾坤當中，以顯一元實體。且由於熊氏強調用外無體，由用識體；故而未常言一元實體。

一元實體概念的產生，是熊氏根據〈乾卦．彖辭〉「大哉乾元，萬物資始」及〈坤卦．彖辭〉「至哉坤元，萬物資生」而來[31]，從「乾元」及「坤元」的本根實體，融合成一元實體。他說：「始萬物者、德莫高於乾元。故稱大。承乾生物者、德莫厚於坤元。故稱至。（至、猶極也。順以承乾、其德篤厚已極）元者原也。宇宙實體之稱。（宇宙者、萬殊的現象之總名）『萬殊的現象、亦稱萬有。』原、猶云本原。蓋以實體、可說為現象之本原也。譬如大海水、可說為眾漚之本原。俗云根源、與本原一詞之義亦相通（同上，頁269）」。元者，表示宇宙實體。乾元，表示宇宙中萬有生命心靈的總稱；坤元，則表示宇宙萬有物質能力的總稱[32]。而一元實體，則是乾元與坤元兩者共同融合之總稱，即宇宙萬有最高之實體。因此，他深入解析說：「元者、乾之所由成。元成為乾、即為乾之實體。不可說乾以外、有超然獨存于外界之元。（譬如大海水、完全變成眾漚、故大海水即是眾漚的自身。

30 參見〔唐〕孔穎達：《尚書注疏．泰誓上》（臺北縣：藝文印書館，1973年5月），卷11，頁152。

31 參見〔唐〕孔穎達：《周易注疏》，卷1，頁10、18。

32 乾坤，是指個別現象之生命心靈與物質能力。而乾元與坤元，則指宇宙萬有全體之生命心靈與物質能力。此兩者的內涵是不同的。

不可說眾漚以外、有超然獨存的大海水）夫惟乾以外、無有獨存的元。故於乾、而知其即是元。所以說乾元（同上，頁270）」。以乾元而論，元為乾之實體，即稱乾元。乾元融於乾之中，即成為乾之實體，實體潛於現象之中，由現象以明實體；現象之外，並沒有實體。即如乾之外，沒有超然獨存的乾元。坤元的意義，亦同乾元。他接著說：「元者、坤之所由成。元成為坤、即為坤之實體。不可說坤以外、有超然獨存于外界之元。既知坤以外、無有獨存的元。故於坤、而謂其即是元。所以有坤元之名（同上，頁270）」。

乾元和坤元，是否為二元？熊先生於此，特別提醒說：「乾元、坤元、唯是一元。不可誤作二元。（王船山易傳、便有二元之過。）尅就乾、而明示其元、則曰乾元。尅就坤、而明示其元、則曰坤元。實則元、一而已。豈可曰乾坤各有本原乎（同上，頁270）」。本原，具有惟一性、絕對性及至上性，只能有一，不能分二。因此，乾元與坤元之別，只就其特殊屬性作分別，實則兩者為一，「實則元、一而已」。

乾坤化生個別之現象，每一現象皆寓包乾坤。同時，由於是現象，其必然有特殊性與差異性，彼此不同。可是乾坤所稟之元，即一元實體，則僅有「一」，沒有特殊性及差異性。乾元與坤元「則一耳」，不可分彼此。即是所謂「夫乾為生命和心靈諸現象。坤為質和能諸現象。現象誠不得不分殊。（現象有對、難泯分化。現象有矛盾、本來殊異）而其元則一耳。唯就乾以言元、則稱乾元。就坤以言元、則稱坤元……夫惟了悟乾坤一元者、則說坤之元即是乾之元、亦應說乾之元即是坤之元。互言之、則無病耳（同上，頁270-271）」。明了乾元與坤元為一，則乾元可稱坤元，坤元亦可稱乾元，皆是一元實體。

為說明乾元的化生歷程，熊十力再深一層的分析說：「乾道變化以始萬物者、是為先物之功。（萬物未形以前、曰先物）坤承乾而既成物。萬物乃以形相生。至此、則乾元潛在於萬物中而主導之、不可求乾元于萬物以外。是故萬物資乎乾元而大始以後、遂以形相生、無已止。乾元亦遍在于萬物、無時而不為萬物之始也。（遍在云云、注意）始與生二義、雖不無別、而實一貫（同上，頁273-274）」。乾元是在萬物形成之前已經先存在，為萬物之始。所以據有「先物之功」。坤元則承繼乾元之生命心靈，而以物質能力之形以相生。如此，則萬物具備生命心靈與物質能力，形成活生生的宇宙世界。但吾人切要注意的是，此乾元在萬物形成之後，已潛入萬物之中而主導萬物。從外在看，吾人只能見到現象，乾元本身是看不到的。此時，吾人理解乾元時，切不可不知乾元在萬物之中，而不可誤指乾元在萬物之外。這就是由用識體的最具體的顯示。

為再強調一元實體，熊氏針對〈乾卦．彖辭〉「大哉乾元，萬物資始」及〈坤卦．彖辭〉「至哉坤元，萬物資生」再作說明。他說：「萬物資始、資生、此兩資字、皆訓為取。（解釋字義、曰訓）取之義、大矣哉。乾之彖辭、說為物資取於乾元、而成其大始。（大始之大、歎美其始之盛也）此其脩辭之法式、即明示萬物直將一元實體完全資取得來、以成就自己。（一元實體四字、作複詞用。自己、設為萬物之自謂。下言自己者、倣此）易言之、萬物各各皆資取于一元、以立定自己大始之基。將發展無已。坤之彖辭、說萬物資取於坤元、而承乾以成物。於是萬物得盡自力、盛弘化育。以形相生。備有乾坤大生、廣生之德於自己、豈不盛哉。（乾稱大生、主導乎坤。坤稱廣生、承乾而生也。見易大傳。萬物備有乾坤之德、所以盛大。自己、設為萬物之自謂（同上，頁274-275）」。《易傳》在〈繫辭上傳．第六章〉說：「夫乾，其靜也專，其動也直，是以大生焉。夫坤，其靜也翕，其動也闢，是以廣生焉。」[33]此一則說明乾坤的化生不已，生生不息；另一則說明乾之屬性在於專一剛直，坤的屬性在於收斂開闢。此兩者形成的萬有，「皆資取于一元、以立定自己大始之基。將發展無已」。反之，沒有一元實體在其中，就無法形成萬有，更何況具有乾坤特有屬性之專一剛直和收斂開闢！

熊氏對一元實體總結式的指出，「一元實體、萬物既資取之、以為自己所本有之自根自源。一元本是萬物之真實自體。萬物之外、無有超然獨存之一元。（真實自體、簡稱實體。自體、猶云自身。）猶如大海水、是眾漚之

33 參見〔唐〕孔穎達：《周易注疏》，卷7，頁149-150。

自身。眾漚以外、無有獨存之大海水。萬物自身、本有生活源泉。（有源之水、曰源泉。中庸云淵泉是也。其物各各資取一元以生。一元即是萬物各有之源泉。譬如每一漚、皆資取大海水以生。則是每一漚、皆以大海水為其自有之源泉）其源深遠。其流無竭。（無竭、謂無有匱乏、無有滅絕也）（同上，頁275-276）」。其中「一元本是萬物之真實自體。萬物之外、無有超然獨存之一元」，充分說明任何一物，皆必須資取一元實體，成為其本身之真實實體，所以「一元即是萬物各有之源泉」。而一元實體，也非超然物外，而是存在物中。一元實體就是大海水，每一漚皆必須資取其而生；但吾人僅見眾漚，未見大海水；因為大海水隱藏眾漚之中。由於熊十力對「本體論」體證的真切，是以其再三讚嘆一元實體的「其源深遠。其流無竭」。一元實體與乾坤相融而成的創生萬物過程，真是無量無盡，無終無始，永恆的在生命長河中無窮無盡的流著！

三　乾坤之德：剛健、生生、升進、炤明

然而，如何才能掌握乾坤的樞機？

在此必須要先澄清一個觀點，就是本體論落實到實踐層次，必須經過理解和詮釋過程。因為，形上本體為一超驗的存有，必須轉換成經驗層次，才能經由具體的實踐，體證超驗的本根。帕瑪（Richard E. Palmer）就指出：「本體論必須變為現象學，本體論必須轉向理解和詮釋的過程，通過此過程，事物才顯現出來。它必須揭人類存在的情緒狀況和方向；它必須使在──於──此──世（being-in-the-world）不可見的結構成為可見的。」[34] 換言之，形上本體的認知，必須經由理解和詮釋才能顯現出來。

乾坤在熊氏的易學體系中，屬於形上層次的「本體論」，必須經由理解和詮釋，轉化為實踐之道德層次，方能體證。因此，熊氏特別彰明乾坤之德

34 參見帕瑪著，嚴平譯：《詮釋學》（臺北市：桂冠圖書公司，1997年9月），第9章，147頁。

性，以作為吾人德性實踐之標準。再者，由於乾主導坤，是以體證乾之德即可掌握乾坤之樞紐。

首先，他先說明「乾道始物之功、畢竟默然運於萬物以形相生之中。未嘗停其生生之幾。未嘗捨其剛健炤明升進諸德性、而不以賦予於萬物也（〈第二分廣義〉，頁273）」。乾道之一元實體在化生萬有時，亦將德性賦予其中。此德性包括有剛健、炤明、升進等德性。也基於此，熊氏的「本體論」或「體用不二」哲學，才有價值意義。如果生命的創生過程，僅只是生生不息的成長，而沒有內在的核心德性在其中，則人與禽獸何異？就因為一元實體具足道德內涵，賦予吾人之身，成為吾人之性；吾人經由自覺啟迪，昭明自身剛健、炤明、升進等諸德性，才能安時處順，以掌握乾坤樞機，進而「知周乎萬物而道濟天下」[35]。職此之故，乾之生命心靈與坤之物質能力所形成的萬有現象，其價值所在亦在此，其值得吾人體證認知之意義亦在此。

其次，他具體表示：

> 聖人以生命、同有剛健、生生、升進、炤明等性故、同稱為乾。生命、心靈、其性剛健、所以名之為乾、乾字之含義、是剛健故。又專稱乾主大生、又曰生生之謂易。生生之義、雖與健義有別、而亦相關。惟其健而又健、所以生生不已也。升進、猶俗云向上。生命心靈、同是升進之性、不下墜故。亦足徵其健也。炤明者、無迷闇性故、乃心靈之特性也。乾卦言大明、又言知、皆指心靈也。心能了別物、改造物、主導物、而不受物之蔽。亦至健也（〈第二分廣義〉，頁239）[36]。

---

35 參見〔唐〕孔穎達：《周易注疏》，卷7，頁147。

36 文中所言之「聖人」，皆指孔子。參見〈第二分廣義〉，頁282。此外，熊氏特別指出，乾有其剛健、生生、炤明及升進等德。坤亦有其德，因其為物質能力，致偏向柔弱、迷暗等德。他說：「乾陽坤陰者、此言生命心靈有剛健、炤明等性。是謂陽性。……物質、能力、有柔退、迷暗等性、是謂陰性（〈第二分廣義〉，頁241）。」

此明白指出，要成為聖人，就必須修持其德，也就是剛健、生生、炤明、升進等德性。此也就是乾的性命心靈。就剛健言，即是勤健不息，健之又健；生生，如同剛健，必須具備精勤不怠，自強不息；炤明，就是光明潔淨，無有迷闇；升進，就是向上提升，不下向墜。從實踐中體證，從力行中落實，方能掌握乾坤樞要。

當然，乾坤德性的界定，熊先生是根據〈乾〉〈坤〉兩卦的內涵濃縮而成的。就乾之德性言：剛健之德，來自於乾之本質，「〈乾〉，健也（〈說卦．第七章〉）」[37]。而〈乾卦〉中，一再以剛健表達其意義，例如「君子終日乾乾（〈乾卦．九三爻辭〉）」、「天行健，君子以自強不息（〈乾卦．象辭〉）」等[38]。同時，在〈乾卦．文言〉中，對剛健的德性，給予實質內涵的擴充，就是「剛健中正，純粹精也」[39]。即是展現剛強勁健的德性，並能持中守正，才能煥發更高的純粹不雜之德性。炤明之德，來自於〈乾卦．彖辭〉「大明終始」及〈乾卦．文言〉「大人者，……與日月合其明」[40]。此表現出光明潔淨，無有偏私的美德。升進之德，表明〈乾卦〉六爻，從潛到見，從惕至躍，臻於飛龍，這是一種不斷升進向上的歷程。惟切不可過於亢進，不知節制，就會導致由盛而衰的後果之「亢龍有悔（〈乾卦．上九爻辭〉）」[41]。生生之德，誠如熊先生所言，「惟其健而又健、所以生生不已」。而這一切，皆是「君子進德脩業，欲及時也」[42]。也就是要認知〈乾卦〉之理，必須經由道德實踐才能完成。此所以熊十力一再忠懇呼籲吾人要彰顯乾之德「聖人以生命、同有剛健、生生、升進、炤明等性故、同稱為乾」。其原因即在此。

就坤之德性言：〈坤卦〉中，言及坤之德極多，此方面是熊先生未加重

37 參見〔唐〕孔穎達：《周易注疏》，卷7，頁184。
38 參見〔唐〕孔穎達：《周易注疏》，卷1，頁9、11。
39 參見〔唐〕孔穎達：《周易注疏》，卷1，頁16。
40 參見〔唐〕孔穎達：《周易注疏》，卷1，頁10、17。
41 參見〔唐〕孔穎達：《周易注疏》，卷1，頁10。
42 參見〔唐〕孔穎達：《周易注疏》，卷1，頁14。

視的地方。因其僅從「本體論」立說來論述乾坤之本質特徵，在坤的部份，重在其物質能力；而坤之德，則其僅注意柔弱及迷暗等。熊氏說：「物質、能力、有柔退、迷暗等性、是謂陰性（〈第二分廣義〉，頁241）」。主要是他主張坤是受制於乾，乾是主導坤的，致有此偏差之見。事實上，乾與坤是生命心靈與物質能力，共同形成現象，兩者缺一不可，地位同等重要。顯然熊氏在此論述是有所偏失的。再則，熊氏之理論基礎在於「就用上而言、心主動以開物。此乾坤大義也」[43]。其以唯心為主，致對坤的重視度就比不上乾了。所以，其言坤之德，僅鎖定在「柔退、迷暗等性」，有其理論上的偏頗，這是熊先生主觀的認知所致。而〈坤卦〉言及坤之德有：「含弘光大，品物咸亨（〈坤卦・彖辭〉）」[44]，具有「包容、寬裕、昭明、博厚」之德[45]；「柔順利貞（〈坤卦・彖辭〉）」[46]，具有溫柔和順，吉利貞正之德；「厚德載物（〈坤卦・象辭〉）」[47]，具有厚大篤實，承載包容之德；「直、方、大（〈坤卦・六二爻辭〉）」[48]，具有正直、方正及博大之德；「坤至柔而動也剛，至靜而德方（〈坤卦・文言〉）」[49]，具有柔剛並濟，動靜皆宜之德。從上可知，坤之德性，除了本質的柔順特質外，亦寓有乾之健動之德的內涵，其德性是極為豐富，此是吾人不可不察的。

總之，乾坤是熊十力先生易學的主軸，「體用論」或「體用不二」理論的核心。乾指生命心靈，坤表物質能力；乾坤代表著宇宙萬有創生的過程，以及創生中由用識體，用外無體的特質。所謂「體既成用。即用以外、無有獨在的體。譬如大海水既成眾漚。即眾漚以外、無有獨在的大海水。故說體用不二（〈第二分廣義〉，頁243-244）」。乾坤雖是大用、是眾漚、是現象、是功能；但亦即是一元實體的展現，因為沒有獨存的體。以大海水為喻，大

---

43 參見《體用論・贅語》，頁6。

44 參見〔唐〕孔穎達：《周易注疏》，卷1，頁18。

45 參見〔北宋〕程頤：《易程傳》（臺北市：河洛圖書出版社，1974年3月），卷1，頁23。

46 參見〔唐〕孔穎達：《周易注疏》，卷1，頁18。

47 參見〔唐〕孔穎達：《周易注疏》，卷1，頁19。

48 參見〔唐〕孔穎達：《周易注疏》，卷1，頁19。

49 參見〔唐〕孔穎達：《周易注疏》，卷1，頁20。

海水是體，眾漚是用，吾人只見眾漚，而不見大海水，即是由用識體，用外無體。然而，此並不表示大海水不存在，只是大海水寄託在眾漚之中，眾漚具有大海水完整的本質與內涵。此亦如同宋明理學所強調的「理一分殊」之意思[50]。一元實體如同大海水，是宇宙間最高的理，乾坤如同眾漚，其理是最高的理——一元實體的分殊，也就是一元實體的顯現。換言之，此最高的理——一元實體，是一普遍的規律，即是「理一」，亦即整體；而乾坤各自的理則是「分殊」，亦即部分。然而，吾人僅見的，只是「分殊」之乾坤，無法見到一元實體之「理一」。

進言之，「譬如無有大海水、即無有眾漚。可見大海水是眾漚的根源。但大海水即是眾漚的本身。故大海水不是超脫眾漚而獨在。宇宙萬有和他的實體、雖不無分別、而不是兩物。故唯有大海水與眾漚之譬喻、才易曉。大海水、以喻體。眾漚、以喻用（〈第二分廣義〉，頁248）」。一元實體與乾坤，如同大海水與眾漚，雖有分別，但不是兩物。何以故？因為一元實體就是乾坤的根源，如同大海水是眾漚的根源；一元實體又是乾坤的本身，一元實體不是超脫乾坤而獨在。所以吾人見不到一元實體，僅能見到乾坤。因此，此兩者雖有分別，但不是兩物。同樣的，「大海水即是眾漚的本身。故大海水不是超脫眾漚而獨在」。所以吾人僅見眾漚，而不見大海水。析言之，「譬如大海水、完全變成眾漚。故大海水即是眾漚的自身。不可說眾漚以外、有超然獨存的大海水（同上，頁270）」。熊氏的「體用不二」說，以一元實體與乾坤的相互關係，經由大海水與眾漚的譬喻之相互論證中，將其發揮得淋漓盡致。

50 「理一分殊」，意指宇宙間有一個最高的理，萬物各自的理，是最高的理的分殊，也就是此理的顯現。換言之，此最高的理，是一普遍的規律，即是「理一」；而萬物各自的理，則是「分殊」。出自於程頤〈答楊時論西銘書〉說：「〈西銘〉明理一而分殊，墨氏則二本而無分。」參見《河南程氏文集》，卷9，收入《二程集》（臺北市：燕京文化公司，1983年12月），頁609。

四　熊十力的創造詮釋，朝向本體及創造意義發展

「余之學宗主易經。以體用不二立宗。就用上而言、心主動以開物。此乾坤大義也」[51]。這是熊十力先生立學的主要根柢。

吾人要問熊十力先生如何創新詮釋乾坤的意涵，加以充實與提升，作為《周易》的核心價值，成為「體用不二」學說的宗旨？

這就要解析熊十力的詮釋方法了。

熊先生曾自言其學說根源：「世或疑余為浮屠氏之徒。唯（林）宰平知余究心佛法、而實迴異趣寂之學也。或疑余為理學家。唯宰平知余敬事宋明諸老先生、而實不取其拘礙也。或疑余簡脫似老莊。唯宰平知余平生未有變化氣質之功。……世目我以儒家。唯宰平知余宗主在儒、而所資者博也。世或疑余新論、外釋而內儒。唯宰平知新論、自成體系。入乎眾家。出乎眾家。圓融無礙也。」[52]熊氏之學雖以佛學為主，實所資者博，兼採眾家，所謂「入乎眾家。出乎眾家」。而最重要的，其不僅步趨孔孟，踵武儒佛；而且更創新其說，自成體系。也就是詮釋內涵的創造化。難怪人稱「他（熊十力）的哲學是極富創造性的思想體系）」[53]。

潘德榮在《詮釋學導論》就精闢的指陳：「理解的本質是什麼？如果是指向『原意』的，那麼這個『原意』終將會因時間的流逝而磨損，最終化為無；如果理解是『生產』意義的，那麼一切語言、文字流傳物將會在這個『生產』過程中變得越來越豐富、充足。」[54]據此，意義是「生產的」，是不斷的創新轉化的發展過程；並非是停滯不動，僵化成為只有一個本義或原意。如果是如此，則其本義或原意，「終將會因時間的流逝而磨損，最終化為無」。

51 參見熊十力：《體用論．贅語》，頁6。

52 參見熊十力：〈紀念北京大學五十年並為林宰平祝嘏〉，收入《十力語要初續》，頁18。

53 參見宋志明：《熊十力評傳》，第10章，頁212。

54 參見潘德榮：《詮釋學導論》（臺北市：五南圖書公司，1999年8月），頁192。

質言之，「理解不是單純的『複製』，而始終是『生產性』的，這種生產性歸功於時間間距而形成的新視界」[55]。此時間間距，就是指歷史時間的距離所產生的變化發展。意義是隨著歷史時間的變化，個人的前理解以及文本的內涵[56]，而不斷的創新與發展，形成了所謂「視界融合」，而產生了「創造詮釋」。

所謂「視界融合」，就是主體的理解視野不能隨意地解釋歷史對象，而被解釋對象的理解視野，也不能因其特定的歷史內容而使主體的能力受到不應有的妨礙，甚至消融主體，使主體墮入無法求得的歷史真實性的徒勞追求中。解釋的主體和對象的關係應該達到一種「視界融合」。因此，在此基礎上，使理解產生出新的意義，即既不是主體意義的實現，也非對象客體意義的還原的一種新質的理解，具有歷史有效性的理解。這將給歷史的解釋活動帶來前進[57]。換言之，在詮釋時，詮釋者不能無限上綱的隨意解釋對象文本，造成對象文本之意義與本義之間的完全割裂。而對象文本也不能因其特定的內容，以拘限解釋者的思考與詮釋，甚而「消融主體」，使解釋者完全受限於對象文本的約束。也就是詮釋內容，必須具有完整性及一致性，不能有矛盾現象的產生。因此，在此情形下的詮釋內涵，既不是解釋者的主體意識，也非對象文本意義的還原，而是產生「一種新質的理解」，致使詮釋達到了提昇與發展。

---

55 同前註，頁141。

56 前理解，由德國哲學家伽達默爾（Hans-Georg Gadamer, 1900-2002）提出。此指解釋的理解活動之前存在的理解因素。它們構成解釋者與歷史存在之間的關係。前理解（Preunderstanding）是理解的前提，理解不能從某種精神空白中產生，它在理解之前就被歷史給定了許多的已知東西，形成了先在的理解狀態。這些前理解包括解釋者存在的歷史環境、語言、經驗、記憶、動機、知識等因素，形成了先在的理解狀態。這些因素即便與將來理解的東西發生抵觸，也可以作為一種認識前提在理解活動中得到修正。因此理解不是個人的、全新的、完全主觀的，它是一個歷史過程，是一個從前理解到理解，再到前理解的指向未來的循環過程，它總在歷史性的先在的「前理解」狀態基礎上獲得新的理解。參見楊蔭隆：《西方文學理論大辭典》（長春市：吉林文史出版社，1994年1月），頁952。「前理解」條。

57 同前，「視界融合」條，頁838。

同時，「視界融合標誌著新的更大的視界之形成，這個新視界的形成無疑是一個不斷發生的過程，在這個過程中，一切理解的要素、進入理解的諸視界持續地合成生長者，構成了『某種具有活生生的價值的東西』，正是因為它們是在一種新的視界中被理解到的。因此，融合的過程也就意味著對我們所籌劃的歷史視界之揚棄，我們通過歷史視界使歷史與我們區別開來，融合就是揚棄歷史視界的特殊性，從而使之與我們合成一個新的統一體；融合同時也是對我們自己的前判斷所規定之視界之揚棄，我們現在所擁有的實際上是包含著歷史視界的新視界。這便是理解的真諦，理解最後所達到的，就是獲得以視界融合為標誌的新視界」。[58]文中所謂「前判斷」，就是「前理解」。「視界融合」就是對前理解與過去歷史視界的揚棄，以產生新的視界。這個新的「視界融合」，包括著新的理解、新的歷史視界，以及對文本新的解讀。熊十力在對《周易》乾坤的認知和解讀，就是一種「視界融合」。這包括自身「入乎眾家。出乎眾家」的新的前理解；對《周易》文本的詮釋，以建構新的思辨體系；以及面對當時歷史變化的發展所產的新體認。

「一個重建的『問題』永遠不會處於它原來的視界之中，因此，我們的理解作為回答，就必定會超出此前所理解的歷史，歷史就是以這種方式發展著」[59]。乾坤概念的認知，在熊氏新的「視界融合」之下，已從原有《周易》體系，進入了一個新的體系；從本義的認知，進入到了創造及本體的詮釋。

然而，「這並不是說，業已達到的視界融合是理解的終點，相反的，它只是人類理解過程的一個階段」[60]。對於作者的解釋和讀者的理解之「視界融合」，永無終點，是永恆不斷的創新發展。

詮釋如何產生創造性的變化之「創造詮釋」？可分為兩部份說明。一是觀念的創新，就是理解觀念的朝向世界觀點之「本體詮釋」的創新；另一則為技術方法的創新，就是字義內涵不斷豐富之「創造詮釋」的創新。

---

58 參見潘德榮：《詮釋學導論》，第5章，頁136。

59 參見潘德榮：《詮釋學導論》，第5章，頁133。

60 參見潘德榮：《詮釋學導論》，第5章，頁136。

先就觀念的創新，探求世界觀點的「本體詮釋」言：熊先生學術立基於《周易》，就必須先預設本體。找到了本體之後，就必須將之作為本體化的詮釋。成中英提出「尋找本體的詮釋」。他主張：「此是基於對中國哲學本體論的特殊理解。此是沒有任何預設和前置的，只是在反思的過程中形成一套世界觀，這個世界觀與個人自我觀結合在一起，就成了『他』的本體。這個本體是個人詮釋、找尋、歸納外在世界的依據，當『境』不斷轉化時，本體概念的內容也隨之發生改變。所以這種本體是動態的『自本體』，而不是靜止的『對本體』。」[61]在《周易》的易學體系，作為本體的概念極多，包括有太和、太極、道、易、天、理等[62]。熊十力則自行挑選乾坤作為《周易》的本體層次，作為其世界觀點；這個世界觀點與其自身的觀點結合，形成一套新的世界觀點。

熊氏既已以乾坤作為本體層次，就必須先將乾坤的內涵賦予本體的意義。即是所謂「解釋所依據的不僅是技術性的規則，它最深層的基礎乃是本體論意義上的『世界觀點』」[63]。析言之，吾人在解讀文本時，其理解最重要的不是技術性的規則，而是本體論意義上的「世界觀點」。就熊氏對乾坤的理解，他所重視的不是枝節的技術性的規則，而是最高的世界觀點，就是具有本體論意義之「體用不二」說。

何謂「本體詮釋」？「本體詮釋學」（Onto-Hermeneutics）的發凡，為華裔學者成中英教授。他指出：「『本體』是中國哲學中的中心概念，兼含了『本』的思想與『體』的思想。本是根源，是歷史性，是時間性，是內在性；體是整體，是體系，是空間性，是外在性。『本體』因之是包含一切事物及其發生的宇宙系統，更體現在事物發生轉化的整體過程之中。」[64]這包

61 引見景海峰：〈解釋學與中國哲學〉，參見 http://www.confucius2000.com/poetry/jshxyzhgzhx.htm。

62 參見趙中偉：《易學專題講義彙編》，（自印本，2006年9月），頁75-91。

63 參見潘德榮：《詮釋學導論》，第7章，頁189。

64 參見成中英編：《本體與詮釋．從真理與方法到本體與詮釋》（北京市：生活．讀書．新知三聯書店，2002年1月），頁5。

括了兩個方向：一是指「本」，是指根源，即探求萬化的本根及其內涵，寓含形上學的宇宙發生論及本體論。就熊先生「本體論」言，是指一元實體與乾坤的體用不二哲學體系。由乾坤現象識本體一元實體，乾坤現象之外，是沒有一元實體之本體，一元實體融於乾坤之中。二是指「體」，則是指體系，即是建構有機完整的體系及系統，以說明整個思想的發展及變化。就熊先生之易學體系言，即是由一元實體與乾坤密合而成的一套本體論。此本體論是「以體用不二立宗、本原現象不許離而為二、真實變異不許離而為二、絕對相對不許離而為二、心物不許離而為二、天人不許離而為二」[65]。因之，「本體詮釋」，就是其所言的「包含一切事物及其發生的宇宙系統，更體現在事物發生轉化的整體過程之中」。

成中英再指出：「本體是有層次的，對自我的認識原始於對事物的理解，當我們對自我有更深的要求時，也就能更深認識和掌握世界，更能清除局部性、片面性，而體現了認識和理解的整體性、系統性、發展性與根源性。此即所謂本體」。[66]就以熊先生對乾坤的詮釋言，一元實體與乾坤，是體用關係，有其層次性；同時，一元實體與乾坤也是整體系，不容分割。析言之，一元實體與乾坤，就是

> 每一物、都是完全取得實體以成其自己、非於實體中取一分也、實體不可剖分故。譬如每漚、都是完全取得大海水以成其自己、大海水不可破析故（〈第二分廣義〉，頁281）」。

此充分說明熊先生一元實體與乾坤之「體用不二」學說，具有「整體性、系統性、發展性與根源性」。

針對「本體詮釋」的內涵，成中英再進一步說明，「什麼是本體？它是實體的體系。即體，它來源於實體的本源或根本，即本。本和體是緊密相關的。因為本不僅產生了體，而且不斷產生體，這可以根據本來解釋體的變

---

65 參見熊十力：《體用論》，頁169。

66 參見成中英編：《本體詮釋學．世紀會面》（北京市：北京大學出版社，2002年3月），第2輯，頁5。

化。」[67]進言之，「本體詮釋」除了強調本體的意義外，並重視體系的建構。本與體相連相合，方能將內蘊充分展現出來，以提升詮釋高度。深一層分析，本體詮釋就是將無法用經驗認知的萬物背後之實體，即是現象背後的真實存在，經由解讀與推論，作一完整體系化的呈現，即是成氏所稱的「它是實體的體系」。這其中，要特別留意的，就是體是來自於本，本的顯現必須有體，本和體是密不可分的。更可貴的，由於掌握了本，可經由不斷的認知和提升，以建立新的體，使本體的內涵一再提升。所謂「本不僅產生了體，而且不斷產生體，這可以根據本來解釋體的變化」。此項論點，在熊氏的一元實體與乾坤之「體用不二」的結構中，已明確完整說明。乾坤是現象，也是實體；主要是實體潛於現象，由現象即可明體。實體與現象，密不可分。一元實體與乾坤，誠如成氏所言，「本和體是緊密相關的。因為本不僅產生了體，而且不斷產生體，這可以根據本來解釋體的變化」。

由上可知，熊氏在建構其易學體系的「本體論」時，是朝向世界觀點發展，是探求世界觀點的「本體詮釋」，是詮釋的一種創造發展。

其次，就技術方法的創新，意義的「創造詮釋」言：概念意義的轉化，是經由作者詮釋文本所產生的創造意義，是一種技術方法的創造。熊氏易學主乾坤，轉化成為本體論意義，就是一種意義的「創造詮釋」。

五　乾坤從本義的上出與地，創造詮釋為本體論意義

「創造詮釋」是源於傅偉勳教授（1933-1996）的「創造詮釋學」。他的理論見於其所著〈創造的詮釋學及其應用：中國哲學方法論建構試論之一〉一文[68]。其將「創造詮釋」形成過程分為五個層次：

---

67 參見成中英編：《本體與詮釋．從真理與方法到本體與詮釋》，頁22。

68 引見傅偉勳著：《從創造的詮釋學到大乘佛學》（臺北市：東大圖書公司，1999年5月），頁1-46。

（一）實謂層次（屬於前詮釋學的原典考證）

1　原思想家（或原典）實際上說了什麼？

2　關涉原典的校勘、版本、考證與比較等基本課題（相當於古代考據之學）。

3　在原典研究上，如何找出原原本本或至少幾近真實的版本，乃成為考據之學首要的課題。

（二）意謂層次（屬於依文解義的一種析文詮釋學）

1　原思想家想要表達什麼？或他所說的意義到底是什麼？

2　即是通過語意澄清、脈絡分析、前後文表面矛盾的邏輯解消、原思想家時代背景的考察等工夫，儘量「客觀忠實」了解並詮釋原典或原思想家的意思或意向。

3　此層次要求詮釋者要儘可能地設法「如實」了解原典章句的真正意思或涵義，故需一番儘量「客觀」的語意分析，包括三種：

（1）脈絡分析　專就語句（字辭或句子）在個別不同的特定脈絡範圍，分析出該語句的脈絡意義及蘊涵。一方面，承認每一字辭或語句有無關乎脈絡變化的原定意義（即指本義）；另一方面，亦可承認即使原來已有相當固定的字義句義，每一字句在不同脈絡時，有產生意義變更的情況（即是引申義）。例如「無」字，有指「沒有」──「有無相生（《老子・第二章》）」（此為本義）[69]；有指「道原」──「無名天地之始（《老子・第一章》）」（此為引申義）（此部份相當傳統的文字訓詁之學）[70]。

（2）邏輯分析　即通過原典前後文的對比對照，設法除去表面上的思想或語句表達的前後矛盾或不一致性。

---

69 參見樓宇烈：《王弼集校釋・老子道德經注》（臺北市：華正書局，1992年12月），上篇，頁5。

70 同前註，頁1。

(3) 層面（或次元）分析　即是對主概念分析其層次，以進一步剖析其內容的多層義涵。例如《老子》的「道」，可分為「道體」——指超形上學隱而不顯的「道」本身以及「道相」——即由日常觀察與生命體驗之形上學的深化，描述道體所彰顯的樣相狀貌。「道相」又可分為五大層面

A 道原　即是權宜言詮之不可道、不可名的「道體」。

B 道理　即指「道體」顯現的自然規律。

C 道用　即指描述「道體」所彰顯的自然功能（以上三種為《老子》形上學——亦即自然之道的三大層面）。

D 道德

E 道術　（以上兩種為《老子》的人道）

（三）蘊謂層次（屬於歷史詮釋學）

1 原思想家可能要說什麼？或原思想家所說的可能蘊涵什麼？

2 此關涉種種思想史理路線索、原思想家與後代繼承者間的前後思維聯貫性的多面探討、歷史上已經存在的（較為重要的）種種原典詮釋等，通過此類研究方式，了解原典或原思想家學說。

3 即是通過思想史上已經有過許多原典詮釋進路探討，歸納幾個較有詮釋分量的進路或觀點出來，俾發現原典思想所表達的深層義理以及依此義理可能重新安排高低出來的多層詮釋蘊涵。例如《老子》的古今注釋共有五類

(1) 莊子、王弼以來的傳統道家進路

(2) 韓非子以來的法家進路

(3) 孫子兵法的兵家進路

(4) 社會倫理思想進路

(5) 道教進路

(6) 道家哲學進路所重的是形而上學，而《老子》倫理學、人生哲學、政治社會思想，及至軍事思想，則概皆建立在形而上學的

基礎之上。

（四）**當謂層次**（屬於批判詮釋學）

1 原思想家本來應當說出什麼？或創造詮釋者應當為原思想家說出什麼？

2 詮釋者設法在原思想家教義的表面結構底下掘發深層結構。即是對原思想家的義理結構進行批判比較考察；且重新安排脈絡意義、層面義蘊等的輕重高低，而為原思想家說出他應當說出的話。

3 「為了從康德（Immanuel Kant, 1724-1804）的『實謂』尋出他的『意謂』，每一詮釋必須訴諸暴力，這是『詮釋學上』真確不過的事。但此暴力不應與完全主觀任意的（詮釋）行為混同，『創造性的』詮釋必須是具有靈感生動，且有啟明觀念的力量做為引導才行（海德格 Martin Heidegger, 1889-1976〈康德與形而上學的問題〉)」。

（五）**必謂層次**（劉述先改為創謂層次[71]，即是創造詮釋學）

1 原思想家現在必須說出什麼？或為了解決原思想家未能完成的思想課題，創造的詮釋者現在必須踐行什麼？（亦即原思想家未完成的課題以及從現在必須實踐的角度，開發出具有時代意義的詮釋。）

2 創造的詮釋學家不但為了講解原思想家的教義，還要批判超克原思想家的教義局限性或內在難題，為後者解決後者所留下而未能完成的思想課題。

3 必謂層次必須訴諸「批判的繼承」與「創造的發展」兩者的雙管齊下。並要從批判的繼承者轉變成為創造的發展者。

4 即是要帶有海德格所云一種「自明觀念的力量」，不但能為原思想家徹底解消原有思想的任何內在難題或實質性矛盾，如此「救活」

71 傅氏原本是用必謂層次，劉述先教授改為創謂層次，更能符合「創造詮釋學」的實質意義。參見黃俊傑編：《中國經典詮釋傳統——通論篇》（一），〈「中國經典詮釋學的特質」學術座談會紀錄〉（臺北市：喜瑪拉雅研究發展基金會，2002年6月），頁435。

> 原有思想；同時又能百尺竿頭更進一步。就哲學思維的突破與創新一點，特為思想家完成他所未能完成的思想課題。創造的詮釋學家必須從事於中外各大思想及其傳統的相互對談與交流，經此創造性思維的時代考驗與自我磨練，應可培養出能為原有思想家及其歷史傳統「繼往開來」的創新力量。

（六）改造層次（劉述先主張）[72]，即是可以對經典或文本有所改造。

乾坤意義如何創造？本文根據傅偉勳「創造詮釋學」的五個步驟，分成四個部分——乾坤的本義、乾坤在《周易》「經」的意義、乾坤在《周易》「傳」的意義、乾坤的本體意義，剖析乾坤的意義，藉以瞭解乾坤的意義是不斷的生產，以及如何由本義創造轉化成本體意義。其中乾坤的本體意義，即是熊十力先生乾坤「本體論」的創造詮釋。

第一部分，就是乾坤的本義來說。此即包括了傅偉勳創造詮釋學中之實謂層次（屬於前詮釋學的原典考證），就是指原思想家（或原典）實際上說了什麼？及意謂層次（屬於依文解義的一種析文詮釋學），就是指原思想家想要表達什麼？或他所說的意義到底是什麼？

乾坤二字，在甲骨文及金文中，並未出現。乾的本義，《說文解字》說：「乾，上出也。从乙，乙，物之達也；倝聲。」[73]意指向上冒出；而造字從乙，表示植物由地底向地面通達。坤的本義，《說文解字》說：「坤，地也。《易》之卦也。从土申，土位在申也。」[74]意指大地；而造字從土申，即指坤位在十二地支的申位。如就本義來解讀乾坤的意義，僅指向上冒出與地的意義，並未有更高的意義與價值。

第二部分，就是乾坤在《周易》「經」的意義來說。此包含了傅偉勳創造詮釋學中的意謂層次，及蘊謂層次（屬於歷史詮釋學），就是原思想家可

---

72 同前註，頁436。

73 參見〔東漢〕許慎著，〔清〕段玉裁注：《說文解字注》（臺北縣：藝文印書館，1970年6月），14篇下，頁747。

74 同前註，13篇下，頁688。

能要說什麼？或原思想家所說的可能蘊涵什麼？

乾字在經傳中共出現五十五次，其中經出現五次，包括〈乾卦〉卦名、〈乾卦・九三爻辭〉「君子終日乾乾」、〈噬嗑卦・九四爻辭〉「噬乾胏」及〈噬嗑卦・六五爻辭〉「噬乾肉」等。另外，在傳出現四十八次。坤字共出現三十三次，其中經出現一次，即是〈坤卦〉卦名，其餘皆在傳出現，共有三十二次。

乾就《周易》「經」的意義論，乾表示卦名時，是指天[75]，「〈乾〉，天也」及剛健，「〈乾〉，健也」的意思[76]。至於在〈噬嗑卦・九四爻辭〉「噬乾胏」及〈噬嗑卦・六五爻辭〉「噬乾肉」，僅表示乾燥的意思。坤，就卦名言，表示地，「〈坤〉，地也」及柔順，「〈坤〉，順也」的意思[77]。因此，乾坤二字在《周易》「經」的意義，較本義已有生產而有多義現象，但也僅只個別的殊義，但是，沒有形上意義的產生。

第三部分，就是乾坤在《周易》「傳」的意義來說。此包含了傅偉勳創造詮釋學中的意謂層次、蘊謂層次、當謂層次（屬於批判詮釋學），就是原思想家本來應當說出什麼？或創造詮釋者應當為原思想家說出什麼？以及創謂層次（即原必謂層次），就是原思想家現在必須說出什麼？或為了解決原思想家未能完成的思想課題，創造的詮釋者現在必須踐行什麼？亦即原思想家未完成的課題以及從現在必須實踐的角度，開發出具有時代意義的詮釋。

乾坤在「傳」中，其使用的意義，可歸納為七種：

一　表示天地　例如「乾以君之」、「〈乾〉，天也」、「〈乾〉為天」、「坤以藏之」、「〈坤〉，地也」、「〈坤〉為地」等[78]。此中所言的乾坤，皆指天地言。

---

75 此天指與地相對之天，為物質天。

76 參見〔唐〕孔穎達：〈說卦・第十章〉、〈說卦・第七章〉，《周易注疏》，卷9，頁184-5。

77 參見同前註。

78 參見〔唐〕孔穎達：〈說卦・第四章〉、〈說卦・第十章〉、〈說卦・第十一章〉，《周易注疏》，卷9，頁183、185。

—— 表示剛健柔順　例如「乾乾因其時而惕」、「坤至柔而動也剛」等[79]。甚至〈雜卦傳〉提出「乾剛坤柔」[80]，明確指出乾坤表示剛健及柔順。

—— 表示乾坤卦象　例如「〈乾〉之策二百一十有六，〈坤〉之策百四十有四」，此即指〈乾〉〈坤〉兩卦言。

—— 表示象徵的物象　例如「〈乾〉為馬」、「〈乾〉為首」、「乾為天，為圜，為君，為父，為玉，為金，為寒，為冰，為大赤，為良馬，為老馬，為瘠馬，為駁馬，為木果」、「〈坤〉為牛」、「〈坤〉為腹」、「坤為地，為母，為布，為釜，為吝嗇，為均，為子母牛，為大輿，為文，為眾，為柄，其於地也為黑」等[81]。乾坤的象徵物象雖不同，但並非漫無標準，而是以乾坤的本質特徵作為物象的類比標準，此就在於「〈乾〉，健也」及「〈坤〉，順也」[82]，也就是乾的剛健及坤的柔順。而乾坤物象的類比，即依乾之剛健及坤之柔順的標準而為。

（1）**表示規律原則**。此亦是一種形上本體的意義，只是其突顯在規律原則的意義上面。例如「乾道變化」、「乾道乃革」、「坤道其順乎」等[83]。此中的「乾道」、「坤道」，就表示宇宙間乾坤的規律原則。

（2）**表示本體**。例如「大哉乾元，萬物資始」、「乾元者始而亨者也」、「至哉坤元，萬物資生」等[84]，此中的「乾元」、「坤元」，就表示萬物的本體。

---

79 參見〔唐〕孔穎達：〈乾卦．文言〉、〈坤卦．文言〉，《周易注疏》，卷1，頁14、20。

80 引見〔唐〕孔穎達：《周易注疏》，卷9，頁189。

81 參見〔唐〕孔穎達：〈說卦．第八章〉、〈說卦．第九章〉、〈說卦．第十一章〉，《周易注疏》，卷9，頁185。

82 參見〔唐〕孔穎達：〈說卦．第七章〉，《周易注疏》，卷9，頁184。

83 參見〔唐〕孔穎達：〈乾卦．彖辭〉、〈乾卦．文言〉、〈坤卦．文言〉，《周易注疏》，卷1，頁10、16、20。

84 參見〔唐〕孔穎達：〈乾卦．彖辭〉、〈乾卦．文言〉、〈坤卦．彖辭〉，《周易注疏》，卷1，頁10、16、18。

（3）**表示萬物化生之兩種相反相成的動力及功能**。此是乾坤在《周易》「傳」的主要意義所在。

關於乾坤表示萬物化生之兩種相反相成的動力及功能，《易傳・繫辭傳》有較為詳盡的解說。〈繫辭上傳・第一章〉就說：

> 乾道成男，坤道成女。乾知大始，坤作成物[85]。

此章開宗明義，就指出乾坤是萬化創生之始。乾為形式動力，故稱「大始」；坤為質料要素，故稱「成物」。孔穎達解釋說：「乾知大始者，以乾是天陽之氣，萬物皆始在於氣，故云：知其大始也。坤作成物者，坤是地陰之形，坤能造作，以成萬物也。」[86]就化生功能言，乾比象為天，亦為無形抽象的陽氣；坤比象為地，亦為無形抽象的陰氣。萬物皆始於元氣，是以乾為創始，坤為造作，兩者相輔相成，化生萬物。因之，乾坤是萬物化生的開端。就具體有形言之，就是「乾道成男，坤道成女」。乾道化生男性，坤道化生女生，所謂「此變化之成形者」[87]。充分說明乾坤的抽象及具象意義，以展現宇宙萬物化生的功能。

在〈繫辭上傳・第六章〉，更直接指明乾坤就是萬物「大生」及「廣生」之源。其說：

> 夫乾，其靜也專，其動也直，是以大生焉。夫坤，其靜也翕，其動也闢，是以廣生焉[88]。

此章是針對乾坤的特性，來解說其化生萬有的不同作用。關於此章的詮釋，東漢宋衷（生卒年不詳）說的極為深入，他說：「乾靜不用事，則清靜專一，含養萬物矣。動則用事，則直道而行，導出萬物矣。一專一直，動靜有時，而物夭瘁，是以大生也。……坤靜不用事，閉藏微伏，應育萬物矣。

85 引見〔唐〕孔穎達：《周易注疏》，卷7，頁144。

86 參見〔唐〕孔穎達：《周易注疏》，卷7，頁144。

87 參見〔宋〕朱熹：《周易本義》（臺北市：老古文化公司，1985年5月），卷3，頁280。

88 引見〔唐〕孔穎達：《周易注疏》，卷7，頁149-150。

動而用事，則開闢群蟄，敬導沈滯矣。一翕一闢，動靜不失時，而物无災害，是以廣生也。」[89]乾之靜，顯現清靜不雜，專一不二的特性，是以能含養萬物；乾之動，展現直道不偏，化生不輟，致能導出萬物。而一動一靜，一專一直，萬物有生有死，有成有毀，故能「大生」。坤之靜，顯現閉藏不露，微伏翕合的特性，是以能應育萬物；坤之動，開闢創化，引導沈滯，是以能化生群蟄。而一動一靜，一翕一闢，使萬物無有災害，故能「廣生」。

東晉韓康伯（332-380）解讀說：「止則翕斂其氣，動則闢開以生物也。乾統天，首物為變化之元，通乎形外者也。坤則順以承陽，功盡於已用，止乎形者也。故乾以專直，言乎其材；坤以翕闢，言乎其形。」[90]乾坤所顯現的動靜，就是化生萬物的一種變化型態。雖有動靜翕闢之分，其最終則在於「闢開以生物」。若細分之，則乾為首物，為變化之本，是具有無形之精神本質，所謂「通乎形外者」，是以「乾以專直，言乎其材」。其中「材」，指材質，亦即指特質。坤則順承於天，以承接乾，是屬於有形之物質實體，所謂「止乎形者」，是以「坤以翕闢，言乎其形」。

孔穎達對乾坤化生變化的過程，則較韓康伯有更細密的剖析說：「乾是純陽，德能普備，无所偏主，唯專一而已。若氣不發動，則靜而專一，故云其靜也專也。若其運轉，則四時不忒，寒暑无差，則而得正，故云其動也直。以其動靜如此，故能大生焉。坤是陰柔，閉藏翕斂，故其靜也翕。動則開生萬物，故其動也闢。以其如此，故能廣生於物焉。天體高遠，故乾云大生；地體廣博，故坤云廣生。」[91]乾的本質是「純陽」，其特性是「其靜也專，其動也直」。因之，其化育的作用，專一不二，無所偏私，是以其德普遍覆育，不致有所偏差。當其氣不動之時，則靜而專一；其氣運轉之時，則化生萬有，依循正道，極有規律，致使四時運轉不息，無有差忒。同時，以

89 引見〔唐〕李鼎祚：《周易集解》，收入《周易注疏及補正》（臺北市：世界書局，1987年2月），卷13，頁323。

90 參見王弼、韓康伯：《周易注．繫辭傳》，收入〔唐〕孔穎達：《周易注疏》，卷7，頁150。

91 參見同前註。

乾類比為天，天體高明久遠，這就是乾稱之為「大生」的最主要因素。坤的本質是「純陰」，其特性是「其靜也翕，其動也闢」。因之，其化育的作用，在靜時收斂含蓄，在動時開闢化育。而坤作為類比為地，地體廣大博厚，是以坤稱之為「廣生」。以上充分顯出乾坤二者，互為其用，相依相成，開闢翕合，動靜有常，是天地萬有產生的源頭。

乾除了表示純陽，類比為天外，尚具有健動的本質；坤除了表示純陰，類比為地外，尚具有柔順的本質[92]。因而，乾在化生的作用上，具有開闢的動能，無窮無已。坤則在化生作用上，具有閉闔的功能，不止不息。乾坤一闢一闔，一動一靜，往來變化，無有止息，致化生萬物，猗歟盛矣。故〈繫辭上傳．第十一章〉稟於乾坤的本質及作用，進一步說明：

> 是故闔戶謂之坤，闢戶謂之乾；一闔一闢謂之變，往來不窮謂之通[93]。

「闔戶，謂閉藏萬物。若室之閉闔其戶，故云闔戶謂之坤也。……闢戶，謂吐生萬物也。若室之開闢其戶，故云闢戶謂之乾也」[94]。孔穎達以室之閉闔其戶，類比坤的柔順本質；以室的開闢其戶，類比乾的健動本質。由於乾坤的闔闢動靜，無有窮盡，萬物就從其中吐生和閉藏了。

針對〈繫辭傳〉此段文字，朱熹更直接說：「乾坤變通者，化育之功也。」[95]言之盡矣。

乾坤在易學體系中，不僅是化生之始，也是構成易道的根本，為易道的門戶。〈繫辭下傳．第六章〉更明白的說：

> 乾坤，其易之門邪？乾，陽物也；坤，陰物也。陰陽合德而剛柔有體，以體天地之撰，以通神明之德[96]。

---

92 〔唐〕孔穎達：〈說卦．第七章〉說：「乾，健也；坤，順也。」收入《周易注疏》，卷9，頁184。

93 引見〔唐〕孔穎達：《周易注疏》，卷7，頁156。

94 參見〔唐〕孔穎達：《周易注疏》，卷7，頁156。

95 參見〔宋〕朱熹：《周易本義》，卷3，頁305。

96 引見〔唐〕孔穎達：《周易注疏》，卷8，頁172。

撰，指創作。此中之「易」，就是易道，指最高的本體。乾坤為易道化生萬有之相反相成的動力及功能。此段言乾坤的陰陽變化，以體察其化育及創作萬物的功能而言。這當中最重要的是「陰陽合德而剛柔有體」。乾表示純陽，代表「陽物」；坤表示純陰，代表「陰物」。若兩者各自發展，不相結合，則無法達到陽剛陰柔配合，成為形體，化生萬有。所謂「獨陰不生，獨陽不生」[97]。惟有「陰陽合德」，乾坤相結合，發揮變化作用，才能「以體天地之撰，以通神明之德」。乾坤化育萬物的功能，就能體察；乾坤神奇光明的德性，就能貫通。可見乾坤的化育創作功能，是極為神奇奧妙的。

孔穎達再以具象的門戶，來解說乾坤居於易道中之價值與地位。他分析說：「易之變化，從乾坤而起；猶人之興動，從門而出，故乾坤是易之門邪。乾，陽物也；坤，陰物也。陰陽合德而剛柔有體者：若陰陽不合，則剛柔之體无從而生。以陰陽相合，乃生萬物。」[98]易道要有變化，就必須乾坤的變化作用；更必須兩者相合，方能形成具象的剛柔形體，化生成形。反之，若乾坤不合，陰陽不配，萬物則無法形成。是以易道的變化，由乾坤而起；如同人要興動，必須經由門戶出入，此理之必然，無庸置疑。

從反面思考，若沒有了乾坤，又將如何？《易傳》明言之，沒有了乾坤，也就沒有易道，也就沒有了萬化生命。所謂

> 乾坤其易之縕邪？乾坤成列，而易立乎其中矣。乾坤毀，則无以見易；易不可見，則乾坤或幾乎息矣（〈繫辭上傳．第十二章〉）[99]。

孔穎達分三個層次解析此章。首先強調乾坤的價值及其重要性說：「此明易之所立，本乎乾坤。若乾坤不存，則易道无由興起。故乾坤是易道之所縕積之根源也，是與易為川府奧藏。」[100]易道所本，就是乾坤；沒有乾

97 參見〔唐〕楊士勛：《穀梁傳．莊公三年》，收入《穀梁傳注疏》（臺北縣：藝文印書館，1973年5月），卷5，頁46。

98 參見〔唐〕孔穎達：《周易注疏》，卷8，頁172。

99 引見〔唐〕孔穎達：《周易注疏》，卷7，頁158。

100 同前註。

坤，如何能產生易道？易道與乾坤是共存共榮的關係。所以孔氏稱讚乾坤為「川府奧藏」，是有其原由的。

其次，孔氏換個角度，先不從形上義理剖析乾坤的重要性，而是從其卦畫爻變，以說明乾坤為六十四卦形成的奠基。即是從乾坤爻變，到卦變，說明六十四卦形成之因。然後，再論及乾坤在易道上的功能，是不可替代的。他說：「夫易者，陰陽變化之謂。陰陽變化立爻以效之，皆從乾坤而來。乾生三男，坤生三女，而為八卦，變而相重，而有六十四卦，三百八十四爻。本之根源，從乾坤而來。故乾坤既成列位，而易道變化建立乎乾坤之中矣。乾坤毀則无以見易者，易既從乾坤而來，乾坤若缺毀，則易道損壞，故云：无以見易也。易不可見，則乾坤或幾乎息矣。若易道毀壞，不可見其變化之理，則乾坤亦壞，或其近乎止息矣。」[101]此文前段部份，是以取象的方式說明六十四卦的組合內容：就是六十四卦象的形成，始於乾坤的卦象，所謂「陰陽變化立爻以效之」、「乾生三男，坤生三女」，產生八卦；再將八卦相重，則形成完整的六十四卦，建立了《周易》一書六十四卦卦象的基礎內容。因之，乾坤在理及象上，皆居於關鍵地位，不可沒有，亦不可取代，所謂「易既從乾坤而來，乾坤若缺毀，則易道損壞，故云：无以見易也。易不可見，則乾坤或幾乎息矣。若易道毀壞，不可見其變化之理，則乾坤亦壞，或其近乎止息矣」。這是再清楚不過的。

孔氏最後以樹的根株與枝幹，比擬乾坤與易道的相互聯繫與關係：乾坤為根株，易道為枝幹；乾坤與易道必須相輔相成，方能展現功能及效果；猶如根株與枝幹，必須相互資助，相互補充，才能根株堅固，枝幹茂盛。否則，根株毀壞，枝幹必不茂盛；而枝幹枯死，根株亦無法獨存。如同乾坤毀，則無以展現易道；沒有易道，亦沒有乾坤。他進一步分析說：「猶若樹之枝幹，生乎根株。根株毀，則枝條不茂；若枝幹已枯死，其根株雖未全死，僅有微生，將死不久。根株譬乾坤也，易譬枝幹也。故云易不可見，則

101 同前註。

乾坤或幾乎息矣。」[102]孔氏這個比擬是極為生動精闢的。

綜上所言，乾坤的特色為：

（1）**乾坤是萬物化生不可或缺之關鍵**。乾坤就是易道的化生萬物之兩種相反相成的動力及功能，而最大的功能及作用，就是化生萬物。所謂「乾知大始，坤作成物」、乾為「大生」，坤為「廣生」。同時，「乾坤其易之縕邪？乾坤成列，而易立乎其中矣」，更加彰顯了乾坤此項的重要特質。

（2）**乾坤本質不同，特性亦不同**。乾坤由於本質不同，乾為純陽，坤為純陰，致特性亦不同；因而，其變化方式亦不同。乾屬於健動特性，其變化方式，亦展現健動的特性——專一剛直，具有開創性，所謂「其靜也專，其動也直」、「闢戶謂之乾」。坤是屬於柔順的特性，其變化方式，亦顯出柔順的特性——寧靜收斂，具有凝聚性，所謂「其靜也翕，其動也闢」、「闔戶謂之坤」。

（3）**乾坤化生，必須兩者配合，缺一不可**。乾坤的宇宙化生過程，是兩者搭配，相輔相成，缺少一個也不行。「獨陰不生，獨陽不生」，就是最好的說明。〈繫辭傳〉就以乾坤的開闔變化以及陰陽的密切結合，作為乾坤配合的具體形象說明，所謂「一闔一闢謂之變」及「陰陽合德而剛柔有體」，是極為貼切的。

——乾坤變化，化生萬物，具有永恆性　乾坤變化，化生萬有，並不是有時而盡；而是按照既有的化生規律，具有永恆性，無窮無盡的化生，所謂「往來不窮謂之通」。其中的「往來」，就是乾坤「一闔一闢」、「陰陽合德」；「不窮」就是「大生」、「廣生」。然而乾坤的「往來不窮謂之通」，亦即易道所一再強調的「生生之謂易」、「天地之大德曰生」[103]。「生生」即是乾坤永恆性的最佳表徵。

——乾坤的類比，就是陰陽天地男女　乾坤是抽象的概念，其形上化生概念就是陰陽；而落實在現象界的具體類比，就是物象最大的天地，以及人

102 同註99。

103 參見〔唐〕孔穎達：〈繫辭上傳・第五章〉及〈繫辭下傳・第一章〉，收入《周易注疏》，卷7、8，頁149、166。

類的屬性最具體分別的男女。所謂「乾道成男，坤道成女」、「乾，陽物也；坤，陰物也」、「乾，天也，……坤，地也」、「乾為天，……坤為地」等。

——沒有乾坤，就沒有萬化的發展，更沒有易道、乾坤、易道、萬物三者是相互聯繫的，尤以乾坤是三者之間的關鍵。沒有乾坤，就沒有萬物的化生，更沒有了易道。所謂「乾坤毀，則无以見易；易不可見，則乾坤或幾乎息矣」。這是《易傳》格外強調的主張。

勞思光教授關於乾坤的宇宙化生作用，亦有極為精闢的說明。他說：「『乾』原義為『上出』，故即指『發生』，『坤』原意為『地』，即指發生所需之質料。以〈乾〉、〈坤〉為六十四卦之首，即是以能生之形式動力與所憑之質料為宇宙過程之基始條件。」[104]以乾表示形式動力，是內在的動能；坤表示質料，是具體的形象。兩者相因而生，相輔而動，是一切化生的根本因素，宇宙萬化因之而生。

如就本義來解讀乾坤的意義，僅指向上冒出與地的意義，並未有更高的意義與價值。為了追求本體的詮釋，字義就必須不斷的創新變化，方能達到本體意義，以建構本體體系的方向與目標；進而更能探索出本源的價值，這也是哲人戮力不懈的最主要目的。換言之，本體詮釋帶動了創造意義，使字詞意義的內涵，不停的深化與優化；同樣的，創造詮釋強化了本體意義的精準性與涵蓋性，使本體體系的架構與作用，往信度與密度發展。此即近代著名中國哲學家馮友蘭所說的：從「照著講」，只是一種歷史的敘述；到「接著講」，是一種哲理的闡發[105]。

進言之，乾坤意義變化順序，可歸納為下列圖式：

乾——上出——天——健——化生之源（形式動力）

坤——地——順——化生之源（質料因素）

第四部分，就是乾坤的本體意義來說。此僅指傅偉動創造詮釋學中的創

104 參見勞思光著：《新編中國哲學史》（臺北市：三民書局，2001年9月），冊4，第2章，頁81。

105 引見朱伯崑：《易學哲學史．臺灣版序言》（臺北市：藍燈文化公司，1991年9月），頁1。

謂層次。

在《易傳》中，乾坤雖為化生萬有之不可或缺之重要關鍵，但其上尚有一最高本體之「易」，作為最高最後之本根。至熊先生，乾坤就是現象，更是本體，完全視乾坤為本體概念。乾坤雖是生命心靈與物質能力所形成的眾漚，是由一元實體之大海水化生而成。但體藏於用中，由用見體，乾坤是大用，也是本體；是眾漚現象，也是大海水本體，乾坤已成為存有論了。他綜論說：「一元實體變成乾坤，譬如大海水變成眾漚（〈第二分廣義〉，頁482）」。接著剖析表示：

> 乾坤同一實體、所謂一元。實體含有乾坤兩方相反的複雜性、故實體變成乾坤、即此乾坤相反的兩性、大大的顯著起來。譬如眾漚共以大海水為其自體。大海水本來含有眾漚的動、躍、濕、潤等性。故其變成眾漚、（其字、指大海水。下準知。）即此眾漚的自體、便將動、躍、濕、潤等性、大大的顯著起來。此中的眾漚、比喻乾坤。以大海水、比喻乾坤之實體、所謂一元。但此處用眾漚如大海水之譬喻、一方、正取大海水與眾漚本非二物。而乾坤與其實體、不可分而為二、所謂體用不二者、猶如大海水和眾漚也。另一方、並取大海水本含有眾漚的動躍等性、故說眾漚既成自大海水、即眾漚的自體、便能將動躍等性顯著起來。而乾坤之實體含有乾坤兩方相反的複雜性。故說乾坤既成自體、便能將其實體本來含有兩方相反之性、顯著起來。亦猶眾漚和大海水也（同上，頁477）。

一元實體和乾坤，如同大海水和眾漚。吾人只見眾漚，不見大海水，就是一元實體已變成乾坤，乾坤兩性已大大顯起來。此中即顯示了即現象即本體，即乾坤即一元實體。乾坤在熊氏的哲學體系中，已躍居本體的層次，是創造詮釋與本體詮釋的綜合展現。析言之，熊氏在其「本體論」的結構中，雖有以一元實體為其本體，乾坤表示現象；但其發揮「體用不二」的特質，主張本體潛於現象之中，實體不能離開現象而獨立，從現象中即可見本體。如同「一元實體變成乾坤，譬如大海水變成眾漚」。亦即「乾坤與其實體、不可分而為二、所謂體用不二者、猶如大海水和眾漚也」。總之，在熊氏的哲學體系中，乾坤已不僅是創生萬物的兩種相反相成的動力和功能，更是化生萬有所彰顯的本體了。

六　結論

曾被《大英百科全書》譽為「佛學、儒學和西方哲學三方面要義獨創性的綜合者，是中國現代傑出的哲學家」的熊十力先生[106]，也是「五四以後最有成就的職業哲學家之一」[107]。他的個性是不慕名利，掉背孤行，飽經憂患，直泄心懷。他的哲學則是馳騁古今，不囿陳說，入於眾家，出於眾家，規模宏闊，見解卓特，一生戮力探求真理，建構「本體論」體系，可說是一位永遠都在追求自我突破的學者。因此，其易學創造性思維具有以下五個特色：

（一）意義創造轉化，乾坤成為易學主軸

熊十力四十歲才開始學《易》[108]，即以易學作為其立宗之旨。其解讀《周易》，首先從易學當中找出乾坤概念，作為其易學主軸；並創造詮釋，意義予以轉化，作為其哲學本體，成為其「本體論」之「體用不二」核心。乾坤的本義，本指向上冒出與地的意思，經由《周易》的經傳詮釋，已有不同本義的展現；到了熊氏手中，就直接成為其「本體論」的主軸，作為體用——一元實體與乾坤的呈現方式。尤以其跳過本體，由用顯體；強調大用，從現象明體，致乾坤的價值與意義，在熊氏創造詮釋之下，完全成為了本體論的意義，這就是熊十力易學創造性的詮釋的最佳表現。

---

106 參見哈米頓（C.H.Hamiton）撰寫一九六八年版《大英百科全書》，收入宋志明《熊十力評傳》，第10章，頁222。

107 馮契贊語，引見景海峰：《熊十力》，第1章，頁2。

108 熊十力說：「四十歲後、捨棄佛而學易（〈第二分廣義〉，278頁）。」

（二）世界觀點認知，乾坤即現象即本體

吾人對文本的詮釋，除了本義的瞭解之外；更重要的，就是不斷的向上提升，達於對世界觀點的認知，形成本體詮釋。然而，世界觀點的極至，就是探索形上第一因，即是建立自身的本體論。熊十力在詮釋創造時，亦同時朝向本體的詮釋。乾坤即是其建構《周易》「本體論」的最核心概念，是其最高的價值體系。此乾坤即現象即本體。「此孔子大易、所以肯定乾坤或萬物為真實。而收攝實體以歸藏於乾坤或萬物。易言之、實體是乾坤或萬物之內在根源。不可求實體乾坤或萬物以外也（〈第二分廣義〉，頁 470）」。在熊氏的世界觀點的認知，「不可求實體乾坤或萬物以外」，乾坤既是現象，更是本體。熊氏的本體詮釋，在對乾坤的詮釋中，得到充分展現。

（三）視界融合詮釋，展現解讀新的視野

視界融合，包含了三個層面：理解主體、理解對象，就是文本以及歷史時空的變化發展。此三者彼此互動與影響，才能產生新的優質理解。熊氏哲學一直以人文精神的探求和本體論的建構，始終是其學術關切所在[109]。因此，他對《周易》視界融合的詮釋，就是根據本身的前理解，具有佛學、儒學和西方哲學三方面之素養；依據《周易》文本解讀，再藉由當時的時空環境變化，致產生了以乾坤為主軸的體用不二論。「實體是一。其變動即為兩。兩者乾與坤、是稱功用。乾坤、即是功用之兩方面（同上，頁471）」。乾坤是功用的兩方面。但是，「大易乾坤、以乾道六陽之發展、本於一元。坤卦、以坤道六陰之發展、亦本於一元。此即確定乾坤無二元也（同上）」。將乾坤與一元實體結合，形成了新的視野。同時，熊氏亦根據一元實體與乾坤

109 參見景海峰：《熊十力》，第1章，頁2。

的關係，又開展成「一」與「多」的聯結[110]；甚而，整體與部份的相連[111]，也在其視界融合之下，發揮得盡善盡美。因此，熊氏哲學在視界融合之下，展現了詮釋新的視野，對《周易》的研究與發展，居功是厥偉的。

（四）不斷推衍創新，易學內涵升進深化

西漢董仲舒（179-104B.C.）曾說「易無達占」[112]。一則說明對《周易》詮釋的多元性；另一則顯示《周易》詮釋的無限性。熊氏對易學的推衍，就是一種本體論的創造性的詮釋，是對易學內涵的升進深化。然而詮釋是沒有終點的，新的詮釋在舊的基礎上，不斷的創造與發展，臻於無窮無盡。今天熊氏導路於先，明日吾人亦可秉持熊氏之說，不斷的推衍創新，繼續將易學發揚光大，方不負熊氏立說之苦心，以及其「氣魄宏大、直泄心懷的筆觸和滿紙的懇切語、策勉語、提記語、警戒語」[113]的哲人苦心。《乾坤衍》，是熊十力的易學乾坤之衍；而易學內涵的「衍」，正方興未艾的蓬勃發展，有待吾人賡續不懈了。

（五）體證剛健炤明，乾坤大元與我合一

熊氏的哲學，並不是建立孤伶伶的本體論，而是即體即用。也就是吾人認知乾坤體用不二的內涵後，必須體證其性，實踐其德，方能印證乾坤大元。乾是生命心靈，坤是物質能力，乾是主導坤的。因此，吾人必須體證乾之性，即是「宇宙之開闢與發展、惟本乎剛健、中正諸德。人事亦可知矣

---

110 熊十力表示：「奇哉生命、謂其是一、則一即是多。謂其是多、則多即是一（〈第二分廣義〉，頁465）」。

111 大海水與眾漚之喻，即是整體——大海水與部份——眾漚之關係。

112 參見〔清〕蘇輿：《春秋繁露義證．精華》（臺北市：河洛出版社，1974年3月），卷3，頁59。

113 參見景海峰：《熊十力》，第1章，頁2。

(〈第二分廣義〉，頁472)」、「乾為生命、心靈。有剛健、生生、炤明等性。主變、以導坤(同上，頁466)」。宇宙開闢與發展，必須展現剛健之德；以此類比，吾人就必須效法乾之剛健不怠，生生不息，昭明自覺等德性，就能與乾道相合，「與天地合其德，與日月合其明，與四時合其序，與鬼神合其吉凶，先天而天弗違，後天而奉天時」之天人一體境界[114]。亦即達到熊氏一再所言，「本原與現象不許離而為二、真實變異不許離而為二、絕對相對不許離而為二、心物不許離而為二、天人不許離而為二」[115]的立學主旨了。

114 參見〔唐〕孔穎達：〈乾卦．文言〉，收入《周易注疏》，卷1，頁17。

115 參見熊十力：《體用論》，頁169。

胡樸安《周易人生觀》析論

汪學群
中國社會科學院歷史所研究員

胡樸安（1878-1947），名韞玉，字仲明，改字樸安，五十歲後以字行。胡氏世居安徽涇縣，出身塾師世家。[1]十四歲時，在父親開設的私塾中學習，先後學習了八股試帖、古文古詩、四書五經、諸子百家。晚年自謂：「樸安所以得有今日者，皆是幼年受教于先父。」[2]青年時離來家鄉到上海，與章太炎、柳亞子、于右任、鄧秋枚等人相識，參加《國粹學報》、《民立報》等工作，投身到國民革命運動中。曾先後任交通部秘書、考試院專門委員、江蘇省政府委員兼民政廳廳長等職。在服務於新聞界、政界的同時，也活躍於教育界，長期擔任上海多所大學教授，講授中國傳統學術。主要著作有《中國文字學史》、《中國訓詁學史》、《詩經文字學》、《詩經音字釋》、《古文字學》、《文字學 ABC》、《中國學術史》等。

易學是胡樸安學術的主攻方向之一，他研讀《周易》大體可以分為四個階段：其一，少年讀《易》。少年從塾師讀《周易》，自謂：「樸安年十三四歲時，讀宋朱熹《周易本義》。」[3]一次有疑問，塾師也不得其解，於是滿腹狐疑，棄《易》而不讀。三十歲以前，除《周易本義》之外，未讀任何易書。其二，初識易學史。三十歲以後，始讀王弼《周易注》、孔穎達《周易正義》、李鼎祚《周易集解》、程頤《伊川易傳》、李光地《周易折中》、李道

1　事略見胡樸安：《家乘・胡氏世系記》，收入《樸學齋叢書》，線裝，1940年。
2　胡樸安：《家乘·先父愛庭公行狀》，收入《樸學齋叢書》，線裝，1940年。
3　胡樸安：〈自序一〉，《周易古史觀》（上海市：上海古籍出版社，1986年），卷首。

平《周易集解纂疏》等書，由此而知有漢易與宋易，但對於《周易》大義仍未能通。其三，講授《周易》。一九一六年以後，受杭辛齋易學的刺激開始深入研究《周易》，曾自編《易經學講義》，在各大學講授《周易》。其四，病中治《易》。一九三九年四月，因突發腦溢血，半身不遂，病廢家居，但仍伏案，「呻吟之餘，不廢著述」。[4]此間編輯《樸學齋叢書》，把家先輩包括祖、父的遺文收入其中，同時也不忘《周易》，「以《周易》消遣。」[5]好友陳柱稱他「病中每日讀易一卦，讀佛書若干頁，頗有會心，始知病中歲月別有滋味也。」[6]所得撰成《周易古史觀》（1942）、《周易人生觀》（原載《樸學齋叢書》十三、十四冊），在《周易人生觀》中，他把《周易》視為「就人類心靈所創造的圖形和形象來找出人之所以為人的道理」[7]，也就是說把《周易》視為人生之哲學。

胡樸安的《周易人生觀》並沒有逐字逐句注釋《周易》，而是選擇其中的四十八卦加以詮釋，於諸卦，在綜論大義之後，逐爻闡釋其要義，雖然兼有文字訓詁，但仍以微言大義為主，其中最重要的特色就是始終貫穿著人事這一主題並以此來展開自己的論述。

一　對人事的總體意見

胡樸安認為《周易》以講人事為主，其中屯卦從總體上把握，而其他卦則具體加以闡釋，即他所說的「六十四卦皆言人事也。不知他卦扻一二事以言，〈屯〉卦則言其總也。」[8]屯卦是由乾、坤兩卦交錯而成的第一卦，具體而言，由震、坎兩卦而成，下震為動，上坎為險，人生草昧之世，動於險難

4　柳亞子：〈柳序〉，收入《樸學齋叢書》，卷首。

5　胡樸安：〈自序一〉，《周易古史觀》，卷首。

6　陳柱：〈陳序〉，收入《樸學齋叢書》，卷首。

7　胡小靜序引黑格爾的話，見《胡樸安和他的〈周易人生觀〉》，收入蔡尚思主編：《十家論易》（上海市：上海人民出版社，2006年），頁574。

8　胡樸安：《周易人生觀．屯》，收入《十家論易》，頁577。

環境之中，此為屯之本義。他從屯卦與乾、坤兩卦的關係談及重要性，乾為天，坤為地，屯為人。乾、坤、屯分指天、地、人。讀《易》熟玩此三卦，大體就可以瞭解易道。進而言之，乾、坤雖然分指天地，但所講仍是人事，人為天地的中心，離開人無從談論天地。乾、坤言人事，讀《易》皆知之，屯言人事，讀《易》則不太注意，因此他略乾、坤二卦而首列屯卦，通過屯卦來講這二卦，也可以說乾、坤兩卦之義已囊括在屯卦之中。

胡樸安集中討論屯卦辭和〈彖傳〉認為，人秉天地之氣質而生，雖然有本然之善，但為險難環境所遮蔽，因此卦辭說「元、亨、利、貞，勿用。」[9]由此他闡釋屯卦的主旨，即「人是動物，應付險難之環境，必奮鬥始可以生存。原始世界如是，現在世界亦如是，未來世界亦如是。但必須有計劃的奮鬥，其奮鬥始能成功。」[10]其所說的奮鬥包括個人奮鬥和團體奮鬥，前者以心理為主，後者以首領為主，同時又是有計劃的。卦辭說：「有攸往，利建侯。」「有攸往」是指動於險中，與環境奮鬥；「利建侯」指有計劃的奮鬥。世界到處都是危險，人生應當有計劃的奮鬥。

有計劃離不開統治者，〈彖傳〉「宜建侯而不寧」一句說盡現在、未來世界險難的形狀，統治者應當為安寧社會而努力，自身要時刻保持警惕，使社會長治久安。他分兩個層面討論「宜建侯而不寧」：其一，從團體角度說，無論酋長時代，還是君主、民主時代，都必須擁戴一人為共主，即卦辭所講的「利建侯」。然而這個「侯」的勢力愈大，其危險性就愈大，可能造成天下「不寧」。人稟陰陽之氣以生，不能有善而無惡，也不能有惡而無善，出現「建侯而不寧」是很自然的。乾卦六爻純陽有善無惡，用九說：「見群龍，無首，吉。」坤卦則相反，六爻純陰有惡無善，上六說：「龍戰於野，其血玄黃。」如果純用六陰而無陽，靜而無動，乾坤將會息滅，因此坤卦用六〈小象〉曰：「以大終也。」作為陰與陽相交的第一卦，屯卦因為告誡「不寧」，促使不斷努力奮鬥，這正是屯卦本義。其二，就個人而言，儒家

9 《周易》原文均參照北京大學出版社二〇〇〇年出版的《十三經注疏整理本》，以下恕不再註。

10 胡樸安：《周易人生觀・屯》，收入蔡尚思主編：《十家論易》，頁577。

的正心、修身、齊家、治國、平天下，以及佛家的自覺、覺他、覺行圓滿，皆是「宜建侯而不寧」。有人問他：「覺行圓滿，可以寧矣，何以不寧？」他回答說：「世界無盡，眾生無盡，佛度人之心亦無盡，此所以不寧也。」「不寧」是告誡不要懈怠，要不斷努力，如他所說：「熟玩〈屯〉卦，知世界常在險難之中，決無有可以安寧之一日；知人生當刻刻努力，決無有可以不奮鬥之一日。」[11]這是他釋屯卦所得出的結論。

接著分析屯卦諸爻。他所理解的道指人道，包括家庭組織和生活努力，兩者都是人生一日不可離開的。屯卦初九「磐桓」，因人道險難而有進退不定之象，此時要端正己心，為有計劃的奮鬥，因此說：「利居貞，利建侯。」初九「磐桓」重在存心，六二「屯如邅如，乘馬班如」指見之於行動。心既有主，處險難之環境，六二「匪寇婚媾」指可以結婚，只有組織家庭，才可以鞏固與安寧。初九「居貞」、「建侯」，通過組織家庭才能真正得到落實，因此六二又說：「女子貞不字，十年乃字。」家庭組織以後，飲食問題不僅重要而且急需。如果心無所主，毫無所得，甚至會迷失向方，如六三所說「即鹿無虞，惟入于林中。君子幾，不如舍，往吝。」如果心有所主而有計劃，見機行動，就會有所收穫。六二「女子貞不字」，指夫婦尚未定，六四「乘馬班如」，講往來有求，夫婦可以確定，因此說：「求婚媾，往吉，無不利。」家庭告成，生活粗安，屯積所得食物，居為己有，只知道一己之利，不知道公眾之利，因此九五說：「屯其膏，小貞吉，大貞凶。」只知道屯積以維持一己之生活而不奮鬥，勢必墮落，因此上六說：「乘馬班如，泣血漣如。」

屯卦有三處「乘馬班如」，它們是六二、六四、上六。胡樸安認為，六二指處險難之世，心有所計畫，遲回不進，因此〈小象〉說：「六二之難，乘剛也。」六四言往來求婚媾，因此〈小象〉說：「求而往，明也。」上六言安居飽食已久，墮落而不進，因此〈小象〉說：「何可長也？」寓意雖然有所不同，但都指人事。綜合諸爻大義，初九為人道之總綱，六二言夫婦未

11 胡樸安：《周易人生觀．屯》，收入蔡尚思主編：《十家論易》，頁578。

定、居處不寧，六三言田獵所得、生活不安寧，六四言求婚媾以定夫婦，九五指屯積以維持一己之生活、所見不大，上六言安其居處，樂其生活，不可長久。諸爻皆圍繞著人事展開，可以說胡樸安以人事的險難，以及人類應當努力奮鬥來詮釋屯卦，實際上是寫狀當時社會的艱難和自己病廢後的艱辛，有讀《周易》自勉之義。

二　人的雙重性

人的雙重性指他所具有的自然屬性和社會屬性，胡樸安的易學人生觀把人置於自然與社會中加以考察，所論涉及人與自然及社會方面的內容。

人的雙重性說明社會與自然有著十分密切的聯繫，這種聯繫也可以稱天人關係，胡樸安論《易》十分重視這一點。他釋恆卦告誡人應當法天地之道。恆卦剛柔相濟為恆久之道，天道高明，地道博厚，人道悠遠，高明、博厚、悠遠反映天、地、人之道永恆的特色，因此〈彖傳〉說：「利有攸往，終則有始也。」具體來說，天道日往月來，月往日來，「日月得天而能久照。」地道寒往暑來，暑往寒來，「四時變化而能久成。」天地之道的特色是恆久，〈彖傳〉說：「觀其所恆，而天下萬物之情可見矣。」那麼人應該「法天地者，法天地之恆以自渡。合天地者，合天地之恆以渡人。」法為效法，合為遵循，人效法、遵循天地之道以利生存。「自渡」、「渡人」都是建立在效法、遵循天地法則基礎之上的。他釋恆卦〈大象〉「立不易方」進一步說明這一點：行星繞日公轉，有「立不易方」之太陽，地球晝夜自轉，有「立不易方」之南北極。人效法天地之道，應「立不易方」之德以自渡，然後合天地之道，用「立不易方」之德以渡人。[12]

在釋泰卦時，他要求遵守自然法則而有所作為。〈大象〉「財成天地之道，輔相天地之宜，以左右民」，這是泰卦之要義。所謂財成即栽而成之，輔相即倆而助之，「以天地自然之道栽成，是教之也。以天地自然之道輔

12 均見胡樸安：《周易人生觀‧恆》，收入蔡尚思主編：《十家論易》，頁626。

相，是育之也。教育之道，當隨自然之趨勢，不可稍有強迫。」[13]作為天地自然的產物，人對天地理應該順應，所謂「隨自然之趨勢」，依據自然法則來行事，改造自然應遵循其規律，如此才能通泰。否則，滯怠而不通，何泰之有？

胡樸安重視人生存的物質基礎，這一點體現在對益卦、損卦、訟卦的解釋上。他認為，訟卦〈大象〉「君子以作事謀始」，這裡的謀始指「謀解生活問題也。個人之生活不安定，則個人之事即不能作。一國之生活不安定，則一國之事即不能作。古代如是，今日亦如是也。」[14]把生活當成第一事，又援引管子「倉廩足而知禮節，衣食足而知榮辱」，孟子「救死而恐不贍，奚治禮義也」，孔子「先富後教」以證己意，旨在說明對於無衣無食的子民來說，首先要謀求物質基礎，使其生活安定，也就是說「作事」必以安定人民生活為始。

益卦〈彖傳〉說：「損上益下，民說無疆。自上下下，其道大光。利有攸往，中正有慶。利涉大川，木道乃行。」胡樸安有以下解釋：散財聚民是「損上益下」。藏富於民，民生活富足則頌聲作是「民悅無疆」。孔子對魯哀公說：「百姓足，君孰與不足？」孟子認為，養生喪死無憾是王道之始。這是「自上下下，其道大光」。商鞅經濟學是強國富民，管仲經濟學是富民強國。損卦〈彖傳〉「損下益上」發展國力，是商鞅的經濟學說；「損上益下」充實民力，是管仲的經濟學說。民力充實，國力自然發展。「損上益下」之極，以中之德居正之位，無所往而不利，這是益卦〈彖傳〉「利有攸往，中正有慶」。「倉廩足而知禮節，衣食足而知廉恥」，擁有既庶而富而教之民眾，「涉大川」毫無阻礙，這是〈彖〉「利涉大川」，益道乃行。[15]通過旁徵博引闡發己意，說明古代聖賢們皆重視物質基礎，經濟為一切事情之先。

禮是維繫人們社會關係的，人的社會性由禮來體現，《周易》涉及禮的主要有履、賁等卦，胡樸安也做解讀。他引《爾雅》、《說文》證明：「履，

13 胡樸安：《周易人生觀．泰》，收入蔡尚思主編：《十家論易》，頁593。

14 胡樸安：《周易人生觀．訟》，收入蔡尚思主編：《十家論易》，頁584。

15 參見胡樸安：《周易人生觀．益》，收入蔡尚思主編：《十家論易》，頁645。

禮也」，「禮，履也」。言履必以禮，言禮當踐行，履與禮互解，二字一義。履與禮互釋是強調禮的本質與功能的統一，尤其突出了禮的實踐性。具體而言，「施之於人者為履，行之於己者為禮。一則足履實地，以禮施於人。一則足履實地，以禮行於己。」[16]他認為，人的一舉一動無不以禮自持，如履薄水，世道人心極其危險，如果不時時恐懼，處處謹慎，入世鮮有不為人所傷。只有以禮自處，以禮處人，入世而不為人所傷，如此才有卦辭講的「亨」道。他還從體用關係把握禮，指出：「禮之體，以敬為本。禮之用，以和為貴。」[17]敬是禮的本質，和是禮所要達到的目的，前者是體，後者是用，體用不二，施於人者為履，即是以和為用。履卦〈大象〉「君子辯上下、定民志」，更加明確地再現了履禮的要義。上下不辨社會無秩序，民志不定社會也不會安寧。小畜卦〈大象〉「懿文德」，是指能以禮行之於己，履講施之於人，辨上下使社會有秩序，定民志使人民得安寧，這就是履卦的基本內涵。

賁卦〈大象〉「明庶政，無敢折獄」，他認為，「明庶政」為修飾之事，「折獄」則指自省之事，修飾與自省都要以禮為試金石。自省包括非禮勿視、非禮勿聽、非禮勿言、非禮勿動這「四勿」，與此相對應的修飾則包括，視必於禮、聽必於禮、言必於禮、動必於禮，所謂「當於視聽言動，一一納之於禮。」[18]如此則消極諸惡莫作，積極眾善施行，可謂一舉兩得。

胡樸安談到社會凝聚力問題，如釋咸卦〈彖傳〉「聖人感人心而天下和平。觀其所感，而天地萬物之情可見矣」，認為咸即感，咸卦之義在於感，「感從心，咸聲。一人之心，即人人之心。以己執持言曰恕，如心為恕，推己以及人也。以人相應言曰感，咸心為感。人人皆同此心也。」[19]此卦艮下兌上，內剛外柔，男下女上，符合陰陽二氣交感的特點。天地化生萬物，有感有應，聖人也應以天地之心為心，有感皆應，治平天下。他釋萃卦指出：

---

16 胡樸安：《周易人生觀．履》，收入蔡尚思主編：《十家論易》，頁592。

17 同前註。

18 胡樸安：《周易人生觀．賁》，收入蔡尚思主編：《十家論易》，頁609。

19 胡樸安：《周易人生觀．咸》，收入蔡尚思主編：《十家論易》，頁624。

「在宗法時代，立祖廟以示慎終追遠之意。宗法解散，亦必有團體之組織，以聚分散之民眾。領導組織的，必至公無私，而有大人之度。與民眾相見，又須顧到民眾習慣。宴享以親近之。以如此之態度整理民眾，自然無所而不利，雖如草萃貌之民眾，而卒可以聚也。」[20]萃卦有凝聚之義，在古代宗法制度下，必須以祭祀祖先的方式進行，所謂「慎終追遠，民德厚矣」，卦辭「王假有廟」說明祭祀活動在廟中舉行，而且還要有大公無私的組織者來整合百姓的意志，建立一定的組織，這對穩定社會起積極作用。

自西學東漸以來，東西文明的關係成為當時學術討論的重點，胡樸安釋《易》也闡述了自己的主張，其基本觀點是東西方互補，他釋蒙卦二、三、四爻認為，要減省物質享受，收吸物質文明。尤要東方精神文明與西方物質文明結婚，產生新的文明，此釋九二「包蒙吉，納婦吉，子克家。」與西方物質文明結婚，應當學其精粹，勿學其皮毛，勿只羨摹他人之物質，忘記自己之精神，此釋六三，「勿用取女。見金夫，不有躬，無攸利」。東方精神文明與西方物質文化結婚，必須刻苦研究，才能產生新的文明，此釋六四「困蒙，吝」。[21]

三　人的道德修養

人的道德修養是胡樸安釋《易》所關注的問題之一，他所講的修養是自修，強調的是主體的自律而非外在的他律，釋大畜、晉等卦強調了這一點。如釋大畜卦〈彖傳〉「輝光日新其德」認為，此與《大學》所謂「明明德」一致，都是強調內修，「凡人皆有本然之明德，只為人欲所蔽。明德不見，而明德自在。」[22]具體而言，修養功夫有二種，即內定與外定。結合此卦諸爻，內定指止其心於正念，時時以此念成為思想，孟子所謂「操則存」，也即六四「童牛之牿。元吉。」童牛喻指本然之心，牿喻指把心放在腔子裡，

20 胡樸安：《周易人生觀・萃》，收入蔡尚思主編：《十家論易》，頁653。

21 胡樸安：《周易人生觀・蒙》，收入蔡尚思主編：《十家論易》，頁581。

22 胡樸安：《周易人生觀・大畜》，收入蔡尚思主編：《十家論易》，頁616。

把持本心，因此獲得吉祥。外定指止其心之邪念，也就是孔子所說的「非禮勿視，非禮勿聽，非禮勿言，非禮勿動」，也即六五「豶豕之牙。吉。」豶豕喻指邪念，九二欲進，六五處得尊位，能豶損其牙，因此說吉，抑制邪念，理應吉祥。凡此說明德本自有而無需外求，關鍵在於人們自我反省，挖掘其中的德性，使其發揚光大。釋晉卦〈大象〉「自昭明德」指出：「德者內得於己，外德於人也。」「本人生所固有，至〈晉〉時始能昭之。曰自昭者，言固有明德，要以自己的力量施展出來。」[23]德本自有，這裡的「自昭」指發揮人的主觀能動性，克服外在的種種誘惑，把原有的善性彰顯出來，他援引《尚書・堯典》「克明峻德」，認為克明就是自昭之義。

既然是自修，那麼修養教化的原理應是「蒙之所以亨者，以有教育啟發之。強迫以教之，不如因其自己的需要以教之收效巨。」[24]這是對蒙卦辭「匪我求童蒙，童蒙求我。初筮告，再三瀆，瀆則不告」的解釋，胡樸安借釋此卦論及教化，意思是說教育首先是受教育者要自覺，如果自己不努力，雖然施以教育亦無益，孔子所謂「不憤不啟，不悱不發」，孟子所謂「不屑教誨」指得就是這個意思，強調的是教育不是被動的施予而是積極的爭取。

對於修養，胡樸安反對頓悟，主張漸修。他說明需卦時認為，需有雙重意義：一是需要義，即修身養心的需要。二是需待義，即修養之功不能一時完成，需要等待。必須明確知曉修身養心的必要，然後需待修養的成功，修養之理可以頓悟，而修養之事必待漸進來完成。[25]漸進即是積累，大畜卦〈大象〉「多識前言往行，以畜其德」說的就是修養積累，主要指以前的言行。他認為，修養「是已經用過一番工夫。無論是精進之修養，或懺悔之修養，前言往行，所識已多。茲之修養，只須把多識的前言往行，以畜其德，不必他求。」[26]積累德性以以往的聖賢為榜樣，瞭解他們的道德實踐，在他們的基礎上精進不懈。

---

23 胡樸安：《周易人生觀・晉》，收入蔡尚思主編：《十家論易》，頁632。

24 胡樸安：《周易人生觀・蒙》，收入蔡尚思主編：《十家論易》，頁579。

25 胡樸安：《周易人生觀・需》，收入蔡尚思主編：《十家論易》，頁583。

26 胡樸安：《周易人生觀・大畜》，收入蔡尚思主編：《十家論易》，頁616。

也可以說修養是一個長期的過程。他釋復卦辭「七日來複」認為,「修養過程之中，必有懈怠之時。當此時也，即反復自省，急將往日修養之程式，謹飭其身」,「反復於往日修養之故道，至於七日之久，精進不懈。」[27]反覆自省是個長期的過程，應堅持不懈。他借釋無妄卦〈大象〉「茂對時育萬物」談及修養的時間與空間，說:「修養當定有一定之時，時間既一定，空間之身心自然隨時間之進步而進步。」[28]「茂對時」，然後可以育萬物，修養者應善識此意，一暴十寒就不是「茂對時」，或彼或此也非「茂對時」。一生、一年、一日之中時刻保持修養，長期堅持從不懈怠，這才是「茂對時」。

胡樸安論及修養工夫，釋剝卦〈彖傳〉有「順而止之，觀象也」認為關鍵在於觀。觀使人們放逐之心得以收回，即孟子所講的「收其放心」，觀本心而複回於善，也即孟子所謂的「操則存」。觀放心之道在於「止其功名利祿之念，使心不放於外也。」此卦〈大象〉「厚下安宅」中的「厚下」是修養的基本工夫,「安宅」，宅指心「安宅」即安心。修養基本工夫的內容是:「知止定靜也。何謂安心？心不妄動，隨在而安也。程子見人靜坐，即稱為好學。靜為基本工夫可知。心時時在腔子裏，心要安可知。」[29]此卦坤下艮上，有山附於地墮落之象，當人的道德墮落之時，急需「知止定靜」基本工夫以安其心，這也即是「順而止之」。

修養要務實，賁卦有文飾之義涉及文，上九「白賁，無咎」，他釋此說:「惟修養當身體力行，不必求之於文字。而又不能不以文字指其往路。」[30]孔子認為仁並不遙遠，我欲仁便能達到仁，可見人人都有仁的本體不必外求，孟子所謂「反身而仁」。子貢說:「夫子之文章，可得而聞也。夫子之言性與天道，不可得而聞也。」所以修養要靠樸實用功，不可只求之於語言文字之間，尤其不贊同空論性與天道，也反對繁文縟節。

---

27 胡樸安:《周易人生觀・復》，收入蔡尚思主編:《十家論易》，頁612。

28 胡樸安:《周易人生觀・無妄》，收入蔡尚思主編:《十家論易》，頁614。

29 胡樸安:《周易人生觀・剝》，收入蔡尚思主編:《十家論易》，頁611。

30 胡樸安:《周易人生觀・賁》，收入蔡尚思主編:《十家論易》，頁610。

修養的最終目的是為了做人，他崇尚完備人格的塑造，釋大過〈大象〉「獨立不懼，遁世無悶」，認為兩者之間的關係是「必有獨立不懼之氣概，然後有遁世無悶之度量。亦必有遁世無悶之度量，愈見其獨立不懼之氣概。」[31]有兼善天下之人才能兼顧到獨立不懼和遁世無悶這兩者，他所追求的是一種捨己為人、大公無私的人格。

修養涉及到人己關係，他釋蠱卦義認為，蠱指自身之蠱，魔自內出。自身之蠱即是自性之魔，自生以來，潛伏於性中。人修養之初只能去外來之魔，自性之魔當以自性去之，只有達到某種修養程度，自性之魔才能被發見。聯繫到儒家的修己治人之學，「必修已然後可以治人。亦必治人而修已始能圓滿也。」[32]此卦〈大象〉「振民育德」說明這一點。如「振民」是治人之蠱，「育德」是治自性之蠱，要「振民」必先要「育德」，治自性之蠱是自利，治人之蠱是利人。蠱六爻皆是治自性之蠱，說明治自性之蠱是最重要的，也就是說自我修養是儒家修養的第一要義。

蹇卦意為難，人們處蹇之時，往往只見人的不是，不見已的不是，以已之是斥人之不是，其實是不是與不是之間的衝突，如何化解這一衝突？他釋此卦〈大象〉「反身修德」指出：「德者，外得於人，內得於已也。人果是，我果不是耶？當去我之不是，以就人之是。人果不是，我亦不是耶？當先去我之不是，然後化人之不是。人果是，我亦是耶？當平心靜氣，徐陳兩是之異，以求兩是之同。人果不是，我果是耶？亦當要平心靜氣，徐以我之是，以感人之不是。無我見，無人見，不問是之在我或在人，不問不是之在我或在人，只有是不是之見，無人我之見。此反身修德之謂也。」[33]「反身修德」之義指凡事要從自我開始，尤其是與人產生分歧，這時要審視自己的是非對錯，發現已之不是而遵循人之是容易做到，也是理所當然的。但把人的不是當成自己的不是並以此來化解人的不是，做到這一點是不容易的，而這正是「反身修德」的真諦所在。在是非面前應以「無人我之見」，即拋棄主

31 胡樸安：《周易人生觀・大過》，收入蔡尚思主編：《十家論易》，頁619。

32 胡樸安：《周易人生觀・蠱》，收入蔡尚思主編：《十家論易》，頁603-604。

33 胡樸安：《周易人生觀・蹇》，收入蔡尚思主編：《十家論易》，頁640。

觀的判斷而追求客觀的標準，顯然是正確，但對作為不能擺脫主觀之見的人來說似乎難以做到，因此才要不斷地反身修己。

四　人事也即政事

胡樸安解《周易》重人事理所當然包含政事，討論政事主要圍繞著社會的安危治亂及改革等問題展開。他認為治亂不在天運而在人心。否卦意為否閉之世，也即所謂的亂世。此時人如果能夠負起責任，心理一振，努力前進，世運即隨之轉移，這是對九五「休否，大人吉。其亡其亡，繫于苞桑」的解釋。治亂在人，努力不已，任何困難必能克服，此為上九「傾否，先否後喜」。[34]由亂變治，轉危為安，因此有喜。

家人卦說的是家庭之事，他認為這是政事的出發點，說：「儒家之學，修己治人。一是皆以修身為本。但修身之後，治國之前，有一齊家。齊家者，齊一己之家，以及人人之家也。」[35]此卦論及家庭與國的關係。〈彖傳〉「父父、子子、兄兄、弟弟、夫夫、婦婦」屬家庭的範圍，由家庭親緣關係推及人人，這便是家與國的關係，也稱之為儒家倫理的政治學。中國人總講國家，國以家為本。家庭雖然有父子、兄弟、夫婦，但最重要的在於夫婦，《孔子家語．大婚解》講「大婚為大」，國以家為本，家以夫婦為本，夫婦以婚姻為本，言政事重家庭倫理是追本溯源，體現倫理與政事合一。

國是家庭的擴大，他由家轉而論及國，釋萃卦〈彖傳〉「順以說，剛中而應，故聚也。王假有廟，致孝享也。利見大人享，聚以正也。用大牲吉，利有攸往，順天命也」認為，團結民眾，凝聚人心是十分重要的，做到這一點就必須順應民眾的習慣，取悅於民心。當然並非無原則的順應取悅，而要以自我中正為基準，給民以示範而後民眾應之。近代以來傳統的家族制解散，然而民眾愛家終勝於愛國。雖然不一定立祖廟以示慎終追遠之意，但必

---

34 參見胡樸安：《周易人生觀．否》，收入蔡尚思主編：《十家論易》，頁596。

35 胡樸安：《周易人生觀．家人》，收入蔡尚思主編：《十家論易》，頁635。

須子孝父慈，兄友弟恭，各有家庭之樂，家安寧才能國安寧。於此領導人變得更為重要，他必須有中正之心，包容之度，使民眾信任而不移。有中正之心，自然無所偏倚；有包容之度，自然無所愛憎。不違民眾的習慣，使家給人足。[36]凝聚人心離不開組織，如何組織民眾？升卦〈大象〉「君子以順德，積小以高大」涉及此義，他寫道：「順德，順民眾之心理也。民之所好好之，民之所惡惡之，此所謂順德也。既有順民之德，亦不可操之太急，持之太嚴。以漸而進，此所謂積小以高大也。明乎此義，凡違反民情，而求速效者，必不能登進民眾而組織之。」[37]只有「順德」而不能「積小以高大」，組織民眾一定不會成功。相反，只有「積小以高大」而無「順德」，組織民眾也不會成功，兩者統一才能團結民眾。

團結組織民眾，增強社會凝聚力，都屬於國家安定範圍，胡樸安釋鼎卦深化了此問題。鼎為飲，烹飪之器，喻指國家。政事的重要性在於「凡人不能離開生活。全民之生活安寧，即全國之治安鞏固。」「政治上至大之事，在全民至小之生活見之。言政治不顧全民之生活，任何好的方法，皆不足以鞏固治安。」「中國傳統的生活是互助生活，現在的生活是鬥爭生活。政府與人民鬥爭，團體與團體鬥爭，個人與個人鬥爭，此所以政治與社會皆不安寧也。」[38]他對卦辭、〈彖傳〉、〈大象〉有以下評論：

他釋卦辭「元吉，亨」認為，「元吉」指代人民利益的人為首領因此而「吉」。「亨」為嘉會人民，倉廩足教以禮節，衣食足教以榮辱。釋〈彖傳〉「享上帝」、「養聖賢」認為，告於神明是不負使命來安寧全民生活。輔助領導解決全民生活的人應得到尊重，政府必須保障全民生活，然後才能得到全民的支持。政治領導人個人的魅力是性情和順，「耳目聰明」，以柔進上行，然後可以「得中」而應乎剛健之德，如此可以為人民的首領，以養以教，嘉會人民。〈雜卦傳〉釋鼎為取新，對於教育而言，取其知禮節、知榮辱的新行為，可以養而後可以教。釋〈大象〉「正位凝命」認為，正位指的是正己

36 參見胡樸安：《周易人生觀．萃》，收入蔡尚思主編：《十家論易》，頁653。

37 胡樸安：《周易人生觀．升》，收入蔡尚思主編：《十家論易》，頁655。

38 胡樸安：《周易人生觀．鼎》，收入蔡尚思主編：《十家論易》，頁662-663。

之位以正人之位，正己之位不是一己個人生活之位而是全民大眾生活之位。正人之位使全民皆安其生活之本位，出入相友，守望相助。「凝命」，凝有審慎嚴肅之意，凡是號令必須審慎考察於先，嚴肅執行於後。這都是全民生活解決以後之事，為安寧社會所必需。

安危治亂總是與改革聯繫在一起，胡樸安論政探討改革問題，井卦辭「改邑不改井」，意為井以養人而奠民居，由此知生活的基礎需要。對於社會、政治的改革，他認為不能同時進行，其理由是「政治安定，而改革社會。社會雖形紊亂，人民猶不感紊亂之苦，以有政治之中心也。社會安定，改革政治，政治雖形紊亂，人民亦不感紊亂之苦，以有社會為之中心也。」[39]社會經不起雙重改革的壓力，要循序漸進，這是穩中求變。

革卦主要講改革，他釋此卦充分闡釋這一點。〈雜卦傳〉釋革為去故，「去其舊染之汙曰革。」「革者，教民改過之事也。人民舊染之汙，非一日可以洗滌以盡。」「必積年累月，乃可以孚也。而其所以革之者，必要體仁以長人，嘉會以合禮，利物以和義，貞固以幹事。四德具，而悔乃亡也。」[40]革為除舊佈新，其本身有一個醞釀的過程，既要為人們所信服，又要等待時幾，然後再革，體現仁義符合禮事，對人對物都有好處，因此卦辭說「元亨利貞，悔亡」。

他尤其強調改革要順天應人。天地有四時的變革，春生、夏長、秋收、冬藏順應自然運行而歲以成。社會革命必須要上順天地之自然，下順應人之自然。天地之自然指天地生物之自然，人之自然是指人生活之自然。自然地改革，即所謂「不識不知，順帝之則」，遵循客觀法則，反對主觀人為。後世統治者違背自然勉強變革，是上不順天下不應人，因此愈改革民眾愈痛苦。他以革卦〈大象〉「治曆明時」解釋順天應人，「治曆」即上「順乎天」，「明時」即下「應乎人」。「治曆明時」的本義是「使之利用天時、人事之自然，充裕其生活也。政治只要注意人民之生活，百姓足，君孰與不足？

---

39 胡樸安：《周易人生觀．井》，收入蔡尚思主編：《十家論易》，頁658-659。

40 胡樸安：《周易人生觀．革》，收入蔡尚思主編：《十家論易》，頁660-661。

百姓不足，君孰與足？苟無歲，何有民？苟無民，何有君？」[41]人都離不開基本的物質生活，生活富足，然後改革以向善。關心民生是政治第一要義，他以為君主時代知民生而民主時代卻不知，是不應該的。另外，對於改革，他肯定領導者起的作用，他們要帶頭，領導人民改革。下決心改革就必須堅持到底，切不可半途而廢，改革要循序漸進，先革面而後革心，也即不僅制度上要改革，觀念上也要更新，因此，改革的任務十分艱巨。

五　結論

以上是胡樸安易學人生觀的概要，他釋《易》強調人事，所論涉及包括人生的物質基礎、社會、人自身的修養、政治等問題，在這些方面，他提出自己的觀點與主張，這既是對《周易》思想的闡釋與發揮，也表達了對當時社會的不滿與未來的期待。他撰寫《周易人生觀》時，從大環境來說，國共兩黨開始內戰，因戰亂而造成社會動盪、經濟凋敝、民不聊生。就小環境來看，他本人的生命也遭遇到挑戰，自一九三九年中風以後，全身癱瘓，肢體與智力都受到嚴重地損害。可以說無論是社會環境還是個人生存條件都十分艱難，其境況促使他努力拼搏，迎接命運的挑戰，如釋屯卦強調奮鬥之義。也就是說，他生活在這樣一種環境之下仍然堅持釋《易》，發揮其微言大義，這既是精神上的寄託，也表達對人生與社會的關注，可謂身殘志堅，值得欽佩。

民國以來，易學界出現了一股新思潮，這一易學新思潮的興起與二十世紀早期的文化轉型密切聯繫在一起。當時的文化是在批判地繼承傳統，又吸取西方文化基礎上形成、發展起來的，其最大的特點是宣導科學與民主精神。科學與民主的精神同樣也影響到易學研究領域，從而使古老的易學發生轉變，出現了以新思想、新方法研究易學的新思潮。主要表現在義理易學變為人文易學，使傳統儒家之學向現代人文思想發展，象數易學由傳統的互

41　胡樸安：《周易人生觀．革》，收入蔡尚思主編：《十家論易》，頁661。

體、爻辰、河圖洛書等向科學易學轉化，考據易學受實證主義的影響，對傳統觀念提出挑戰，引史證《易》建立比較系統且有進化論特色的《周易》古史觀。總之，易學研究突破了傳統固有的框架，開始向現代易學邁進。從這個視角來看胡樸安的《周易人生觀》，他釋《周易》旁徵博引，既有儒家經典、經與經互證，又有佛學與西學，可以說古今雜陳，中西互補。雖然間有訓詁文字，但仍以闡釋義理為主，從這一點來說，他的易學屬於人文易學。在人文易學中，他尤其突出了人事，一切問題都圍繞著人來展開，強調人生的價值，一言以蔽之，以人為中心挖掘《周易》的人文價值是他治《易》的最大特色。儘管他釋《易》有曲解、望文生義之處，但他的易學人生觀在民國易學中仍佔有重要一席。

楊樹達《周易古義》補遺
——以諸子文例為證

何志華
香港中文大學中國語言及文學系教授兼劉殿爵中國古籍研究中心主任

楊樹達《周易古義》自序云：

> 余年十七八，始治《易》，頗不然漢儒象數之說，而獨喜宋程子書，以為博大精深，切於人事，與孔子繫《易》之義為近。私謂今所傳漢儒之說，殆一家之學，非其全也。及涉獵《史》、《漢》、諸子，見有說《易》者，大要皆明人事，則大喜；以為說《易》之道當如此矣。乃竊仿儀徵阮氏集《詩》《書》古訓之例，輯而錄之，凡得百許事。……蓋自始事以迄今茲，凡歷二十六七載矣。《漢書・儒林傳》記丁寬已從田何受《易》，至雒陽復從周王孫受古義。然則《易》有古義舊矣；竊取其義，以名茲編。甄采所及，斷自三國。……民國十七年十二月蔡將軍雲南起義紀念日，長沙楊樹達書。[1]

由此可見，楊樹達《周易古義・序》成於一九二八年，其時大抵已然成書。再考楊樹達《積微翁回憶錄》記一九三〇年一月八日云：

> 《周易古義》七卷由中華書局出版印行。十六日，書寄到京。余年十六、七始著手輯此編，今三十年矣。[2]

1　楊樹達：〈自序〉，《周易古義》（上海市：上海古籍出版社，1991年），頁1。
2　楊樹達：《積微翁回憶錄》（上海市：上海古籍出版社，1986年），頁44。

可知《周易古義》成書於一九二八年，復於一九三〇年正式出版，乃為變動時代之經學重要著述。葉德輝〈周易古義序〉云：

> 門人長沙楊遇夫近輯《周易古義》一書，遍采經、傳，周、秦諸子，司馬、班、范、三國四史，兩漢儒書，比傅經文，存其舊誼，間附考證，不事繁徵。……所采古義，不專一家一師之言，其中明人事、近義理者多，是可推見《易》之本義，不言天而言人。[3]

可見葉氏於《周易古義》一書多所稱道，以為切近人事，盡得《易》義。誠然，《周易古義》兼采先秦兩漢典籍眾說，不專一家，尋其指歸，勝義良多。然《古義》取材，既稱「斷自三國」，則於群經諸子，三國四史，其有稱《易》者，楊氏理當收錄，無不兼賅。然而古書稱《易》，其例眾多，其中諸子稱《易》而可以發明古義者，《周易古義》不無遺漏。筆者檢閱先秦兩漢諸子與《周易》經文相關而為楊書所未收者，例證亦多，今試加分類闡述，望能補苴楊書之未備，並就諸子有與《周易》相互發明而得見古義者，舉例如下：

一 諸子引用《周易》文句例證

（一）〈乾〉卦九三：君子終日乾乾，夕惕若厲，無咎。（1/1/9）[4]

楊樹達此下收錄《淮南子・人間訓》及《漢書・王莽傳上》引《易》之文，然《風俗通義・過譽・司空潁川韓稜》亦云：「夕惕若厲。」[5]明顯出於〈乾〉卦此文，而楊書未收。

---

3 楊樹達：〈序〉，《周易古義》，頁1。

4 本書引《易》，並據劉殿爵主編，何志華執行編輯：《周易逐字索引》，收入《先秦兩漢古籍逐字索引叢刊》（香港：商務印書館，1995年），後附數字為該書之篇／頁／行。

5 〔東漢〕應劭著，吳樹平校釋：《風俗通義校釋》（天津市：天津古籍出版社，1980年），頁132。

（二）〈乾〉卦雲行雨施，品物流形。（1/1/19）

考《莊子・天道》云：「天德而出寧，日月照而四時行，若晝夜之有經，雲行而雨施矣。」[6]其謂「雲行而雨施」，是用《周易》「雲行雨施」之義，明顯出於〈乾〉卦此文，惜乎楊書未收。

（三）〈乾〉卦時乘六龍以御天。（1/1/20）

考《潛夫論・思賢》云：「乘六龍以御天心者哉？」[7]明顯出於〈乾〉卦此文，李道平《周易集解纂疏》析述〈乾〉卦此文云：「人君乘六爻之陽氣，以陶冶變化，運行四時，統御天地，故曰：『時乘六龍以御天』也。」[8]則以「御天」為「統御天地」之義，與《潛夫論》解作「御天心」者不同；考偽古文《尚書・咸有一德》云：「克享天心，受天明命。」[9]「天心」猶言「天意」，與《周易》傳統理解有別，可以相互參照，惜乎楊書未收。

（四）〈乾卦・文言〉：「元」者，善之長也；「亨」者，嘉之會也；「利」者，義之和也；「貞」者，事之幹也。君子體仁足以長人，嘉會足以合禮，利物足以和義，貞固足以幹事。（1/1/28）

考《潛夫論・交際》云：「嘉會不從禮。」[10]亦用〈乾卦・文言〉「嘉會

6　〔清〕郭慶藩：《莊子集釋》（北京市：中華書局，1961年），頁476。

7　胡楚生：《潛夫論集釋》（臺北市：鼎文書局，1979年），頁131。

8　〔清〕李道平著，潘雨廷點校：《周易集解纂疏》（北京市：中華書局，1994年），頁37。

9　〔漢〕孔安國傳，〔唐〕孔穎達正義，黃懷信整理：《尚書正義》（上海市：上海古籍出版社，2007年），頁322。

10　胡楚生：《潛夫論集釋》，頁531。

足以合禮」；至於《列子・楊朱》云：「義不足以利物」[11]，則據〈文言〉「利物足以和義」一語改寫，皆明顯出於〈乾卦・文言〉此文，而楊書並皆未有收錄。

（五）〈乾〉卦：雲從龍，風從虎，聖人作而萬物毸。（1/2/21）

考《申鑒・雜言上》：「雲從于龍，風從于虎。」[12]又《論衡・偶會》亦云：「風從虎，雲從龍。」[13]並皆出於〈乾〉卦此文而楊書未收。

（六）〈乾〉卦：夫大人者，與天地合其德，與日月合其明，與四時合其序，與鬼神合其吉凶。先天而天弗違，後天而奉天時。（1/3/14）

考《淮南子・泰族訓》：「故大人者，與天地合德，〔與〕日月合明，〔與〕鬼神合靈，與四時合信。」[14]又《白虎通・聖人》：「與天地合德，日月合明，四時合序，鬼神合吉凶。」[15]又《論衡・譴告》：「天人同道，大人與天合德。」[16]又〈感類〉云：「大人與天地合德。」[17]並皆諸子用〈乾〉卦此文而楊書所未收者也。

---

11 楊伯峻：《列子集釋》（北京市：中華書局，1979年），頁238。

12 劉殿爵主編，何志華執行編輯：《申鑒逐字索引》（香港：商務印書館，1995年），頁15。

13 黃暉：《論衡校釋》（附劉盼遂集解）（北京市：中華書局，1990年），頁102。

14 劉文典著，馮逸、喬華點校：《淮南鴻烈集解》（北京市：中華書局，1989年），頁665。兩「與」字並據王念孫說補。

15 〔清〕陳立著，吳則虞點校：《白虎通疏證》（北京市：中華書局，1994年），頁334。

16 北京大學歷史系《論衡》注釋小組：《論衡注釋》（北京市：中華書局，1979年），頁835。

17 北京大學歷史系《論衡》注釋小組：《論衡注釋》，頁1061。

（七）〈坤〉卦：臣弒其君，子弒其父，非一朝一夕之故，其所由來者漸矣，由辯之不早辯也。（2/5/2）

考《列子・力命》：「病非一朝一夕之故，其所由來漸矣。」[18]亦用〈坤〉卦此文而楊書未收。

（八）〈訟〉卦：〈象〉曰：天與水違行，訟。（6/9/9）

考《申鑒・時事》云：「天水違行，而訟者紛如也。」[19]亦用〈訟〉卦此文而楊書未收。

上舉八例，並皆先秦兩漢典籍取用《周易》文句之證，其中尤堪注意者，乃為《莊子・天道》：「若晝夜之有經，雲行而雨施矣」，其實化用《周易・乾卦》「雲行雨施」之義，而楊書未收。考孔穎達《周易正義》「雲行雨施」句下疏云：「言乾能用天之德，使雲氣流行，雨澤施布。」[20]亦未有言及《莊子・天道》相關文例；再考《莊子・天道》此下成玄英《疏》云：「晝夜昏明，雲行雨施，皆天地之大德，自然之常道也。」[21]似亦未有察覺《莊子》此文與《周易》相關。由此可見，學者鮮有注意《周易》、《莊子》兩書關係，故於兩書互見內容多有忽略。夷考楊樹達《周易古義》一書，收錄《周易》與《莊子》相關者，僅有《易經》書名下記《莊子・天下》篇「《易》以道陰陽」一語，[22]楊氏大抵亦以為《周易》與《莊子》無涉，因致遺留。有關《莊子》與群經關係，於此不贅，且待另文再述。

---

18 楊伯峻：《列子集釋》，頁205。

19 劉殿爵主編，何志華執行編輯：《申鑒逐字索引》，頁9。

20 〔魏〕王弼、韓康伯注，〔唐〕孔穎達等正義，邱燮友分段標點，國立編譯館主編：《周易正義》，收入《十三經注疏分段標點》（臺北市：新文豐出版公司，2001年），頁28。

21 〔清〕郭慶藩：《莊子集釋》（北京市：中華書局，1961年），頁476。

22 楊樹達：《周易古義》，頁1。

二　諸子闡釋《周易》經義例證

先秦兩漢諸子多用《周易》，其中闡釋《周易》經文義理，時有勝義，可與傳統注疏並觀，或可得見《周易》秦漢古義，彌足珍貴。凡此例證，楊樹達《周易古義》多有收錄，然其中亦偶有未備者，今僅錄楊書未收諸子釋《易》之例如下：

（一）〈乾〉卦初九：潛龍勿用。（1/1/5）

楊樹達《周易古義》此下收錄《新書．容經》云：「潛龍入而不能出，故曰『勿用』。勿用者，不可也。」又收《淮南子．人間訓》云：「《易》曰：『潛龍勿用』者，言時之不可行也。」可見楊書亦以「潛龍勿用」者，有時機未至，即不可為用之義。今考《周易》此文孔穎達《正義》云：「此自然之象，聖人作法，言於此潛龍之時，小人道盛，聖人雖有盛德，於此時唯宜潛藏，勿可施用。」[23]蓋以為「小人」道盛，時機未可，聖人「唯宜潛藏」，是以「小人」、「聖人」並舉以見「潛藏勿用」之旨。再考《潛夫論．論榮》亦云：「故君子未必富貴，小人未必貧賤，或潛龍未用，或亢龍在天，從古以然。」[24]亦以「小人」、「君子」並舉以明「潛龍未用」之義，與楊書所收《新書．容經》、《淮南子．人間訓》兩書用例相近，可以互證，惜乎楊書未有收錄《潛夫論》此文，宜當補正。

（二）〈乾〉卦上九：亢龍有悔。（1/1/15）

楊書於「九五：飛龍在天，利見大人」下，引錄《史記．蔡澤傳》云：

---

23 〔魏〕王弼、韓康伯注，〔唐〕孔穎達等正義，邱燮友分段標點，國立編譯館主編：《周易正義》，頁18。

24 胡楚生：《潛夫論集釋》，頁56。

> 語曰：「日中則移，月滿則虧。」物盛則衰，天地之常數也；進退盈縮，與時變化，聖人之常道也。故國有道則仕，國無道則隱。聖人曰：「飛龍在天，利見大人。」[25]

楊樹達所引「語曰：『日中則移，月滿則虧。』」，其實見《文子》，司馬遷蓋以道家之言闡釋《周易・乾》卦「飛龍在天，利見大人」之義，以為與道家盈縮之說相關，《文子・九守》云：

> 故三皇五帝有戒之器，命曰侑卮，其沖即正，其盈即覆。夫物盛則衰，日中則移，月滿則虧，樂終而悲，是故聰明廣智守以愚，多聞博辯守以儉，武力勇毅守以畏，富貴廣大守以狹，德施天下守以讓，此五者，先王所以守天下也。服此道者，不欲盈。夫唯不盈，是以弊不新成。[26]

「侑卮」之義，在於說明持盈之道，即司馬遷所謂「進退盈縮」之義。惜乎楊樹達於「上九：亢龍有悔」下未有引錄相關學說。考古籍以持盈之義析述《周易・乾》卦「亢龍有悔」者，如《潛夫論・遏利》云：「是以持盈之道，挹而損之，則不可以免於亢龍之悔、乾坤之愆矣。」[27]正可與楊氏所引《史記・蔡澤傳》並觀，其為〈乾〉卦之古義明矣。惜乎楊書未有收錄，亦宜補正。

（三）〈乾〉卦：庸言之信，庸行之謹。（1/2/8）

李道平《周易集解纂疏》引《九家易》云：「庸，常也。謂言常以信，行常以謹矣。」[28]其於「謹」義未有訓解。考孔穎達《正義》云：「庸謂中

---

25 楊樹達：《周易古義》，頁4。

26 王利器：《文子疏義》，收入《新編諸子集成》（北京市：中華書局，2000年）。

27 胡楚生：《潛夫論集釋》，頁52。

28 李道平著，潘雨廷點校：《周易集解纂疏》，頁46。

庸，庸，常也，從始至末，常言之信實，常行之謹慎。」[29]是以「謹」為「謹慎」之義。今考《荀子・不苟》正云：「庸言必信之，庸行必慎之。」[30]明顯依據《周易・乾卦》此文為言，荀卿亦以「慎」訓《易》文「謹」義，是亦《周易》古義而楊書未收。

（四）〈乾〉卦：九三曰「君子終日乾乾，夕惕若厲，無咎」，何謂也？子曰：「君子進德脩業。忠信，所以進德也。」（1/2/12）

孔穎達《正義》云：「九三所以終日乾乾者，欲進益道德、修營功業，故終日乾乾匪懈也。」[31]可見君子「進德修業」，所以終日乾乾。今考《中論・譴交》云：「進德脩業，勤事而不暇。」[32]即與《正義》義理相通，是亦《周易》古義而楊書未收。

（五）〈乾〉卦：同聲相應，同氣相求。水流濕，火就燥。（1/2/20）

孔穎達《正義》云：「『水流濕、火就燥』者，此二者以形象相感，水流於地先就濕處，火焚其薪先就燥處，此同氣水火皆無識而相感。」[33]考《荀子・勸學》：「施薪若一，火就燥也；平地若一，水就濕也。」又〈大略〉

---

29 〔魏〕王弼、韓康伯注，〔唐〕孔穎達等正義，邱燮友分段標點，國立編譯館主編，《周易正義》，頁40。

30 王先謙：《荀子集解》（北京市：中華書局，1988年），頁50。

31 〔魏〕王弼、韓康伯注，〔唐〕孔穎達等正義，邱燮友分段標點，國立編譯館主編：《周易正義》，頁40。

32 劉殿爵主編，何志華執行編輯：《中論逐字索引》（香港：商務印書館，1995年），頁17。

33 〔魏〕王弼、韓康伯注，〔唐〕孔穎達等正義，邱燮友分段標點，國立編譯館主編：《周易正義》，頁44。

云：「均薪施火，火就燥；平地注水，水流濕。」其義亦與《正義》所謂「水流於地先就濕處」相合，可以比合而觀。再考《呂氏春秋．應同》：「類固相召，氣同則合，聲比則應。……平地注水，水流溼；均薪施火，火就燥。」[34]亦據《周易》此文加以發揮，其謂「類固相召，氣同則合，聲比則應」者，亦即《周易》「同聲相應」之義。又《尸子．仁意》亦云：「平地而注水，水流溼；均薪而施火，火從燥，召之類也。」[35]其謂「召之類」者，亦即《呂氏春秋》「類固相召」之意。以上先秦諸子相關例證，並據《周易．乾卦》此文經義發揮，而楊書均未有收錄，宜加補正。

（六）〈坤〉卦：初六：履霜、堅冰至。（2/4/3）

孔穎達《正義》云：「履踐其霜，微而積漸，故堅冰乃至。」[36]其謂「微而積漸」者，亦古義也。考《申鑒．時事》云：「天人之應，所由來漸矣。故履霜堅冰，非一時也。」[37]可證孔《疏》所言為是，惜乎楊書未有收錄。

（七）〈泰〉卦：九三：無平不陂，無往不復。（11/15/9）

孔穎達《正義》云：「初始平者，必將有險陂也；初始往者，必將有反復也。無有平而不陂，無有往而不復者。」[38]考《申鑒．政體》云：「此無往不復，相報之義也。」[39]其謂「相報之義」者，亦〈泰〉卦此文經義所在

---

34 王利器：《呂氏春秋注疏》（成都市：巴蜀書社，2002年），頁1282。

35 劉殿爵主編，何志華執行編輯：《尸子逐字索引》（香港：商務印書館，2000年），頁9。

36 〔魏〕王弼、韓康伯注，〔唐〕孔穎達等正義，邱燮友分段標點，國立編譯館主編：《周易正義》，頁61。

37 劉殿爵主編，何志華執行編輯：《申鑒逐字索引》，頁8。

38 〔魏〕王弼、韓康伯注，〔唐〕孔穎達等正義，邱燮友分段標點，國立編譯館主編：《周易正義》，頁140。

39 劉殿爵主編，何志華執行編輯：《申鑒逐字索引》，頁4。

也，惜楊書未收。

（八）〈觀〉卦：先王以省方觀民設教。（20/25/14）

孔穎達《正義》云：「以省視萬方，觀看民之風俗，以設於教，非諸侯以下之所為，故云先王也。」[40]可見「觀民設教」，旨在「觀看民之風俗。」今考《潛夫論・浮侈》云：「王者統世，觀民設教，乃能變風易俗，以致太平。」[41]與《正義》所言相合，可以互證，而楊書未收。

（九）〈頤〉卦：君子以慎言語，節飲食。（27/33/8）

李道平《周易集解纂疏》引荀爽云：「飲食不節，殘賊群生，故『節飲食』以養物。」[42]是以「節飲食」為「養物」之義；李道平《疏》云：「《天官・庖人》：『掌共六畜六獸六禽……』皆有常數，不使過也。蓋飲食不節，則殘賊群生，故『節飲食所以養物也。』」是亦主「節飲食」為「養物」之義，無使六畜等物不敷世用，以免殘賊群生。惟《呂氏春秋・孝行》則云：「節飲食，養體之道也。」[43]則以「節飲食」為一己貴生「養體」之道，雖與荀爽取義不同，亦可備一說，惜楊書未收。

（十）〈明夷〉：上六：不明，晦。初登于天，後入于地。（36/44/11）

孔穎達《正義》云：「『不明晦』者，上六居〈明夷〉之極，是至闇之

---

40 〔魏〕王弼、韓康伯注，〔唐〕孔穎達等正義，邱燮友分段標點，國立編譯館主編：《周易正義》，頁197。

41 胡楚生：《潛夫論集釋》，頁227。

42 李道平著，潘雨廷點校：《周易集解纂疏》，頁285。

43 王利器：《呂氏春秋注疏》，頁1371。

主，故曰不明而晦。本其初也，其意在於光照四國，其後由乎不明，遂入於地，謂見誅滅也。」[44]是知「初登于天、後入于地」者，謂闇主失德，未得善終也。今考《鹽鐵論．遵道》引《易》曰：「小人處盛位，雖高必崩。不盈其道，不恆其德，而能以善終身，未之有也。是以初登于天，後入于地。」[45]其文雖不見今本《周易》，惟與孔《疏》所言相合，亦當為〈明夷〉此文古義，而楊書未收。

（十一）〈震〉卦：〈象〉曰：……君子以恐懼脩省。（51/60/19）

李道平《周易集解纂疏》引虞翻云：「『以恐懼修省』。《老子》曰：『修之身，德乃真』也。」[46]李道平亦主虞說，李氏云：「復歸于『修之身，德乃真』者，言必有德，而後可為建侯主祭之本也。」可見虞翻、李道平均以「恐懼修省」為修「德」之義。今考《潛夫論．夢列》云：「常恐懼脩省，以德迎之。」[47]亦與虞翻所言相近，是亦〈震〉卦此文古義，而楊書未收。

（十二）〈既濟〉：九五：東鄰殺牛，不如西鄰之禴祭，實受其福。（63/75/7）

孔穎達《正義》云：「苟能修德，雖薄可饗，假有東鄰不能修德，雖復殺牛至盛，不為鬼神歆饗，不如我西鄰禴祭，雖薄能修其德。」[48]蓋以「修德」重於「牲牛」也。今考《風俗通義．祀典》亦云：「《易》美西鄰之禴

44 〔魏〕王弼、韓康伯注，〔唐〕孔穎達等正義，邱燮友分段標點，國立編譯館主編：《周易正義》，頁318。

45 王利器校注：《鹽鐵論校注（定本）》（北京市：中華書局，1992年），頁293。

46 李道平著，潘雨廷點校：《周易集解纂疏》，頁455。

47 胡楚生：《潛夫論集釋》，頁512。

48 〔魏〕王弼、韓康伯注，〔唐〕孔穎達等正義，邱燮友分段標點，國立編譯館主編：《周易正義》，頁516。

祭，蓋重祀而不貴牲，敬實而不求華也。」[49]其義與孔《疏》相合，當為〈既濟〉古義，而楊書未收。

（十三）〈繫辭上〉：君子之道，或出或處，或默或語。（65/78/15）

李道平《周易集解纂疏》引虞翻云：「〈乾〉為道，故稱君子也。〈同人〉反〈師〉，〈震〉為『出』，為『語』，〈坤〉為『默』，〈巽〉為『處』，故『或出或處，或默或語』也。」[50]可見虞翻以諸卦卦義闡釋〈繫辭〉此文。今考《中論．治學》云：「『出』則元亨，『處』則利貞，『默』則立象，『語』則成文。」[51]與虞翻論說不同，亦可備一說，惜乎楊書未收。

以上諸例，並皆先秦兩漢諸子暗用《周易》之例，從中可見諸書闡析《周易》經義者，彌足珍貴，惜乎楊樹達《周易古義》皆未有收錄。王符《潛夫論》多用《易》義，取名「潛夫」，亦與《易》相關。周泰元〈重刊潛夫論序〉云：

> 《易》曰：「潛之為言也，隱而未見，行而未成，是以君子弗用也。」然觀樂行憂危，則知龍德而隱，必其器識百倍於流俗，雖終其身不求聞達，而本立德以立言，自可與立功者並垂於不朽。潛夫王先生，安定臨涇人也。其本傳載於《後漢書》，其論三十餘篇，僅傳其五，而其全編則見《漢魏叢書》。余向讀其論，見其剴切詳明，無所不備，未嘗不掩卷太息，而想見夫潛之所以為潛也。[52]

由此可見，《潛夫論》與《周易》相互關涉，汪繼培謂王符「精習經

49 〔東漢〕應劭著，吳樹平校釋：《風俗通義校釋》，頁291。

50 李道平著，潘雨廷點校：《周易集解纂疏》，頁571。

51 劉殿爵主編，何志華執行編輯：《中論逐字索引》，頁1。

52 〔東漢〕王符著，〔清〕汪繼培箋，彭鐸校正：《潛夫論箋校正》（北京市：中華書局，1985年），頁484。

術」，又謂「其學折中孔子」，[53]而本傳又記王符與馬融相善，則潛夫用《易》，固可理解。王符生於東漢，所述經義，遠較唐《疏》近古，多可稱道，倘能全面蒐集《潛夫論》用《易》文辭，詳加疏證，於《周易》古義之理解，當有裨益。

三　諸子訓解《周易》字詞例證

先秦兩漢諸子用《易》，時有訓解經文字詞者，據此等義訓，對比傳統注疏訓詁，參伍比度，或能證成注疏之言，或能提出新解，皆有助於《周易》古義之鉤稽，惜乎楊書偶有未收者，今謹錄之如下：

（一）〈乾〉卦：九三曰「君子終日乾乾，夕惕若厲，無咎」，何謂也？子曰：「君子進德脩業。忠信，所以進德也。」（1/2/12）

孔穎達《正義》云：「『終日乾乾』，言每恆終竟此日，健健自強，勉力不有止息。」[54]是以「乾乾」為自強不息之義。考《說苑．脩文》云：「而衎衎於進德修業之志」[55]，則劉向蓋讀《易》文「乾乾」為「衎衎」之義。再考《漢書．趙廣漢尹翁歸等傳》云：「張敞衎衎，履忠進言。」顏師古《注》云：「衎衎，彊敏之貌也。」[56]是其義也。「彊敏之貌」與「自強不息」義近而有別，可備一說，惜乎楊書未收。

---

53 〔東漢〕王符著，〔清〕汪繼培箋，彭鐸校正：《潛夫論箋校正》，頁487。

54 〔魏〕王弼、韓康伯注，〔唐〕孔穎達等正義，邱燮友分段標點，國立編譯館主編：《周易正義》，頁22。

55 向宗魯：《說苑校證》（北京市：中華書局，1987年），頁482。

56 〔漢〕班固著，〔隋〕顏師古注：《漢書》（北京市：中華書局，1962年），頁3240。

（二）〈大有〉：君子以遏惡揚善。（14/18/18）

孔穎達《正義》云：「遏匿其惡，褒揚其善。」[57]今考《全上古三代秦漢三國六朝文．全漢文卷三十九》收錄〈新序〉云：「抑惡而揚善。」是亦讀《易》文「遏」為「抑」義，亦常訓也。至於《禮記．中庸》云：「隱惡而揚善。」[58]是讀「遏」為「隱」，則與《正義》「匿」義相近，可相參照，惜乎楊書未收。

（三）〈繫辭上〉旁行而不流，樂天知命，故不憂。（65/77/15）

按王引之《經義述聞》云：「『旁』之言『溥』也、徧也。」惟馬王堆帛書本《周易》「旁」作「方」，再考《鄧析子．無厚》篇云：「方行而不流。」[59]又《淮南子．主術訓》亦云：「方行而不流。」[60]則「旁行」似當讀為「方行」，亦「遍行」之義，惜乎楊書未有收錄《鄧析子》、《淮南子》兩文以為書證。

（四）〈繫辭上〉言出乎身，加乎民；行發乎邇，見乎遠。（65/78/13）

孔穎達《正義》云：「此證明擬議而動之事，言身有善惡，無問遠近，

---

57 〔魏〕王弼、韓康伯注，〔唐〕孔穎達等正義，邱燮友分段標點，國立編譯館主編：《周易正義》，頁157。

58 〔東漢〕鄭玄注，〔唐〕孔穎達正義，呂友仁整理：《禮記正義》（上海市：上海古籍出版社，2008年），頁1992。

59 劉殿爵主編，何志華執行編輯：《鄧析子逐字索引》（香港：商務印書館，1998年），頁3

60 劉文典撰，馮逸、喬華點校：《淮南鴻烈集解》，頁277。

皆應之也。」[61]是知《易》謂「見乎遠」者，謂得遠方之應也。再考《說苑・談叢》云：「言出於己，不可止於人；行發於邇，不可止於遠。」[62]又《淮南子・人間訓》：「夫言出於口者不可止於人，行發於邇者不可禁於遠。」[63]又《文子・微明》：「言出於口，不可止於人；行發於近，不可禁於遠。」[64]則知「見乎遠」者，謂不可止於遠也。

（五）〈繫辭下〉：上古穴居而野處，後世聖人易之以宮室，上棟下宇，以待風雨。蓋取諸《大壯》（66/82/9）

周振甫《周易譯注》：「〈大壯〉卦乾下震上。乾為天，野外的天似穹廬，比房屋。震比雷雨，象房屋可避風雨。」[65]按周氏解「以待風雨」為「可避風雨」，未有說明依據。今考《新語・道基》云：「天下人民，野居穴處，未有室屋，則與禽獸同域。於是黃帝乃伐木搆材，築作宮室，上棟下宇，以避風雨。」[66]蓋據《周易・繫辭下》此文為說，亦作「以避風雨」。再考《風俗通義・皇霸・五帝》亦云：「上棟下宇，以避風雨。」[67]並其證。至於《淮南子・氾論訓》云：「古者民澤處復穴，冬日則不勝霜雪霧露，夏日則不勝暑熱蚉虻。聖人乃作為之築土構木，以為宮室，上棟下宇，以蔽風雨，以避寒暑，而百姓安之。」[68]是讀《易》「待風雨」為「蔽風雨」，亦可備一說，惜乎楊書於此等例證皆未有收錄。

---

61 〔魏〕王弼、韓康伯注，〔唐〕孔穎達等正義，邱燮友分段標點，國立編譯館主編：《周易正義》，頁566。

62 向宗魯：《說苑校證》，頁402。

63 劉文典撰，馮逸、喬華點校：《淮南鴻烈集解》，頁586。

64 王利器：《文子疏義》（北京市：中華書局，2000年），頁316。

65 周振甫：《周易譯注》（北京市：中華書局，1991年），頁260。

66 王利器：《新語校注》（北京市：中華書局，1986年），頁11。

67 〔東漢〕應劭撰，吳樹平校釋，《風俗通義校釋》，頁15。

68 劉文典著，馮逸、喬華點校：《淮南鴻烈集解》，頁421。

（六）〈繫辭下〉：古之葬者，厚衣之以薪，葬之中野，不封不樹，喪期無數。後世聖人易之以棺，蓋取諸〈大過〉。（66/82/10）

《易》文「喪期無數。」孔穎達《正義》云：「哀除則止，無日月限數也。」[69]今考《潛夫論．浮侈》云：「古之葬者，厚衣之以薪，葬之中野，不封不樹，喪期無時，後世聖人，易之以棺槨。」[70]蓋讀《易》文「喪期無數」為「喪期無時」，其訓解可備一說。

（七）〈繫辭下〉知幾其神乎？君子上交不諂，下交不瀆，其知幾乎？（66/83/13）

《易》文「上交不諂，下交不瀆。」孔穎達《正義》云：「能無諂瀆，知幾窮理者乎！」[71]蓋以「諂」、「瀆」義近並言。今考《法言．修身》云：「上交不諂，下交不驕，則可以有為矣。」則可見揚雄訓「瀆」為「驕」，可備一說。

四　結語

楊樹達《周易古義》體大思精，惜乎所收古義書證，偶有遺漏，未算完善。筆者不揣淺陋，嘗試蒐集書證，望能補苴楊說，以就正於學者方家，並賡續楊氏鉤稽《周易》古義之學，以見《周易》雖主卜筮，其實不離人事，亦切近義理，可與諸子比合而觀。

---

69 〔魏〕王弼、韓康伯注，〔唐〕孔穎達等正義，邱燮友分段標點，國立編譯館主編：《周易正義》，頁620。

70 胡楚生：《潛夫論集釋》，頁215。

71 〔魏〕王弼、韓康伯注，〔唐〕孔穎達等正義，邱燮友分段標點，國立編譯館主編：《周易正義》，頁631。

《京氏易傳》的易學意義與徐昂《京氏易傳箋》義例述評*

許朝陽

輔仁大學中國文學系副教授

一　《易》的雙重身份：「五經之原」與「數術之原」

數術在《四庫提要》中雖被認為「悠謬之談」，然於先秦時期卻有助王者興之功能，如《史記．龜策列傳》載云：「自古聖王將國受命，興動事業，何嘗不寶卜筮以助善！」[1]又謂「王者決定諸疑，參以卜筮，斷以蓍龜，不易之道也。」[2]《史記．日者列傳》更謂卜筮以決天命的風氣「其于周尤甚，及秦可見。……太卜之起，由漢興而有。」[3]《周易》的卜筮功能，在漢代受重視的情形可見一斑。〈繫辭〉所謂「聖人之道四焉」，「卜筮」便列其中之一，並非虛言。[4]西漢易學博士中，梁丘賀「以筮有應，繇是近幸」[5]，京房「以明災異得

---

* 本文宣讀於「變動時代的經學和經學家（1912-1949）」第六次學術研討會（2009年11月19-20日，中央研究院中國文哲研究所主辦），修改後原刊載於《國文學報》第50期（2011年12月），頁1-28。

1 〔漢〕司馬遷撰：《史記》（北京市：中華書局，1963年），頁3223。

2 同前註。

3 同註1，頁3215。

4 《周易．繫辭》謂《周易》有「言辭、動變、制器、卜筮」四種功能：「《易》有聖人之道四焉：以言者尚其辭，以動者尚其變，以制器者尚其象，以卜筮者尚其占。」引文見〔宋〕朱熹：《周易本義》（臺北市：大安出版社，1999年），頁246。

幸」[6]，孟喜則「好自稱譽，得《易》家侯陰陽災異變書，詐言師田生且死時枕膝，獨傳喜，諸儒以此耀之。」[7]施、孟立博士於宣帝之世，京房則立於元帝，可見漢代宣、元之際，卜筮仍為政治所需，於學術亦尚有其一席之地。

漢代卜筮甚至更廣義的數術地位反映在《漢書・藝文志》的編目上。從《漢書・藝文志》以來，易學體系即分為兩大系統，一入於〈六藝略〉的易類，一入於〈數術略〉[8]的蓍龜家。從〈藝文志〉七略並稱的情形來看，「六藝」與「數術」兩種知識系統大抵屬平行的地位。分別在這兩種知識系統中，《周易》在經學的地位要高於在數術的地位。因為在經學方面，《周易》於《漢書》中固然獲得「五經之原」的地位；但在數術方面，從六家數術並列的情形來看，源自《周易》的「蓍龜」只是眾家數術之一，並不是數術的源頭。數術之源依《漢書》的說法乃是「明堂羲和之職」。

歷代史書基本上仍保持此兩大易學體系的劃分，《易》的經學地位大致不變，但在數術方面卻有微妙的變化。這變化表現於兩個方面：一是數術地位下降，併入子部；一則是《易》被抬高為數術之源，取代了「明堂羲和之職」的說法。文獻編目的更動具體標示著數術地位的下降，《漢書・藝文志》的六略分類到了《隋書・經籍志》中，〈諸子〉、〈兵書〉、〈數術〉、〈方伎〉四略合併為子部，整併後原本〈數術略〉、〈方伎略〉的內容則略分為天文、曆數、五行、醫方四個二級類目。《隋書・經籍志・子部》二級類目中的「五行」，包含了原《漢書・藝文志・數術略》中的五行、蓍龜、雜占、

5　〔漢〕班固：《漢書》（北京市：中華書局，1964年），頁3600。

6　同前註，頁3601-3602。

7　同註5，頁3599。

8　《漢書・藝文志》中「數術」亦作「術數」，兩種兼用，並不統一。作「術數」者如「歆於是總群書而奏其《七略》，故有〈輯略〉，有〈六藝略〉，有〈諸子略〉，有〈詩賦略〉，有〈術數略〉，有〈方技略〉。」作「數術」者則如「太史令尹咸校數術」，於詳述數術之分派亦謂「凡數術者百九十家，二千五百二十八卷。」又謂「數術者，皆明堂羲和史卜也職。……故因舊書以序數術為六種。」依古籍「道術」、「學術」、「方術」等用例，「術」大抵表某種應用技術，「數術」則是建立在曆數、五行之數的基礎上所形成的吉凶占驗之學，故而除了引文原作「術數」之外，本文論述時統一作「數術」。

形法四類。數術、方伎的整併與下降為二級類目，代表數術知識在學術體系中地位的下降。[9]

數術知識儘管在文獻編目地位下降，然觀《隋書·經籍志》所言，「聖人推其終始，以通神明之變，為卜筮以考其吉凶，占百事以觀於來物，睹形法以辨其貴賤。」[10]對於數術的功能大致仍持肯定。不過，到了《四庫全書》，對數術的態度便不如此友善。《四庫全書提要·子部·術數類敘》曰：「要其旨不出乎陰陽五行，皆《易》之支派，傅以雜說耳。」又云：「中惟數學一家，為《易》外別傳，不切事而猶近理。其餘則百偽一真，遞相煽動。……悠謬之談，彌變彌夥耳。」[11]到了《四庫全書》中，數術不但在文獻編目維持次於經學的地位，甚至在整體的學術地位更為負面，乃「百偽一真」[12]。《四庫全書》將數術甚至數學皆歸結於《易》之支派，意味著《易》為數術之原。這樣的說法不但異於《漢書》以「明堂羲和之職」為數術起源的說法，也不合數術發展的史實。《四庫全書》如此歸結，主要來自數術「不出乎陰陽五行」的觀念，但《易》以道陰陽而不道五行，以《易》「道陰陽五行」這樣的結合究竟從何而來？學界頗以為以五行說《易》，當始自京房，[13]則京房於西漢之際立於官學，其五行《易》體系，又為後世民

---

9 考察此一情形的意義，當如趙益所言：「代表最主要技術性知識的『天文』、『曆數』由術數中分離出來並——變而與術數並列，標示著原有『數術』體系的狹義化，同時喻示著術數體系的知識性質的轉變，開始從主流向邊緣過渡。」趙益：《古典術數文獻論稿》（北京市：中華書局，2005年），頁45。

10 〔唐〕魏徵、令狐德棻撰：《隋書》（北京市：中華書局，1982年），頁1039。

11 〔清〕紀昀纂：《四庫全書總目提要》（石家莊市：河北人民出版社，2000年），頁2757。

12 《四庫總目提要·子部·術數類》：「今參驗古書，旁稽近法，析而別之者三，曰相宅相墓，曰占卜，曰命書相書。並而合之者一，曰陰陽五行。雜技術之有成書者亦別為一類附焉，中惟數學一家為《易》外別傳，不切事而猶近理，其餘則皆百偽一真，遞相煽動。」同前註。

13 五行說《易》，始自京房，持此論點者如朱伯崑：「〈繫辭〉〈說卦〉中講的天地之數，以五為貴，受了戰國時五行說的影響，但還沒有以金木水火土的範疇解釋《周易》。以五行說解《周易》，始於漢易京房。」參朱伯崑：《易學哲學史》（北京市：華夏出版社，1995年），卷1，頁137。又如劉玉健：「以五行說解《易》始自京房，其後不少

間數術所承襲，這種學術影響力在易學史上可謂絕無僅有。

二 《京氏易傳》經學與數術的雙重身份及相關研究

如前所述，《漢書．藝文志》以來，易學分為經學與數術兩大系統；特別的是，西漢京房[14]（77-37B.C.）的著述，竟可分別列於其中。京房易學在西漢元帝時立於學官，《漢書》將其著作《孟氏京房》、《災異孟氏京房》、《京氏段嘉》載於〈六藝略〉，基本上歸類於學院派的儒林人物。於〈五行志〉中另引見京房《易傳》、《易妖占》二書。至《隋書．經籍志》所載京房著作數量更多，除了《周易》、《周易錯》二種見於經部，子部五行類中另載有著作十六種，兵家類、天文類另有三種。京房《易傳》在《漢書》中屢見引於〈五行志〉中，與劉向的《洪範五行傳》分別代表《周易》與《尚書》對於災異的解釋。《漢書．五行志》除了引用京房《易傳》之外，還引用了《易妖占》一書，而此書在《隋書．經籍志》中亦被列入子部五行類，說明了京房易學游移於經學與數術的特色；而《漢書》對京房易學的引用，也說明漢易在經學與數術之間的分際並不像後世那般清楚。

今日易學史對京房易學系統的理解來自於《京氏易傳》一書，但《京氏易傳》與見引於《漢書》中的京房《易傳》，名稱雖似，內容卻差異極大；甚至《京氏易傳》亦不見於宋代以前書目，至北宋晁說之始提及《京氏傳》之見獲，《宋史．藝文志．蓍龜類》乃有「京房《易傳》三卷」之載，使其

易學家承襲或發展了其五行說，並以之說《易》。例如，《九家易》及干寶注《易》時，均取京房由五行相生相克而派生的『六親說』。鄭玄的爻辰說，亦時而取爻辰所屬五行屬性來解《易》。」參劉玉健：《兩漢象數易學研究》（南寧市：廣西教育出版社，1996年），頁343。及徐芹庭：「京氏為西漢易學大師，……其占候之學，為後世天文、星相占候、命相、勘輿之濫觴。其災異之學，為後代言陰陽五行乃至曆法者所宗。」參徐芹庭：《兩漢十六家易注闡微》（臺北市：五洲出版社，1975年），頁243。

14 西漢曾前後出現兩位京房，分別存在於宣、昭帝時期與元帝之際。依《漢書．儒林志》，前京房受業於楊何，並成為梁丘賀之師。後京房字君明，本姓李，因推律自定為京氏。本文所論京房相關學說，皆指後京房而言。

真實性因有存疑之處。儘管宋咸、李清臣、晁公遡等人皆主《京氏易傳》性質近於數術之流，[15]但在書目分類上，《京氏易傳》仍介於經學與數術之間。如南宋晁公武《郡齋讀書志》、陳振孫《直齋書錄解題》皆列之於〈經部易類〉，至朱彝尊《經義考》仍措之於〈易類〉。但另一方面，《宋史・藝文志》則列之於〈子部・蓍龜類〉，至《四庫全書》亦列於〈子部・術數類・占卜〉。亦即是說，自《漢書》以來的分類，京房即是經學與數術交集的代表性人物；同時，即便存在真偽的問題，但就系統地以陰陽五行共治於《易》、以及對後世數術影響而言，[16]今本《京氏易傳》的重要性當無可疑。

然而，如晁說之所言，他所得的《京氏傳》「文字顛倒舛訛，不可訓

15 宋咸：「京房、郎顗、關子明輩假《易》之名以行其壬遁、卜祝、陰陽術數之學，聖人之旨則無有焉。」李清臣：「自焦延壽、京房、毛爽、祖孝孫之徒為六日七分之說，日辰之支幹、律呂之清濁、風雨寒暑節氣之候與夫天文曆法，以為皆從《易》而生，故術者咸自託於《易》。」晁公遡：「明於象數而不達於進退者，京房是也。」參見〔清〕朱彝尊原作，許維萍、馮曉庭、江永川點校：《經義考》（臺北市：中央研究院中國文哲所籌備處，1997年），冊1，頁126-128。

16 《京氏易傳》對後世數術影響見《經義考》載諸家所言。項安世：「以京《易》考之，世所傳《火珠林》者，即其法也。」陸深：「《京房易傳》於《易》無所發明，蓋亦自成一家。言卦分世、應，起星氣、算位，即今世錢卜、五鄉、六親之術。」參《經義考》冊1，頁130-133。另，《朱子語類》卷六十六亦云：「火珠林猶是漢人遺風。」又載：「南軒家有《真蓍》……又曰：『卜易卦以錢擲，以甲子起卦，始於京房。』」參見〔宋〕黎靖德編，王星賢點校：《朱子語類》（北京市：中華書局，1986年），冊4，頁1638、1640。黃宗羲亦言：「今世揲蓍者少，而《火珠林》之術盛行，大概本於京氏。卦棄其象數，爻取於干支。一卦為一世應，於動靜無與也；一事為一門類，於《爻辭》無與也。然某觀京房《易傳》，又與今世所行間有出入，則亦失其傳也。」參〔清〕黃宗羲：《易學象數論》，收入沈善洪主編：《黃宗羲全集》（杭州市：浙江古籍出版社，1993年），冊9，頁37。《火珠林》採用的八宮、納甲、世應、六親、五行生剋等觀念，被認為源自京房的《京氏易傳》；此種以錢代蓍的占法，自《火珠林》擘定其規模之後，後世對斷占法則迭有補正。如晉代郭景純《洞林》、相傳明代劉伯溫的《黃金策》、《千金賦》、明代姚際隆的《卜筮全書》及作者不詳的《斷易天機》、清代野鶴老人的《增刪卜易》及王洪緒的《卜筮正宗》，都是在《火珠林》的架構上增補而成的筮學系統。後世於坊間盛行以錢代蓍的易占法，以五行生剋作為斷占依據，取代了《周易》中當位、應位、相應、得中等法則。但《火珠林》法與《京氏易傳》畢竟有其差異，黃宗羲以為這恐怕是後世未能善加傳承，「則亦失其傳也」。

知」[17]，在真偽之外，更增解讀的困難。儘管三國吳人陸績曾為之作注，但訓解仍屬不易。也因此，有關漢易、象數易的研究，學術界成果雖不少，但京房易學的研究，學界中數量相對並不多。早期的研究成果，除了極少數部分的文字疏解，多數集中在《京氏易傳》的真偽。民國二十四年沈延國〈京氏易傳證偽〉從內容、文體及前志未錄等比較《京氏易傳》與《京房易傳》之不同，其旨如首段所言：

> 漢易有京房之學，卓然自成一家。元帝時，置之博士。東漢習京氏易者尤盛。經三國晉隋，學漸湮微，書皆散佚。至宋有《京氏易傳》四卷；或曰：即《京氏積筭易傳》三卷，及《雜占條例》一卷。其辭旨不類宣元之文，其卜筮之法又與京房寒溫占驗之學異。今據諸家之書，以證其偽。[18]

旨在證成《京氏易傳》乃偽作，「夫《京氏易傳》為後之術士，假名偽託，……不過略采京氏遺法，斷非京氏箸述，是無可疑。學者不深究，咸以《京氏易傳》為京氏學。」[19]沈氏〈京氏易傳證偽〉可謂系統地對《京氏易傳》進行考辨。此後相關考辨中，晚出、異作更名等合理的懷疑迭見提出，[20]乃至於《京氏易傳》的易學觀念是否可能出現在京房所處時代亦是重

17 晁說之：「余自元豐壬戌偶脫去舉子事業，便有志學《易》而輒好王氏本，妄以謂弼之外，當自有名家者，果得《京氏傳》，而文字顛倒舛訛，不可訓知，迨其服習甚久，漸有所窺。」〔宋〕晁公武著，孫猛校證：《郡齋讀書志校證》（上海市：上海古籍出版社，1990年），頁14。

18 沈延國：〈京氏易傳證偽〉，收入《中國語文學研究》（臺北市：臺灣中華書局，1956年），引文見該書頁7。

19 同前註，頁17。

20 昭和三十八年（1963）日人鈴木由次郎《漢易研究》於〈第一部・漢易源流考〉列有〈京房系易學〉一節，對《京氏易傳》的觀點主要為晚出而可疑，以其不見於《漢志》、《隋志》而待《宋史・藝文志・著龜類》始見。此外，《漢書・五行志》所引的六十九則《京房易傳》，鈴木氏亦另於〈第二部・漢代象數易の研究〉整理列出。參鈴木由次郎：《漢易研究》（東京都：明德出版社，1963年），頁32、312-319。昭和四十三年（1968）日人戶田豐三郎《易經注釋史綱》的看法與鈴木由次郎沒有太大差

大疑點。[21]不以《京氏易傳》出自京房本人，似乎成為當前主要觀點。[22]綜合上述考辨成果，或將《京氏易傳》作者時代後延為京房後人、後世，但對此一著作開後世熔陰陽五行、干支納甲於一爐的風氣之先，此易學體系的學術意義則仍見肯定，但此易學體系的組織思想卻非考辨所能處理者。

民國二十八（1939）年徐昂著有《京氏易傳箋》一書，共分三卷，對京氏易學鉤勒頗為詳盡。綜觀《京氏易傳箋》成書之後學界的相關研究，泰半圍繞在《京氏易傳》一書的真偽及其與《漢書》所引《京房易傳》之差異，則徐昂此書可謂仍是《京氏易傳》目前最為詳盡的箋注之書。現有流通文獻中，徐昂（1877-1953）生平資料並不多見。由網站得知，徐昂初字亦軒，易字益修，號逸休，南通人，曾與丁福保同窗。曾任職通州師範、女子師

異，除了質疑《京氏易傳》的時代、作者，並擇要舉出《京氏易傳》與《漢書五行志》所引的《京房易傳》加以比對，提出《京氏易傳》可能是《漢書．藝文志》中所載的《災異孟氏京房》的觀點。參戶田豐三郎：《易經注釋史綱》（東京都：風間書屋，1968年），頁142-147。

21 江弘遠《京房易學流變考》則在沈氏〈京氏易傳證偽〉的基礎上，進一步指出「宋代以前經史官學將京房《易》定位於候卦、律法、災異的範圍，與《京氏易傳》所承襲的納甲筮法有所區隔。」又指出，「《京氏易傳》的各項條例又多不符合京房當時的背景，尤其是其主體八宮納甲形式根本是東漢三國時期才可能產生，……。」以及「歷史東漢以後、宋欽宗以前的文獻資料有關於納甲等說的議論，都沒有引用《京氏易傳》的記錄，……在北宋欽宗時《京氏易傳》出現之後，世人才將本非屬於京房的『納甲筮法』依附到京氏《易》學系統裏。」參見江弘遠：《京房易學流變考》（臺中市：瑞成書局，2006年），頁238、258、261。

22 一九九六年劉玉健《兩漢象數易學史》對京房闢有專章介紹。其中較為特別的是劉玉健對於沈延國的觀點持相反意見，認為《京氏易傳》學說雖不同於《漢書．五行志》所引京房《易傳》，但京氏《易傳》可能有多種，不能遽以斷定今本《京氏易傳》為偽；因而不但認為今本《京氏易傳》的主要內容當出自京房之手，也肯定《京氏易傳》陸績注為真。見劉玉健：《兩漢象數易學史》（南寧市：廣西教育出版社，1996年），頁197。此外，郜積意也以為沈延國之說除了欠缺文獻學的直接證據外，《易傳》之名，也或有通稱之義，京房其他著作也可能以《易傳》別稱之。見郜積意：〈論三卷本《京氏易傳》．兼及京房的六日七分說〉，《中國文哲研究集刊》第33期（2008年9月），頁246-247。這是自沈延國〈京氏易傳證偽〉以來一片質疑《京氏易傳》的聲浪中，較為少數的肯定之聲。

範、杭州之仁大學、無錫國專；抗戰勝利後，整理畢生著述，匯為《徐氏全書》。中華人民共和國政權成立後，受聘為為江蘇省文史館館員。徐昂擅長漢易，除了《京氏易傳箋》之外，尚有《釋鄭氏爻辰補》、《周易虞氏學》、《周易對象通釋》等相關易學著述。[23]

民國六十二年（1973）徐芹庭的博士論文《漢易闡微》論述京房易學時特別指出，《京氏易傳》「其書雖有注，然頗費解，初學者不易入門，甚者終生撫卷，而不能入室」，並慶幸得睹徐昂《京氏易傳箋》，謂徐氏箋釋乃「研究京氏易傳壓卷之作」[24]。劉玉建亦謂徐昂「對其中的體例如飛伏、世應、世建、積算、星宿等等，也加以系統的整理說明，對於人們通讀《京氏易傳》及了解京氏易學，提供了很大的方便。」[25]徐、劉二位先生所言信非謬讚，則徐昂箋釋對於理解《京氏易傳》的重要及助益，可見一斑。

然而，在近年的京房相關論述中，徐昂的《京氏易傳》卻屢遭質疑，特別是其建候、積算之規則，頗見疑以不合京意。《京氏易傳》原分三卷，上中卷是對八宮卦體系的箋釋，下卷則是蓍卦、節氣、陰陽災變的綜合性原則。徐昂《京氏易傳箋》亦分三卷，前二卷固為八宮卦體系之箋釋，末卷則是徐氏本人對京氏易學的歸納整理，對《京氏傳》下卷僅選擇性援引，而非逐句箋釋，這似乎暗示了徐昂對《京氏傳》下卷的卦爻原則並非全然接受。此外，京房並未明示的部分（如游魂、歸魂之始卦）[26]徐昂則依己意加以補足；如此一來，已明示者取舍援引，未明示者則出以己意，這使得徐昂不免招以己屈人之議也。底下當先略述徐昂之京氏學，再論述學界相關駁議。

---

23 徐昂生平事蹟可參見南通高等師範學院網站：http://www.ntgs.com.cn/Article/ShowArticle.asp?ArticleID=5。

24 徐芹庭：《兩漢十六家易注闡微》（臺北市：五洲出版社，1975年），頁281。

25 劉玉建：《兩漢象數易學研究》，頁198。

26 徐昂：「至於游魂歸魂之始卦，京氏亦未之言也。」見林慶彰主編：《民國時期經學叢書》（臺中市：文听閣圖書公司，2008年），第2輯，冊19，頁145。此版本係依一九四七年《徐氏全書》排印本影印，本文所引《京氏易傳箋》悉據此版本。為免累贅，底下引文頁數隨文標示。

三　徐昂《京氏易傳箋》所建立的推算規則

《京氏易傳》釋卦，基本上依納甲、飛伏、積算、五星、建候的順序，說明每一卦爻在陰陽、時空、五行所呈顯之生剋強弱狀態。這樣的說解模式，使易卦成為一囊括宮卦關係、干支、四時、五行、十二月、節氣、星宿的宇宙圖式。透過此一宇宙圖式所呈顯出之種種客觀因素，藉以占驗政治人事之吉凶。其中最為複雜，爭議也較大的，當為建候與積算的部分。所謂「建候」，黃宗羲《易學象數論》的定義是「以爻直月，從世起建，布于六位（惟乾從初爻起）。乾起甲子，坤起甲午，一卦凡六月也。」[27]至於「積算」，黃宗羲則謂「以爻直日，從建所止起日。」[28]積算是以建候所終的干支為起點，依次遞行六十干支。建候積算的目的是以八宮卦與一年四季、十二月、廿四節氣、七十二候運行結合，以建候積算規則定位出干支循環終始，而卦爻代換成干支五行後，便可推算預測自然人事的吉凶現象。由於京房建候積算的安排似未成熟，使得後世解讀時，頗有規則難明之感，[29]則徐昂《京氏易傳箋・卷三》歸納京氏學並建立規則，使京氏「八宮世魂飛伏建候積算星宿節候干支五行，會歸通貫，為表以揭之，或統計，或對照，或別其異同」（頁145），便格外顯其參考價值。為說明徐昂所建立的京氏學規則及所衍生之相關駁議，本文嘗試將徐昂在京氏學建候積算方面的安排歸納為十條規則以便說明。

關於京房易學「建候積算」部份，徐昂在《京氏易傳箋・卷三》〈建候積算〉一節指出：

> 建月六辰，分配六爻。建始一辰受氣，中間經歷四辰皆積氣，末一辰

27　〔清〕黃宗羲：《易學象數論》，收入沈善洪主編：《黃宗羲全集》，冊9，頁37-38。

28　同前註，頁38。

29　如盧央便以為京房建候積算未臻成熟：「《京氏易傳》還有一項重要內容是建候和積算，但是在京易中這是較為混亂的一部分，也是京易較具特色的一部分。」參氏著：《京房評傳》（南京市：南京大學出版社，2001年），頁146。

> 成象立體，每爻歷一月兩節，凡由某月節至每月中者為十二節，由某月中至某月節者為十節。京氏於坎宮游魂明夷卦發其例云：「建起六四癸巳至戊戌。」故建始正例，從世位之爻數計起。如乾宮建始甲子，與初九干支相符。值十一月節大雪，至己巳，值四月中小滿。世位在上九爻，上九建甲子，當十一月大雪冬至兩節。初九建乙丑，當十二月小寒大寒兩節。九二建丙寅，當正月立春雨水兩節。九三建丁卯，當二驚蟄春分兩節。九四建戊辰，當三月清明穀雨兩節。九五建己巳，當四立夏小滿兩節。（頁173-174）

依徐昂之說，建候規則可歸納如下：

1 建始從世爻數起。徐昂以《京氏易傳》坎宮游魂明夷卦為例，游魂卦之世爻為四爻，京房謂「建起六四癸巳至戊戌」可為證。即明夷卦自六四起，經六五、上六、初九、六二、六三分別為癸巳、甲午、乙未、丙申、丁酉、戊戌。這也是陸績所注云「游魂及六四爻數起」。

建始如自世爻起，則本宮卦世爻在上，當建始自上爻。不過，乾卦本宮卦建始於何爻，向有爭議。按《京氏易傳》「建子起潛龍」之說，似以乾卦建始於初爻；徐昂則主建乾卦建始於世爻上九，歷初九、九二、九三、九四而至九五，分別為甲子、乙丑、丙寅、丁卯、戊辰、己巳。至於《京氏易傳・乾》「建子起潛龍，建巳至極主亢位」一語，原文句意似以乾卦初爻建子，至上九而為巳。不過，徐昂將之理解為「乾宮建始甲子，與初九干支相符」（頁2），意謂乾宮建始於上九，干支則與納甲初九同為甲子，非指建始於初九。

建候始於世爻，至於每宮八卦之間，建候干支推算的順序，徐昂於〈姤〉謂：「距乾宮甲子後六辰，起世位初六爻，建庚午，值五月節芒種。」（頁6）又於〈遯〉謂：「姤一世建始庚午，遯二世為六月辟卦，建始後一辰辛未，起世位六二爻。」（頁8）這是指一世至五世的部分而言，其規則可歸納為：

2 一世至五世卦，建始干支依序遞進。如乾宮一世姤卦建始庚午，二世遯建始辛未，三世否建始壬申，四世觀建始癸酉，五世剝建始甲戌。

至於游魂歸魂來自五世，另有推算規則。徐昂謂：

> 各宮游魂卦建始皆後五世卦五辰，歸魂卦皆先游魂一辰，積算亦然。至於乾宮一世姤卦，後乾卦六辰建候；坎宮一世節卦，後坎卦六辰建候。坤宮一世復卦，離宮一世旅卦，建候皆衹後本宮首卦一辰，他卦亦然，此其異也。（頁175）

游魂卦來自於五世卦之變第四爻，建始於四爻，故其干支同於五世卦四爻。歸魂卦來自五世卦之變三、二、一爻，建始於三爻，故其干支同於五世卦三爻。這也就是徐昂所謂的「游魂卦建始皆後五世卦五辰，歸魂卦皆先游魂一辰」。這條規則可以寫成：

3 游魂卦建始干支同於五世卦四爻。歸魂卦建始干支同於五世卦三爻。

於是，本宮、一世至五世，建始干支依序遞進；游魂卦後五世卦五辰，歸魂卦則先游魂一辰，例如乾宮游魂晉卦建始九四己卯，乃是後於五世剝卦甲戌，戌向後推五位為卯（其推序為：戌亥子丑寅卯）。這是八個宮卦間內部個別的建始規則。按此規則，八宮卦間各卦的銜接點皆應以干支遞進（游魂歸魂則後五先一），然而，如此一來，乾卦上九甲子與其一世姤卦初六庚午，其間便相距六辰（子丑寅卯辰巳），而非順次關係。坎卦亦然，其上六戊寅，一世節卦初九甲申，相距亦六辰（寅卯辰巳午未）。這就是徐昂所謂的「乾宮一世姤卦，後乾卦六辰建候；坎宮一世節卦，後坎卦六辰建候。」餘宮便無此問題，「建候皆祇後本宮首卦一辰」。也就是說，本宮卦與一世卦的連繫關係中，建候始訖與干支排序的統一性，兩者只能擇一。此可歸納為規則四：

4 八宮卦間各卦的銜接點皆應以干支遞進（游魂歸魂則後五先一）。震、艮、坤、巽、離、兌以建候之始為銜接點，乾、坎則以建候之訖為銜接點。

為說明六十四卦八宮建候的彼此關係，徐昂設計了一個〈八宮六十四卦納辰建候干支對照表〉（頁178），為表各宮之間卦與卦的連繫，將之精簡如下（乾、坎兩卦網底標示，以突顯其以建候之訖為銜接點）：

乾宮：

	乾 5	姤 1	遯 2	否 3	觀 4	剝 5	晉 4	大有 3
干支	己巳	庚午	辛未	壬申	癸酉	甲戌	己卯	戊寅
干支	乾 6 甲子							

震宮：

	震 6	豫 1	解 2	恆 3	升 4	井 5	大過 4	隨 3
干支	丙子	丁丑	戊寅	己卯	庚辰	辛巳	丙戌	乙酉

坎宮：

	坎 5	節 1	屯 2	既濟 3	革 4	豐 5	明夷 4	師 3
干支	癸未	甲申	乙酉	丙戌	丁亥	戊子	癸巳	壬辰
干支	坎 6 戊寅							

艮宮：

	艮 6	賁 1	大畜 2	損 3	睽 4	履 5	中孚 4	漸 3
干支	庚寅	辛卯	壬辰	癸巳	甲午	乙未	庚子	己亥

坤宮：

	坤 6	復 1	臨 2	泰 3	大壯 4	夬 5	需 4	比 3
干支	甲午	乙未	丙申	丁酉	戊戌	己亥	甲辰	癸卯

巽宮：

	巽 **6**	小畜 **1**	家人 **2**	益 **3**	无妄 **4**	噬嗑 **5**	頤 **4**	蠱 **3**
干支	丙午	丁未	戊申	己酉	庚戌	辛亥	丙辰	乙卯

離宮：

	離 **6**	旅 **1**	鼎 **2**	未濟 **3**	蒙 **4**	渙 **5**	訟 **4**	同人 **3**
干支	戊申	己酉	庚戌	辛亥	壬子	癸丑	戊午	丁巳

兌宮：

	兌 **6**	困 **1**	萃 **2**	咸 **3**	蹇 **4**	謙 **5**	小過 **4**	歸妹 **3**
干支	庚申	辛酉	壬戌	癸亥	甲子	乙丑	庚午	己巳

由上表可知，本宮卦（純卦）與一世卦建候干支的連繫有兩種情形，一是本宮卦上爻接一世卦之初爻，一是五爻接一世卦之初爻。本宮卦建候的起訖分別為世爻（上爻）及五爻，這兩種情形便分別代表本宮或以建候之始、或以建候之訖接於一世卦：震、艮、坤、巽、離、兌六卦屬前者，乾、坎則屬後者。這兩種連繫關係並用，其目的是為了維持本宮卦與一世卦的世爻建候干支能以依次遞增的順序排列。

透過建候將八宮卦將以組織後，接下來便要將內部符號規則與外部經驗的節氣相結合：

5 二十四節氣分節氣與中氣，每卦經六個月，若世爻起自節氣，則卦必歷十二節。若世爻起自中氣，則卦僅歷十節。

以明夷為例，陸績注云「小滿至寒露」，計為「小滿、芒種、夏至、小暑、大暑、立秋、處暑、白露、秋分、寒露」，合為十節。十二節氣與十二中氣如下：

正月		二月		三月		四月		五月		六月	
節氣	中氣	節氣	中氣	節氣	中氣	節氣	中氣	節氣	中氣	節氣	中氣
立春	雨水	驚蟄	春分	清明	穀雨	立夏	小滿	芒種	夏至	小暑	大暑
七月		八月		九月		十月		十一月		十二月	
節氣	中氣	節氣	中氣	節氣	中氣	節氣	中氣	節氣	中氣	節氣	中氣
立秋	處暑	白露	秋分	寒露	霜降	立冬	小雪	大雪	冬至	小寒	大寒

徐昂以遯卦為例，說明若世爻起自中氣，則卦僅歷十節之理：

> 乾宮之遯卦建始辛未，從第二世爻位計起。六二當六月中大雪（「暑」），祇歷一節。九三壬申，當七月立秋處暑。九四癸酉，當八月白露秋分。九五甲戊（按：宜為戌），當九月寒露霜降。上九乙亥，當十月立冬小雪。初六丙子，當十一月節大雪，亦祇歷一節，以分數二十八候計之。六二建始，初六終結，一節之氣候皆尚未足。陽數盈實，陰數虧虛，此乃對象，餘可類推。（頁174）

遯卦為乾宮二世卦，世爻為六二。由六二、九三、九四、九五、上九、初六建候為辛未、壬申、癸酉、甲戌、乙亥、丙子，由大暑至大雪，共歷十節。餘卦節氣之陰陽盈虧，其理依此類推。至於遯卦節氣二十八分之理，徐昂另於〈氣候分數〉曰：

> 氣候分數，從世爻建始之爻計起。京氏謂其數起元首，是也。此所謂元首者，非指第五爻至尊，乃當世位之一爻也。六十四卦，每卦六爻分建六辰，或歷二十節，或歷十節，建始干支或陽剛，或陰柔。凡建始陽剛而歷十二節者，分氣候三十六。建始陰柔而歷十節者，分氣候二十八。每一節有三候，即初候中候末候。十二節以三乘之，為三十六。十節乘三，氣候當分三十，而縮其二為二十八者，則起建之時，初候不足；止建之時，末候不足。四九三十六，每月六候，即六六三十六，得周天成數三百六十度十分之一；四七二十八，合列宿之數也。陽盈之卦三十有二，陰虛之卦亦三十有二。四為時數，三十二加

> 四為三十六，三十二減四為二十八，陰陽升降，盈虛消長，三十六加二十八，仍六十四卦之數也。（頁202-203）

二十四節氣中，每節各分初中末三候。陽盈之卦建始干支屬陽，歷十二節共分氣三十六候。遯卦建始辛未，干支皆屬陰，歷大暑、立秋、處暑、白露、秋分、寒露、霜降、立冬、小雪、大雪，共為十節。十節原應合為三十候，但以建始干支陰柔，故其氣候之數不足，縮二而為二十八。準此，承第五條規則，可立第六條如下：

6 若世爻建始干支陽剛，分氣候三十六，為陽盈之卦；建始干支陰柔，則分氣候二十八，為陰虛之卦。陽盈之卦三十有二，陰虛之卦亦三十有二，合而為六十四卦。若以四時消長之，三十二加減四，分別得三十六與二十八，合而亦為六十四，此為六十四卦所呈現「陰陽升降，盈虛消長」之理。

據此規則，徐昂糾正了《京氏易傳》原書於各卦氣節陰陽盈虛配置的錯誤之處：

> 乾宮建始甲子陽剛，歷十二節，分氣候三十六，隔六辰而一世姤卦建始庚午陽剛，歷十二節，故分氣候仍為三十六。二世遯卦至游魂歸魂卦，建始陰柔，歷十節，與陽剛歷十二節，錯綜相間。震宮建始丙子陽剛，歷十二節，分氣候三十六，其後不隔辰，而一世卦豫建始丁丑陰柔，歷十節，氣候二十八。自此至游魂歸魂，皆陰虛與陽盈相間。坎宮八卦與乾宮同例，原書自一世節卦至歸魂師卦，氣候分數，迭相舛誤，二十八皆當作三十六，三十六皆當作二十八。艮宮八卦與震宮同例，二世大畜卦分氣候三十六，原書誤作二十八。離宮一世旅卦分氣候二十八，原書誤作三十六。兌宮二世萃卦分氣候三十六，原書誤作二十八。三世咸卦分氣候二十八，原書誤作三十六。（頁203）

依徐昂整理，八宮卦中坎宮八卦全誤，艮宮二世卦、離宮一世卦、兌宮二三世卦有誤，乾、震宮則無誤。其中坤宮未見提及，經查徐昂箋注，坤宮並無舛誤，故於糾誤中略之。

以上是建始從世爻、每卦歷六月。以及建始干支陽剛，則卦歷十二節三十六候；建始干支陰柔，則卦歷十節二十八候的規則。《京氏易傳・既濟》謂：「建丙戌至辛卯，卦氣分節氣，始丙戌受氣，至辛卯成正象。考六位，分剛柔，定吉凶。」徐昂認為，既濟卦由世爻建始丙戌受節氣寒露，至二爻辛卯受中氣春分，恰為十二節，即為「建始受氣，迄終正象成體」規則的代表性範例。[30]

以上是每卦個別的建候干支與節氣的對應關係，接下來要處理的，便是本宮卦與本宮卦，以及各宮卦內部之間建候干支的連繫關係。八宮卦中，先以乾坤兩卦為比對，若我們將乾坤兩宮所攝十卦加以比對，恰好呈現「陽進陰退」或者「左右分行」的情形：

> 乾宮姤遯否觀剝五卦建月，皆以卦氣所值之月為始；坤宮復臨泰大壯夬五卦建月，皆以卦氣所值之月為終。如姤卦氣值五月午，建始從庚午起。復卦氣值十一月子，建月至庚子終，是也。（頁174）

據此可建立規則七：

7 乾坤兩宮卦，乾宮五卦以卦氣所值之月為始，坤宮五卦以卦氣所值之月為終。

為便於理解，將徐昂所言表列如下：

	乾	姤	遯	否	觀	剝	坤	復	臨	泰	大壯	夬
值月	4	5	6	7	8	9	10	11	12	1	2	3
月建	巳	午	未	申	酉	戌	亥	子	丑	寅	卯	辰
始終	終	始	始	始	始	始	終	終	終	終	終	終
建候	甲	庚	辛	壬	癸	甲	甲	乙	丙	丁	戊	己

---

30 徐昂謂：「建始受氣，迄終正象成體，京氏於坎宮既濟卦已發其凡矣。」（頁174）復於既濟卦箋注曰：「建候九三爻，始自丙戌；後二世屯卦乙酉一辰，當九月節寒露，迄於辛卯，當二月中春分，與震宮大過同。建候所經歷之戊子己丑，方伯坎卦當之。建始受氣，迄終而正象成體，京氏特明其例以發凡也。」（頁47）。引文參見林慶彰主編：《民國時期經學叢書》（臺中市：文听閣圖書公司，2008年），第2輯，冊19。

始終	子—己巳	午—乙亥	未—丙子	申—丁丑	酉—戊寅	戌—己卯	午—己亥	未—庚子	申—辛丑	酉—壬寅	戌—癸卯	亥—甲辰

對照上表，乾宮姤遯否觀剝五卦，所值之月分別為午未申酉戌，其建候所始亦分別為庚午、辛未、壬申、癸酉、甲戌。坤宮復臨泰大壯夬五卦，所值之月分別為子丑寅卯辰，其建候所終亦分別為庚子、辛丑、壬寅、癸卯、甲辰。舉姤、復二卦為例，以所值之月所當之爻為基準，庚午與庚子便分別為二卦建候之始終，表示如下：

	姤		復	
六爻	乙亥	十月	庚子	十一月
五爻	甲戌	九月	己亥	十月
四爻	癸酉	八月	戊戌	九月
三爻	壬申	七月	丁酉	八月
二爻	辛未	六月	丙申	七月
初爻	庚午	五月	乙未	六月

根據規則七，乾坤兩宮卦，乾宮五卦以卦氣所值之月為始，坤宮五卦以卦氣所值之月為終。但這種關係僅限於乾坤兩宮諸卦。至於其餘六宮卦之關係，則是依於「建始天干，陰陽互相同」的原則。「建始天干，陰陽互相同」也關係著乾卦之建始世爻能否成立，因為依《京氏易傳》，乾卦「建子起潛龍，建巳至極主亢位」。「潛龍」、「亢」當分指乾卦初上兩爻，則乾卦建候顯由初爻歷上爻，由甲子而至己巳。[31]然依徐昂「故建始正例，從世位之

31　例如冒廣生《京氏易表》亦作此解，乾卦由初爻至上爻為甲子、乙丑、丙寅、丁卯、戊辰、己巳。參見冒懷辛、毛景華整理：《冒鶴亭京氏易三種》（成都市：巴蜀書社，2009年），頁324。唐頤《圖解京房易傳》則持由上初二三四五為甲子至己巳。參見唐頤：《圖解京房易傳》（西安市：陝西師範大學出版社，2009年），頁160。許老居《京氏易傳發微》乾卦建候納干支則同於徐昂。參見許老居：《京氏易傳發微》（臺北市：新文豐出版公司，2007年），頁10。

爻數計起」之說，則乾卦當自上九建始，與《京氏易傳》原文「建子起潛龍」明顯相違。乾卦建始世爻，徐昂認為「建始天干，陰陽互相同」亦可證之：

> 建始天干，陰陽互相同。乾坤同在甲，震巽同在丙，坎離同在戊，艮兌同在庚；甲丙戊庚，陽剛天干相間而居。建始地支，陰陽各相同，乾震同在子，坎艮同在寅，坤巽同在午，離兌同在申；子寅午申，陽剛地支亦相間也。午與子，申與寅，皆隔六相對，建候六支地支所值五行，或缺一行，或缺兩行，無全備者。（頁174）

其建始天干情形，表列如下：

八卦	乾	坤	震	巽	坎	離	艮	兌
世爻（徐昂）	甲子	甲午	丙子	丙午	戊寅	戊申	庚寅	庚申
世爻（京房）				辛丑				乙卯

其建始地支情形，表列如下：

八卦	乾	震	坎	艮	坤	巽	離	兌
世爻	甲子	丙子	戊寅	庚寅	甲午	丙午	戊申	庚申

此可列為規則八，八卦建候的干支順序：

8 建始天干，陰陽互相同。建始地支，陰陽各相同。（揆諸徐昂語意，「互相同」指陰陽相錯兩卦，「各相同」則或指陽卦六卦與陰卦六卦各自分為兩組）

亦即陰陽彼此相錯的兩卦，其建始天干相同。至於地支，則是陽卦中父卦長男、中男少男相同；陰卦中母卦長女、中女少女相同。準此，乾卦只有在建始世爻甲子的情形下，才能滿足乾坤兩宮諸卦的「陽進陰退」，與其他宮卦的組織也才有條理可言。

除了滿足乾卦建始世爻、乾坤兩宮陽進陰退，以及成立其他宮卦間的組織，「建始天干，陰陽互相同。建始地支，陰陽各相同」尚有另一證成的理由。對照《京氏易傳》原文，巽卦建始辛丑至丙午、兌卦建始乙卯至庚申，皆與徐昂所言順序相反。徐昂的說法是：

> 京氏易傳巽兌兩宮各八卦，推演建候皆異，積算隨之而殊。震卦後（按：宜補「乾」）卦十二辰，建始丙子；巽卦宜後坤卦十二辰建始丙午；艮卦後坎卦十二辰，建始庚寅；兌卦宜後離卦十二辰，建始庚申。如此排比，方與坤甲午對乾甲子，離戊申對坎戊寅相當。原傳以巽建始辛丑至丙午，兌建始乙卯至庚申，皆可商。兩宮皆以建始為終訖，將謂陰宮逆行耶？何以坤離不逆而獨逆巽兌也？抑以子午寅申皆避衝耶？何以乾坤子午坎離寅申不相避耶？（頁174-175）

乾卦建始甲子至己巳，震卦丙子至辛巳，甲子、丙子地支相同，而甲子與丙子間相距乙丑、丙寅……癸酉、甲戌、乙亥等共十二辰。類此情形者（兩卦相距十二辰而後建始地支相同），除了乾震之外，另有坎艮，故而徐昂認為坤巽、離兌亦理應如此。由於《京氏易傳》原文，巽卦建始自辛丑、兌卦建始自乙卯，恰為徐昂所推算之終訖，與徐昂所建之首尾相反。徐昂揣測其可能性有二：一是陰宮逆行，二是避子午相衝。所謂「逆行」意謂建始原由上爻至五爻的順序倒反過來，以巽卦恰為：

		上爻	初爻	二爻	三爻	四爻	五爻
徐昂	巽順行	丙午	乙巳	甲辰	癸卯	壬寅	辛丑
京房	巽逆行	辛丑	壬寅	癸卯	甲辰	乙巳	丙午

兌卦建始乙卯至庚申，徐昂則持庚申至乙丑，情形準巽卦卦例。但陰宮坤、巽、離、兌四宮之中，唯巽、兌兩宮有此情形，顯然「逆行」並不是陰宮建始所考慮的必要條件。另一個可能性是「相衝」，十二地支中子午、丑未、寅申、卯酉、辰戌、巳亥為衝，如依徐昂所解，震巽子午、艮兌寅申固為相衝，但乾坤子午、坎離寅申卻不相避衝，顯然相衝也不是建始所考慮的必要條件。也因此，徐昂八卦建候的干支順序乃是「建始天干，陰陽互相同。建始地支，陰陽各相同。」故而據此規則改異京房巽兌兩宮各卦的建候。

根據建候的始訖，可建立積算以爻直日的運行規則，此可列為規則九：

9 積算之法，從其所建結末之干支計起。

徐昂於乾卦明言：「如乾建甲子至己巳，積算即從己巳計起是也。積算從己巳四月節立夏，至戊辰三月中穀雨，六虛周甲，戊己皆土，與乾金相生。」（頁1-2）換言之，建候之訖，即積算之始，經六十干支。茲表列如下：

八卦	乾	震	坎	艮	坤	巽	離	兌
建候	甲子－己巳	丙子－辛巳	戊寅－癸未	庚寅－乙未	甲午－己亥	丙午－辛亥	戊申－癸壬	庚申－乙丑
積算	己巳－戊辰	辛巳－庚辰	癸未－壬午	乙未－甲午	己亥－戊戌	辛亥－庚戌	癸丑－壬子	乙未－甲子
積算五行	戊己皆土，與乾金相生。（頁2）	震天干納庚，庚辛皆金。已火生辰土，土又生金。（頁23）	午火生未土（頁41）	闕	戊己皆土，戌亦土象，與坤純土相比。（頁74）	庚辛皆金，與六爻天干辛金相合。（頁92）	申金丑土子水入離火，有生有剋。（頁109）	甲乙皆木（頁127）

表中加網底者為徐昂異於京房之見。此外，徐昂另指出積算五行與八宮卦的生剋關係，似乎是對此積算規則的補充。為檢驗此補充規則，從表中可知，徐昂以五行生剋解釋積算的規則時，或採積算地支與八宮卦相生（如乾卦，戊己土生乾金）、相比（如坤卦，戊己土與坤純土相比），或採積算地支與八宮卦天干相生，如震天干納庚，庚辛皆金。已火生辰土，土又生金。又如巽積算辛亥至庚戌，庚辛皆金，與六爻天干辛金相合。或採積算始終之地支生剋，如坎午火生未土。或採天干，如兌甲乙皆木。由於所取標準不一，因此這個規則的建立可謂無效。也就是說，積算的運行，純粹是「從其所建結末之干支計起」。

綜合建候、積算相關規則，徐昂整理為〈八宮六十四卦世魂建候積算表〉（頁183-188），此表簡化之後，可發現陽宮陰宮諸卦相距辰數有其規律：

八卦	乾	震	坎	艮	坤	巽	離	兌
	甲子	丙子	戊寅	庚寅	甲午	丙午	戊申	庚申
	12	2	12	4	12	2	12	4

此可列為規則十：

10 震卦後乾卦十二辰，坎卦後震卦二辰，艮卦後坎卦十二辰，坤卦後艮卦四辰；巽卦後坤卦十二辰，離卦後巽卦二辰，兌卦後離十二辰，乾卦又後兌卦四辰。

根據以上規則，可以發現徐昂與《京氏易傳》在巽、兌兩宮十六卦的建候、積算全然相異。關於此點，徐昂指出艮宮四世睽卦無論是建候或積算，干支都與坤卦重疊。易言之，睽卦九四至六三為甲午、乙未、丙申、丁酉、戊戌、己亥，與坤卦上六至六五甲午、乙未、丙申、丁酉、戊戌、己亥相同。艮宮五世履、歸魂漸、亦與坤宮一世復、五世夬相同；艮宮游魂中孚與坤宮五世夬的建候干支順序雖有一爻之差，但干支內容則無差異。艮宮涉入坤宮，推論兌宮亦理應涉入乾宮，徐昂認為如此庶乎合於「陰陽交通」之理，故據此進一步改正《京氏易傳》中巽兌兩宮原異之處。徐昂謂：

> 艮宮建候，自四世睽卦卦至游魂中孚歸魂漸卦，與夫積算諸卦，皆流入陰宮干支之內。兌宮建候，自五世至游歸兩卦，與諸候積算，亦宜涉入陽宮干支，此陰陽交通之道也。巽建始丙午，兌建始庚申，經歷六辰十二節，氣候分數三十六，方相符合。巽兌兩宮所轄諸卦，依愚見逐次改正，氣候分數與經歷之節數，始一一相協。（頁175）

徐昂對巽兌兩宮所做的修正，可參見〈八宮六十四卦世魂建候積算表〉。徐昂謂「兌宮建候，自五世至游歸兩卦，與諸候積算，亦宜涉入陽宮干支。」對照此表，兌宮應於四世蹇卦即涉入乾宮（蹇卦六四至九三建候為甲子、乙丑、丙寅、丁卯、戊辰、己巳，序同乾卦），而非五世。

綜上所述，徐昂從《京氏易傳》歸納出建候積算之規則，並多方交叉驗證，以期規則趨於無誤，更依之修正原書未盡周延處。這可說對陸績注以來的一大突破。然而於上述規則中，徐昂於建候中改異了《京氏易傳》的乾卦建始、各卦氣節陰陽盈虛配置、巽兌兩宮各卦的建候；以及積算中的艮巽兌的始訖，乃至於巽兌兩宮所轄諸卦之諸候積算，皆加以改正，其改異幅度，不可謂不小，這使得徐昂對《京氏易傳》的箋注究竟還原了京房原旨，或者為其一家之言，便不無可商之處。

四　徐昂義例於今日的相關疑難

京、陸微意，雖賴徐昂箋釋始盡解之，[32]但由於京氏體系的複雜性，其解讀能否完全合於京氏原意，後世不能無疑。徐昂箋注較受疑難者，略有四處：一是乾卦建始，二是八卦或六子卦建始之序，三是建候推算，四是納節氣之法。有關乾卦建始，徐昂認為當建始世爻（上爻），歷初二三四五，分別納甲子、乙丑、丙寅、丁卯、戊辰、己巳；至於八卦之間則以「建始天干，陰陽互相同。建始地支，陰陽各相同」為序。這二點學界皆有不同的意見。

《京氏易傳・乾》有曰：「建子起潛龍，建巳至極主亢位」，據此冒廣生《京氏易表》、盧央《京房評傳》、許老居《京氏易傳發微》皆主乾卦由初爻至上爻為甲子、乙丑、丙寅、丁卯、戊辰、己巳。劉玉建《兩漢象數易學研究》、唐頤《圖解京房易傳》則意同徐昂，主由上初二三四五為甲子至己巳。此外，郭彧《京氏易源流》另提出由初至上「建己巳至甲戌」的說法，此三種乾卦建始之序表列如下：

32 徐芹庭：「至若言及京氏易之注則有陸績，然其注亦不易解，直待民國三十三年徐昂（益脩）作京氏易傳箋（由其弟子高諾，高岳等發行）始盡解之，以發京陸之微意。」參徐芹庭：《兩漢十六家易注闡微》，頁238。

持說者	初	二	三	四	五	上
徐昂、劉玉建、唐頤	乙丑	丙寅	丁卯	戊辰	己巳	甲子（始）
冒廣生、盧央、許老居	甲子（始）	乙丑	丙寅	丁卯	戊辰	己巳
郭彧	己巳（始）	庚午	辛未	壬申	癸酉	甲戌

郭彧「建己巳至甲戌」的理由是元．胡一桂《周易啟蒙翼傳》所述京房易學起月例，此起月例特別處在於五世與游魂間另增一「六世」，以乾坤二卦為例：[33]

本宮	一世	二世	三世	四世	五世	六世
乾	姤	遯	否	觀	剥	坤
建支	始午	始未	始申	始酉	始戌	始亥
世月	五月	六月	七月	八月	九月	十月
坤	復	臨	泰	大壯	夬	乾
建支	終子	終丑	終寅	終卯	終辰	終巳
世月	十一月	十二月	正月	二月	三月	四月

如此一來，陽宮乾、震、坎、艮四卦的六世便為坤、巽、離、兌四卦；為本宮卦或為六世卦便分別有其建候始終：

陽宮卦：

本宮	乾：建始巳至戌	震：建始子至巳	坎：建始未至子	艮：建始寅至未
六世	坤：建始亥至辰	巽：建始午至亥	離：建始丑至午	兌：建始申至丑

33 郭彧原表係以〔元〕胡一桂《周易啟蒙翼傳》為本所製，本表是郭彧原表的簡化。原表參見郭彧：《京氏易源流》（北京市：華夏出版社，2007年），頁50。

陰宮卦：

本宮	坤：建始午至亥	巽：建始丑至午	離：建始申至丑	兌：建始卯至申
六世	乾：建始子至巳	震：建始未至子	坎：建始寅至未	艮：建始酉至寅

因此，郭彧認為《京氏易傳》「建巳至極主亢位」，乃指「建甲子至己巳，坤六世卦乾建終之位在巳。」[34]「建甲子至己巳」是坤卦六世，並不是乾卦本身的建始；由姤卦建庚午至乙亥可逆推回乾卦當建己巳至甲戌。也因此，郭彧批評徐昂「乾震同在子」乃是混淆了本卦與世卦：

> 徐昂曰「乾、震同在子；坎、艮同在寅；坤、巽同在午；離、兌同在申」(《京氏易傳箋》卷三)，是本宮卦與本宮六世卦混而言之的。……我們還可以說：「乾震同在巳，坎艮同在未，坤巽同在亥，離兌同在丑」。以上世與本卦混言或皆以上世言，都有這兩種情況。無論如何說，所謂之「同」，總是一始一終的「同位」，絕對不是建始或建終的同位。[35]

然而，《京氏易傳》每宮卦僅有一二三四五游歸，未有六世卦，儘管《京氏易傳．卷下》有「五世六世為天易」之語，但「六世」究指本宮純卦或六爻全變而得，則未明言。依清．李道平《周易集解纂疏》〈八宮卦〉所述的變化規則，則「上爻不變」。徐昂《京氏易傳箋》亦謂「上爻宗廟雖不變，而推究陰陽之窮蘊，乾宮五世剥卦消陽至極則成坤．坤宮五世夬卦決陰至極則成乾。」(頁145)六爻皆變，固可說明陰陽錯綜之理。但實際推算法則應為「八宮世數」從初爻變起，至五而止，本宮以上爻為世，上爻當宗廟之位，終始不變」。(頁146)胡一桂《周易啟蒙翼傳》六世卦之設計與《京氏易傳》或未必相侔，則依《周易啟蒙翼傳》而來的乾卦建始，是否果合於京氏

---

34 同前註，頁51。

35 同註33，頁58-59。

原意，恐仍待深思。

郜積意亦主乾卦建甲子至己巳，爻位自初爻至上爻。至於八卦建始之序，他則指出：

> 建始之例，是以前宮純卦建始之爻，間八而為後宮純卦之建始（所謂間八，因每宮八卦，故須間八以至下宮），如坤宮建始甲午，間八而至辛丑，則辛丑為巽宮建始。辛丑間八至戊申，為離宮建始。戊申間八至乙卯，為兌宮建始。[36]

也因此，郜先生以為《京氏易傳》坎卦建起戊寅至癸未，當改正為癸未至戊子，此為徐昂忽略之處。郜先生又說：

> 〈乾〉建始甲子，〈坤〉建始甲午，是京氏先定之例。其他諸宮之建始，如〈震〉卦建起丙子至辛巳，〈巽〉卦建起辛丑至丙午等，《京傳》並無明言。細究京氏建始之由，以〈乾〉、〈震〉、〈坎〉、〈艮〉為陽宮，以〈坤〉、〈巽〉、〈離〉、〈兌〉為陰宮，即〈乾〉、〈坤〉分陰陽，生六子。[37]

並指出乾坤分別建始甲子、甲午之因在於「子午分行」，而此原則原載於《京氏易傳》卷下，恰為徐昂《京氏易傳箋》所未箋釋者，故而郜先生批評徐昂不免師心自用，致始義例轉晦。[38]依郜先生之說，的確改動坎卦便可基本達到八卦以「間八」為序，唯乾卦建始甲子與震卦建始丙子例外（甲丙未間八），故而郜先生以為其例外者乃是乾卦，理由為乾卦為諸卦之首，以止建之爻（己巳）為始，己巳間八而至丙子，以顯其特殊性。[39]

坎卦建候當改正為「癸未至戊子」，王金凌於一九九四年亦嘗指出，但

---

36 郜積意：〈論三卷本《京氏易傳》．兼及京房的六日七分說〉，《中國文哲研究集刊》第33期（2008年9月），頁219-220。

37 同前註，頁219-220。

38 同註36，頁206-207。

39 同註36，頁220。

其理由乃是：

> 在八宮卦次表的六子卦候建部分只顯出一個規律，即承前宮一世卦候建的末爻干支而退一辰，作為接續。如震卦建始丙子，前宮一世卦為乾宮姤卦，建始庚午至乙亥。則丙子系續乙亥。同理，坎卦始建承震宮豫卦，……，京房以坎卦「建始戊寅至癸未」有誤，當作「癸未至戊子」。[40]

王金凌以乾建甲子至己巳，坤建甲午至己亥，巳為陽氣極盛，午為陰氣初萌。「承前宮一世卦候建的末爻干支而退一辰」與郜積意「間八」為序的道理是一樣的，因為一世卦建始次於純卦一位，再五爻再退一辰，其數恰如間八。不過，王先生卻不認為乾坤分別建始甲子、甲午乃是「子午分行」之故，相反的，「子午分行」適用於八卦納甲，不適用於建候。王先生論乾坤爻辰的「子午分行」時說：

> 乾為純陽之卦，坤純陰之卦。而地支與天干一樣，也具有陰陽的性質，居奇數位的地支是陽支，如子、寅、辰、午、申、戌，居偶數位的地支是陰支，如丑、卯、巳、未、酉、亥。於是陽支配入乾卦，自初九至上九配入子至戌，陰支配入坤卦，自六四經六三、六二、初六、上六至六五分配入丑至亥。……京房《易傳》說：「陰從午，陽從子，子午分行，子左行，午右行。」這是把十二支環成一圓，子在下，午在上。以觀者視圓的位置而言，子左行而午右行，以今日的觀點而言，即循順時鐘方向。[41]

至於建候配干支之法，與納甲「子午分行」的原則並不相符：

> 然而六子卦初、四爻所配節氣過於簡略，如何擴而運用到一世卦乃至歸魂卦，更是困難。於是京房設了另一套納甲法，以處理六十四卦的

40 王金凌：〈論京房的宇宙圖式〉，《輔仁國文學報》第9集（1994年6月），頁208。

41 同前註，頁195。

> 節氣問題，此即「候建」，又稱「卦建」。……這種計數方式和前述乾坤爻辰的陽干支配陽卦、陰干支配陰卦的方式不同，因此說候建採用了另一納甲法。[42]

對照黃宗羲《易學象數論》，「子午分行」或「陽順陰逆」確為「納甲」干支之順序：

> 卦之納甲，以六十甲子言，故納辰亦謂之甲也。十二支，六陽六陰。陽順傳，陰逆傳。子、寅、辰、午、申、戌為順，未、巳、卯、丑、亥、酉為逆。乾起初爻納子，順傳六爻則陽支畢。坤起初爻納未，逆傳六爻則陰支畢。震得乾初，坎得乾二，艮得乾三，皆順傳六爻。巽得坤四，離得坤三，兌得坤二，皆逆傳六爻。[43]

所謂「子午分行」，意謂陽支子寅辰午申戌自右而左，陰支未巳卯丑亥酉自左而右。也就是說，「子午分行」當源自納甲（或納辰），其實是另別於建候的一套干支系統，也或許因為如此，徐昂才略此原則。如此推論為然，則徐昂「建始天干，陰陽互相同。建始地支，陰陽各相同」之說，雖有牽強之嫌，卻未必是因為忽略「子午分行」之失。

至於納節氣之法，郜積意認為八純卦之候數皆三十六，各宮之卦或據十二氣、十氣相從；從相從之卦候數為三十六者，可逆推八純卦為十二氣或十氣，亦即起於節氣或起於中氣。坎宮之屯、革、明夷皆候數三十六，起自中氣，因而郜氏推得坎卦當起自中氣。此一理解顯然大異於徐昂「世爻起節氣，則歷十二節三十六候，起中氣則卦歷十節二十八候」之說。許老居另指出「建候」當指依北斗星之指向，以訂立二十四節氣，建候納甲當起初爻，而非如陸績以世爻納甲。故乾卦當起甲子，坤卦起乙丑；惟坤為至陰，為符合節氣，故坤初爻納乙未。[44]也因此，許老居對於徐昂改動巽、兌兩宮之建

42 同註40，頁203-205。

43 沈善洪主編：《黃宗義全集》，冊9，頁25-26。

44 許老居：《京氏易傳闡微》（臺北市：新文豐出版公司，2007年），頁8。

候，深不以為然，並謂「徐昂箋又多乖違京意，甚多訛誤，稱其為一家之說可也；若云副合京本旨，殆有未逮也。」[45]許老居考量了京房沿用漢武帝太初曆的因素，乾卦建子為十一月，至己巳歷六辰十節氣，分氣候數當為二十八，故謂徐昂「箋補分氣候三十六」為不妥。[46]

五 小結

從《漢書》到《四庫全書》數術的知識一直存在正史之中。《漢書・藝文志・數術略》分為「天文、曆譜、五行、蓍龜、雜占、形法」六家，其文獻又細分為「數術百九十家，二千五百二十八卷」，包含了漢人對天文物理的認識。論形式，卜筮倚重的是兆紋與蓍草的陰陽變化，〈數術略〉論蓍龜家的書目中，並無五行觀念；而五行家則已有《泰一陰陽》、《黃帝陰陽》等作品，說明五行家已將陰陽五行觀念混用。論數量，〈數術略〉並不遜於〈六藝略〉的「一百三家，三千一百二十三篇」。論地位，從《後漢書・張衡列傳》中張衡肯定「律歷、卦候、九宮、風角，數有徵效」[47]，以及崔瑗對張衡「數術窮天地，制作侔造化」[48]的評語來看，數術在漢人心目中亦有一定的地位，這地位主要來自於經驗實證。比較特別的是，從《漢書》以來，天文、曆數、五行等知識除了是數術的一部分，同時又另有獨立的記錄（〈天文志〉、〈律曆志〉、〈五行志〉），這幾乎成為歷代史書的慣例。[49]這三志基本上代表了古代自然與科技知識。故而如宋會群所說，「漢代以前的數術概念中的理性成分較多，以後的神秘、迷信成分較多。」[50]綜觀《京氏易

45 同前註，頁20。
46 同註44，頁526。
47 〔南朝宋〕范曄著，〔唐〕李賢等注：《後漢書》（北京市：中華書局，1973年），頁1912。
48 同前註，頁1940。
49 二十四史中，《漢書》、《後漢書》、《晉書》、《宋書》、《南齊書》、《魏書》、《隋書》、《舊唐書》、《新唐書》、《舊五代史》、《宋史》、《金史》、《元史》、《明史》皆維持了〈天文志〉、〈律曆志〉、〈五行志〉獨立的體例。
50 宋會群：《中國術數文化史》（開封市：河南大學出版社，2003年），頁14。

傳》設計，熔卦爻節氣曆法於一爐，於此可窺漢易融合《周易》與當世自然知識之傾向。

檢視徐昂《京氏易傳箋》義例，可發現建起當自世爻或初爻為始，即存在歧議。徐昂主建始世爻，卻面臨八宮卦間諸卦銜接不暢的問題，於是以「震、艮、坤、巽、離、兌以建候之始為銜接點，乾、坎則以建候之訖為銜接點」解決之，但如此一來，又面對八卦建始欠缺「陽進陰退」的條理（此即部積意批評其忽略「子午分行」者），於是歸納出「建始天干，陰陽互相同。建始地支，陰陽各相同」以彌縫之。依此結果，改動《京氏易傳》巽、兌兩宮之建候積算，於是得出陽宮陰宮諸卦相距辰數的規律性。綜上所述，徐昂改動之處，不可謂不小。由於《京氏易傳》本身存在的闕漏訛誤，[51]無論是建始、積算、分氣候數，其規則皆有未足明晰的問題；為建立完整統一的規則，徐昂乃改動部分以求適用於全體。至於如此改動，究為《京氏易傳》原意或者為徐昂之京氏學，則誠有討論空間，此亦是後世學者對徐昂時有糾謬之因。然而，後世學者對徐昂的糾謬處亦持論不一，這又說明對《京氏易傳》的眾家理解仍不無揣測而難遽以定論。徐昂箋注或有可疑之處，但徐昂能於陸績之後，組織《京氏易傳》規則，使之略為可解，其於京氏學研究的開路之功及重大的里程意義，則誠不可疑者。

——原載《國文學報》第五十期（2011 年 12 月），頁一～二八

51 許老居：「今存京氏易傳版本之訛誤、衍文，多達八十餘處。」參氏著：《京氏易傳闡微》，頁20。

技進於道，從術到學
——數、象、理、圖兼重的杭辛齋《易》學

陳進益
健行科技大學通識教育中心副教授

一　前言

杭辛齋先生，生於清同治八年（1869），卒於民國十二年（1923），得年五十四歲。這是清末民初中國積弱不振的時代，他曾到北京的國子監進修，又在同文館學曆算，並兩度獲得光緒皇帝的召見，力陳變法自強的重要。光緒年間，他陸續在天津辦了《國聞報》，在北京辦《中華日報》、《京華日報》，鼓吹社會改革。辛亥革命先生亦有參與，卻不入政府，身為國會議員，力抗袁世凱稱帝而被捕入獄，自謂在獄中受高人教授，對《易經》的理解遂大有不同，被推為清末民初的《易》學大師。[1]對於這樣背景的杭辛齋而言，中國的積弱不振一直是他痛心之事，也是他一生想要努力的動力。就可以直接改善政治社會而言，他參與變法、革命、反袁的行動；然就更長遠的影響言，他將心力放在八歲就開始接觸，並在獄中特有感觸的《易經》上。他與另一個民初《易》學大師尚秉和（1870-1950）同樣都極力強調《易經》實用的重要性（雖然二人所強調的不盡相同，然實用的最高原則則是一致的）[2]，做為同輩學人的尚氏也在自己對杭氏《學易筆談》（民國八年

1　杭辛齋：《易學要理妙訣筆談．杭辛齋略傳》（臺南市：綸巨書局，1985年），頁1。

2　讀者可詳參筆者〈以象解《易》——尚秉和《周易尚氏學》研究〉，「變動時代的經學和經學家（1912-1949）第四次學術研討會」論文（臺北市：中央研究院中國文哲研

排印本）所作的〈提要〉中說道：

> 辛齋海寧諸生，幼好學《易》，清末常主持報社，入民國為國會議員，四年以反對帝制，被補入獄。自言在獄中遇異人，傳授京氏《易》，故於《易》所入益深邃。……其說《易》不章解句釋，不分漢宋，謂門戶之見，最為誤人。……論三《易》之源流，及漢、魏、晉、唐《易》注之派別得失，及宋、元、明、清之漢、宋兩派之《易》說，博洽詳盡，足見其於《易》注搜羅之廣，涉獵之富，而能詳人所不能詳者。唯在《易》數，如一生二，二生三，及二與四，三與五，用九用六諸說，皆能自發新義，貫通透徹，與端木國瑚之《周易指》，後先媲美。而卷三中〈象義一得〉之，尤精微奧妙，合《易》理與數術，揉而為一，發前人所未發，為近代罕有之《易》家。[3]

筆者於〈從《續修四庫全書總目提要・易類》看尚秉和《易》學〉一文中，詳加研究所有尚氏所作〈提要〉，發現尚氏極少稱讚其他《易》，而杭氏則是他最為讚賞的。蓋杭氏亦與尚氏一樣，強調合於「《易》理」的前題下言象與數，並要求《易》之實用性，故雖與尚氏專門強調卦象之運用不同，但仍備受尚氏肯定為「近代罕有之《易》家」。可見在那樣的時代風氣之下，學者對於學術之實用性的要求，雖有表現方式與見解的不同，但內心的急迫感則是一樣的。（即使如《古史辨》那樣一場學術大風潮裡，一大群學者對於傳統《易經》研究的不耐與反彈，亦可以用同樣的心理狀態去理解，蓋國家的衰弱與不進步對於學者的影響不可謂不深）[4]我們看杭辛齋的《易》學，也必須在這個理解基礎下，才可有真切而統一的認知。

究所，2009年7月17、18日）。亦可參考楊慶中：《二十世紀中國易學史》（北京市：人民出版社，2000年），上編，第一章第二節〈杭辛齋及其易學〉。

3 中國科學院圖書館整理：《續修四庫全書總目提要》（北京市：中華書局，1993年），頁177。

4 讀者可詳參筆者：〈關於《古史辨》中討論《易經》相關問題之省思〉，「變動時代的經學和經學家（1912-1949）第三次學術研討會」論文（臺北市：中央研究院中國文哲研究所，2008年7月17-18日）。

二　杭氏《易》學立場：《易》有四道，有學有術

舉凡任一學人，不論其論學之初是否有特別立場，然而在日積月累的研究與揀擇下，多半會逐漸形成或自知、或不自知的某種立場，這自然是因為學有所成而積累的，杭氏研《易》一生，其論《易》亦自然有立場，下面這段話可以代表他看《易經》的總體立場，其云：

> 夫《易》者，固非僅乾、坎、艮、震、巽、離、坤、兌焉，有立乎乾、坎、艮、震、巽、離、坤、兌之先者，所謂道也。聖人以通神明之德，以類萬物之情，和順於道德而理於義，窮理盡性以至於命者，皆此道也。道不可見，以一陰一陽之象顯之，以參天兩地之數倚之，於是無形之道，儼然有跡象之可求，釐然有數度之可稽，畀後之人得所指歸，不致迷惘，此古聖作《易》之深心，亦孔子贊《易》之微旨焉。猶慮學者誤以為象與數之即道也，又分別言之，曰形而上者、形而下者，可謂詳且盡矣！故乾、坤、坎、離、震、巽、艮、兌，形而下者也，器也；健、順、動、麗、動、入、說、止，形而上者，道也。然健、順、動、麗、動、入、說、止，又有主宰乎健、順、動、麗、動、入、說、止而為之綱維者，則此主宰綱維者又形而上，健、順、動、麗、動、入、說、止又形而下矣！維下學上達，非先得乎形而下者，無以進乎形而上。[5]

杭氏固然是以象、數論《易》的知名學者，然其根本立場仍一如傳統，認為《易》是聖人所作，其中有微言大義，有聖人所以通神明之德、類萬物之情，所以論道德仁義、窮理盡性的大道。這對《易經》的基本看法，杭氏幾乎與以義理論《易》的學人沒有兩樣。然而，道要如何得見？如何尋求？這便不是一味的講道論理即可證之。筆者曾於〈從《續修四庫全書總目提要．

5　杭辛齋：《易學要理妙訣筆談．學易筆談．109十有八變》，頁160。

易類》看尚秉和《易》學〉中說道：「尚氏並不是對以義理解《易》有特別不同意的態度，《易》為聖人所作，當然有聖人所想說的義理在，只是，《易》中有《易》中的義理，它和聖人放在其他經書中的義理表現方式是有所不同的。因此，尚氏不同意宋人那種沒有將《易經》的特殊性展現出來就大談聖人義理的解《易》方式，他認為對的解《易》方式，應是在合乎《易經》原理的情況下再談聖人的義理，也就是說《易經》的義理得在合『《易》理』於的前題下才有其特殊的存在意義。」[6]杭氏對《易》中所含的聖人道的看法與尚氏其實是極為類似的，所不同的只是尚氏專以象去讀《易》中聖人之道，而杭氏則如引文所言，「道不可見，以一陰一陽之象顯之，以參天兩地之數倚之，於是無形之道，儼然有跡象之可求，釐然有數度之可稽。」是將象與數同時視作《易》中聖人之道所以可求可稽的階梯，而這象與數（當然也包含圖，詳見下文論述）便是《易》與其他經書表現聖人之理的不同處。（但象與數本身並不是道，這與一昧以談象論數為《易》之核心的觀點是有所不同的）不能了解這《易經》的特殊處，便不能貼近聖人在此所寓之理，那麼，離此所論之理，不論與聖人所說相合與否，皆非《易》中所含的特殊義理了。至於他接著再引〈繫辭傳〉中「形而上者謂之道，形而下者謂之器」連結所謂「下學上達」，其無非是申說若不能「下學」《易》中象、數之法，又如何能「上達」《易》中所談之道？

他在〈學易筆談．45 一生二二生三〉中也說道：

> 若舍法象以為言，則《詩》、《書》執禮所雅言者，其為教焉詳矣！又何必韋編三絕，為此鈎深致遠之辭乎？[7]

是《易經》自有其特殊談理的方法，不明此法而泛論聖人之理，則又與《易經》何干？孔子是否讀《易》韋編三絕雖仍有討論空間，但說其與《易》無

6 讀者可詳參筆者：〈從《續修四庫全書總目提要．易類》看尚秉和《易》學〉，「變動時代的經學和經學家（1912-1949）第七次學術研討會」論文（臺北市：中央研究院中國文哲研究所，2010年6月10、11日）。

7 杭辛齋：《易學要理妙訣筆談》，頁53。

關，未曾讀《易》，恐怕非今日客觀證據所能接受了。[8]

類似強調這種必須經由數、象、圖以求《易經》裡所蘊含特殊之理的看法，在杭氏全書中不斷出現，如其於〈先後天八卦平議〉中亦說道：

> 八卦之妙，不但陰陽交錯，體用相互，而一動一靜，亦無不各有交錯相互為用之妙。故泥於象者不能言象，膠於數者不能得數，執著先、後天以論先、後天，貌雖是而神則非，必不能盡先、後天也。此在好學深思者，心領神會，默喻於無言，非楮墨所能罄也。……聖人但就象、數之自然，以顯明天地自然之理，故學者玩索先、後天之卦象者，必將陰陽變化之理爛熟於胸中，則先天、後天，分之、合之，均各得自然之妙。掃象者妄，泥象者鑿，皆未為知《易》者也！[9]

不論以象、數、理的任一角度言《易》，一旦執著某一立場，則是膠、是泥，是鑿、是妄，不論掃象或者泥象，不論「義理《易》」還是「象數《易》」，皆是不能真知《易》也。這是杭氏論《易》的基本立場，若不先清楚闡明，則很容易因其強調象與數的運用而被人用「漢《易》」的帽子戴在頭上，那就真是冤煞了他，同時也將誤導其他不明杭氏《易》學的人。

因此他在〈易楔．卦用第九〉中也說道：

> 八卦名位象數氣候既明，而用可得言矣！大用大效，小用小效，大小雖殊，其理則一。彖、象、〈十翼〉皆以明用，而無一辭一字不根於象數。自象數失傳，專尚夫辭，乃望文生義，以今概古，論愛惡不出六爻之外，言變化限於兩象之中，而彖、象、〈十翼〉之大義不明於世也久矣！朱子《本義》遂以《易》為聖人教人卜筮之書，以占卜為大《易》之本義。後之學者，既宗程朱，又蔑視數學小道而不屑言，是欲渡而去其楫，卒致占卜之用亦無可徵驗，反不若壬遁火珠之術為足憑。《易》道之大，乃盡失其用，舉世徒震其名，視為神秘杳渺而

8　同註4。

9　杭辛齋：《易學要理妙訣筆談》，頁147-148。

> 莫敢問津。嗚呼！是誰之過哉？……術家專取八宮身世游歸飛伏之用，而又不明乾坤簡易之理，逐末忘本，與經生之有體無用，同一蔽也。[10]

看前半段似乎杭氏在指責後儒不研象數而導致《易》理失傳、《易》義不明，是欲渡而去其楫。然而讀到後段，觀其謂術家只知用八宮身世諸術而不明乾坤簡易之理，則更是逐末忘本。經生是知體而不知用，術家則知用而不明體，都同樣是不能真明《易》者，就如同理學核心人物朱子亦說《易》為聖人教人占卜之書，那麼宗宋、明理學喜談義理的學者們卻反而視占筮為小道而不屑言，這樣的矛盾狀態不亦十分值得我們玩味。

最後讓我們再看杭氏在〈讀易雜識・16 制器尚象〉中說的這段話：

> 此皆由掃象之學既熾，講《易》者悉尚虛辭，考工之書又亡，作工者遂無學術。《易》有四道，迄今僅言語尚辭之一端，猶為門戶同異之爭，不能盡其辭以明其義，更何言哉！[11]

是《易》有學亦有術，象、數既有其學，亦有其術，此非只以言詞空談虛理者可以明白的。蓋僅論學而自以為高尚，或僅用術而自以為機巧，皆非真知《易》道者也，更遑論僅以言辭論《易》且還分門別戶的學人？由此可見，身處民初的杭氏對兩千年來傳統《易》家漢、宋之間的爭執與反省，其貌或有似漢、宋之外形，而其內在則實有調和漢、宋又不同於漢、宋之真見者。

三　觀象須注意體用主從與時空關係

杭氏是如何看待這些可以稽求《易》中聖人之道的術？其於〈學易筆談・83 十字架〉中說道：

---

10 杭辛齋：《易學要理妙訣筆談》，頁332。

11 杭辛齋：《易學要理妙訣筆談》，頁446。

> 道不可見，故聖人示之以象；象無可稽，故聖人又準之以數，數與象合，而道無不可見。制器尚象，而器以立；載道以器，而道不虛，理、象、數一貫之道，皆出諸《易》。自王弼以玄理說《易》，後世畏象數之繁，因靡然從之，創掃象之說。（弼以玄理說《易》，運實於虛，歸有於无，芻狗天地，糟粕仁義，更何有於象？後儒既主其說，乃辟其玄談，是買櫝而還珠，亦非弼之所及料也）自是象、數與《易》，又離為二。[12]

明白指出因道不可見而聖人以象示之，而象又不可稽求故聖人又以數準之，是以象、數乃聖人教人了解其作《易》之道、之理的方法，形而上的道需要形而下的術（象與數）方能載之、明之。象、數與理乃《易》中一貫之道，故須三者合之才能真見《易》道。杭氏在此也對掃象而開義理《易》之門的王弼給予正確的評價，他認為王弼掃象是在得魚方能忘筌，得意方能忘象的前題下說的，但後人卻貪求方便的除了倡言王弼掃象之說外，更連其所談的《易》之玄理也避而不說，將象、數與《易》全然分開，與王弼時象數之學盛行，學人皆知象數為何的背景下掃象論《易》，是以不僅未能得王弼談《易》理之玄妙，反而連象、數這索求《易》理的方法也失去了，故謂之為買櫝還珠也。其實在杭氏的眼中，象、數、理、圖是《易》之四道，缺一不可的。

（一）觀象七要，時空配合的變化

杭氏在〈學易筆談·65象義一得〉清楚道出他認為論《易》象所不可不明的七個要點，其云：

> 凡言象者，不可忘《易》之義。《易》義不易者其體，而交易、變易者其用，故八卦之象無不交錯以見義。……執片面以言象，象不可得

12 杭辛齋：《易學要理妙訣筆談》，頁105-106。

> 而見；泥一義以言象，象不可得而通也。[13]

這是談象既由《易》而出，則《易》有不易的體與交易、變易的用之分，象亦有體用之別，是亦不可執一以言象，要在交錯變易中尋求象義，如此方能與《易》義相應合。

其又云：

> 凡言象者，不可忘其數。……卦有定位，即有定數。（如坎子一，艮丑二寅三至兌酉十，乾戌亥數无）《易》數乾元用九，乃天一不用，用地二至地十。數定而象之無定者，可因數而定。故觀象必倚數，如體物者必準諸度量，測遠者必察其角度。自舍數言象，而象茫如捕風矣！

強調每個卦都有它自己的位子，既有定位，便有定數。故觀象必須根據此可定之數的推算，就如同要測量物品的大小高矮遠近，就必須有一公定可依的度量一樣，否則漫談《易》象而無根據，人云亦云而無可依歸也。這是論象的第二個要點。

第三個要點則是：

> 凡言象者，不可不明其體。體者用之主也，故卜筮者亦曰取用。（每卦六爻，先取所用者一爻為主即體也）以所用者為主，而後察他爻之或從或違、或動或靜、為利為害，吉凶始可得而斷焉。用有大小，象則因其小而小之，因其大而大之，如乾也大則為天，小則為木果，……小大無方，各隨其體，明體以達用，象之用乃無窮矣！

他強調要先明象的主與體，則象之從與用方可因之而可大可小、可遠可近。其舉乾象大可為天，小則為木果之例表示象之差異如此，故不明體用主從，則取象亦茫然無措。

---

13 杭辛齋：《易學要理妙訣筆談》，頁71。

他接著又說：

> 凡言象者，不可不視其所以。以者與也、及也。卦因而重之，重為六畫，實具兩象，兩象必以其一為主，則必有所與，而六畫之二三四五中爻之象，及其變動所生之象，無一而非與也。所與者而善，乃吉之幾；所與者而不善，乃凶之兆，而善惡又有大小之殊，所與者又有遠近之別，〈繫傳〉曰：「遠近相取而悔吝生。」

談象的第一點既強調體用交錯以見象義，則這第四點以下所談的便是交錯的細節了。六十四卦及八卦重之所生，則卦由三畫而至六畫，具備上下兩象，則必有主體從用之分，亦必有其將如何變化的痕跡。這往那變化便是杭氏所謂的「所以」（或者所與、所及），往善的變化則是吉之幾，往不善的變去則是凶之兆，依此吉凶幾兆視其遠近大小而論象，則象所表之《易》義遂可驗證且無窮也。

論象的第五要點則是與第四點換個角度看卦爻變化而已，其云：

> 凡言象者，不可不觀其所由。〈繫傳〉曰：「辭也者，各指其所之。」此有所之者，即彼有所由。……觀象者，先明定其體象之所在，而更觀其所由來，如乾之姤，若用乾為天，則下巽為風，此風所由來為乾，乾為西北之卦，即西北風也。乾為冰為寒，則其風必寒。

上一點是觀察本身變化到那，這則是看看自己從那變化而來，既然有往，就會有來，卦爻變化如是，則象之觀察亦應如是。如姤由乾來，上乾下巽，故乾為天時巽為風與之相應：又由後天八卦可知乾居西北之位，西北為寒，則巽之風必為西北來的寒風。如是謂「視其所以，觀其所由」而其象更明也。

第六點則是察其所安的卦位爻位問題，其云：

> 凡言象者，不可不察其所安。安也者，位也。〈繫傳〉曰：「君子安其身而後動。」觀象者既定其主體之所在矣！必察其所在之處能否得位？位得矣！必察其所位之能否得時用後，其象始可得而言。如用巽

> 為木，則必察其所處之位為甲乙，或為丙丁、壬癸，或為庚辛。為甲乙則當，為丙丁則相，為壬癸則生，而庚辛則死。號既當或相與生矣！則更應察衰旺，並視所與者及所由者之如何，則象之情可畢見矣！

這裡談的卦位爻位除了空間的關係外，亦涉及時間的流變得當與否。蓋時空的變化無時無刻，所謂吉凶禍福則端在時間空間的關係配合而已，故觀象亦當注意位子的時空變化狀況。其舉巽為木象與天干五行相配，巽在甲乙時為當，（木）在丙丁為相，（火）在壬癸為生，（水）在庚辛為死。（金）看其所在之位與時的關係，以五行生尅而明其吉凶變化，則此象不但不死，更是與時而變也。

最後一點則是談時間的變化，蓋隨著時間的流逝，萬事萬物無不在變化之中，故杭氏云：

> 凡言象者，不可不明消息。消則滅，息則滋。如復姤臨遯之十二卦，消息之大焉者也。……言象者必先明乎消息盈虛之故，而象始可明。凡一卦本體之消息，或因時言之，或以位論之，當其消焉，象雖吉而未可言福；當其息焉，象若凶而益長其禍。其時值消而位當息，或位據息而時見消，則須辨其輕重而異而分劑，或可亭毒均處而劑其平。或雖截短補長終莫齊其數，則又勢為之，未可泥於一端也。蓋勢之所趨，每善不敵惡，福不勝禍，一薰一蕕，十年尚猶有臭；一朝失足，而畢生之功盡棄。

世間一切因時間變化而有消息盈虛的變化，無知者是在變化已成後才看到，而知幾者則在變化開端而未現於外時便能看到那個趨勢，因能先看到人所不能看到的，故謂「知幾」，故能趨吉避凶。否則只看到位之吉凶而不知時之消息變化，則凶者或因在息而更凶，吉者或因在消而不吉。蓋不能消息盈虛以觀象，則象是死象也，更遑論吉凶禍福之預知趨避也。

以上七點其實只是強調我們觀象時，必須注意卦爻體用主從的分別與時間空間的變化，從這些變化當中去論卦爻象所含的意義，方能明白聖人寓於《易》中之道。故不能明白如此觀象的方法者，對於《易經》又怎能有的當的認識？所以他說：

> 言象之大要如此，故夫陰陽之順逆，五行之休廢，氣數之盛衰，均不可不辨焉。嚮之言《易》者，曰吾治經，非以談休咎，奚用此術數為？而不知《易》以道陰陽，原本天地之數，以著天地之象，以通神明之德，以類萬物之情。非數則無以見《易》，非數則無以見象，未有象不明而能明《易》。舍象以言《易》，故宋儒之性理往往流於禪說而不自知；舍《易》以言象，方士之鼎爐每每陷於魔道而殺其身。唯之與阿，相去幾何？然方士之說不足以惑人，尚其為害之小者也。[14]

對於空談義理，鄙視象數的傳統經學者，杭氏是以為其連《易》以道陰陽的基本觀念都未能徹底明白，未能知聖人寓於《易》中，本於天地之數，以著天地之象，以通神明之德，以類萬物之情的特殊方法。一旦舍了象、數這求《易》的方法，又如何能解《易》？是談性理之宋儒與鍊丹藥的方士皆同為不知《易》者也。

（二）象非一義，因時空變化與對應關係而不同

杭氏在〈學易筆談．145象義瑣言〉對於象的觀察也提出類似的看法，其云：

> 〈說〉卦一篇，當為歷代相傳之卦象，有為占筮用者，有不僅為占筮用者，其取象之精之妙，非言語可盡。間有為經文所未見者，而無不悉具於卦象。即象以求經，而意固可通；即經以求義，而象無不合。書不盡言，言不盡意，故聖人立象以盡意。經有不得者，當求諸象，非僅卦自為象也，有宜比而觀之者，有宜從方位以合之者，有實象，

14 杭辛齋：《易學要理妙訣筆談》，頁71-73。

> 有虛象，有主象，有附象，有正象，有反象，有變象，有兼象，有意象。（日本講《易》悉宗漢學，有所謂意象者，如震為舟，巽為剪，皆中國所無）用各不同，務通其意而不泥其跡，庶物物而不囿於物，可窺象於萬一矣！[15]

《易經》是以八卦象徵八種自然現象，再逐漸擴為各種不同時空的象徵，就如同朱伯崑先生認為的，「其關於八卦所代表物象的說明，應與春秋戰國時的筮法有關。」[16]杭氏則認為其中的卦象更有不僅為占筮之用而已的，凡我們對於經文所不能明白之處，都可藉象以求之，而象的觀察方法則如上節所言七點；象的表現方式則有實虛、有正反、有主附、亦有兼有意，一般人認為紛亂不經的，杭氏都看作是精妙非言語可以形容。蓋其認為《易》既為聖人所作，則我們自應由此而通聖人之意，不可泥跡、不可囿於個別事物之中。

於是他舉例說明觀象角度與象的表現形式不同時，同一卦因之而展現出不同的象徵意義，如：

> 卦之取象，各有其源。〈說〉卦乾為木果，巽為木，艮為果，乾兼巽、艮二體，故曰木果。……艮為石，坤土之堅其外也。巽為近利市三倍，反巽為兌，則為義矣！……故同一卦也，因時因地因人其象互異，甚者或晝反焉，烏可執一以求之哉！[17]

以巽、艮二卦來說，巽為木，艮為果，而乾之卦象兼巽、艮二卦，（巽上陰而艮上為陽，二者合之則為乾卦三陽之象）故乾為巽與艮合的木果。又如艮為石，乃因其上爻為陽，是由坤土之上爻由陰變陽而堅其外者也。巽一陰在二陽之下，其象與兌一陰在二陽之上正好相反，故巽為利，則兌為義也。故同一卦所以有各種不同的象的表現，端視其時空位置與其他卦的對應關係

15 杭辛齋：《易學要理妙訣筆談》，頁232。

16 朱伯崑主編：《易學漫步．第二章易傳》（臺北市：臺灣學生書局，2010年），頁48。

17 同註15。

也。故若泥執一象而言之，又如何可解《易》中所含交易變易之道？

又如他以五行生剋談《易》象，亦極精彩，其云：

> ……離其於木也為科上槁，離為火，火生於木，火旺則木休，故槁。海南為離方，多文木，而木火之精，蘊結則為香，故沈香茄南，皆產於木，然香生而木即槁矣！曰科上槁，其槁在上，而其木之生氣固未嘗絕。胥鬱結凝積而為香，歷年愈多，則其香愈厚愈純。凡重而降者為沈香，輕而升者為茄南，沈香得其陰者多，茄南得其陽者多也。[18]

南方為離，離為火，火生於木，故南方之木多槁，蓋火旺則木休也。離又為文，故南方多文木。木生火，為火之精，是木與火相互作用則蘊結而為香，是以沈香皆生於木也。這把沈香多在南方溼熱處成長，且蘊結於木之底部的情形與《易》象結合的十分的當。

若以為如此說象只是牽合，杭氏亦有以回應云：

> 或曰：「子之所言，雖似偶合，然經傳未嘗明言，終不免出於附會。」曰：「西人發明之新學新器，雖風靡全球，利溥區宇，當其創制之始，何一非出附會者？蘋果之墜地，與重學何關？瓦缶之水蒸，又與機器何關？……以彼本無所憑藉，故不得不就天地自然之現象，以觸悟其靈機，而我則先聖已極象而明其用，極數而通其變，成書具在，視彼所尚之象，其難易勞逸相去不可以道里計。……」[19]

不論我們怎麼看他們詮解《易》中的卦象，其所舉西方發明之例，不亦使吾輩能有所深思。[20]

---

18 杭辛齋：《易學要理妙訣筆談》，頁234。

19 杭辛齋：《易學要理妙訣筆談》，頁236。

20 關於《易經》與科學關係的說法，讀者可參看朱伯崑：《易學漫步》，第五章「易學與中華傳統文化・四 易學與科技」，同註16，頁178-184。

四　論數結合象、圖以求《易》理

（一）數至三而用生，數五為體用生成之樞紐

杭氏在〈學易筆談．45 一生二二生三〉中說道：

> 天地之數，一生二，二生三。《老子》曰：「一生二，二生三，三生萬物。」蓋物一者，自无而有，未為數也。至二而成數矣！然猶為一奇一偶之名，而未著乎數之用也。至三，則數之用生，以此遞衍，可至於無窮。故一不用，二為體，三為用。《易》有太極一也，陰陽二也，陰陽之用三也。（二其三用六，三其三用九）[21]

這是杭氏論數的大根本，一是自無而有的發生，所以不是一般可以計算意義的「數」，就如同《易》中所謂的「太極」。由一到了二，可以算是數了，卻仍只是與一對比的一個偶數，是一組對比奇偶之數的「體」，如《易》之陰陽對比概念的符號意義，所以是「體」，仍不是可以「用」的「數」。一直要從二的陰陽之體到陰陽開始發生作用的三，才開始有所謂「數的用」。這個觀念不明，則杭氏論數與圖皆無法明。

既然談到數的體用，杭氏有一篇專論數之體用的文章〈學易筆談．125 數之體用〉，其對這個觀念有詳細的說明：

> 天一地二，天三地四，天五地六，天七地八，天九地十。天數五，地數五，五位相得而各有合，天數二十有五，地數三十，凡天地之數五十有五。此天地體用大數之全，凡言數者莫能外也。五位相得，以示天數地數之各有定位；相得而各有合，以示天數地數之化合而各極其變也。故數有體用，互相交錯，……以一二三四為體，六七八九為用，惟五則介於生成體用之間，生數得之，其體始備；成數得之，而

21 杭辛齋：《易學要理妙訣筆談》，頁52。

> 其用始全。此其數為生成所不能外，體用所不能離，是以為建中立極之數，陰陽變化之中樞，兩其五則為十。合之為三五，貫三才之中，備五行之全，而立其極，此《洛書》縱橫所以無不合於十五之數也。……是以《周易》用六七八九，而不用一二三四。卦用七八，爻用六九，皆成數也。七八為數之正，九六為數之變，合七八九六而陰陽錯綜之變化無不盡矣！[22]

杭氏於此將數與傳統《河圖》、《洛書》結合起來，並解釋〈繫辭傳〉「大衍之數」的問題。蓋以洛書「戴九履一，左三右七，二四為肩，六八為足，而五在中間」的圖式來看，不論縱橫如何相加，其得數皆為十五，是以五為居中之數，是連結生數與成數，體數與用數的關鍵數。（此亦可由數之變化看到傳統對於「中」這個概念的強調）十五為三個五的結合，可合乎所謂天人地三才的概念，再與《易》卦六爻兩兩一組，五上為天，三四是人，初二為地的模式來看，是將數與《易》巧妙結合，更遑論其卦用七八，爻用六九的「六七八九為數之用」正合乎《易經》的現象。（八卦與乾、坤〈文言〉之用九用六說）因此，杭氏才會再三強調離開象數而只談理是不能真知聖人在《易》中所置的心血，是不能真明白《易經》。

（二）數與象恆相互不相離

一般所謂「漢《易》」的學人，仍有重象與重數的分別，然而在杭氏看來，象與數是不可分開的，否則都只得其偏而已。其於〈學易筆談．125數之體用〉中說道：

> 蓋《易》之為書，合象數而言，言數必兼象，言象必兼數，二者恆相互而不相離。象也者，形也。其不曰形而曰象者，形僅以狀其物質，而象則並著其精神；形僅能備陰陽之理，而象則兼備陰陽之氣也。

22 杭辛齋：《易學要理妙訣筆談》，頁191-192。

> 《易》數既兼象，而又與陰陽之理及天地流行之氣無不相合，故言數之體用者，亦必能與象及理氣相準，而後能融會貫通曲暢無遺。[23]

他認為《易》並言象、數而不分，故與數相合的象便能充分表達事物陰陽之理氣，故真能談象者，必能明數之體用；能明數之體用者，亦必能與理氣所表現的象相合。是以象與數不僅是詮解《易經》不可分開的方法，更可以進一步做為相互勘驗是否能準解《易》義的工具。因此，他在〈易數偶得．緒言〉也明白的說：

> 自《易》道不明，數與理離析為二，數乃流於小道，理亦等於虛車。[24]

數與理分，即如術與學分，[25]則兩者皆無著落，一流於小技，一流於虛空，其應然的價值亦蕩然無存了。

（三）數是符號，是由心生

當我們明白數其實只是一種符號，那麼其表達的形式就不必太過執著了。杭氏在〈易楔．卦數第七〉中云：

> 夫邵子先天數，非不合也，特邵子別有妙悟，以一二三四五六七八為主，如算學之數根，乾兌離震巽坎艮坤，祇為其數之符號耳，故用乾兌離震巽坎艮坤可也，用日月星辰水火土石亦無不可也。因邵子未嘗以此注《易》，但借卦爻以演其數，而所得之數理，變化分合，仍能與《易》相符，所謂殊塗同歸，法異而實不異也。[26]

---

23 杭辛齋：《易學要理妙訣筆談》，頁192。

24 杭辛齋：《易學要理妙訣筆談》，頁389-390。

25 這裡談的術，指的是方法、技巧。就如同《莊子》庖丁解牛裡技進乎道的那個技，或者如《韓非子．定法》：「術者，因任而授官，循名而責實，操殺生之柄，課群臣之能者也。」所說的術。（臺北市：黎明文化公司，1996年），頁4083。

26 杭辛齋：《易學要理妙訣筆談》，頁313。

他以宋儒邵康節《皇極經世》中之數為例，說明數只是符號，符號本身形式是什麼並不重要，重要的是形式後所要表達的理，故謂「法異而實不異也」。其實如果明白不論象、數、圖其所以要表達的都是那個理、那個道，則分門別派的執著也就能減少許多了。

杭氏重視數的認知、理解與運用，故特別為數作《易數偶得》，其於〈1．數由心生〉中說：

> 有天地然後有萬物，盈天地之間惟萬物，萬物之數，皆天地之數也。然萬物之數，非人不明，故參天兩地而生人，人即參天兩地而倚數。是惟人心之靈於萬物，心動而數以生，物無窮盡，數無窮盡，而人心之限量，亦無窮盡。……人第知一二三四之為數，而不知善惡是非之亦為數也；人第知加減乘除之為數，而不知進退往來之亦為數也。數以紀事，亦以紀物，物生無盡，事變無窮，惟數足以齊之壹之。《易》之有象，以表數也；象之有辭，以演數也。乾坤坎離震巽艮兌，亦代數之符號，與幾何之甲乙丙丁亦相類耳！……《易》數則根於心，心生象，有理有氣，非特表其數之多寡、象之簡繁而已，而吉凶情偽、醇漓善惡，莫不奇偶陰陽而判別之，故八卦不足，因而重之為六十四；又不足，益之以天干地支六十甲子；又不足，更益之以星宿神煞諸名，無非皆為代數之符號而已。五運六氣，相為經緯，八卦九章，相為表裏。於是物無遁形，事無隱情，燭照數計，執簡御繁，而皆出乎一心。故邵子之日月星辰、水火土石，以配八卦，取象不必與《易》同也。楊雄方州部居，其用數亦不必與《易》同也，要皆能合於《易》理相資為用者，則以明乎數之本源，惟在於一心之運用。名辭符號，可不必泥也，太乙六甲，亦復如是。是故學者必能返求之心，明乎心之體用，然後可以言數，然後可以言《易》。[27]

杭氏以為天地間萬物皆是天地之數，人生天地之間而最靈，故參天兩地而倚

---

27 杭辛齋：《易學要理妙訣筆談》，頁390-391。

數。心動則數生，物無窮則數無窮而心之限量亦無窮，故能紀天地無窮之事與物也。明白數之本源惟在一心之運用，而天地萬物萬事之無盡亦惟數能紀之，故吉凶善惡皆能倚數而判之。因要判別天地事物之吉凶善惡，故生出各種名辭符號，不論陰陽八卦、天干地支、星宿神煞、五運六氣、日月星辰、太乙六甲，凡此種種，都只是表理之用，與數字一樣都只是符號而已。知道數、象、氣、理之互為體用，只是符號，則可不必泥於何種符號為是，何種符號為非，皆所以表進退得失、是非善惡而已。是故當吾人能求自我之心，知數由心生，則不只可以言數，亦可言象、言理、言圖，亦可以言《易》也。

五　在數與象的基礎上說圖

杭氏在〈易楔・圖書第一〉中把圖書與《易》的關係發展簡單的說了出來，他說：

> 《易》注自宋以前未嘗有圖也，逮周濂溪傳陳希夷「太極圖」而為之說，遂開理學之宗，但圖與《易》猶不相屬也。至朱子《本義》，取邵子先後天八卦、大小方圓各圖，與其改訂之卦變圖，弁諸經首，歷代宗之，自是圖之與《易》，相為附麗，後之說《易》者，無不有圖。[28]

圖書與《易》發生關係大約就在宋初周濂溪傳陳希夷的圖，並且與道教有關，然而真正與《易經》密切結合的，是朱子《本義》將各種《易》圖放在書前開始，而元明以來多宗朱子之說，故自此以後，說《易》無不有圖。[29]

---

28 杭辛齋：《易學要理妙訣筆談》，頁241。

29 關於《易》圖的發展與內容，朱伯崑在《易學漫步》，第三章〈易學・三易圖學〉中有詳細且清楚的說明，讀者可參看之。同註16，頁119-138。

（一）太極絕待，即是數一

杭氏將「太極圖」的歷史說法詳細論述的同時，也將自己的理解放置其中，他說道：

> 太極者，立乎天地之先，超乎陰陽之上，非言詞擬議所可形容，蓋狀之以言則有聲，有聲非太極也；擬之以形則有象，有象亦非太極也。《詩》曰：「上天之載，無聲無臭。」庶或似之。然無字為有字之對，有對亦非太極也。孔子於無可形容擬議之中，而形容擬議之曰太極，可謂聖人造化之筆，更無他詞足以附益而增損之矣！……自周子而後，相傳之圖有三，於是太極圖三字流播寰宇，幾於婦孺皆之，以訛傳訛。……周子《太極圖說》曰：「無極而太極，太極動而生陽，動極而靜，靜而生陰，靜極復動，一動一靜，互為其根。分陰分陽，兩儀立焉。陽變陰合，而水火木金土五氣順布，四時行焉。五行一陰陽也，陰陽一太極也，太極本無極也。」……周子此圖出自希夷，宋儒諱之甚深。然希夷亦非自作也，實本諸《參同契》。……然則此圖自道家傳出，已無疑義，周子但為之說，并將上下次序略為修改而已。首曰无極而太極，終有語病。[30]

杭氏認為太極是立乎天地之先，超乎陰陽之上，是非語言文字可以形容，亦非聲音形象所可表示，因為只要一落言詮，一有形象，便有對待；一有對待，即非太極。然而為了表示意思的必要，乃不得不以「太極」表之。（這與禪宗說佛法十分相似）是以太極圖的傳出發揚者周濂溪的〈太極圖說〉裡，將太極前放一無極，即使朱子為之迴護曲說，亦終是語病。蓋「太極」乃一絕對的狀態，其前面自不可能還有一個所謂的「無極」，這如同上節杭氏論數時所說的一，一與「太極」都是那個絕待的狀態。至於陰陽、四時、

30 同註27，頁242-243。

五行等，皆只是「太極」之作用而已，但它們都不是「太極」。（杭氏所論「太極」之義與其談數字之一相同，皆是代碼符號）

他接著在〈易有太極是生兩儀圖〉中引清人端木國瑚之圖而進一步闡述這個絕待的「太極」云：

> 〈繫傳〉曰：「形而上者謂之道，形而下者謂之器。」太極者，實超乎道與器之上，而立乎其先者也。故分言之，形而上者有太極，形而下者亦未始無太極也，故曰：「天地一太極」、「萬物各有其太極」。後儒以太極為形而上者，是與形而下者對待，實失太極之本義也。是以天下之事事物物，凡有對待者，皆太極所生之兩儀，非太極也。以質言之曰柔與剛，而太極超乎柔剛之外；以氣言之曰陰與陽，而太極立乎陰陽之先；以事理言之曰動與靜、曰善惡吉凶，而太極實幾於動靜善惡吉凶之微，無有而無不有，無在而無不在。……宋儒言太極，不離乎動靜陰陽，已落言詮，牽及五行，則更遠矣！[31]

他認為大至天地，細至萬事萬物，皆各有自己的「太極」，故形而上的道中有「太極」，形而下的事物中亦有「太極」。並對將「太極」視為形而上的看法做出批判，因為一旦如此看待，則「太極」亦有對待（形而下），而非絕待的狀態，則已不是真實的「太極」了。「太極」不可言、不可說，可言可說的動靜、善惡、陰陽、剛柔，皆非太極也。

（二）〈河洛〉、〈圖書〉乃表數之理

《易經》中最重要的圖，除了「太極圖」外，便是《河圖》、《洛書》了。杭氏在〈易楔・圖書第一・6 河圖洛書〉中說道：

> 〈繫傳〉曰：「河出圖，洛出書，聖人則之。」《書・顧命》曰：「〈河圖〉在東序。」《論語》曰：「河不出圖。」《禮記・禮運》曰：「山出

31 同註27，頁247-248。

> 器車，河出馬圖。」鄭康成《易》注引《春秋緯》：「河以通乾出天苞，洛以流坤吐地符。河龍圖發，洛龜書成，《河圖》有九篇，《洛書》有六篇。」揚雄〈覈靈賦〉曰：「大《易》之始，河序龍馬，洛出龜書。」《漢書．五行志》劉歆曰：「伏羲氏繼天而王，受《河圖》，則而畫之，八卦是也。禹治洪水，錫《洛書》而陳之，〈洪範〉是也。聖人行其道而寶其真，《河圖》、《洛書》，相為經緯；八卦九章，相為表裏。……」《河圖》、《洛書》之見於經傳者如此，而其內容如何，則無可考。至宋初陳希夷始有龍圖之數，邵康節因之，以五十五、四十五兩數，分為《河圖》、《洛書》，當時頗多爭議。……相傳至今，復經丁易東、張行成、熊良輔及清朝江慎修、萬彈峰諸氏之推演，義蘊畢宣。所謂神變化而行鬼神者，無不與《易》義悉相貫通，而彖、象之不可解者，亦得以數、象相證以通其義。
>
> 雖未敢謂此即為古之《河圖》、《洛書》，而數理之神化，則固建諸天地而不悖，質諸鬼神而無疑，百世以俟聖人而不惑者也。自明季以來，言漢學者雖盡力攻擊，但只能爭《河》、《洛》之名，而其於數，則無能置喙焉。欲探《易》道無盡之蘊，發千古神秘之扃者，端在於是。[32]

杭氏並不認為《尚書》、《論語》中所謂的圖、書就如今日模樣，所以《河圖》、《洛書》雖自春秋戰國以來即見諸經傳如此，他卻對其確定內容形式不置可否。他在意的是《河圖》與《洛書》裡，那個以圖的外形，數字的方式所表現出建諸天地不悖、質諸鬼神無疑，聖人所觀察體會出的天地之理。因為這個以數與圖所表現出的「理」，即是我們所探求《易》中之道，而這個圖與數也正是我們所以能論命知世、貼合聖道的方法、階梯。

那麼今日所見《河圖》與《洛書》的樣式是如何發展出來？杭氏接著說道：

---

32 同註27，頁248-249。

> 揚子《太玄》曰:「一六為水,二七為火,三八為木,四九為金,五十為土。……」鄭康成曰:「天地之氣各有五,五行之次,一曰水,天數也;二曰火,地數也;三曰木,天數也;四曰金,地數也;五曰土,天數也。此五者,陰无匹,陽无耦,故又合之地六為天一匹也,天七為地二耦也,地八為天三匹也,天九為地四耦也,地十為天五匹也。……」〈繫傳〉曰:「天一地二、天三地四、天五地六、天七地八、天九地十。天數五,地數五,五位相得而各有合。天數二十有五,地數三十,凡天地之數五十有五,此所以成變化而行鬼神也。」揚子《太玄》與鄭玄所演,其方位與生成之數,均極明晰,雖未繪為圖,已與圖無異矣!陳、邵但按其說而圖之耳!五行之次,始見於〈洪範〉,而坎水、離火、乾金、巽木均備載於〈說〉卦,經傳之互見者,更不勝枚舉。故毛西河雖攻擊《河圖》、《洛書》之說最力,終不能蔑去此數,謂應改名曰天地生成圖,然其數之體用自在,名稱之同異,抑其末耳![33]

從這段敘述可以知道,大約在戰國中、晚期〈說卦傳〉〈繫辭傳〉流行而逐漸集結的時代,配合著陰陽五行思想的盛行,再到了東、西漢之際,隨著揚雄、鄭玄等人的述說,這相傳曾經出現的《河圖》與《洛書》的形貌,正慢慢的在形塑著,雖然今日所見《河圖》與《洛書》的正式樣貌至宋初陳希夷、邵雍等人的手上才出現,但其流傳實已有一段時間。而其重要性也並不在他的出現是如何神秘,而是這樣的數字排列組合圖式搭配上陰陽五行與八卦方位之後,形成了一整套中國探究生命與預測未來的可操作的模式。[34]

所以杭氏雖極贊其數其圖之理,卻與術家故神其說者大不相同,他在〈易數偶得.24 龍圖之分合〉中說:

> 《河圖》、《洛書》為數之祖,……惟天地之數五十有五,陽統於陰,

33 同註27,頁249-250。

34 關於圖的發展說明,請參看註29。

> 實祇天數之二十五，所謂生數。地數三十，即由生數衍而成之者也。故未衍之前，二十五之數本合也。合而分之，有一三五七九之序，天地神化，理無終秘，故造化自泄化其機。龍馬龜圖，雖傳者故神其說，要亦理亦有之。……河之圖、洛之書亦若是焉而已，固無足異也。[35]

他雖將《河圖》、《洛書》所呈現的數字排列方式視作解《易》的重要模式之一，並與五行干支等配合，而有了吉凶災異的預測可能。然而在杭氏的眼裡，這術家所神而秘之的《河圖》、《洛書》，也只不過是天地造化自然泄露的消息而已，沒有什麼好特別神秘之的。

前面說的都是圖與數合的論述，至於圖與象合方面，杭氏在〈學易筆談‧65 象數一得〉裡說的十分清楚，其云：

> 今按之六十四卦之象爻，其取象之所由，無不原本於先天、後天兩圖，苟明其例，則逐卦爻象義相合，如按圖而索驥。否則各爻之象，有決非本卦與互卦及旁通所有者，如山風蠱，六爻有四爻言父，一爻言母，而父母之象，從何而來？不於先、後兩圖求之，雖輾轉穿鑿，終不能得。迨考諸先後天，則知先天艮、巽之位，即後天乾、坤之位。乾父坤母，其所由來瞭如指掌矣！又如象傳天火同人，九五曰「同人之先，以中直也。」先字從何而來？無從索解。考諸先、後天，則後天離位即先天乾位，更明晰矣！故先、後天二圖，實闡發全《易》，非但無可駁議，而先、後二字，亦決不可易，……兩圖實體用相生，不能離拆。[36]

杭氏認為卦爻象，有許多非本卦、互卦或旁通諸法所可以解釋的，如能用先、後天圖去思考，則自能明白其間含義。如山風蠱卦，其卦有四爻言父，但山與風之象與父並無相關，何以四爻言父？我們一旦將先、後天圖配合這

---

35 杭辛齋：《易學要理妙訣筆談》，頁421。

36 杭辛齋：《易學要理妙訣筆談》，頁73-74。

些爻象來看，就可以發現先天圖的艮位即是後天圖裡乾卦的位子，而巽在先天圖中的位子則正是坤卦在後天圖的位子，乾、坤為六卦的父母，是故蠱卦雖外表是山風之象，而爻卻四言父！先、後天圖，一體一用，是藉圖以論卦爻象的最佳工具。

我們由此也可看出，《河圖》、《洛書》與先、後天八卦圖固然是《易》中的圖書之學，但其實際的內容展現方式與邏輯卻是數字與卦爻的推演與變化，所以我們才說在杭氏眼中，數、象與圖都是理解《易》理不可分離的階梯。[37]

六　藉象、數、圖書之術以求經義

（一）從術到學

談完了杭氏《易》學中的象、數與圖後，我們接著便要談談杭氏他結合這三者以求實用的論命之驗，並更進而技進於道，以準求經義。看看這些身處清末民初的《易》學家求《易》之實用又不願其流於小道的心思。其於〈學易筆談·26讀易之次序〉中云：

> 夫《易》占往察來，斷無占而不驗，驗而無以知其所以然之理，特占法未明，《左傳》等書所載，但如紀算數者，衹載得其數，而未演其細草也。既無細草，則安能知其方式；不知其方式，又安知其數之從何而得哉！……故火珠林術以及六壬、太乙、奇門三式，其操術精者，尚無不驗，獨宋賢筮儀之揲蓍求卦，其驗否茫無把握，豈孔子知來藏往之說為欺人哉！是未得其法也，斷可識矣！蓋京、焦之術，大

37 在圖書的理解上，另有趙中偉註譯的《易經圖書大觀》（臺北市：洪葉文化公司，1999年）可供參考，但由於其全書以劉牧與朱子之圖的說明為主，前後共收七十三個圖式，詳則詳矣！但筆者通讀此書後，卻發現如此繁複的圖式，反而沒能達成其〈序〉中所云圖書《易》學能「簡明化、符號化、系統化」《易》說的效果，這是我們運用圖、象、數等術以解《易》所應深自警惕。

> 儒所薄為方技而不屑道者，而不知西漢去古未遠，其飛伏世應、五行順逆之法，必有所受，故以之推算，非但吉凶確有可憑，而遠驗諸年，近徵之日，雖時刻分秒，亦均有數之可稽。管輅、郭璞等占驗，亦均有準的，皆是術也。自王弼掃象，後之言《易》者，以性理為精微，凡陰陽五行九宮星象，皆目為蕪穢而絕口不談，不知《易》道廣大悉備。況占筮本術數之一端，陰陽乃《易》道之大綱，既言《易》，而屏除陰陽，既不明術數，而仍欲言占卜，豈非至不可解之事乎！故余以為欲明象占，宜求諸術數，更由術數而求諸經義，方可謂技焉而進於道，必超出尋常而為術士所不及者。蓋術者但知其當然而不知其所以然，果能一一以經義證之，以明其所以然之理，此正吾輩之責任。[38]

這可以道出遇見亂世的經學者的思考，他以為《易》可以占往知來，乃聖人仰觀府察天地萬物後所留下來的東西，而其間的運行方式是透過數的推演、象的觀察與圖的方位變化所展現的。故如何操作數、象與圖書方位，便成為一門如何求得《易》理、《易》道的技術。道與理當然是最後的目標，只是沒有可以達道得理的數、象、圖等技術路徑，則要到達《易》理、《易》道的目標，豈不成為書生空談。古來命算之術甚多，其間自有不少荒誕不經的東西，可是學人往往只因看到荒誕不經的不好，便連其中是否有值得研究探討的學問也連帶略過，一聽到奇門遁甲、火珠林等術，便謂為迷信，殊不知陰陽五行、九宮世應自西漢以來便有是術，而漢人去古未遠，其術必有所受，豈可鄙為方技而不屑？[39]杭氏論《易》的角度與立場，（尚氏也一樣）

38 杭辛齋：《易學要理妙訣筆談》，頁35。

39 其實在知名學者裡，如錢穆先生這樣的繼承朱子學術的大儒，其一生皆精讀《易經》卻甚少人知，更嘗以《火珠林》之法占筮兩次家國大事，可見這占卜之術的驗與否，連為今之大儒也不得不有所依恃，故將這些占筮之術一概斥為異端迷信而茫然不知的《易》學家，其真能明白多少《易》理、《易》道，是讓人不無疑問的。關於錢先生與《易經》的關係，讀者可詳參筆者〈錢穆先生與易經〉，「變動時代的經學和經學家（1912-1949）第五次學術研討會」論文（臺北市：中央研究院中國文哲研究所，2009年7月13、14日）。

他們都不能接受然不懂占筮命算，只會空言性命理氣的《易》學家。他們反而要由術數而求《易》之經義，不只如術數家只知其然，要更上一層的知其所以然，如此方可謂技進於道，方能超出方士而令人信服。這是杭氏研《易》談《易》一生所給自己的責任。

杭氏這樣的《易》學家與一般命相家在論命時有何不同？他在〈學易筆談・45一生二二生三〉有一段話：

> 道不準諸象數則失其鵠，德不原於道則失其統，占卜不合乎道德則惑世誣民而已矣！[40]

象數是我們求《易經》所含聖人之道的方法，所以沒有象數，則根本找不到《易》道的路；但若不依乎道德就去占卜，則占卜就只是惑世誣民的工具而已，更遑論有任何積極正面的價值了。此段話語，直截簡當，把杭氏不同於傳統經學家與術數家的面目表現出來，他不只要談《易經》的「學」，也要用《易經》的「術」，因為只有這樣，《易經》完整的面貌才得以呈現出來。

（二）人與天地參，故能消息以時，感召氣數

知道了《易經》須兼數、象、圖三者以言理，則更可相信《易》之占卜可以論命，其於〈學易筆談・108變理陰陽〉中說關於占筮命算的大原則云：

> 聖人觀變陰陽以參天兩地，天地所缺憾者，惟人能補之；陰陽所乖戾者，亦惟人能和之。故執兩用中，消息以時。天地五十有五之數（《河圖》）為體，以之入用，變為四十有五（《洛書》），則陽數得二十有五，陰數祇二十，陽少而陰多者，一轉移間陰少而陽多矣！體不可變，而變其用；數不可變，而變其象；理不可變，而消息之以時。此陰陽變化之妙用，象數消長之綱領也。[41]

---

40 杭辛齋：《易學要理妙訣筆談》，頁53。

41 杭辛齋：《易學要理妙訣筆談》，頁157。

蓋人與天地參，故能補天地之缺憾天地總數五十五為體，體不可變，則變其所用之數四十五；數是定數不可變，則變其象；理不可變，然卻因時之消息而有不同，故陰陽變化與象數消長之妙，時是關鍵。

此是吾人可以《易》論命之大原理，然在吉凶災異的相應之理中，人的地位與作為是最重要的，杭氏在〈易楔．運氣第十七〉中所說：

> 世運升降由於氣，氣之盛衰由於數，數之進退在乎人。聖人作《易》，立人極以明人道，言天言地，皆為人言而為人謀。人在天地中，為善為惡，為君子為小人，皆在人之自為，而氣機之感召，陰陽進退，而數即隨之而消長。積氣成運，積運成象，為殃為祥，皆視所積。積之以漸，非一朝一夕之故，及其至焉，則為泰為否。……後儒不察，空言性命，而莫知其象，莫悉其數，反以聖人垂示之陰陽氣運為小道、為術數，棄置不言。不知《易》以道陰陽，卦象彖爻無論矣！即孔子之〈十翼〉，亦無一言一字，不與陰陽度數相密合。[42]

在宇宙之間有四季歲時、寒熱日夜的變化，則自有其世運氣數可供觀察，但看似自然的天地運行變化的情狀，因人生其中，故能有感。聖人作《易》，便是為人言為人謀，人之行為合理合道與否，自與天地氣機相互召感，故若能推得陰陽氣數之變異，並與之消長相應，則為殃為祥自是在我。此與佛家所言因果，亦有異曲同功妙。這當然是一套天人相感相應的說法，但人在此中的重要性不僅沒有被取消，反而被看作善惡災祥的關鍵因素。故杭氏認為後儒不明氣運陰陽之道而斥之不言者，是真不知《易》者也。

（三）星曜神煞、六親爻辰，皆是符號

以《易》論命之原理大概如上，而其細節者，如杭氏於〈學易筆談．143星曜神煞釋義〉中說道：

42 杭辛齋：《易學要理妙訣筆談》，頁362-363。

> 蓋陰陽五行之氣不可見，藉其行度之數，以覘其順逆往來及盈虛消息，故推算首重在數，但數能無誤，雖立法各異，而收效亦同。象以代數，已可更易，若神煞星曜諸名，則更以補象之不足，而藉以為符號耳！陰陽者，如代數之負與正也；五行者，加減也。但加減與正負不誤，其代數之名詞符號，不妨以意為之也。惟代數為單純之數，故方式尚簡，而此則數與象兼，且五行又有其氣，是不啻於正負之外又有正負，加減而後又有加減，且互相加減，而順逆生克，又生吉凶。是以不能不設種種之名稱以為符號，而名稱亦不能不略含意義，以辨吉凶，此星曜神煞之名所由來也。必取其人以實之，或禱祀其人以祈禳之，愚矣！[43]

蓋陰陽五行運行的狀態不可得而見，故須藉可見之行度之數以算其往來盈虛，是以若能在數之推算上準確無誤，則自能推出陰陽五行消長之狀而知生於天地間的人的吉凶順逆。能明白所有看似複雜的星曜不過是陰陽五行生剋變化的符號，並因識別的需要而在名詞的取用上多少有象徵的意義後，便可知看似繁複的各類命算之術，其最主要的核心乃在數理的推算上，推算無誤而又能正知陰陽五行干支生剋之理，則以之推算吉凶禍福，自可有的驗之可能。

其他再更進一步談命算之細節者，杭氏在〈易楔．爻辰第十五〉中云：

> （一）京氏六爻納辰圖：卦納甲而爻納辰，京氏以陽順陰逆，交錯為用，以乾坤為綱，六子分乾坤之爻，以次相推，仍以本宮為體，而六爻所納之支，視其與本宮生克，以為親疏遠近利害之分。陽卦納陽，於陽支皆順行；陰卦納陰，於陰支皆逆行。乾內納甲，外納壬；支起子，子寅辰午申戌順行。坤內納乙，外納癸，支起未，未巳卯丑亥酉逆行。陰陽交錯，以相合為用者也。故乾生震，震為長子，長子代父納庚，而六爻之支與乾全同，子寅辰午申戌皆順行也。坎中男，得乾

43 杭辛齋：《易學要理妙訣筆談》，頁157。

中爻，乾內中寅，坎納戊，故初爻自寅起，……。[44]

在爻辰中，乾坤父母生兌離辰巽坎艮六子，天干有十，卦只有八，故乾坤父母各納二天干，乾內卦納甲，外卦納壬；坤卦內納乙，外卦納癸。在地支部分，陽卦納陽而順行，故乾納地支依序為子寅辰午申戌；陰卦納陰而逆行，故坤納地支依序為未巳卯丑亥酉。其他六子卦亦如乾坤父母之狀各有其所納之干支，而干支各有其所代表的五行，八卦本身亦有其自身的五行，因此每卦之爻各有其干支所表五行，遂與卦體本身五行發生生剋，生剋一起，吉凶禍福便可因之而推。

在〈易楔·爻徵第十六〉中杭氏又云：

> 六爻制用，肆應不窮，皆以五行陽幹陰支為綱領，以生剋刑害少壯盛休廢類別去取，以徵吉凶。以其與卦爻象數相為統係，足以推六十四卦變化往來之跡，且有與經傳互相發明者，亦初學所不可不知。……（一）六親：京氏曰：「八卦，鬼為繫爻，財為制爻，天地為義爻，福德為寶爻，同氣為專爻。」此五者，今術家謂之六親，蓋與本身為六也。相傳甚古，義簡而賅，言占者所不能廢。朱子《周易本義》以周、孔之《易》為教人卜筮之用，而焦、京之言卜筮者，反悉廢之，僅以六爻之動靜為占，宜其無徵驗之可言也。……同氣為專爻，今稱兄弟。福德為寶爻，今稱子孫。天地為義爻，今稱父母。財為制爻，今稱妻財。鬼為繫爻，今稱官鬼。……凡言兄弟，則比肩者可類；言子孫，則後我者可類；言父母，則庇我者皆其類；言妻財，則奉我者皆其類；言官鬼，則制我害我者皆其類。遠近不同，則親疏自異，而為利為害，爰有輕重之別，是在察其爻之所在而鑒別之，非可概論也。[45]

依著五行生剋與各爻與卦體本身的干支，便可發生刑害壯少休廢等情狀，既

44 杭辛齋：《易學要理妙訣筆談》，頁355-356。

45 杭辛齋：《易學要理妙訣筆談》，頁357-358。

有此情狀，便予以名稱以表之，此處所說的是六親。（即所謂符號）與卦體五行相同的曰兄弟，我生者為子孫，生我者為父母，我剋者為妻財，剋我者是官鬼。如此除了卦爻本身的當位與乘承比應狀態的推斷外，更加之以陰陽五行之氣的生剋變化，則自能肆應不窮而徵驗吉凶。當然，就如同杭氏所言，理學家所宗主的朱子都說《易》為聖人教人卜筮之書，而後儒卻將漢人所傳卜筮之術盡斥為小道而廢之，則其自我之矛盾亦不言可喻了。

除了六親之外，他也提及六神，其云：

> 神也者，妙萬物而為言，過化存神，有非可以跡象求之者。六親徵其實，六神徵諸虛。……震東方木，木之神青龍，甲乙日起青龍。離南方火，火之神朱雀，丙丁日起朱雀。兌西方金，金之神白虎，庚辛日起白虎。坎北方水，水之神玄武，壬癸日起玄武。坤、艮中央土，土之神勾陳、騰蛇，戊己日起勾陳、騰蛇。傳曰：「前朱雀而後玄武，左青龍而右白虎。」古者五行各有專官，官世其守，功德在民，民不能忘，即假人名以神號，舉其名知其用，所以便事也。吉凶神煞之名，皆此類也。必求其人以實之，愚也；必妄其名而斥之，亦詎足為智哉！六壬太乙遁甲之言神，舉可隅反矣！[46]

陰陽宅的風水之說常談左青龍、右白虎、前朱雀、後玄武、中勾陳、騰神，其所談的便是這六神所代表的五行間的生剋，以此生剋來論吉凶禍福，與六親的論點相同，只是名稱不同。要之，不論名稱為何，皆只是代數之符號，方便推算而已。後人不明此理，或者故意神秘之，必徵諸實物實象，自是迷信；然必妄其名而斥之者，亦是無知。

在納甲、爻辰、六親、六神的陰陽五行生剋推理之下，自有一套可以被奉行的趨吉避凶之道，而這一套可以被遵行的原則並不是以迷信二字就可以略過，杭氏將陰陽氣數的天運與人心人事的努力合而觀之，不能過恃氣數，但要執兩用中，則方是吾人所主張的學與術的統一與應用，而其在中國所以

46 杭辛齋：《易學要理妙訣筆談》，頁358-359。

行之數千年，亦定有其讓人信服之理。

七 結論：杭氏通論象、數、理、圖，藉《易》以經世致用

杭氏固然是以象、數論《易》的知名學者，然其根本立場仍一如傳統，認為《易》是聖人所作，其中有聖人所以通神明之德、類萬物之情、窮理盡性的大道。這對《易經》的基本看法，杭氏幾乎與以義理論《易》的學人沒有兩樣。然而，對於《易》道要如何得見的方法，杭氏則強調：「道不可見，以一陰一陽之象顯之，以參天兩地之數倚之，於是無形之道，儼然有跡象之可求，釐然有數度之可稽。」因此象、數與圖書正是吾人探求《易》中聖人之道的階梯，是以他十分強調象、數與圖書的價值與地位，唯有「下學」《易》中象、數、圖書之法，才能「上達」聖人在《易》中所談之道。

就象而言，杭氏提醒觀象須注意體用主從與時空關係，因象會因時空變化與對應關係不同而不同，這便解決了許多人對同一卦為何會有諸多不同之象的疑惑。就數而言，杭氏以為天地間萬物皆是天地之數，人生天地之間而最靈，故能參天兩地而倚數。心動則數生，物無窮則數無窮而心之限量亦無窮，能明白數之本源惟在人心之運用，則吉凶善惡皆能倚數而判之。又因要判別無窮事物的吉凶善惡，故生出各種名辭符號，不論陰陽八卦、天干地支、星宿神煞、五運六氣、日月星辰、六親六神，都與數字一樣，只是表理之符號而已。就圖而言，《河圖》、《洛書》與先、後天八卦圖固然是《易》中的圖書之學，但其實際內容的展現方式與邏輯思考卻是數字與卦爻象的推演與變化，故在杭氏眼裡，數、象與圖正是理解《易》理不可分離的階梯。

最後，杭氏因注重如何求得《易》理的數、象與圖書的運用，故對因《易》衍出的各種命算之術，也都看作是可以驗證《易》中有聖人仰觀府察所含之道，是以雖是小道，但亦可因之而證《易》之經義；再更由此之驗證而推及《易經》可對國家天下發生更大的影響，這也是他為何認為不論各類宗教、各種思想學說，甚至各種科學政治等等，皆能為《易》所涵攝，而

《易》在他眼中自是聖人所以教人經世致用之術也。[47]

47 關於杭氏的《易》學研究，本文之前已有兩篇碩士論文做了完整的整理，但卻形成兩種截然不同的評價。早一年發表的張青松：《杭辛齋易學研究》（臺北市：國立臺灣大學中國文學研究所碩士論文，2002年）從杭氏身處清末民初動盪時代與投身革命反袁的激烈生命特殊形態談起，分數、圖、象與現代四個大方向分析杭氏《易》學內容，並整理了前人對杭氏《易》學的各種評價，而其本身《易》學則說他「深深感受到那幾乎貫穿全部《杭氏易學七種》的「圖書象數學派」的強烈色彩！」（頁118）「種在信仰式的激情下將《周易》與作《易》之聖人「神化」的大前題之下，……結果把雪球滾得愈來愈大，愈來愈繁複與龐雜；而這種作法，我們今天會覺得它實在是近於某種圖象游戲和文字游戲，且往往得出極為牽強乃至荒誕、令人不可究詰而不可置信的種種『想當然耳』的『推論』過程及其結論來。」（頁118-119）張氏說「以上這些都是本人在研讀與思索之過程中，經過重重的困頓、徬徨、迷惑與多重的反復曲折之後終於確定下來的由衷之想法與定論，不敢試圖為賢者諱，或為之曲為迴護乃致於作無謂的溢美之言，以免於『自欺欺人』也。」（頁121）因為他覺得「進入『杭氏《易》學』的具體內容，就彷若進入一座無比繁複，『參伍錯綜』的圖書象數名物之迷宮。」覺得杭氏《易》學實在「可愛而不可信」，雖展現出研究者的思考反省與批判精神，卻恐怕也同時告訴了我們，他或有無法讀通杭氏《易》學的困境；而另一位張耀龍：《杭辛齋研究》（臺北市：國立政治大學中國文學研究所碩士論文，2003年）則對於杭氏《易》學七種內容條分縷析，細說杭氏對秦、漢以來《易》家所作評述及對西方新學的引介，並整理前人對杭氏《易》學的正反評價，謂辛齋「舉凡當世流行新名詞：愛克司光、飛機、十字架、來復線等；新概念：新式教育、勞動神聖、自由、平等、博愛、共和政治等；新學科：物理學、化學、生物學、考古學、地理學等，辛齋《易》學旁徵博引，與傳統《易》學之象數、義理、圖書諸法融會貫通，為後世《易》學研究另闢蹊徑，此則辛齋《易》學精彩之處。」（頁271）與上篇碩論看法正好全然相反，對杭氏做了十分正面的評價。但卻在文中謂杭氏《易》學可以「象數為體，義理為用」一語涵蓋之。（頁129）蓋杭氏《易》學特色正在「義理為體，象數為用」，他欲用象數之推演變化以證經中所含聖人之義理，與此論文所謂「象數為體，義理為用」實正好相反。兩位先生都十分用功，所引前人論杭氏之資料與整理杭氏《易》學內容都十分詳細，只是贊之者連體用都搞相反，而非之者又自云如入迷宮，是以筆者提筆為文，在兩本完整的碩士論文後試著再談杭氏《易》學，希望從術與學，用與體的角度，論述杭氏看待象、數、圖書與理的過程，並特開一節論「小道」之術數運用模式，希望能藉此而說明杭氏技進乎道，由小用至大用的論《易》心聲（不論其能否成就），略補前人論杭氏《易》學或有不足之處。

錢穆先生及其《易》學探論

陳進益

健行科技大學通識教育中心副教授

一　前言

林慶彰先生在一九九〇年十一月一日於中研院文哲所籌備處的演講〈錢穆先生的經學〉中說道：

> 研究錢穆先生的著作雖有多種，但針對錢先生經學研究貢獻作深入研究的，可說尚未見到。何以經學界對錢穆先生所作的經學研究如此冷漠呢？這主要是學術分科所帶來的後果。[1]

其雖非專論錢先生（1895-1990）《易》學的文章，故只對錢先生《易》學成果，如「（一）《周易》的時代問題，（二）卦爻辭新解，（三）論〈十翼〉非孔子所作」加以介紹，[2]並於十五年後再於《漢學研究集刊》上發表此文。但其呼籲學人注意錢先生經學貢獻的成果，終在二〇〇五年有孫劍秋先生於「錢穆先生思想學術研討會」中宣讀〈融通以達變——論錢穆先生對《易傳》的詮釋〉，修訂後發表在《周易研究》二〇〇五年第三期，並於今收錄在《易學新論》中。其將先生有關《易經》的專門研究篇目羅列出，謂：

> 對《周易經傳》的研究，也正是錢先生重建新儒學的重要內涵之一。他自一九二九年開始提出研究成果：是年六月發表〈易經研究〉、〈論

1　林慶彰：〈錢穆先生的經學〉，《漢學研究集刊》第1期（2005年12月），頁2。

2　同前註，頁4-5。

> 十翼非孔子作〉；一九四二年發表〈論太極圖與先天圖之傳授〉；一九四四年發表〈易傳與小戴禮記中之宇宙論〉；一九五五年發表〈王弼郭象注易老莊用理字條錄〉；一九八二年發表〈朱子之易學〉。在研究態度上是從全面宏觀到細微深入的發掘，在研究步驟上是從文獻辨正到形上思想的釐析，可見其用力之勤。[3]

其總結錢先生治《易》之語為：「在研究態度上是從全面宏觀到細微深入的發掘，在研究步驟上是從文獻辨正到形上思想的釐析」，應為所有細讀錢先生關於《易經》的各種論述者所認同。其文詳細的討論了錢先生對〈易傳〉的重要看法，除了延伸發明錢先生的意見，如「《易傳》作者吸收融通道家宇宙論，轉而建立屬於儒家的宇宙論，這是值得肯定的轉變」，並以「融通以達變」標幟出錢先生的治《易》精神外，[4]亦對其失誤處，如關於孔子「五十以學《易》，可以無大過」的討論加辨以指正，[5]是目前可見對錢先生《易》學研究最專精而深入的文章。

其他有蘇琬鈞在《國文天地》第二六八期（2007 年 9 月）中發表〈錢穆研究的最新成果──《錢穆先生學術年譜》簡介〉一文，對於韓復智先生的《錢穆先生學術年譜》做了適當的介紹，亦為吾人了解錢先生一生著述與生命提供了詳實細密的資料。

本文在孫劍秋先生對於錢先生《易傳》的深入討論與研究的基礎上，以素書樓文教基金會與蘭臺出版社於先生辭世後合刊之數十本各類叢書（《中國學術小叢書》、《中國文化小叢書》、《中國思想史小叢書》、《中國史學小叢書》、《孔學小叢書》）及先生晚年全憑追憶所寫的自傳《八十憶雙親師友雜憶合刊》為研究範圍，（此中多為先生一生發表於各類報章雜誌之單篇論文、各種場合演講稿及上課講稿等等）試圖透過對於先生一生的各類文章講

3 孫劍秋：〈融通以達變──論錢穆先生對《易傳》的詮釋〉，《易學新論》（臺北市：中華文化教育學會，2007年），頁153-154。又在陳明彪：〈錢穆的易學研究〉，收入賴貴三主編：《臺灣易學史》（臺北市：里仁書局，2005年），頁183-226，亦可供吾人參考。

4 同前註，頁177。

5 同註3，頁164-170。

稿的研讀、比較與歸納分析，完整的拼湊出錢先生的《易》學面貌，亦為先生之《易》學研究留下一真切而深刻的歷史足跡。

二　另一種面貌的錢先生

先生雖為當代國學大師，然其一生實亦與吾輩一樣，有其年輕好奇的經驗，亦有其身心修鍊的深刻練習，這些生命片段都是逐漸構成我們所認識的國學大師的生動歷程，並或多或少對其治《易》態度有所影響。而且他曾在《經學大要・第十九講》中說道：

> 諸位要懂得我上課，不是和你們講一門學問，我等於在和你們講我自己一輩子的生活，其至可以說在講我自己的生命。我自己認為我的生命，就是跑進了學術裏去，是與學術結合的。
> ……學問是要和「生命」合在一起的；如與功利合在一起，一輩子不會得意的。我們要懂得從「性情」出發來做學問。[6]

先生一再和學生強調，不要只把他所說所寫只當做一門學問來看，要把這些學問與他的生命一起合起來看，因為他的生命與他的學術已經合在一起了，他要學生懂得從「性情」來做學問。這是先生再三強調要人這樣看待他的學問的，（其實這也才真的是中國的學問）因此，在討論先生的《易》學之前，我們當然也要藉著先生的一些較不為人知的生命經驗，讓大家能在親切其人的狀態下，了解其《易》學面貌。

（一）好戲曲音樂，愛古文學，治乾嘉考據之學，亦曾愛陸王

在《八十憶雙親師友雜憶合刊　常州府中學堂》一文中，先生如此記載

6　錢穆：《經學大要》（臺北市：素書樓文教基金會，2000年），頁338、356。（此為民國六十三年至六十四年暑，先生為中國文化學院研究生所開「經學大要」一課之講堂記錄稿）

他少時喜愛戲曲的經歷：

> ……余學崑曲，較之學校中其他正式課程更用心，更樂學。余升四年之上學期，一日，忽嗓音驟啞，不能唱，……乃以吹簫自遣。自後遂好吹簫。遇孤寂，輒以簫自遣，……年逾七十，此好尚存。……余自嗜崑曲，移好平劇，兼好各處地方戲，如河南梆子、蘇州灘黃、紹興戲、鳳陽花鼓、大鼓書一一兼好。年少時學古文，中年後古文不時髦，閒談及之，每遭恥笑，乃欲以所瞭解於中國文學之心情來改治戲劇。[7]

他從愛崑曲到平劇、到各種地方戲，無不愛好，同時也想要以了解中國文學的心情來改造他所愛的各種戲劇。不過這個願望後來因為國共內戰而終於沒能完成。

接著在〈在臺定居〉中說道：

> 余之自幼為學，最好唐宋古文，上自韓歐，下迄姚曾，寢饋夢寐，盡在是。其次則治乾嘉考據訓詁，藉是以輔攻讀古書之用。所謂辭章、考據、訓詁，余之能盡力者止是矣。至於義理之深潛，經濟之宏艱，自慚愚陋，亦知重視，而未敢妄以自任也。不意遭時風之變，世難之殷，而余之用心乃漸趨於史籍上。[8]

他原喜古文學，而所以用心研究乾嘉考據訓詁之因，也在為了政讀古書之用而已，但對於所謂的經濟義理等學問，其實是不敢企求能有所成就的。只是世事難料，這個原本喜愛於文學戲曲的年輕人，終於成為以史學及學術思想享大名的國學大師。而這位我們所知最信奉朱子的學者，在年輕時也曾愛陸王，其於《經學大要・第三十講》中說道：

> 我年輕時喜歡講陸王之學，簡單、直接、痛快，我在鄉村小學教書，

7 錢穆：《八十憶雙親師友雜憶合刊》（臺北市：素書樓文教基金會，2000年），頁54。

8 同前註，頁354。

> 教得很開心，為甚麼？幸而靠陸象山、王陽明之學，我想不識一字也可以堂堂做個人，現在我認識了這許多字，還不能堂堂做個人嗎？可是到年齡慢慢大起來，尤其看到今天這個社會，大家不讀書了，怎麼辦？我才逐漸感覺到程朱的道理是顛撲不破的。[9]

陸王曾於他年輕時在鄉間教小學那段尚不知真正學問的生命階段，給了他無比的勇氣與信心，並且更進而在日漸成長的生命中，更對自我的生命有了無限的信心。也因為日漸年長，日漸看到時人不讀書的現實，而更加深刻的體會到程朱的路是更顛撲不破的道理。此中體會，對於吾人完整了解錢先生的生命面貌是很重要的一段。

（二）治佛學，用功於靜坐

錢先生在二十三、四歲時開始研治佛學，其因緣在於好友朱懷天喪母之故，其於〈四、私立鴻模學校與無錫縣立第四高等小學〉中云：

> （一九一八年）年假後，懷天回校，攜帶佛書六七種，皆其師公之為之選定。蓋因懷天喪母心傷，故勸以讀佛書自解耳。……懷天攜來之佛書，余亦就其桌上取來一一讀之。尤愛讀《六祖壇經》。余之治佛學自此始。[10]

而在接觸佛學之前，先生已習靜坐數年，並漸有感受，其在同文中又云：

> （一九一八～一九一九）余時正學靜坐，已兩三年矣。憶某一年之冬，七房橋二房一叔父辭世，聲一先兄與余自梅村返家送殮。屍體停堂上，諸僧圍坐頌經，至深夜，送殮者皆環侍，余獨一人去寢室臥牀上靜坐。忽聞堂上一火銃聲，一時受驚，乃若全身失其所在，即外在

---

9 同註6，頁563。

10 同註7，頁86。

天地亦盡歸消失，惟覺有一氣直上直下，不待呼吸，亦不知有鼻端與下腹丹田，一時茫然爽然，不知過幾何時，乃漸恢復知覺。又知堂外銃聲即當入殮，始披衣起，出至堂上。余之知有靜坐佳境，實始此夕。念此後學坐，儻時得此境，豈不大佳。回至學校，乃習坐更勤。雜治理學家又道家佛家言。尤喜天臺宗《小止觀》，其書亦自懷宗桌上得之。先用「止法」，一念起即加禁止。然余性躁，愈禁愈起，終不可止。乃改用「觀法」，一念起，即返觀自問，我從何忽來此念。如此作念，則前念不禁自止。但後念又生，我又即返觀自問，我頃方作何念，乃忽又來此念。如此念之，前念又止。初如濃雲密蔽天日，後覺雲漸淡漸薄，又似得輕風微吹，雲在移動中，忽露天日。所謂前念已去，後念未來，瞬息間雲開日朗，滿心一片大光明呈現。縱不片刻此景即逝，然即此片刻，全身得大解放，快樂無比。如此每坐能得此片刻即佳。又漸能每坐得一片刻過後又來一片刻，則其佳無比。若能坐下全成一片刻，則較之催眠只如入睡境中者，其仕更無比矣。余遂益堅靜坐之功，而懷天亦習其自我催眠不倦。……時余七房橋家遭回祿之災，……而先慈病胃，積月不能食。……余乃辭縣四職回鴻模任教，以便朝夕侍養。時為民國七年之夏季。此下一年，乃余讀書靜坐最專最勤之一年。余時銳意學靜坐，每日下午四時課後必在寢室習之。……其時余習靜坐工夫漸深，入坐即能無念。然無念非無聞。……余在坐中，軍樂隊在操場練國歌，聲聲入耳，但過而不留。不動吾念，不擾吾靜。只至其節拍有錯處，余念即動。但俟奏此聲過，余心即平復，余念亦靜。即是坐中聽此一歌，只聽得此一字，儘欲勿聽亦不得。余因此悟及人生最大學問在求能虛此心，心虛始能靜。若心中自恃有一長處即不虛，則此一長處正是一短處。余方苦學讀書，日求長進。……求讀書日多，此心日虛，勿以自傲。[11]

文中所提「七房橋二房一叔父辭世」時「乃若全身失其所在，即外在天地亦

11 同註7，頁88-90。

盡歸消失，惟覺有一氣直上直下，不待呼吸，亦不知有鼻端與下腹丹田，一時茫然爽然，不知過幾何時，乃漸恢復知覺。」的靜坐經驗，是第一次讓先生感受到靜坐的佳境與妙處，也因為這個生命經驗，先生對於靜坐愈加的專心用功，同時也更能體會這天地間自有一股人類無法說明的狀態。他治理學、道家、佛家之言，以天臺小止觀的方法練習靜坐，如此在文字與實際修行上同時對生命的究竟加以深入的研究，在多次修止觀法後，終有「初如濃雲密蔽天日，後覺雲漸淡漸薄，又似得輕風微吹，雲在移動中，忽露天日。所謂前念已去，後念未來，瞬息間雲開日朗，滿心一片大光明呈現。」的「小悟」狀態，並且漸漸的能掌握靜坐工夫，時「全成一片」之境，故益堅信靜坐之功。最後並在靜坐的真實生命體驗，「因此悟及人生最大學問在求能虛此心，心虛始能靜。若心中自恃有一長處即不虛，則此一長處正是一短處。」這對於先生一生的待人處世與治學態度蓋有決定性的深刻長遠影響，故若不稍加論述先生這些生命經驗，恐對其學問生命的了解易流於皮相。當然，這樣深刻的虛靜經驗對於其治《易》「觀象玩辭，觀變玩占」的體會，自有其加分的效果。

然而先生終究是儒家的信仰者而非佛門的信徒，故雖藉佛家靜坐之法而有悟境，然而亦要分別佛家的涅槃寂滅終非吾儒所謂的靜，其在〈略論中國音樂・四〉中說道：

> 余在對日抗戰期中，曾返蘇州，侍奉老母，居耦園中。有一小樓，兩面環河，名聽櫓樓。一人獨臥其中，枕上夢中，聽河中櫓聲，亦與聽雨中山果燈下草蟲情致無殊。乃知人生中有一「音」的世界，超乎「物」的世界之上，而別有其一境。
>
> 余又自幼習靜坐，不僅求目無見，亦求耳無聞。聲屬動而靜，色則靜而動，無聲無色，又焉得謂此心之真靜。佛法言涅槃，乃人生之寂滅，非人生之靜。中國人理想所寄，在「靜」不在「滅」。在中國禪宗必重「無所住而生其心」。心生則聲自生，故中國佛法終至於「禪淨合一」。一聲「南無阿彌陀佛」亦不得不謂中國文化人生中一心聲

> 矣。但中國文化人生尚有其最高第一層心聲，讀者幸就本文再審思之。[12]

是知先生在四、五十歲的中年之際，對於靜坐的體會又更有不同，乃謂「人生中有一「音」的世界，超乎「物」的世界之上，而別有其一境。」至於此境為何，已無法言語道說了。而其謂「中國人的理想在靜不在滅」，靜並非是無，故與佛氏不同。至於其中國禪宗之所以與淨土合而為一，之所以是中國的佛教的論述，因非本文關注焦點，也只有先存而不論了。

（三）對於神奇之術亦信而有之

一般市井小民對於神怪之說的流傳信仰常有濃厚興趣，並且深信不移，此自不足為怪，然先生其實也因親見親聞奇事，故對於天地間人們所無法理解的事物，自也多了一分寧信其有之心，其在〈略論中國心理學・二〉中說道：

> 余少時在鄉間，曾見一畫辰州符者，肩挑一擔。來一農，病腿腫，求治。彼在簷下壁上畫一形，持刀割劃，鮮血從壁上淋灕直流。後乃知此血從腫腿者身上來，污血流盡，腿腫亦消，所病霍然而愈。腿上血如何可從壁上流出，此誠一奇，然實有其事，則必有其理。惟其理為人所不知，卻不得謂之是邪術。又幼時聞先父言，在蘇州城裏，一人被毒蛇咬，倒斃路上。來一畫辰州符者，環屍畫一圈，遍插剪刀數十枝，刀鋒向地，開口而插。彼念符後，蛇從各處來，皆從剪刀縫下鑽入，以其口按之斃者傷口，大小不符，乃退，從原刀縫下離場而去。如是來者十許蛇，後一蛇，始係咬死此人者。以口接死者傷口，吸其血中毒既盡，仍從其原刀縫下離去，刀縫忽合，蛇身兩斷，即死。而路斃者已漸蘇，能坐起立矣。此實神乎其技矣。

---

12 錢穆：《現代中國學術論衡》（臺北市：素書樓文教基金會，2000年），頁294。（此節原刊民國七十二年十月十二日，《中華日報・副刊》）

> 辰州符能令離鄉死屍步行回家，始再倒斃。此事流布極廣，幾乎國人皆知。……在中國社會，此等事既所屢見，即讀《二十五史》之〈五行志〉，所載各事，類如此等奇異者，已甚繁夥。如司馬遷《史記》，即載扁鵲能隔牆見物。果能分類整理，已可彙成大觀。[13]

先生知此類事情實在無法理解，然亦因其親眼所見，並亦親聽其父曾有類似的見聞，故謂「實有其事，則必有其理。惟其理為人所不知，卻不得謂之是邪術。」而其父親曾經親見的辰州符抓毒蛇將已死之人救活的經驗，更使先生認為或有吾人所不能理解者，卻不可因不能理解便謂是邪術，並引史書中的〈五行志〉記載之事而證明此類奇事史中並不少見。

三　錢先生的《易》學觀

在了解錢先生較不為人知的性格與生命經驗後，我們便可進一步的來討論其與《易》的關係及研究成果了。

（一）治《易》基本態度——事實問題與價值問題不同

先生治學，一向要求客觀，其嘗於《經學大要・第七講》說道：

> 我現在所說的，講經學不能專從經學講，應當換個眼光、換個角度，從史學來看經學。……我們反過來說，講史學的人不通經學，也不行。從前人學史學，無有不通經學。[14]

是以我們討論任何學問，其先就不能有個分別的成見，否則所知所見只會越小越窄，更遑論能有什麼深刻真切的體會見解。故其於同書〈第五講〉謂：

---

13 同前註，頁85、86。（此文曾刊於民國七十三年三月三、四日之《中華日報》）

14 同註7，頁118、119。

> ……我說《老子》一書不是老子寫的，〈易十翼〉並非孔子傳下，這對《老子》、〈易傳〉本身的價值並無關係。[15]

又於〈第十四講〉中說道：

> 我說《易經》不是孔子看重的書，孔子也沒有來作〈十翼〉。我並不是說《易經》、《易傳》沒有價值，這是兩件事。這本書起得後，或許起得後的還比起得前的價值更高，這是不一定的。我自己很喜歡讀《易經》，不過研究《易經》是《易經》的思想，研究孔子是孔子的思想，兩者是不同的。[16]

這是先生治《易》的基本態度，他雖認為孔子並不看重《易經》，也未曾作過《易傳》，但這並代表《易經》或者《易傳》的價值就不高，事實上，我們去讀錢先生的著作，凡有關宋明理學、朱子學及學術思想相關文章，先生無不常引《易經》，常提《易經》，而其實他自己也是很愛讀《易經》的。因此，說孔子並不看重《易經》，也未曾作過《易傳》，是事實的探究問題，但若要論說《易經》、《易傳》的思想與價值，那則全然是另一回事。這是我們研究錢先生的《易》學時，極重要的基本認知。所以他在同書的〈第十五講〉中更進一步的說：

> ……我告訴諸位《易經》裏的〈繫辭〉不是孔子寫的，但那裏邊有思想，寫〈易繫辭〉的這個人是誰？我只能告訴諸位我不知道，但是你不能抹殺他的思想。現在又或轉成根本不去辨真偽，這就難講了。我舉一個例，《論語》裏這樣講，《易經》裏的〈繫辭〉卻那樣講，那個真是孔子制的法呢？不是弄不清了嗎？我說《論語》是真的孔子所講的話，〈易繫辭〉不是真的孔子講過的話，我們研究就省力了。至於〈易繫辭〉有沒有價值？這是另外一件事。《論語》裏難道孔子講的就都有價值了嗎？這也是另外一件事。這是兩個問題，一個是事實問

---

15 同註7，頁73。

16 同註7，頁250。

> 題，一個是價值問題，兩個問題不同的，應該分別看待。[17]

事實問題與價值問題實在是兩個問題，自當分別看待。先生舉《論語》和〈繫辭〉而論其價值高低，是有其深意的。所以其又在〈崔東壁遺書序〉一文中舉《易經．乾卦》為例云：

> 這古代哲學者每據《易》謂「《易》經四聖，時歷三古」。此其說今人已無信者，謂〈十翼〉非孔子作，則崔氏已辨之。然姑捨〈十翼〉，就《周易》上下篇六十四卦言之，縱謂《易》是卜筮書，然卜筮之判吉凶，孰為吉而孰則凶，其事有出於卜筮之外矣。〈乾〉之〈初九〉何以當為「潛龍」之「勿用」？〈九二〉何以「在田」而「利見大人」？〈九三〉何以必「終日乾乾夕惕若」？〈九四〉何以「或躍在淵」而「无咎」？〈九五〉何以「在天」而亦「利見大人」？〈上九〉何以「亢龍有悔」？循是推之，《周易》六十四卦各有其教訓，即各有其義趣，寧得不謂是古代關於人生哲學一部甚有價值之經典乎？今苟不能確定《周易》上下篇亦戰國人所偽造，則治古代哲學思想者烏得不援引及之耶！[18]

其以〈乾〉卦為例，而謂《周易》六十四卦各有其教訓，即各有其義趣，怎麼能不看做是古代的人生哲學的思考典籍？而治古代思想史者又如何能不援引之？由此可見所謂的事實問題與價值問題實應在吾輩心中有個釐清，方能不礙吾人探究學問之宜價值。

（二）愛讀《易》，亦嘗作《易學三書》

先生是愛讀《易經》的，他說道：

---

17 同註7，頁273。

18 錢穆：《中國學術思想史論叢（八）》（臺北市：素書樓文教基金會，2000年），頁353、354。（此序先生作於民國二十四年十二月二十八日，北平。）

……我年輕時很喜歡讀程伊川的《易傳》。你們要讀《易經》，與其照王弼的《注》來讀《易經》，不如照程伊川的《易傳》，要比王弼的好讀得多而有趣，因他年代在後。[19]

他以自己愛讀《易經》的體會，建議同學照程伊川的《易傳》來接近《易經》是條不錯的道路。並且三番兩次的提到自己曾作《易學三書》，但卻因稿子被蟲咬壞及戰亂的關係，使得此部《易》學著作難以再補救的遺憾，他在《中國學術思想史論叢（一）‧序》中說道：

……方民國十四、五年，余在無錫第三師範，曾草《易學三書》。一〈易原始〉，專《易》卦起源，及其象數。二〈易本事〉，就《周易》上下經六十四卦，論其本事，而主要則在闡明《易》起商、周之際之一傳說。三〈易傳辨〉，專辨〈十傳〉非孔子作。一、二兩篇先成，第三篇因事擱置。抗戰期間，寓成都北郊賴家園，此稿為白蟻所蝕，每頁僅存插架之前面，不及一頁之三分一，已無法補寫。吳江沈生，在此稿草創時鈔去一副本，今尚不知存天壤間否？本集收〈易經研究〉一篇，乃其一鱗爪。此稿則如飛龍之在天，雲漢無極，可望而不可得見矣。是亦一可悵惋之事也。（中華民國六十五年清明節後錢穆自識於臺北外雙溪之素書樓，時年八十有二）[20]

這是先生八十二歲時的悵惋之事，而吾人今日可見的〈易經研究〉一文，也不過是這部書的一小部份而已。而這事在經十一年後，先生依然十分悵惋，其於《孔子傳‧再版序》中又提及此事，云：

……又撰有《易學三書》一著作，其中之一即辨此事。（〈易傳〉非孔子作）但因其中有關《易經》哲理一項，尚待隨時改修，遂遲未付印。對日抗戰國難時，余居四川成都北郊之賴家園，此稿藏書架中，

19 同註7，頁416、417。

20 錢穆：《中國學術思想史論叢（一）》（臺北市：素書樓文教基金會，2000年），頁3、4。

> 不謂為蠹蟲所蛀，僅存每頁之前半，後半全已蝕盡，補寫為艱。吳江有沈生，曾傳鈔余書。余勝利還鄉，匆促中未訪其人，而又避共難南下至廣州、香港。今不知此稿尚留人間否。中華民國七十六年四月錢穆補序時年九十有三。[21]

由先生在晚年仍不斷提及此事，可知其曾十分用心於《易經》，只是這曾經用心的痕跡恐已消失在歷史的變化中了。

（三）錢先生《易》學面貌大概

先生既然不斷念著他曾作的《易學三書》，那麼我們不妨試著以他一生曾經寫過的文章為底本，盡力的將先生關於《易經》的看法整合起來，以此方法，或者可以窺得先生《易》學之大概。首先是關於《易經》的基本觀念。

1 《易經》的幾個重要基本觀念

（1）變與化

先生在《晚學盲言．上篇．六．變與化》中說道：

> 中國人好言「變化」。「變化」二字，可分言，亦可合言。《周易》言：「乾道變化。」又言：「四時變化，而能久成。」……四時之「變」，由於每一日之「化」。在日與日之間，則不覺其有變。……《周易》又言：「化而裁之存乎變，推而行之存乎通。變通者，趨時者也。」如言氣候，只是一氣之化，在此化中加以裁割，一歲三百六十日，可以裁割成四個九十日，即春、夏、秋、冬四時；此即時變，而實是一化。……知其有了變，便易參加進入人類之適應。故曰「變通者，趨時者也」，「趨時」正指人事之適應。……《易》又言：「神

21 錢穆：《孔子傳》（臺北市：素書樓文教基金會，2000年），頁15。

> 而化之。」又曰：「窮神知化。」……無生物之化如方圓，有生物之化如死生。合而言之如彼此。百化之內，皆有一和合。若有一不可測之神存在。其實亦可謂百化本身即是神，非於化之外別有神。……陰陽亦只是一氣之化，不可謂由陰變陽，由陽變陰。陰陽非是兩物更迭為變，只是一物內體自化。惟化始謂之「誠」，若變則成了「幻」。生老病死，亦是人體一生之化。……「變」字終嫌其拘於一曲，流於物質觀，其義淺。「化」字始躋於大方，達於精神界，其義深。……《易》曰：「成性存存。」「道」與「性」皆可存，但不可積。……惟存乃可久，而積則不可久。（積字終嫌偏在物質一邊，終嫌其不能過而化）能知「化」與「變」之辨，又能知「積」與「存」之辨者，庶可語夫中國民族之文化理想與其人生大道之所在矣。[22]

先生認為「變」看似突然，其實是在一不被一般人所看得到的「漸」「化」中慢慢形成的，就好比四時之「變」其實是由於每一日的「化」而來。只是這「化」在日與日之間，所以我們才不覺其有變。故我們所謂的「神」（即那些我們無法理解的突然巧驗）其實便是這點點滴滴的「化」所形成的，由於其「化」時不易為人察覺，所以一旦令人察覺時，人們便大驚小怪，以為神奇不已，而《易經》常談的陰陽也不過是一氣之化，生老病死，也只是一人生之化。故《易》中所謂「趨時」者，指的也就是明白此一變與化的微妙，能明白此一微妙，便能「趨時」，自然也就能掌握吉凶之道了。

不過所謂的「變」，可不是沒有原則，隨時隨地隨人都可以變的，更細的說，能變的其實是有德的君子，若是小人，則易流於濫也。先生在《中國文化叢談・第一編・五・變與濫》中說道：

> 《周易》「易」字，第一義便是「變易」義。一部《易經》，只講箇變易。故曰：「窮則變，變則通，通則久。」《易傳》裏每以事業與變通

---

22 錢穆：《晚學盲言》（臺北市：素書樓文教基金會，2001年），頁91-101。（此為先生八十三、四歲開始隨興書寫，民國七十五年編成時，先生已九十二高齡）

> 並言。能變通，此事業始可久。不可久則亦無事業可言。但變非人人能之。《易》之〈革〉卦九五說：「大人虎變。」上六說：「君子豹變，小人革面。」此是說只有極少數大人君子始能變。羣眾小人非不想變，但不知變，不能變，則只能革面。革面亦是變，只是變的外皮，並不能在骨子內裏變。大人君子變了。羣眾小人亦革面相從，而後其變始定。……《周易》「易」字之第二義是「不變」。事有當變，有不當變，亦有當不變。此非大人君子不能辨。……《易》之〈革〉卦之〈象傳〉又說：「澤中有火，革。」這一局面很微妙。〈兌〉卦澤在上，〈離〉卦火在下，而合成為〈革〉卦。火在下，火燃則水乾。水在上，水決則火滅。〈革〉卦之〈彖〉辭又說：「二女同居，其志不相得曰革。」據卦象是中少兩女，少女在上，中女在下，此兩女間，意趣情感均不易相得，於是遂成此局面，故須革。……〈革〉之初爻：「鞏用黃牛之革。」〈象〉曰：「鞏用黃牛，不可以有為也。」這是說當革之初期，最怕是急欲變，急欲有為。黃牛皮堅韌，可以用來約束使物不流散而團結鞏固。不是用來防變，乃是用來防濫。（本文刊於民國五十七年一月一日《自由談》十九卷一期）[23]

先生舉《易》之〈革〉卦九五「大人虎變。」及上六「君子豹變，小人革面。」而說只有極少數的大人與君子始能變，小人則只是革面，是表相的變而已。除此之外，尚有當不當變的分別，這分別同樣也只有大人君子足以當之。而其在此文中解〈革〉初爻：「鞏用黃牛之革。」〈象〉曰：「鞏用黃牛，不可以有為也。」為「黃牛皮堅韌，可以用來約束使物不流散而團結鞏固。不是用來防變，乃是用來防濫。」則更是入木三分。〈革〉卦的確在談變，澤火之象，本就在變革之際，然而懂管如此，其變仍不可以急濫也，必待大人君子始能為之。此為先生第一個重要的論《易》基本概念。

---

23 錢穆：《中國文化叢談》（臺北市：素書樓文教基金會，2001年），頁87-92。（此乃民國五十八年，先生彙集其二十年來在港九、星馬、臺灣各地有關中國文化問題之講演二十餘篇文章之書）

（2）同與異

先生在《歷史與文化論叢第一編．三．人類文化與東方西方》中談到同與異的問題，他說道：

> 《易經》以六爻成一卦，共得八卦。八八六十四卦，共成三百八十四爻。每一爻，時不同，位不同，斯其每一爻之德與性亦各不同。其實，每爻又只分陰與陽。各個小己自我之在人類天地中，竟是萬異而各不同。但此只是小異。《易經》上把此萬異而各不同之小異，歸納為三百八十四種異，又歸納為陰、陽兩異，此始是大異。而其背後則是天地萬物一體之大同。由小異則只見小同，由大異乃始見大同。（此為民國六十三年九月十日第三屆中日大陸問題研討會講演，九月十四《青年戰士報》，十月《東亞季刊》六卷二期）[24]

先生認為《易經》三百八十四爻，爻爻皆有時與位的分，而這時與位便表示每個爻的德與性，因此，每個小我在這世界中雖只是小異；但當集合每個小異而歸納入三百八十四爻，進而歸納為《易經》六十四卦起源的那對陰與陽時，便是一組大異了。然而在這一組大異的背後，則又可見到一個大同（即太極）。於是，吾人在論《易》時，如不能先有此等小異小同與大異大同的認知時，則難免在每卦每爻落實於每個單一事件的推斷解說時，容易發生自相矛盾或解釋不清的狀況。

（3）動與靜

先生在《晚學盲言．上篇．三．時間與空間》中說道：

> 〈易繫辭〉言：「天尊地卑，乾坤定矣。」「天」指時間，「地」指空間，時間尊於空間，中國人觀念即如此。《周易》之六十四卦三百八十四爻，中國古人即以象徵宇宙萬物之一切變化，其中皆涵有時間意

24 錢穆：《歷史與文化論叢》（臺北市：素書樓文教基金會，2001年），頁18。（此乃民國六十五年國防總政戰部為提高部隊官兵素養，擬編印優良讀物，供幹部閱讀，要求先生出版之著作）

> 義。……曰乾「—」，曰坤「- -」。「—」即時間，象合；「- -」即空間，象分。中國人觀念，一切分其先皆由一合來。……〈易繫〉又言：「動靜有常，剛柔斷矣。」……時間是一「動」，空間是一「靜」，如太陽地球皆是一靜，實則亦皆是一動。《易》卦以龍象乾，以馬象坤，則坤卦亦仍是一動。……《周易》必主乾在先為主，坤在後為順。動在先靜在後，動為主靜為順，乃於時間中加進空間，……〈易繫〉又言：「乾道成男，坤道成女。」乾坤乃其象，言「道」則指其動，男女斯成形，乃始有靜可言。[25]

先生認為天指時間，地指空間，天尊地卑，則時間重於空間，故「《周易》之六十四卦三百八十四爻，中國古人即以象徵宇宙萬物之一切變化，其中皆涵有時間意義。」是以論《易》，時之一字最要重要。然而時間又不能獨立存在，其必然得落實在一空間中，始能為吾人所感受之，因此時間與空間的對應關係遂有了動與靜的觀照。時間是動，是陽爻的特色；空間是靜，是陰爻的特色。動與靜是相含相融而非獨立存在的。故《易》雖主乾陽在先，坤陰在後，然而孤陰不生，獨陽不長，乾健動順，時空相應，這樣的相融相攝的概念，是吾人論《易》極重要的基本認識。

（4）數變、位變與時變

綜合上面三個基本概念的認識，我們便可明白《易經》的基本大義實乃時空陰陽關係的變化而已。先生在《晚學盲言・上篇・二・抽象與具體》中說道：

> 《周易》六十四卦皆言「象」，此世界一切有生、無生，皆可歸納卦象中。一卦以六爻成，爻即是變。全《易》六十四卦三百八十四爻，即以包括天地間一切萬物之變。即後起一切變，亦可包括在內。故「易」有「變易」、「不易」、「簡易」三義。一切變只是一不變，其事至為易簡。孔子曰：「其或繼周者，雖百世可知。」《易》之為書，亦

25 同註22，頁49-51。

> 在求知人事之變。何由而能知？則在求之象。宇宙間一切象，不外「和合」、「分別」之兩變。《易》以乾「—」坤「- -」兩爻象之。乾坤猶天地，「—」象天，「- -」象地。人生亦此二象，「—」象男，「- -」象女。其他一切變化，皆由此而起。……於數變、位變之中，又見有「時變」。《易》之大義，簡易言之，不過如此。[26]

先生認為一卦既由六爻所成，則爻即是變，而《易經》三百八十四爻則正代表天地萬物一切之變，故《易》乃有「易簡、「不易」、「簡易」三義，變與不變乃在相互融攝之中，端看一個時字而已。其又認為宇宙間的一切現象不外分與合，而《易經》陰陽兩爻之象正代表著分與合的模樣，或者表示天地，或者表示男女，天地男女其間有分亦有合，則一切變化皆由此分分合合而起。於是或者陽在陰上，或者陰在陽上，此是位子的變化，謂之「位變」。或者二陽相積，或者二陰相累，此是數量的變化，謂之「數變」。再進而融攝此數與位的變化，則進而有八卦，有六十四卦的形，這六十四卦的逐漸形成便有了「時變」的問題。《易經》六十四卦，三百八十四爻的關係也就存在於這陰與陽的「數變」、「位變」與「時變」當中了。

2 《易經》吉凶判斷的原理

先生在《中國文化史導論・第四章・古代學術與古代文字》中說道：

> 在孔子以前的古代典籍，流傳至今者並不多。舉其最要者，只《尚書》，《詩經》和《易經》三種。……現在把《易經》裏的原始理論約略敘述如次。人事儘可能的繁複，但分析到最後，不外兩大系統。一屬男性的，一屬女性的。……《易經》的卦象，即由此觀念作基礎。「—」代表男性，「- -」代表女性。這是卦象最基本的一個分別。但「—」與「- -」的對比太簡單了，不能變化，乃把「—」三疊而成「≡」、「- -」三疊而成「」，代表一種純男性與純女性。……如

26 同註22，頁37、38。

> 此比附推演，一地間一切事事物物，有形無形，都可把八卦來象徵。由此再進一步，把八卦重疊成六十四卦，則其錯綜變化，可以象徵的事物，益為無窮。[27]

錢先生認為《易經》把看似繁複的人間萬事，簡化而成男女兩大系統，並且以此為基礎而有了陰陽一組符號，然再慢慢相疊成八組、六十四組符號，並以這簡化了複雜人間萬象的符號反過來推算世間萬事，故有了可以推測的基礎。其進一步謂《易經》判斷吉凶的基本原理為：

> 《易經》六十四卦，都由兩卦疊成，在時間上象徵前後兩個階段，在空間上象徵高下兩個地位，「時」和「位」，是《易經》裏極重要的兩個基本概念，幾乎如分別男性女性一樣重要。這是說，在某一時候的某一地位，宜乎採取男性的姿態，以剛強或動進出之的；而在某一時候的某一地位，則又宜乎採取女性的姿態，以陰柔或靜退出之了。[28]

這是《易經》論斷吉凶最重要的基本認知，吉凶禍福端在「何位、何時」應採「或動、或靜」的姿態。所採的對應方式正確了，是吉；反之，則凶。《易經》論斷吉凶並沒有一個固定的定理，全然都是一種相對應的變動不居的關係。他又接著細說解《易》的方法，其云：

> 又《易經》的每一卦，都由三劃形成，這無論在時間或地位上，都表著上、中、下或前、中、後三個境界。大體上在最先的階段或最下的地位，其時則機緣未熟，事勢未成，一切應該採取謹慎或漸進的態度。在最後的階段或最高的地位，其時則機運已過，事勢將變，一切應該採取警戒或退守的步驟。只在正中的一個地位和時間，最宜於我

27 錢穆：《中國文化史導論》（臺北市：素書樓文教基金會，2005年），頁64-68。（此書係先生第一部討論中國文化史而同時兼論中西文化異同問題有系統之著作。原著於民國三十二、三年對日戰爭期間，迄三十七年夏，交上海正中書局出版。其時大局動盪，未能流行）

28 同前註，頁69。

> 們之積極與進取的活動。若把重卦六爻和并看來，第二第五兩爻，居一卦之中堅，最佔主要地位。最下一爻和最上一爻，則永遠指示著我們謹慎漸進或警戒保守。如此再配上全卦六爻所象徵的具體事物，及其全個形勢，則其每一地位應取的剛柔態度和可能的吉凶感召，便不難辨認了。[29]

這便是我們解卦論其吉凶禍福與進退之宜的實際運用方法，而每一爻之時與位都有其特別的意義。先生所謂「在最先的階段或最下的地位，其時則機緣未熟，事勢未成，一切應該採取謹慎或漸進的態度。」就是一般所謂「初上爻無位」的說法。因仍無位（初爻）或已無位（上爻），故漸進或著謹慎為佳。先生謂「第三第四爻，可上可下，其變動性往往很大。」即一般所謂「三、四兩爻多疑多懼」，其疑、懼之故，便在三爻已為下卦之上，為由內至外的關鍵；四爻則為上卦之初，為由內至外之開始。故三、四兩爻正在內卦與外卦變動之關鍵處，是以最具可觀性，也最具挑戰性。至於二、五兩爻，各居下卦與上卦之中，故為主要地位。論卦之吉凶禍福，便在此一卦時中觀此六爻之變動，在其漸（化）與未成（變）之前，辨其機而預其兆也。先生最後再總結此解卦的三個基本觀念云：

> 一、是人類自身內部所有男女剛柔的「天性」。二、是人類在外面所遭逢的「環境」，其關於時間之或先或後，與地位之或高或下，及其四圍人物及與事變所形成之一種形勢，佔卦所得之某一爻，即表示其時與地之性質。其餘五爻，即指出其外圍之人物與事態者，此即所謂「命」。三、是自己考量自己的剛柔性，與外部的環境命勢，而選擇決定其動靜進退之「態度」，以希望避凶趨吉的，此即所謂「道」。因此《易經》雖是一種卜筮之書，主意在教人避凶趨吉，跡近迷信，但其實際根據，則絕不在鬼神的意志上，而只在於人生複雜的環境和其深微的內性上面找出一恰當無迕的道路或條理來。[30]

---

29 同註27。

30 同註27，頁70。

此處的第一條指的便是某爻本身之陰或陽，陰有陰的理，陽有陽的理，先明白了陰陽各自的理，此各自天生具有的理，便是先生所謂的「天性」。第二條指的則是此爻之所處為初、二、三、四、五、上何位？是陰爻處陰位（初、三、五）或陽位（二、四、上）？還是陽爻處陰位（初、三、五）或陽位（二、四、上）？是在全卦的那一位？又其上下相比之陰陽為何？相應之陰陽又為何？觀此爻之各種外在形勢，是吾人所在之真實狀況，此先生所謂之「命」。第三條則依第一條自己的「天性」再加上第二條所觀察到的一切形勢（命），決定如何可以趨吉，如何可以避凶的方法與態度，這便是先生所謂的「道」了。（道即是路，即是方法）因此可知《易經》所以論吉凶禍福者，乃是從「人生複雜的環境和其深微的內性上面找出一恰當無迕的道路或條理來」，而絕非在鬼神的意志上尋求道路的。

3 對《易經》的基本說明

先生亦有對《易經》的其本情況做說明者，他在〈易經研究〉中說道：

> 此篇是在民國十七年夏應蘇州青年會學術演講會之請，分講兩次，凡四小時，經茅、童兩生筆記，稍加潤飾，刊載於蘇州中學校刊之十七、十八期。十八年六月中山大學語言歷史研究所第七集八三、八四期週刊轉載。主要是說明先生認為研究《易經》的適當方法，其云：「……清初胡渭（朏明）著有一部《易圖明辨》，算是研究《易經》一部很好的書。前人說看了胡渭的《易圖明辨》，宋以來講《易》的書統可不看了，因為他們都講錯了，都不可靠。但是清儒從宋儒的『道士《易》』一反而為漢儒的『方士《易》』，依然是二五之與十，……最近有人把西洋哲學來講《易經》，將來此風或者要日漸加盛，我想題他一個名目叫做『博士易』，表示他也只與方士《易》、道士《易》同樣的講錯，同樣的不可靠罷了。他們講《易》的錯誤與不可靠，無非是他們研究方法的失敗。我今天來講《易經》研究，只是講一個研究《易經》的新方法，比較可靠少錯誤的方法，卻不敢說自

己對於《易經》研究有什麼無誤而可靠的成績。」[31]

這是對於以各種特定立場討論《易經》的不認同，不論是漢、宋或者現代專家，先生認為一旦有了立場，便已失去《易經》的原義了，因此，他想提的只是一個較少錯誤的認識研究《易經》的新方法而已。

他在〈易經研究〉一文中首先解釋八卦的取象，除──象天，──象地外，謂雷為一物在地底之象，是天神下格之第一卦。水為一物在地中之象，是天神下格之第二卦。山為一物在地上之象，是天神下格之第三卦。（意即此三卦為由天來，為陽卦）風為一物在天空下層之象，是地氣上通之第一卦。火為一物在天空中層之象，是地氣上通之第二卦。澤為一物在天空上層之象，是地氣上通之第三卦。（意即此三卦為由地來，為陰卦）並特別提出「水草交厝為澤，毒蟲猛獸居之，古人常縱火大澤以驅禽行獵。……澤卦與風火為類，本取象於烈澤，後人認作水澤、雨澤，都錯了。」[32]

又謂「八卦只是游牧時代的一種文字。把文字學上的六書來講，他應歸入指事一類。後來重卦發生，這便是六書裏面的會意字及假借了。」[33]

接著他談卦的數。謂──象奇數一，──象偶數二，後來轉而為一象奇數三。（一與二之和）──象偶數二。然後便有了三陽爻的 3＋3＋3＝9（老陽）三陰爻的 2＋2＋2＝6（老陰）及 3＋2＋2＝7（少陽）和 2＋3＋3＝8（少陰）的九、六為老，七、八為少的說法。又八卦的總數，乾、坤兩卦合十五，其他六卦合四十五，總數卻成了六十，這與甲子曆數顯有關係。古人常《易》、曆連稱，八卦在天文曆數上的應用，這又是值得推考研究的。後來天地合數之五的十倍五十，便成為『大衍之數』，……他的占法，要『四營成易，十有八變成卦』。我想最先筮卦，只以二三起數，至九六七八為止，只是一種初步的計數遊戲，決不能像大數那樣的繁複。」[34]

31　同註20，頁202。

32　同註20，頁203-205。

33　同註20，頁205-207。

34　同註20，頁208、209。

接著他又舉牧人尋得水而記作「山上有水」或「水在山下」等符號告知後來者，後來者見符號而知水在何處，不必苦加尋找，這占卦的起始一如今之「拆字」。

又自占而講到辭，認為辭的起源，是從占卜者中記下來的話。並舉澤山咸為例而云：「這卦本義是『山上有澤』，這與嫁娶吉凶有何關係呢？但自有聰明人為他推詳。說是少女，是少男，正都是應該婚嫁的當兒。而且女悅而男止，（澤是行獵故悅，山是靜止的）男的能止於禮，不侵犯女的，女的能悅從男的，那還不好麼？……便記成：咸，亨，利，貞取女，吉。又舉天風姤為例，謂天下有風，與嫁娶吉凶何關呢？但聰明的人說，照卦象看來，這女子是個長女，很活動很難管束。你看風行天下，隨遇而合。這卦象明明是一個女子卻有了五個男子，水性楊花，隨便的遇合，那好和他結為佳耦呢？聽的人也信了，把他的話約略記下，便成下式：姤，女壯，勿用取女。……」他認為「《周易》上下經裡還保留著不少古初卜辭遺下的痕跡，〈十翼〉卻完全是後人的造作。我說研究《易經》，應該用歷史的眼光、分析的方法去加以研究，其道理也就在這些處。」而貞字就是「貞問」、「貞卜」之義，如照〈文言〉裡「貞固之德」解，便無一可通。[35]

以上為錢先生〈易經研究〉一文之大概，此文可做為先生針對《易經》做最基本說明與解釋的文章，故略做整理疏解於此，以做為拼湊先生《易》學面貌之一環。

4 個別卦爻注解之例

先生一再對其曾經注《易》之作《易學三書》繼繼不忘，今日雖已未能得見其全貌，但吾人仍希望能從先生曾經個別解釋的卦爻裡，窺得其大概之模樣。其於《中國學術通義．中國文化傳統中之史學》中曾解說〈乾〉卦六爻，其云：

> 再以《周易》〈乾〉卦六爻為說。初九「潛龍勿用。」亦猶人生之預

---

35 同註20，頁211。

備期。九二「見龍在田，利見大人。」此是投身社會，出潛離隱，為轉入人生幹濟期的第一步。利見大人者，九二尚在下，雖已具大人之德，尚未登大人之位，同聲相應，同氣相求，水流濕，火就燥，雲從龍，風從虎，利見在上位之大人與之相應。人文社會中，後進必賴先進之提拔護掖，一氣呼應，始得成事，此乃自古皆然。九三「君子終日乾乾，夕惕若，厲无咎。」九四「或躍在淵，无咎。」此兩爻，在人生幹濟期中必有奮鬥，其不寧於心，不安於位之情形，躍然如在紙上。九五「飛龍在天，利見大人。」此是幹濟人生奮鬥歷程中之最高階段，能以美利天下之最高可能。利見大人者，在上位之大人，亦盼得在下位之大人，即有德無位之大人與為相應。若純就教育事業言，孔子乃飛龍之在天，顏淵以下，則見龍之在田也。上九「亢龍有悔。」自然人生必有一衰老期，人文人生，亦有一終極階段。昧者知進不知退，知存不知亡，知得不知喪，知有幹濟奮鬥而不知有窮而藏之一階段，終成為亢龍之有悔。亢者位已高，當求退。自然人生過六十、七十，亦當求退。此是人生之退藏期。又言「用九，見羣龍無首，吉。」凡潛龍，見在田之龍，躍在淵之龍，飛在天之龍，其為龍則同，貴乎各因其時位而各全其龍德。人在人文社會中，各有活動，皆當具備一副奮鬥自強之幹濟精神。在上位，則利見在下之大人。在下位，則利見在上位之大人。凡具龍德，皆大人也。聲應氣求，而貴乎能互不為首。有了一首，其餘便不成為龍。沒有了羣龍，一龍亦無可能為，只有潛藏。故曰潛龍勿用，亢龍則有悔。在人文人生中隨其時位而潛伏，而飛躍，而退藏，亦與在自然人生中，隨其自然年齡而亦有潛伏與飛躍與退藏之三時期。全部人文歷史亦如此。所貴善辨者，則在其有後與無後，可繼與不可繼。（此文曾刊於民國六十三年一月《中華學報》創刊號）[36]

先生以人之一生為例解說〈乾〉卦六爻，以初九為預備期；九二為投身社會

36 錢穆：《中國學術通義》（臺北市：素書樓文教基金會，2000年），頁127、128。

初期，故「利見大人」，需要大人之提攜，亦需「聲氣相投」的友人相助；九三、九四則是變動最大的階段，故常有不安於位、不寧於心的情況出現；九五則是人生的顛峰，已是大人，然亦要「利見大人」者，乃在於利與「有德無位」之大人相助相應也；上九則是衰老期，若不知退藏而仍要亢進，必然有悔。而〈用九〉所以「羣龍无首，吉」者，則在於不論時位如何，六爻皆是龍也，皆貴乎相應相助，是以若有首，則其餘便不成龍，沒有羣龍，則一龍亦只能潛藏而無法起大用了。先生藉此六爻而說明人的一生有此「潛伏、飛躍、退藏」三時期，則是善以《易》喻人生者也。

其在《晚學盲言．上篇．十二．物質人生之陰陽面》又有一解〈乾〉卦之例，其云：

> 《易》言陰陽，六十四卦乾、坤為首，乾動坤靜。乾之初九曰：「潛龍勿用。」九二曰：「見龍在田。」九五曰：「飛龍在天。」上九曰：「亢龍有悔。」就人之一生言，方其未冠笄，未成年，則當為潛龍之勿用。及其志於學而立，則為見龍在田。四十、五十，由立而達，則為飛龍之在天。七十、八十，老耄近死，則亢龍矣。故人之老而衰，乃天之善使人之勿亢而悔也。故自然則有存必有亡，有終仍有始，而不能純乾無坤，純坤無乾，「中和」乃自然之象。就德性修養言，則浴沂風雩，苟全性命，不求聞達為「潛龍」。內聖外王，山峙水流，既仁且智，亦壽亦樂，為「飛龍」。而名位富貴之逞心得意為「亢龍」，雖為龍，而終有悔。此則乾必轉為坤，純乾無坤，此亦不當不引以為戒。……孔子五十而知天命，乃知己之所立實乃天之所命，如此則天人合。故能七十而從心所欲不逾矩。「從心所欲」是其乾之動而健，如龍之潛而飛。「不逾矩」則其坤之無不靜而順，安分守己，而大羣合。此之謂合內外。……孝弟忠信，孔子所傳之道。居家孝弟，即見有己，已確然成為一潛龍。出門忠信，更見有己，已確然成為一見龍。何必飛龍在天，始見其為龍？父母兄長朋友，皆人生之

> 「環」，非環又何以得「中」？非坤之順，又何以見乾之健？[37]

此亦以人之一生為例，而謂「未成年，則當為潛龍之勿用。及其志於學而立，則為見龍在田。四十、五十，由立而達，則為飛龍之在天。七十、八十，老耄近死，則亢龍矣。」而其說上九亢龍之悔時，便進而說到坤之所以出現，便在於即使是龍陽之德，亦不能純陽無陰，純乾而無坤也，是乃中國文化中和之道，亦是《易》之所以不息之理也。

四　錢先生占《易》之例

先生一生愛讀《易經》，但卻只有兩次占《易》經驗，可謂極為慎重也。是以將此二例細說於此，以做為真實認識先生《易》學面貌之實例也。否則，只是說理而全無案例，實在有嫌空虛。也由為解說先生夫兩次占卜之例，更可實見先生當時可能如何注《易》之梗概也。

（一）〈火珠林占易卜國事〉

在〈火珠林占易卜國事〉一文中詳記著先生因聯合國中國代表權一案與其妻試以《易》占的此生第一次的占卜經驗，其云：

> 我雖信有此事，然從未試過。」妻曰：「既如此，正當一試。」余曰：「此當先之以虔誠。我對此信未及，恐虔誠不夠。」妻曰：「我自問虔誠，可由我主占。」遂爇香膜拜，用《火珠林》法，取中華民國六十年臺灣一圓新幣三枚，由妻擲之，六擲得山澤損之卦。余曰：「有是哉！此占可謂巧驗。」[38]

這次由夫人主占，乃因占卜之時，誠心是靈驗與否的關鍵。先生雖信占卜之

37 同註22，頁210-214。

38 錢穆：《中國學術思想史論叢（十）》（臺北市：素書樓文教基金會，2000年），頁156。

事，卻未嘗試過，而其妻則極信此事，故由其主占。焚香膜拜而以《火珠林》法占得山澤損卦。接著先生開始解卦，先謂：

> 卦名〈損〉，無論聯合國如何表決，要之於我為損，此一驗。[39]

此謂正合乎吾國當時情況也。接著便引〈損〉之卦辭「損，有孚，元吉，咎，利有攸往。曷之用？二簋可用享。」及〈象〉辭「山下有澤，損；君子以懲忿窒欲。」及六爻之爻辭而深釋之，其謂：

> 竊玩此卦，損自外來，而正值損之時、損之事，則占得此卦者，惟當以損之道自處。損之道則莫切於「懲忿」、「窒欲」之二者。私人脩身，國家立國，皆當如此。今日我國人處此現境，所當戒者，一切忿怒、忿痛、忿怨，凡屬忿心，皆要不得。此一當損也。……虛驕之氣，浮誇之想……均所當損。此二當損也。若值損之時，遇損之變，而不守損之道，尚是多忿、多欲，則不得認為占得此卦即是「元吉无咎」。此占者所當知。而《易》之教人深切，亦於此見矣。[40]

首先是國家所面臨處境正是「損」的狀況，而處損之道，莫切於切記要「懲忿」和「窒欲」。忿怒當戒，欲望亦當戒，否則絕不可能如卦辭所說的「元吉　咎」。值此國家變動不安與國人怨怒之際，難怪先生有了「《易》之教人深切」的感受。

夫人聽其解釋，深詫占《易》有驗如此，而欲占其內心之私事，先生乃以「《易》所謂『初筮告，再三瀆，瀆則不告』」之語暫時止之。並在散步晚餐後再卜一次，又復驗如前占。當晚先生因而與其妻談及《易》理，其引〈繫辭上傳〉「聖人設卦，觀象繫辭焉而明吉凶。君子所居而安者，《易》之序也；所樂而玩者，爻之辭也。君子居則觀其象而玩其辭，動則觀其變而玩其占，是以自天祐之，吉，不利。」一段而云：

---

39 同前註，頁157。

40 同註38，頁157、158。

> 此謂精於《易》者，可得天祐，可以無往而不利。所以者何？「事」有變化，非可預言；而「理」則寓於事而有定。得於理則吉，失於理則凶，可以先知。《易》之為書，雖只六十四卦，三百八十四爻，然而世界古今，事態萬變，歸而總之，亦不出此六十四卦三百八十四爻之象外。……《易》之為書，貌若神秘，實至切近。乃人事之薈萃，乃應變之通則。苟其人明理而守道，雖不學《易》，亦可與《易》之所言暗合；苟其人不明理，不守道，雖日日讀《易》，日日占《易》，亦將無吉可求。故《易》雖為卜筮書，然學《易》者每不以卜筮為事。……事有本末、內外，此亦所謂「《易》之序，君子所當居而安」。序者，次第。今日國家值此變，亦必有其次第來歷。……當知天地間一切事，盡在變化中。故損卦初爻，即告人「已事遄往」，只求酌損而止，此即戒人以「懲忿」。然九二之爻又有「征凶」之預告。此即戒人須「窒欲」也。此乃處損最要之義。……損來自外，而我能以損自守，則外來者將於我不復是損而轉成為益。此中機栝，甚為微妙，則非徒知問吉凶者所能知也。[41]

先生此段解損卦深得《易》之真諦，在「得於理則吉，失於理則凶」的基本認知上，確然明白「損來自外，而我能以損自守，則外來者將於我不復是損而轉成為益」的機括，藉卦爻之辭而決之以時、位變化之幾，深知《易》之絕然高妙者，乃在告之以如何可吉？如何則凶？而非一般卜問者所以為的已吉、已凶。其間高下，自可見矣。先生又謂：

> 越兩日，聯合國表決消息至，我國家乃受損之尤。輿情轟然，報章與友人，皆來邀余有言。……余事前既有此卜，又卜得此「元吉无咎」之卦，因竊略抒其玩占、玩辭之所窺，舉以告我國人之同此憂患者作一參考。（此文刊於民國六十年十一月四、五日《中央日報副刊》）[42]

41 同註38，頁160、161。

42 同註38，頁164。

此為先生研《易》一生第一次占卦之例，其所占非為一己之私事，乃是為了國家的大事，此實為君子之占，而《易》所以亦必回以巧驗之結果，此不正是《易》所謂「感而遂通」？

（二）〈再記火珠林占易卜國事〉

這是先生第二次占卜之例，他在〈再記火珠林占易卜國事〉一文的開頭說道：

> 余自幼即喜讀《易》，古今《易》學名著，鮮不瀏灠，但最後終信朱子「《易》為卜筮之書」一語，認其最為扼要中肯。惟余始終從不占《易》。直到民國六十年，中華民國退出聯合國，其時心情甚鬱悶，試以《火珠林》法占《易》卜國事，是為余有生以來七十七年中第一次之占《易》。曾為一文記之，刊載是年中央日報十一月四、五兩日之副刊。
>
> 最近自周恩來死亡，毛澤東病危，夫婦閒談國運，內人又屢催余再卜一卦。余曰：「最近國內必有變，不疑何卜？」而連日又見報載平、津、唐山大地震消息。內人曰：「此雖天災，然影響國內人心必巨。」再三促余試占一卦。今日晨餐始畢，坐樓廊上，內人洗手焚香，再用前法，占得自〈剝〉變〈豫〉之卦。余大幸慰，竊喜前占幸而有驗，此次所占親切有當，竟不下於第一次。余年已八十二，生平僅占《易》兩次，而獲此奇應，是又不可以無記。時為民國六十五年八月一日。[43]

先生書寫這段文字之心情，只要細讀者皆可感受，也因此可知占卜是一件如何慎重之事。先生謂「自幼喜讀《易》，古今《易》學名著，鮮不瀏灠。」則可知其對於《易經》的熟悉與喜好。先生生平兩次占卜皆為國事，並且沐

43 同註38，頁165。

浴焚香，一依前人之禮，較之如今坊間不論有疑無疑，不論場合，不管自身潔淨與否，隨手便占，而亦要求奇驗者，此間相距何止天地？是亦可給好《易》、學《易》者一個很好的典範。

先生接著依〈剝〉卦卦辭「剝，不利有攸往。」及〈彖〉辭「不利有攸往，小人長也。」而謂：「即徵共黨之斷不有前途。」並舉其師呂思勉先生及其友湯用彤先生在中國大陸的景況為例，謂如其師其友而遭共黨驅迫利用之慘況已盡在剝卦之中。先生並接著以〈剝〉卦六爻之辭釋此卦之義。剝卦爻辭如下：初六「剝牀以足。」六二「剝牀以辨。」六三「剝之，无咎。」六四「剝牀以膚。」六五「貫魚以宮人寵，无不利。」上九「碩果不食，君子得輿，小人剝廬。」而先生云：

> 蓋《易》卦內下三爻皆指社會。以中國土地之廣，民眾之繁，縱極「剝」之能事，而剝終不盡。……余常念大陸學術界知識分子，……此皆所謂不食之碩果也。他日一旦事變驟起，此等一陽在上，剝未盡而能復生，皆君子之當得輿行道者。而五陰得志之小人，則轉受「剝廬」之運，安身無所。[44]

〈剝〉為五陰在下一陽在上之卦，故謂此五陰為得志之小人，上九一陽為君子，為學界知識分子。又特舉六四、六五兩爻辭而云：

> ……上面外卦，則已不指社會，而轉指政府。……前之所剝乃剝其安身之處，故曰「剝牀」；後之所剝乃剝及其所安之身，故曰「剝膚」。……方共黨不斷清算劉少奇、林彪以至周恩來，又繼之以鄧小平，則牀上此身，被剝已盡，只剩下江青及其羣小如王洪文、姚文元之流。此皆如羣魚，乃陰物之尤，小人之甚者，以宮人之寵而相率引進。……而爻辭竟曰「无不利」，又何也？蓋則以剝運已盡，而上面終是有碩果不食。[45]

44 同註38，頁168。

45 同註38，頁168、169。

此處之解釋正應乎當時大陸之情況，從「剝牀」到「剝膚」到六五的「貫魚以宮人寵，无不利。」象徵江青輩小人之得道。故先生乃謂其占《易》經驗為奇應也。先生接著因變卦〈豫〉之卦辭「利建侯行師。」而云：「豫者，和樂義。則今日以後，大陸有變，必有一番政治上新勢力之建立，而亦不免於行師可知。然〈剝〉之變而為〈豫〉，其事則亦有待而不可以驟企。」（頁169、170）因其〈象〉曰「雷出地奮，豫。」而謂：「則〈豫〉之來臨，當如雷之奮於地下，必發動於最深藏最低下處。若以巧合言，此次內人因平、津、唐山之大地震而促余占《易》，亦可謂地震即是雷出地奮之象。」（頁170）

卦象與事實竟相應如此，可謂實在巧合，但先生亦謂：

> ……而余此所言，或亦當疑其為附會而強說。但觀變玩占，正貴附會。否則三千年前之《易》卦，又何預於今日當前之吉凶？《易》者，乃吾民族古聖人憂患之辭。古人身經憂患，由古人自為解決。今日吾人亦親經憂患，亦正貴吾人之自為解決。世移事易，而理則猶然。觀於我身當前之事變，而深玩其理之所在，則雖古聖人之辭，而理亦猶是也，又何附會之有哉！故君子治《易》，正貴「居則觀其象而玩其辭」。玩之有得，乃始可以「觀其變而玩其占」也。[46]

若只以每個單一事件來看，巧合可謂附會；但若以每件事中的理而言，則時移事往，理仍不變。既然《易》為前人解決憂患之事例之集合，那麼其中亦必有解決之理可以推驗思考。故以理言之，又有何附會之疑？況《易》辭所謂「君子居則觀其象而玩其辭」，其所觀所玩者，便是在其象與其辭中的理，而非一般人所觀的表象而已。能知觀象玩辭之深味，乃可以「觀變而玩占」也。此非深玩於《易》者，難與言也。

又，〈豫〉卦六爻辭如下：初六「鳴豫，凶。」六二「介于石，不終日，貞吉。」六三「盱豫悔，遲有悔。」九四「由豫，大有得；勿疑，朋盍

46 同註38，頁175。

簪。」六五「貞疾，恆不死。」上六「冥豫，成有渝，无咎。」先生以「時猶未至，如大陸之有百家爭鳴」說初六；以「當前大陸社會仍保有其一分安定之潛力」說六二；以「盱者，張目而視。最近二十餘年來，大陸學術界知識分子，乃及一般民眾，固亦有不少睎政治階層之轉向，認其可與為善，而存心為由剝變豫之活動；乃皆不勝其悔。若其悔速，急自洗心革面，返而退藏六於六二之『介于石』，則猶可也。苟其悔而遲，則必悔而不滌。」說六三；以「由剝變豫之主要動機，則必在豫之九四。……蓋卦象已值豫運，而所由以得以豫者，則在九四之一爻。此爻乃一卦之主，以陽剛而居下位；但彼若決心由此豫道，挺身而起，則必『大有得』。其主要條件，則惟在一誠不疑，堅其信以廣其與，則朋類合而從之。盍者，合也。簪，疾速義。……如其見理不明，自心有疑，不信於朋，朋亦疑之，則其勢雖為眾陰所向，亦將不能合，合亦不能速，又焉能『大有得』乎？」說九四；以「此爻以陰柔而居尊位，下有一剛，非其所能乘；占得此爻者，常如有疾，但可不死。」說六五；以「此謂時已值豫，而積陰仍難驟消。……謂已轉入和樂之境，而仍在昏冥中，不知其所以然。則雖成而仍有渝。渝者，變也。『冥豫』何可長？仍待有變，然可『无咎』。……此下仍是大有事在，固不即此而止矣。」說上六。（頁 170-173）（此文刊於民國六十五年八月十四日《聯合報》）

先生此占乃專為大陸占，則若將先生所言而專以大陸後來之發展觀之，則實為奇驗。自初六之百家爭鳴，六二之知識分子與民眾開始向中共政權認可，六三則或有悔或無悔，至九四「勿疑，朋盍簪。」則漸至後毛澤東共黨之集體領導，權力平衡之領導狀態；而六五「貞疾，恆不死。」是已說明中共政權即使有所動盪，如西藏、新疆之衝突，如六四之天安門，不論國際如何關切，其政權已穩如泰山，至於上六之昏冥的和樂亦是无咎之象了。由先生占得〈剝〉、〈豫〉二卦與其所解之辭，實可證先生一世研《易》之功力矣！

五 結論

其實上文所列舉出的，可能也只是錢先生與《易經》因緣的一部份而已，對於其談《易傳》之深入，論王弼《易注》之深切，本文已礙於篇幅，無法再述。而其論氣運與命之精湛者，如在《中國思想通俗講話‧第四講‧氣運》（原載民國四十四年三月，《人生雜誌》九卷八期）中說道：

> ……現在繼續講「命運」。中國人講氣，必連講數。因氣是指的一種極微而能動的，但它須等待積聚到一相當的數量，然後能發生大變化大作用。「命」是指的一種局面，較大而較固定，故講命必兼講「運」，運則能轉動，能把此較大而較固定的局面鬆動了，化解了。而中國人講氣數，又必連帶講命運。這裏面，斟酌配合，銖兩權衡，必更迭互看活看，纔看得出天地之化機來。
>
> 中國社會迷信愛講命，命指八字言，八字配合是一大格局，這一格局便註定了那人終生的大命。但命的過程裏還有運，五年一小運，十年一大運，命是其人之性格，運是其人之遭遇。性格雖前定，但遭遇則隨時而有變。因此好命可以有壞運，壞命可以有好運，這裏的變化便複雜了。
>
> ……故氣雖易動，卻必待於數之積。命雖有定，卻可待於運之轉。氣如何積？運如何轉？其機括在於以氣召氣，所謂：「同聲相應，同氣相求，雲從龍，風從虎，聖人作而萬物覩。」[47]

不只入情入理，亦與《易經》全然結合。「命」是指的一種局面，較大而較固定；運則能轉動，能把此較大而較固定的局面鬆動化解。命是其人之性格，運是其人之遭遇，性格雖前定，但遭遇則隨時而有變。命雖有定，卻可待於運之轉。氣如何積？運如何轉？其機括在於以氣召氣。此中的巧門便皆

---

47 錢穆：《中國思想通俗講話》（臺北市：素書樓文教基金會，2001年），頁86-93。

是《易經》「變與化」、「動與靜」、「數與位與時」的配合與運用了。惜篇幅所限而無法再深論之。

由上文所說，讀者可見錢先生在國學大師外的另一生動面貌，而在這喜好多樣、亦信神奇之事的性格之下，在其長年靜坐得力的工夫體驗，對於其一生所愛喜的《易經》，先生不只如學者般的書寫論文，追求學術上的真偽深淺而已。他更進而把《易經》融入生命裡，在對於古今《易》學名著，鮮不瀏澧的深厚底蘊，終其一生，只因國事而誠摯的占卜了兩次，而《易經》亦回以奇驗的報答。終可見先生雖未以《易經》研究者而知名，但其對於《易經》的熟稔，對於《易經》的敬重，恐非他人所及。是知先生之《易學三書》雖已消失人間，但先生與《易經》的關係，或可因本文而讓世人有更深刻的認識與了解。

從辨偽到校釋
——論民國《尚書》學的變遷

林登昱
古籍保護中心執行長

一　前言

民國的《尚書》學，實以古史辨運動的經典詮釋做為開端，而以《古史辨》叢書中的辯論做為主軸，開啟了一個新的學術時代。

《尚書》學在歷史上經歷了兩漢、魏晉、唐宋、清代的發展，基本上是傳統的經典解釋演繹；但到了民國前期，由古史辨激起的風潮，使《尚書》研究走向新視野，演變成因追求古史真相而導致的辨偽學術時尚，劉起釪《尚書學史》將這個時期的學術定位為「現代對尚書的科學研究」[1]，因為它加入了甲骨文、金文、現代科學知識及顧頡剛等新研究方法而有的新成果。而劉氏認為整個新時代學術的造成，主要是顧頡剛的關係，他說「顧頡剛一生在古史研究上的卓越成就，往往是由《尚書》研究得來的」[2]。

《尚書》與古史辨學術中心的古史辨論關聯最深，這無庸置疑；又劉氏以古史辨辨偽之功，替顧頡剛建立一個核心價值，也可肯定。不過，民國《尚書》辨偽學，除了顧頡剛之外，衛聚賢、高重源、張公量、張西堂、何定生等學者都有不少成果；此外注釋方面，如楊筠如、于省吾、曾運乾、周

1　見劉起釪：《尚書學史》（北京市：中華書局，1986年），第9章，頁429-505。
2　見《尚書學史》，頁500。

秉鈞、高本漢等人（見下），他們都屬新時代的學者，至少與當時的新思維有關，他們既與同時代的柳詒宗《尚書解詁》、唐文治《尚書大義》有差異，亦與清儒有某種程度的區隔。但劉起釪認為「所有這些成就。統統只限於《尚書》原篇文字本身和文句含義及所載歷史事實與人物等等的有關問題，並沒有更深入探索《尚書》所蘊的深刻思想內容和社會歷史意義」[3]，這裡清楚看到，劉氏的價值認知，是必須進入有關古史的思想底蘊。

劉氏《尚書學史》其中對民國《尚書》學的演變解釋，中肯而詳細，但全面而言，顧頡剛本身對《尚書》學的學術變動性，並未特別彰顯，而筆者以為這在民國《尚書》學史上的變動是重要的。其次，與顧氏同時期的注釋學也不應全被辨偽學奪走光彩。此為本文論述宗旨。

二　民國《尚書》學的興起：古史辨風潮的背景

在古史辨風潮中，許多學者集中心力批判了他們認為是學術偶像的經學，經學到了他們手上經過重新定位之後，過去的權威多少受到了動搖。處於這個環境當中，《尚書》學的處境自是波折迭起，這固然是因為它在經學中具有象徵性的意義，但主要還是因為它在古史辨中所具有的重要地位。《尚書》是最早的古史記載，卻是辨偽者最不能信賴的古籍之一；它是提供重要學術材料的古籍，但相對的是一個代表價值扭曲的發展趨勢。古史辨學者既以經學史的角度批判傳統《尚書》學，復又從史實的視角挑剔《尚書》的偽篇；既從歷史的觀點求備於《尚書》，又以今文家的立場議論《尚書》，迫使《尚書》學在這新潮流中脫離舊有觀瞻，進入一個經學與史學間的多層次的複雜角色。

《尚書》學與古史辨在具體上關係何在？古史辨所指責的古史混沌不清，矛頭直指《尚書》；另外，古史辨所揭發的堯舜禹問題，亦直接衝擊到

3　見《尚書學史》，頁498。按劉起釪之說，是針對甲骨文、金文的注釋成就說的，這應是包含所有的注釋家。

古籍：《尚書》。《尚書》可謂是古史辨的導火線，它是辨偽的重點主題，亦是注釋家最看重的資料，然則《尚書》學之與古史辨的歷史性新關係，何其密切！至於古史辨的靈魂人物顧頡剛，他的學術以《尚書》為開端，最後也以《尚書》考釋為結束，顧氏正富盛名的學術過程，幾可謂等於古史辨的過程，同時也牽動一時代《尚書》學的研究過程，無論從正面或負面去觀察顧氏，他都有舉足輕重的歷史地位。

古史辨就像一座歷史的推動器，一開始就推動當時的《尚書》學，使它成為特定的主題性，即是成為考辨真假的大園地。梁啟超曾說「古書中真偽及年代問題，以《尚書》為最糾紛難理」[4]，可以說，古史辨之辨偽最初即起於《尚書》，《尚書》提供了當時辨偽的諸多條件。古史辨的過程之與《尚書》學，有著思想、人物、著作的相互交集。

當時古史辨的辨偽家無不著力突顯《尚書》的文獻糾紛，陳夢家說，「《尚書》在經學史上的糾紛及其書篇的流傳、集結的許多問題，歷來論述之書為數浩繁，而又瑣碎」[5]；張西堂也說，「《尚書》流傳甚久，關於《尚書》的名義、起源、編定、傳本、篇目、真偽等等，問題頗為複雜」[6]。而顧頡剛，他在段玉裁的「七厄」之外，又加上了十一厄，並用「模糊一片」來形容《尚書》的混亂局面[7]，可見其複雜性。《尚書》乃是五經地位最尊的一經，紛亂二千餘年的今古文之爭，主要即是由它和《左傳》引起的；而偽《古文尚書》又是偽書中的典型標本，因此，從材料上言，《尚書》與古史

4　見梁啟超：〈洪範疏證〉附記，收入顧頡剛主編：《古史辨》（臺北市：藍燈文化公司，1987年）。

5　見陳夢家：〈重版自序〉，《尚書通論》（臺北市：仰哲出版社，1987年），頁6。

6　見張西堂：《尚書引論．自序》（臺北市：崧高書社，1985年）。

7　〔清〕段玉裁所說《尚書》七厄是指：「秦之火，一也；漢博士之抑古文，二也；馬鄭不注古文逸篇，三也；魏晉之有《偽古文》，四也；唐《正義》不用馬鄭用偽孔，五也；天寶之改字，六也；宋開寶之改釋文，七也，七者備而古文幾亡矣！」（見《古文尚書撰異．自序》）。而顧頡剛說《尚書》尚有十一厄，其中「尤其是西漢的今古文問題是《尚書》學的根源，更不能不討論一個了斷」。（按士一厄文多不錄，見顧氏遺著：〈尚書版本源流〉，《古籍整理與研究》1989年第4期）。

辨在先天上就脫離不了關係，它自然是一部最被注意的古籍。

王國維早就提出「於《書》所不能解者十之五」[8]的讀經困境，實際上看，古史辨學者就是要對《尚書》提出解決之道，只不過他們從釐清史料問題的角度切入，特別是古史辨的議題，更擴大了這個趨向。於是我們談民國《尚書》學的興起，應先確認它與古史辨風潮息息相關的背景。

《尚書》學在古史辨中是一項主題，當時的《尚書》學家除了顧頡剛之外，其他如何定生、張西堂、唐蘭、楊筠如、劉盼遂、高本漢等都曾參與古史辨的考證工作。何定生是顧頡剛的高徒，著〈尚書的文法及其年代〉，《古史辨》叢書收錄了他三篇文章：〈關于詩經通論〉、〈詩經之在今日〉、〈關于詩的興起〉（第三冊）。張西堂亦是古史辨大將，著《尚書引論》，《古史辨》收入他的文章：〈尸子考證〉、〈左氏春秋考證序〉（第五冊）、〈荀子勸學篇冤詞〉（第六冊），及第六冊之序。陳夢家著《尚書通論》，《古史辨》收入其〈夏世即商世說〉一文（第七冊），另外〈鯀與共工〉未及納入（見第七冊童序）。唐蘭著《尚書新證》，《古史辨》收入他的文章：〈老聃的姓名和時代考〉、〈老子時代新考〉（第四冊）。楊筠如著《尚書覈詁》，他也是古史辨的一員，《古史辨》收入其〈姜姓的民族和姜太公故事〉、〈關於荀子本書的考證〉等文。劉盼遂筆記《觀堂學書記》，《古史辨》收入他的文章：〈王充論衡篇殘卷考〉、附〈論衡集解自序〉、〈跋梁啟超漢志諸子略各書存佚表〉（第四冊）。高本漢著《尚書注釋》，並著有《左傳真偽考》、《中國古書的真偽》等書，雖然觀點與疑古派不同，不過他也實際參與當時的辨偽工作。

上述諸家幾乎都加入古史辨的討論，這說明他們所生存的當時，或多或少沾染著古史辨的學風，致使民國《尚書》學到了這階段跟著發生重大變革。

8　見《觀堂集林》（北京市：中華書局，1994年），卷2。

三 顧頡剛的影響

古史辨運動是個風起雲湧的時代，也是一個變動快速的時代，當年書局為了推銷《古史辨》這部叢書而編了一段廣告詞云：

> 這是中國史學界的一部革命的書，又是一部討論史學方法的書。此書可以解放人的思想，可以指示做學問的途徑，可以提倡那「深澈猛烈的真實」的精神。治歷史的人，想整理國故的人，想真實地做學問的人，都應該讀這部有趣味的書。[9]

這段說明他們如何準備興起一個新的學術革命。這其中的靈魂人物自然是顧頡剛，顧氏就像一具火車頭，他拉動了古史辨的進程，是民國新史學關鍵的角色，同時也是民國《尚書》學的關鍵角色。本文前述業已表明，古史辨與《尚書》學乃息息相關。而顧氏本人的史學理論亦與《尚書》學息息相關，他曾說「《尚書》是我的專業」[10]，說「《尚書》一經，十餘歲即有興致，其後辨論古史，其中心亦即在於是」[11]，又說「予治《尚書》始于一九〇九年，而祖父令讀《尚書》，惟其難讀，是以欲窮究之。五四運動後，予放論古史，頗取資於《尚書》」[12]；早於二〇年代顧氏就被認定專治《尚書》[13]，故顧氏為一《尚書》學家，無可疑義；他對民國《尚書》所開拓的影響力也是最大一環。

9 這段話出自胡適：〈介紹幾部新出的史學書〉，《現代評論》第91-92期（1926年9月）。又見《古史辨》，冊2，頁343。又樸社所出版《國學月報》，2卷，第8、9、10號合刊所附「出版訊息」。

10 見〈蚪江市隱雜記〉，編入顧氏《讀書筆記》（臺北市：聯經出版公司，1990年），卷4，頁2487。

11 此為顧氏一九五一年八月十日致王伯祥信所言，轉見〈酒誥校釋譯論〉王煦華後記《文史》33輯，頁8。

12 見《讀尚書筆記》（一），收入《讀書筆記》，卷八下，頁6201。

13 見《讀尚書筆記》（六），收入《讀書筆記》，頁6481。

但筆者以為放眼整個民國《尚書》學，顧氏一人無法包羅全部，這是一種概念，就是說，民國《尚書》學是應包含眾人的，而《尚書》之研究幾成為民國學術的重要關注：

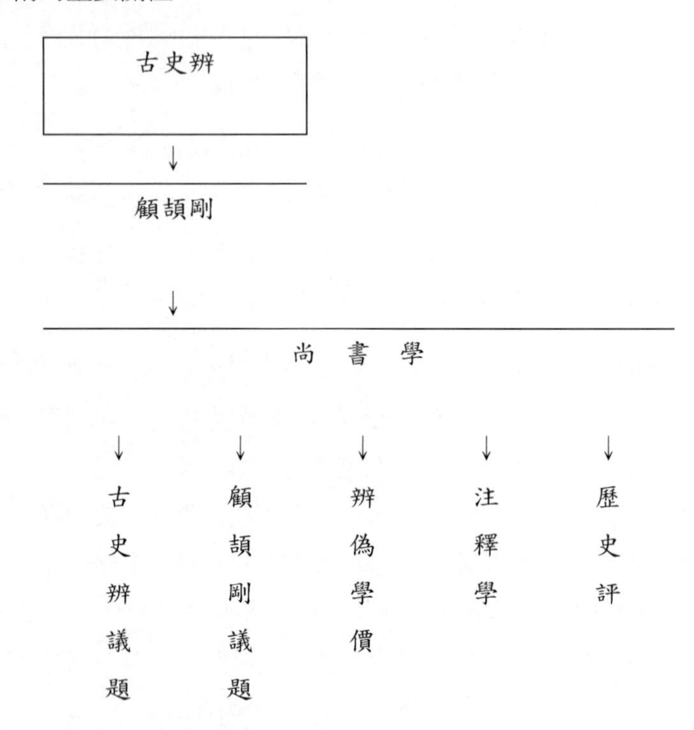

上圖說明，《尚書》是古史辨中的重要主軸，它包含古史辨部分重點、顧氏本身、辨偽學及注釋學。顧氏雖非代表一切，但他主導議題，帶領風騷，只是時代的變遷非一人所可全面掌握。或者說，大致上於三〇至六〇年代，顧氏始終把《尚書》研究當成他一生的志業，但他在五〇年代以後，卻開始走上專業校釋《尚書》的歷程。

事實上，古史辨對所有議題並未有一致的定論，甚至同一學者對其論調都有不斷修正的現象，如顧氏自己也說：

> 因為年輕喜事，所以一部分的材料尚未整理完工，而議論已先發表。遭逢時會，我所發表的議論想不到竟激起了很多人的注意，盜取了超

> 過實際的稱。在朋友的督促之下，編印了《古史辨》第一冊。[14]

這是《古史辨》第一冊編輯的背景，可見他並非起於深思熟慮，或容有再論的餘地。至少在當中激起的科學方法認知，促使後來古史辨相關學者建構起一種從打倒傳統到嚴肅學術方法論的進程。如錢玄同即謂：

> 我以為我們今後對於過去的一切箋、注、解、疏，不管是今文說或古文說，漢儒說或宋儒說或清儒說，都以資我們的參考——不必存歧視之見。[15]

這跟他之前將經史斥為家譜帳簿而欲束之高閣的態度，是迴然不同的。而胡適呢？有人從另一個角度提出他整理國故是為了呼應保守的「學衡派」[16]；一九三五年他寫〈我們都不配讀經〉。結果，被解釋為「最徹底、最努力提倡讀經運動的人」[17]。至於顧頡剛，他曾發起孔子學說研究，在宣言中說：

> 中國青年一律不要讀中國書，是又不獨抹殺孔教，簡直要把中國幾千年來固有文明完全滅掉罷了，這是多危險的啊！在這是非無定、青黃不接的時期，我們應當本學者的態度，作有力的提倡，用科學的方法，為具體的整理，使各種學說都還它一個本來的面目，尤其是對於孔學須加以徹底研，而對於孔子的人格精神，應該表示相當的敬意。[18]

顯然顧氏發出省思，主張重新評價孔子，事後他寫〈春秋時的孔子與漢代的

---

14 見〈自序〉，《古史辨》，冊1，頁2。

15 見〈答顧頡剛書〉，《古史辨》，冊1，頁69；或見〈重論經今古文學〉，冊5，頁99。按〈答顧頡剛書〉到〈重論經今古文學〉實可看到錢氏對傳統學術觀點的修正。

16 如陳旭麓主編：《五四後三十年》（上海市：上海人民出版社，1989年）即云「與《學衡》遙相呼應，在北方，胡適打出了整理國故的旗幟——胡適整理國故是藉「國學要淪亡了」的聳人聽聞的宣傳提出來的」（頁171）。

17 見李麥麥：〈與胡適論讀經〉，《申報・出版界》，1935年5月18日。又見《讀經問題》（臺北市：帕米爾書店，1953年），頁121-124。

18 見顧頡剛：〈發起孔子學說研究宣言〉，見《國學月報》第2期所附。

孔子〉及和童書業合著《春秋史講義》[19]，已本著較客觀的態度去肯定孔子。孔子到了這時，似乎已被平反，其中顧頡剛的角色轉換是微妙的。

顧氏在《古史辨》中的重點實偏於經學，吾人觀其所擬「研究古史的計畫」、中國上古史的課程、有關《尚書》的課程，及所發表論文，除了民俗學、子學外，都與經學有關。當然顧氏的初衷在於辨偽，不過他對經學的確是偏好與專業的，整部《古史辨》有不少是沿著顧氏所丟出來的問題在討論，它的內容既是史學也是經學，楊向奎即言顧氏治學：

> 最主要的還是古史學和經學，他不喜歡人家稱他是「經師」，而喜說自己是史學家，事實上他是通經治史。[20]

這是對的。觀察顧氏一生的學術過程，實無法脫離經史的園地，「五四」之後，他和胡適等人回到研究國學的領域，這當然不代表他對傳統的依戀，但至少證明他並未放棄一切文化，而是用他自己的思維說，是用科學方法整理文化，此與「打倒」的概念，又是大不同。

民國《尚書》學應注意的是整體研究成績，顧氏是推手，原是考辨真假，最後卻走上回歸校釋經典的工作，這是什麼意義？本文第五節將討論，顧氏對於《尚書》學從利用作為辨偽的工具到專業的校釋，正可證明辨偽手段的過渡性，不足以做為一個熱情學者的最後歸宿。

四　新方法的民國《尚書》學

民國《尚書》學的變革，表現的是代表古史辨思潮的辨偽學，單篇如〈堯典〉、〈禹貢〉的研究，更直接與古史辨所爆發的主題有關，此外，如〈書序〉、〈皋陶謨〉、〈甘誓〉、〈湯誓〉、〈盤庚〉、〈高宗肜曰〉、〈西伯戡黎〉、〈牧誓〉、〈洪範〉、〈費誓〉、〈呂刑〉等，都是當時學者考辨的重點。專

19　參見王熙華：〈古史辨派對孔子的研究及評價〉，《孔子研究》第2期（1990年6月）。

20　見楊向奎：〈古史辨派的學術思想批判〉，《文史哲》1952年3期。

書則如李泰棻《今文尚書正偽》、張西堂《尚書引論》、陳夢家《尚書通論》及何定生〈尚書的文法及其年代〉，他們專辨今文，是《古史辨》第一冊裡的重要揭示。何定生是顧氏的門生，他更徹底執行了顧氏辨偽的思想指導。

而在這些《尚書》學家的辨偽活動中，吾人應重視的是他們所用的新方法。方書林在〈漢以前的尚書〉一文中議論云：

> 今《偽古文》的假面具雖已被人揭破；但以區區的二十五篇的文字不知犧牲了許多學者的時間和許多鮮紅的心血了。唉！我寫至此，不禁疾偽古董如仇讎，不禁視託古自尊的偽託家為大憝，為學術界的大賊！以幾個人的偽造，馴致犧牲了許多人的心血和時間，這真是一樁可恨的事情呀！然這僅就偽古文而說，至今文呢？我不知將來亦要犧牲了許多人的心血和時間了？今文在現在，大多數尚承認是真的；但是否是真的，是否有沒有受漢以前的人說《尚書》的影響，這個問題非常重大，恐非一時所可解決。[21]

當時的《尚書》辨偽學，就是在解決這個「今文」的問題，對於方氏所云「不知將來（對今文）亦要犧牲了許多人心血和時間」的感慨，催生了新方法學的產生。所謂新方法學，乃為因應這個新情勢而起，它提供學術界以新銳途徑，解決若干問題，而對辨偽學帶來一些精密及有效的研究成果。

如當時的《尚書》學大都運用甲文、文法學、天文學、歷史地理學及統計學等新觀念從事研究，佐助了當時辨偽家、注釋家或研究者開拓了一條新的理論領域，運用甲骨文金文辨偽的如李泰棻之《今文尚書正偽》；專以金文文法研究的如管燮初之《西周金文語法研究》，及郭沫若的〈金文所無考〉；專從文法上辨偽的如何定生之〈尚書的文法及其年代〉；運用天文學者如竺可楨〈論以歲差定尚書堯典四仲中星之年代〉，及劉朝陽〈從天文曆法推測堯典之編成年代〉；至於歷史學的，則多見於顧氏主編之《禹貢半月刊》、《尚書講義》第三冊。另外，以甲骨文、金文以助注釋者，如于省吾

---

21 見方書林：〈漢以前的尚書〉，《中大週刊》第69期（1929年2月）。

《尚書新證》、楊筠如《尚書覈詁》，這些新方法即是所謂的科學的方法，以此構成了當時的新《尚書》學網。

古史辨時期是強調方法學的時代，其相關著作有梁啟超《中國歷史研究法》、李大釗《史學要論》、朱謙之《歷史哲學》，及何炳松《歷史研究法》、《歷史通義》，甚至李思純所譯《史學原論》、楊成志所譯《歷史的目的及其方法》等，至若《古史辨》本身，以方法論做為史評依據的有陸懋德〈評顧頡剛古史辨〉、紹來〈整理古史應注意的條件〉、葉青〈從方法上評老子考〉[22]；而影響古史辨深遠的胡適，則是集方法學之大成，在一九一一至一九三〇年這段期間，他著有：〈詩三百篇言字解〉、〈中國哲學史大綱導言〉、〈實驗主義〉、〈井田辨〉、〈清代學者治學的方法〉、〈水滸傳考辨〉、〈國語文法的研究〉、〈紅樓夢考證〉、〈國學季刊發刊宣言〉、〈古史討論讀後感〉、〈治學的方法與材料〉等。[23]在這些作品中，〈國學季刊發刊宣言〉是一篇「整理國故的方法總論」，〈古史討論讀後感〉是「最精彩的方法論」，二篇〈考證〉則是「考證方法的一個實例」[24]。

流風所及，《尚書》學之運用甲骨、金文、文法、天文、歷史地理及統計學，即產生於古史辨學術氛圍下的新觀念。而《尚書》學家亦寫過強調新方法的文字，如張西堂著〈古書辨偽的方法〉、劉朝陽著〈考古學上的證據〉、衛聚賢著〈歷史統計學〉等[25]，形成了一種氣候，其中統計學、文法及天文學尤為當時熱門的新方法。

統計學簡單的概念是「讓數字說話」[26]，它進一步被運用於國學研究的是衛聚賢，他著《歷史統計學》，定義云「統計學乃是整理複雜事物，用以

---

22 分見《古史辨》二冊下編及六冊。

23 皆見《胡適全集》。

24 轉引自許冠三：《新史學九十年》（香港：中央大學出版社，1986年），頁139。

25 張西堂：〈古書辨偽方法〉見《國故學討論集》第三集；劉朝陽：〈考古學上的證據〉見《中大週刊》18期；衛聚賢：《歷史統計學》（上海市：上海商務印書館，1934年）。

26 參見 Davd S.Moore 著，鄭惟厚譯：《統計・讓數字說話》（臺北市：天下遠見出版公司，1998年）。

比較概觀的工具學」[27]。衛氏並分「中國統計學」為創始期、衰落期、興盛期、使用期，而使用期約自一九二三至一九三四年[28]，這正是古史辨偽最熱烈的時期。按衛氏趁時為之，將統計學專業運用到《尚書》研究上，他的代表作有〈堯典的研究〉、〈禹貢考〉、〈皋陶謨的真偽考〉、〈甘誓的真偽考〉諸篇，而以前二篇成績最著，原因是由統計學切入，在〈堯典〉、〈禹貢〉的成書年代問題，竟得到了清楚的分析面貌[29]。而何定生著〈尚書的文法及其年代〉，分別討論代詞、虛詞及成語三大部分，以文法、統計為方法，對《尚書》文法的專門性研究，可謂開了時代的新風氣，在古史辨思潮的意義上並且是《尚書》相關研究的重大成果之一，顧頡剛在一九二八年十一月為何書爭取了二百元獎學金，並且說何書「自有研究所以來之第一篇成績」[30]，說明何書在顧氏心目中的重要性。

至於以天文曆法研究〈堯典〉年代，始於晚清的西方人之研究，如一八四六年的 Medhurst；一八六五年的 James Legge、Biot；一八七五年的 Gustv Schlegel 及一九〇七年的 Suussure。另外民國成立以後，日本新城新藏著《東漢以前中國天文學史大綱》，承認〈堯典〉所記中星在西元二千年前的確如此，他並對〈堯典〉的年代多所辯護[31]。而橋本增吉等著《書經的研究》、飯島忠夫著《書經詩經之天文曆法》則有一番不同見解[32]。惟他們是

---

27 見《歷史統計學》，頁85（按，衛氏著《歷史統計學》、《中國統計學史》，合二書為一冊，上海市：商務印書館，1934年11月）。

28 同前書，頁86。按衛氏此處第四期約同於《中國考古小史》所分考古的第四期「發掘期，自民國十二年至現在」，按此書成於一九三四年，是自一九二三至一九三四年，這正是當代《尚書》辨偽的興盛期，衛氏此書，或有配合辨偽的趨勢。

29 參見拙著：《尚書學在古史辨思潮中的新發展》（嘉義縣：國立中正大學中文所碩士論文，1999年），第四章第二節第二項。

30 見顧頡剛：《日記》一九二八年十一月六日，引自《顧氏年譜》（北京市：中國社會科學出版社，1993年），頁163。

31 新城新藏著，陳嘯仙譯：《東漢以前中國天文學史大綱》，廣州中山大學《中大週刊》94-96「天文學史專號」。

32 飯島忠夫：《書經詩經之天文曆法》則是《古那古代史論》一書裡的第二十七章（一九二五年東洋文庫刊行），劉朝陽有評述，同見「天文史專號」。

西方日本人。至於能代表古史辨精神提出用天文曆法辨〈堯典〉的，是竺可楨與劉朝陽。一九二六年竺可楨撰〈論以歲差定尚書堯典四仲星之年代〉，他據唐堯都平陽之說以觀測之地點，為在北緯三十六度，因而求出日入之時刻與朦氣之時間，然後從各星在今日之赤經減去〈堯典〉昏時之赤經，而推算彼此相距的年數。竺氏推算的結果是：就鳥、火與虛三星而論，最早不能早於殷代之前。惟昴星早於唐堯之前，與前三星合。按若以「心之初度」為〈堯典〉的虛星，以「大火」為〈堯典〉的火星，以「虛之初度」為〈堯典〉的虛星，則三星大都在周的初期，彼此相差不過四度；但與昴星比較，差數達二十四度之多。所以昴星不可憑信，〈堯典〉所記中星當為殷末周初之現象[33]。董作賓說「竺氏勇於斷定〈堯典〉是殷末周初之際的真書，已可算是大膽假設，小心求證了」[34]，語氣雖反諷竺氏辨偽的成見，卻也承認他辨證的精細。而竺氏之後，一九三〇年劉朝陽撰〈從天文曆算推測堯典之編成年代〉，以五項要點辨疑〈堯典〉出於周春秋中期以後[35]，前仆後繼，使用天文曆法的方法對〈堯典〉年代做出定論。

綜上而論，古史辨的辨偽，證明是一個階段性，在這個階段性中浮出三項對《尚書》研究的新指標，一者是新方法學的運用，二者是校釋學的出現，三者是其他《尚書》注釋的持續進行。

---

33 此詳見竺氏：〈論以歲差定尚書堯典四仲星之年代〉。

34 此董作賓：〈堯典天文曆法新證〉，見《清華學報》第1卷第2期（1967年4月）。

35 劉氏以朔方、朔易、朔巡巡狩三「朔」字的考察，推明〈堯典〉出於春秋中期以後。其四點見解是：第一，根據〈周書〉各篇記載，當時係以「朏日」為每月第一日，尚未知用「朔」；第二，《春秋》曾載明三十七個日蝕，其中二十七個皆曾記明「朔」，據現代天文學家推測，春秋末已有定朔之法；第三，《春秋．文十六》曾載「夏五月，公四不視朔」，可見「朔」在當時為一隆重之禮儀；第四，以「朔」為月首，殆在應用二十八宿法區分黃道附近天空後，據新城新藏之研究，二十八宿法之成立，不能在周初之後（〈從天文曆法推測堯典之編成年代〉，見《燕京學報》第7期，頁173-174）。

五　校釋學在《尚書》學上的定位

民國《尚書》學的校釋一途，自然是為延續辨偽而起，惟校釋的結果，使《尚書》的考證不再純然為了辨偽，或者說，校釋在《尚書》研究上變成漫長的過程，稀釋了原來打破傳統的動機，其關鍵首要仍在顧頡剛。

對於顧氏《尚書》學的整體認識，要先分清辨偽與校釋的二條路線及其發展，才能恰如其份的評估他的過程與特點。所謂「校釋」，指的是顧頡剛五〇年代以後對《尚書》的「校釋譯論」，它包括了考證、譯文、批判等三大要項，這些研究內容與辨偽呈現不同的形態。

本來，辨偽與校釋的研究動機都是本於求真的宗旨，但為了釐清在這裡所要表達的意思——即說明顧氏整理《尚書》學的發展性，筆者必須說明它們不同的概況：一、在時間上，辨偽全是為了適應古史辨的發展，如三〇年代是古史辨的高峰期，同時就是《尚書》辨偽的高峰期；五〇年代以後古史辨退燒，同時就是校釋的發展期。二、在內容上，辨偽時期幾乎把重點放在〈堯典〉、〈禹貢〉等篇，校釋則除了〈禹貢注釋〉外，大都移於〈周書〉、〈盤庚〉。三、在研究態度上，辨偽時期顧氏堂而皇之的主張「科學不避臆說，許人假設」[36]，他的結果是「不易為人所信」[37]；釋校的態度則是「試圖把校勘、考證、訓解、章句和譯述，有機的統合起來，組成一個既分工又有協作的研究體系」[38]，此三者使顧氏後期的學術大半浸淫於此。事實上顧氏在三〇年代的辨偽，我們已可逐漸觀察到顧氏為學的漸入謹慎了，這表示他不只是一個天馬行空的辨偽家；五〇年代後顧氏對《尚書》的全面整理，更充分表現了他對《尚書》基礎的重視。

顧氏對《尚書》學的校釋表現，首先要觀察從〈禹貢校點〉到〈禹貢注

---

36 見〈九州之戎與戎禹〉，《禹貢半月刊》第6、7期合刊，頁81。

37 此見〈堯典著作時代問題之討論〉，《禹貢半月刊》第9期，頁35。

38 此為平心評述顧氏《尚書今譯》方法的第一項特點，見〈從尚書研究論到大誥校釋〉，《歷史研究》1962年第5期，頁62。

釋〉，這可初步看到顧氏轉變的特點。按〈禹貢校點〉列於《尚書研究講義》[39]第一冊，是屬於三〇年代熱烈的辨偽期；〈禹貢注釋〉刊於一九五九年[40]，則是進入五〇年代的校釋學，雖然亦有辨偽之談，但畢竟在態度上與〈禹貢校點〉有若干差異了。其次是觀察他的《尚書通檢》與《尚書文字合編》（下簡稱），它更顯露顧氏之逐漸走向校釋學的跡象。按《通檢》是一部工具書，但它前面的〈序〉卻挺有意思的說：

> 民國二十年，我在燕京大學講授「《尚書》研究」一門功課，第一期所講的便是《尚書》各篇的著作時代，其中如〈堯典〉、〈禹貢〉等篇，因為出世的時代太晚了，所以用了歷史地理方面的材料去考訂它，已經足夠。但到了〈商書〉以下各篇，因為它們的編成較早，要考它們著作的較確實的時代便很費事，這是使我知道不能單從某一方面去作考證的。因此我便有編輯《尚書》學的志願——現在編出這部《尚書通檢》，就是《尚書》學的一部工作。[41]

從這個編輯《尚書》學的聲明中，明顯看到顧氏有轉而從事校釋的趨勢。《通檢》如此，《合編》更是。《合編》分成四冊，到了一九九五年才由顧廷龍完成出版[42]，其「出版說明」云：

> 顧頡剛先生率先提出從研究歷代傳本的字體入手，來解決《尚書》文字問題，——他同顧廷龍先生於三十年代著手編纂《尚書文字合編》，將搜集到的歷代本子摹寫刻版，後因抗戰爆發未能出書。一九

---

39 顧頡剛：《尚書研究講義》（上海市：開明書店，1933年）。

40 〈禹貢注釋〉，《中國古代地理名著選讀》（北京市：中國科學出版社，1959年），第1輯。

41 《尚書通檢》（北平市：哈佛燕京學社，1936年12月）。

42 啟治於第四冊書後「跋語」云：「顧頡剛先生曾有志編《尚書》學，他的計畫有四項。本書的編纂屬於顧頡剛先生在三十年代編於北平」，又云：「一九九〇年五月，上海古籍出版社正式接受本書出版。編纂工作正是在顧廷龍先生計畫並親自主持完成的」，他並署年為一九九五年五月。

八二年顧廷龍先生重新整理編纂。

本書之完工出版，顧廷龍居於重要地位，但也必須承認，此書是顧氏整理《尚書》計畫中重要的一部。實際上一直到五〇年代顧氏始終都將《合編》列為重點之一，一九五一年其〈法華讀書記〉即提到「《尚書文字合編》前已為之，當完成之」[43]；一九五二年〈虯江市隱雜記〉又提到「應重編《尚書通檢》，並徹底作一個〈尚書文字校勘表〉，將前刻《尚書文字合編》做完」[44]；而一九五九年〈讀尚書筆記〉亦提到「《尚書文字合編》集合漢石經、魏三體石經、唐石經、敦煌唐寫本、日本古寫本、書古文訓，綜為一編，保存古本真相」[45]，這些跡象顯示，顧氏走上校釋的專業性。

顧頡剛本身是古史辨的靈魂人物，他初從《尚書》進入古史辨的辨證，最後卻回歸校釋一途，說明一個從辨偽到校釋的過程。另外，與校釋一體兩面的《尚書》注釋從未停歇，前面提及，楊筠如、于省吾、曾運乾、周秉鈞、高本漢在這方面多做出貢獻。他們建立注釋的新規則，使用新方法，如楊筠如《尚書覈詁》樸素的證據觀，及利用甲骨、金文；曾運乾《尚書正讀》建立體例的架構及其審詞氣的新方；高本漢《尚書注釋》的統計學方法及其所謂「交錯配列法」[46]。這些注釋家處於古史辨潮流，但對《尚書》的注釋，使《尚書》學在古史辨時代並未淪為支流。

---

43 見《讀書筆記》(臺北市：聯經出版公司，1990年)，卷5上，頁775，題為「整理《尚書》，擬作十書」。

44 見《讀書筆記》卷4，頁2653，題為「整理《尚書》計畫」。

45 見《讀書筆記》卷8下，頁6260，題為「《尚書》學工作計畫」。

46 按用「交錯配列法」注釋《尚書》，是高本漢自己提到的，見《尚書注釋》(臺北市：國立編譯館，1970年)，頁54。譯者陳舜政評云：「有關語言學的應用問題，不要說當前一般學者在這一方面的成就如何，即連高氏在他的著作裡所提到的一鱗半爪，也都不一定能為我們所領悟。對於我國學者們，這是一個重大的警惕」(見〈評高本漢尚書注釋〉，《尚書研究講義》，頁303)，可見高本漢在《尚書》學上創見的貢獻。

六　結語

整體而言，民國《尚書》學是受到文籍考訂學的規範，顧頡剛亦不例外。基本上民國《尚書》學家是站在同一線上，在一個初以反傳統為主流的空氣中，辨偽的呼嘯而過，校釋（及注釋）的伏流而行。

即是，事實上在古史辨最熱烈之時，他們也擁有一個類似的思維基礎，只是辨偽家大肆張揚，而注釋家則不在議題上而在注釋上低調進行。即使是最重要的主題人物顧頡剛，他引爆《尚書》辨偽的方向，最後卻走向校釋一途，在民國《尚書》學上，無異仍回到釋經與注經的路線，比之傳統，多一層的是新式方法學。

經學理想的世界文化空間藍圖
——廖平《尚書》學中的「周公」論述與意義

魏綵瑩*
國立臺灣師範大學歷史學系博士

一　前言

廖平，字季平，生於清咸豐二年（1852），卒於年民國二十一年（1932），四川井研縣人。廖平嘗試在中國近代學術思想迷航之際，把經學扮演成一個時代的舵手，欲為中國開導一個新的方向，以實踐孔子之道為本願。在清末民初時期，於學術思想史上別開生面。他的經學歷經六變，以下簡要述之。初變：光緒九年（1883）至光緒十二年（1886），論「平分今古」。二變：光緒十三年（1887）至光緒二十二年（1896），論「尊今抑古」。三變：光緒二十三年（1897）至光緒二十七年（1901），論「大統小統」。四變：光緒二十八年（1902）至光緒三十一年（1905），論「人學天學」。五變：光緒三十二年（1906）至民國七年（1918），論「人天小大」。六變：民國七年（1918）至民國二十一年（1932），以《黃帝內經》解《詩》、《易》。仔細分析其六變，第一、二變是討論今古學，第三到六變是將經學與世界聯繫的論大、小統之發揮。從這個層面來說，廖平的經學之路其實只有兩個階段：從「今古學」到「大小統」，也就是前兩變的關懷在於承繼前輩今文學者對今古文學的分辨；從三變到六變，是一路堅定的致力於將經典與世界接軌的詮釋，這

* 原名魏怡昱。

當中的轉變只是作更細緻的建構。

整體說來，今日廖平的研究，主要包括經學六變的論述，以及對《春秋》一經的逐漸深入。筆者認為，經世的理想，思考如何讓「孔子」走入世界，規劃中國與世界的秩序，一直是他經學三變之後學說的重點。此時他最重視的經典，主要是《尚書》，被定位為孔子規劃未來全世界大統的藍圖，即使後來學分天人，但是以《尚書》為「六合同風」之大一統經典的理想終生未變，重要的著作多成書於民國初年。因此《尚書》的內容，應是蘊涵了他用世之志的理想，不過其《尚書》學迄今幾乎不曾被注意，實為廖平研究的缺憾。若欲對廖平以經學面向世界之後的《尚書》著作內容、旨趣作一個探討，在這其中又有一個不可忽視的人物：周公。廖平指出《尚書》之中，「周公獨佔十二篇，典章制度、大經大法，皆在於此。」[1]因此周公被他視為孔子筆下寄託微言大義的人物。那麼「周公」代表什麼意義？廖平心中的孔子用什麼方式來呈現「周公」？為什麼可以是表徵理想未來的核心？希望透過深入這些問題的過程，可以更加理解廖平心中的願景，以及所表現的時代性。

二　從今古之辨到面向世界的《尚書》學

在深入廖平的《尚書》內容之前，有必要先對他一生的《尚書》著作作一個鳥瞰。他這方面的專著約有二十種，亡佚了一部分，以下所列出的是現今仍存在，或是原書雖亡，但還保留有提要，可略窺全書大意者：[2]

1　〈滎波既豬解〉。

1　廖平：《經話（甲編）》，《廖平選集》（成都市：巴蜀書社，1998年7月），上冊，頁455。

2　廖平的《尚書》學著作，陳文豪曾有詳實的呈現，見氏著：《廖平經學思想研究》（1995年2月），頁43-45。不過仍有部分遺漏，要全面搜尋廖平著作，可再參見廖幼平：〈六譯先生已刻未刻各書目錄表〉，收入廖幼平編：《廖季平年譜》（成都市：巴蜀書社，1985年），頁181-187；特別是廖平民國以後的著作，國家圖書館漢學研究中心委請中央研究院中國文哲研究所林慶彰教授主持編輯的「經學研究論著目錄資料庫」，也是利於研究的便捷檢索途徑。

光緒四年（1878）成。

2 《今文尚書要義凡例》一卷。光緒二十年（1894）成。此書又名《今文尚書凡例》，收入《六譯館叢書》之《群經凡例》中。

3 《尚書王魯考》二卷。

光緒二十一年（1895）成。此書今未見，《光緒井研志・藝文志》有提要。

4 《二十八篇為備考》二卷，附《百篇序正誤》一卷。

光緒二十一年（1895）成。此書今未見，《光緒井研志・藝文志》有提要。

5 《洪範釋例》二卷。

光緒二十一年（1895）成，又名《洪範方術釋例》。此書今未見，《光緒井研志・藝文志》有提要。

6 《尚書記傳釋》十卷。

光緒二十一年（1895）成。此書今未見，《光緒井研志・藝文志》有提要。

7 《尚書備解》四卷。

光緒二十四年（1898）成。此書今未見，《光緒井研志・藝文志》有提要。

8 〈牧誓一名泰誓考〉。

光緒二十五年（1899）成。刊登於《四川國學雜誌》五號（1913年1月）；又收入《六譯館叢書》。

9 《書經大統凡例》一卷。

又名《尚書大統凡例》、《書大統凡例》。光緒三十二年（1906）成。民國四年（1915）黃鎔補綴成編。收入《國學薈編》民國四年六、十、十一期（1915年6、10、11月）；民國五年（1916）四川存古書局印，民國七年（1918）刊；收入《六譯館叢書》；又收入《尚書類聚》第八冊（臺北：新文豐出版，1986年）。另有一九二一年四川存古書局彙印本。

10 《尚書周禮皇帝疆域圖表》四十二卷。

又名《皇帝疆域圖表》、《皇帝疆域圖》。廖平口授，黃鎔筆述。民國元年開始，內容陸續刊登於《四川國學雜誌》三至五號（1912年11月-1913年1月）；民國四年（1915）四川存古書局刊；收入《六譯館叢書》；另有一九二一年四川存古書局彙印本。

11 《尚書今文新義》一卷。

民國七年（1918）四川存古書局刊；收入《六譯館叢書》；另有一九二一年四川存古書局彙印本。

12 〈十有三載乃同義〉。

收入《國學薈編》民國四年七期（1915年7月）。

13 《書尚書弘道編》。

又名《書尚書弘道篇》、《書經弘道編》、《尚書弘道編》。廖平口授，黃鎔筆述。刊登於《國學薈編》民國五年四期、民國六年六至七期（1916年4月、1917年6-7月），民國七年（1918）四川存古書局刊；收入《六譯館叢書》；又收入《尚書類聚初集》第五冊（臺北市：新文豐出版公司，1984年）。

14 《書中候弘道編》。

廖平口授，黃鎔筆述。民國七年（1918）四川存古書局刊；收入《六譯館叢書》；又收入《尚書類聚初集》第五冊（臺北市：新文豐出版公司，1984年）。另有一九二一年四川存古書局彙印本。

以上所列出的著作，大略可以看出，廖平對《尚書》的闡發，除了光緒四年，仍在就學時，因尊經書院課藝所作的考證文章〈滎波既豬解〉以外，其餘幾乎都是在經學二變以後的著作，而這個時期也是廖平開始很有意識的要闡發自己《尚書》學觀點的時刻。本文雖然將重點放在經學三變以後直到晚年的《尚書》學詮釋，不過這個時期的學說也是從前期發展過渡而來，先透過經學二至三變的轉變過程探討，可以更清楚的看到他關懷重點的衍變及特色所在。另外，在經學二變時期的《古學考》，或是經學三變以後的《知聖篇》、《經話》（甲編）等，也散見於廖平不同時期對《尚書》的觀點，都是下文論述的依據。

（一）今古意識下的《尚書》學

廖平自經學二變以來，即主張《尚書》自西漢博士所傳二十八篇為孔門足本，劉歆欲與博士為難，襲張霸偽作的〈百兩篇〉篇目立名，創為百篇《書序》，羼入《史記》。在廖平看來，百篇《書序》之作，開啟了《尚書》二十八篇為秦火之餘不全的說法，後來東晉會有偽古文《尚書》的產生，始作俑者即是劉歆偽作的百篇《書序》。廖平云：

> 《百篇序》本古文家仿張霸而作，羼入《史記》，以為微言。考張霸〈百兩篇〉備錄經文，其偽顯著。劉歆欲攻博士經不全，故本其書作《序》。有《序》無經，不示人以瑕，《序》襲〈百兩〉，非〈百兩〉襲《序》。……《書序》則劉歆所偽，以百篇立名，憤博士二十八篇為備之說耳。偽古文之作，偽《書序》實為之俑。閻氏攻偽孔而不攻《書序》，未得罪魁矣。[3]

因此廖平認為清代《尚書》辨偽學的經典之作－閻若璩的《尚書古文疏證》，只有揭發東晉偽孔安國的古文《尚書》，尚未疑及造成後人《尚書》不全之錯誤觀念的罪魁《書序》。至於存在《史記》中的《書序》，是古文家引《序》以校《史記》，後來刊寫誤入正文者，非《史記》原文所有。他在成於光緒二十一年（1895），經學二變時期的《二十八篇為備考附百篇序正誤》一書的序文中說：

> 國朝閻氏《古文尚書疏證》，事久論定，以為有澄清之功，然閻氏只言東晉古文之偽，而不敢議《書序》，似孔子序《書》真有所謂百篇者。……張霸初輯記傳遺文，編為〈百兩篇〉，加以篇名，名實不符，其偽易見，故其書不行。古文家鑑其失，竊取張書，但措大意為百篇序目，不錄原文，授人以柄，此偽《序》襲張霸，非張霸襲偽

3　廖平：《古學考》，《廖平選集》（成都市：巴蜀書社，1998年7月），上冊，頁143。

> 《序》也。今百篇《序》文散入《史記》者，乃古文家引《序》以校《史記》，後來刊寫誤入正文，非《史記》原文所有，斑痕具在，細考自明。今按二十八篇各有取法，平治精蘊，包括靡遺，即偽古文二十餘篇有何精微出於原書之外？故疏通知遠，二十八篇已盡之矣。……平著此篇，篇頁雖少，其功與閻書不相上下。[4]

廖平對於自己考證《尚書》二十八篇為備，以及百篇《書序》為劉歆所偽的著作成果頗為自得，視為與閻若璩之書價值不相上下。這樣的論點與康有為在《新學偽經考．書序辨偽》中的說法頗為同調，[5]《新學偽經考》的出版年是光緒十七年，早於廖平的《古學考》與《二十八篇為備考附百篇序正誤》等書，那麼此一說法是否影響了廖平，或是康有為先受廖平觀念啟發，此處不擬深究，至少《書序》為劉歆所偽是廖平甚為重視的見解。

在廖平、康有為之前，也曾有其他清代學者對《書序》提出過懷疑，劉逢祿在《左氏春秋考證》裡已有「《尚書序》為東晉人偽作」的說法；[6]譚獻《復堂日記》中也談到龔自珍之子龔橙（字孝拱）「手定《尚書》廿八篇，逸《書》四十二篇，斷〈書序〉為偽……」。[7]劉逢祿、龔橙雖斷《書序》為偽，但劉氏視之為東晉人所偽，龔氏未說明何時何人之偽，廖平、康有為皆認為是劉歆的造作。錢玄同曾說：「在康氏（有為）以前，斷《書序》為偽者，僅龔孝拱一人而已。」[8]其意是清代以《書序》為偽者，第一是龔橙，

---

4 廖平：《二十八篇為備考附百篇書序正誤．序》，收入吳嘉謨等纂輯：《光緒井研志》（臺北市：臺灣學生書局，1971年），頁644-646。

5 康有為《新學偽經考．書序辨偽》中云：「孔子定《書》二十八篇，傳在伏生，純備無缺，故博士之說皆以為備。後人惑於《書序》百篇之目，以為伏生《書》乃亡失之餘，於是洙、泗之遺經，遂為斷爛朝報。嘗推究其說，以為二十八篇即孔門足本，《書序》之目偽妄難信。」

6 〔清〕劉逢祿：《左氏春秋考證》（臺北市：復興書局，1974年），頁14183。

7 譚獻：《復堂日記》，收入《復堂類集》之四（臺北市：華文書局，1970年），卷7，頁20。又見蔡長林：《論崔適與晚清今文學》（桃園縣：聖環圖書公司，2002年），頁89-90。

8 錢玄同：〈左氏春秋考證書後〉，收入《古史辨》（臺北市：藍燈文化公司，1987年），

第二是康有為。他未提到劉逢祿，蔡長林先生認為是因《書序》問題不是劉逢祿《左氏春秋考證》的重點，[9]至於沒有談到與康有為同調的廖平，筆者認為可能是康有為的著作出版早於廖平著作的緣故。

由於對百篇《書序》的否定，廖平也直接面對魏源《書古微》的內容。《古學考》中說：「魏默深以《孟子》、《史記‧舜本紀》之文為〈舜典〉，據而補之，……皆誤於偽《序》之故。」[10]魏源以《史記》、《孟子》、《尚書大傳》等書徵引者輯補〈舜典〉、〈湯誥〉、〈泰誓〉、〈牧誓〉、〈武成〉諸篇，[11]此為廖平所詬病，視魏源受惑於偽《序》，故欲增補本來就不曾存在的古文篇章。從廖平批評魏源誤信《書序》的問題，亦可從側面略窺廖平經學二變時對《書古微》的整體態度。魏源指出，清代諸儒只知東晉晚出之《書》為偽，卻不知東漢馬鄭本亦為偽，他以馬鄭本是杜林的漆書《古文尚書》，被後世認為是真孔安國本。魏源所以要申《史記》、伏生《尚書大傳》及《漢書》所載歐陽、夏侯、劉向遺說而排斥東漢的馬、鄭之說，是欲以西漢替代東漢，大抵可以說就是要以今文學代古文學。魏源的學術可說是一種「迴向原典」的努力，主要目標是「使古誼復還」，故想要從《史記》、《漢書》、《伏生大傳》殘本等輯出真正屬於《尚書》的文字，足見《書古微》是返求原典的心情下作成的。[12]廖平也是要回到西漢的《尚書》家法，才有博士所傳的二十八篇為備之說；之所以批評魏源者，在於《書古微》尚未注意到《史記》中的《書序》為偽，至於魏源欲返回西漢的態度，他基本上是默認的。所以廖平經學二變時對《尚書》的態度，可以說是站在前輩今文學者的基礎上繼續發揮。

冊5，頁3。

9 蔡長林：《論崔適與晚清今文學》，頁89-90。

10 廖平：《古學考》，《廖平選集》，上冊，頁143。

11 見魏源：《書古微》，卷3〈舜典補亡〉；卷6〈湯誥補亡〉；卷7〈泰誓補亡〉上中下，〈牧誓補亡〉上下，〈武成補亡〉上下。

12 王汎森：《古史辨運動的興起》（臺北市：允晨文化公司，1987年），頁82。

（二）面向未來的《尚書》關懷

到了經學三變以後，廖平延續二變的今文學觀點，強調《書序》為偽，[13]以及《尚書》未嘗亡缺之說。所當注意者，是他在三變以後，有幾個重點與二變之時不同。首先，他屢稱《尚書》有「二十九篇」，對照二變時的「二十八篇」有所差異。這樣的說法在《尚書》學史上有其特殊性。前輩學者曾歸納前人對伏生所傳《尚書》的篇數及細目，指出約有四說：1 伏生《尚書》有二十九篇，含今文〈泰誓〉一篇；2 伏生《尚書》有二十九篇，含〈書序〉一篇；3 伏生《尚書》有二十九篇，〈顧命〉、〈康王之誥〉分為二篇；4 伏生《尚書》有二十八篇，〈泰誓〉後得，始為二十九篇。[14]廖平沒有跟隨前人的理路，且不承認《書序》的存在，他的《尚書》二十九篇，是寄寓自己獨特的思考與理想。他在《書經大統凡例》中說：

> 《書緯・璇璣鈐》曰：「書者，如也。」上天垂文象、布節度，書如，天行也。孔聖作《書》，上法天道，以二十八篇取象列宿經天，顧伏生《書》二十九篇（說見《史・儒林傳》），班《志》亦云經二十九卷，大小夏侯章句及解故皆各二十九卷，蓋〈帝典〉中寓有「皇篇」（乃命義和五節），象天之北斗居中（說見《論衡・正說》篇）。西漢以後，乃以晚出傳說之〈泰誓〉當之則誤也。[15]

廖平從〈堯典〉中析出「乃命羲和」五節獨立而成「皇篇」，加上原來的二十八篇為二十九篇。他並指出前人所稱的「二十九篇」為二十八篇加上所謂

13 廖平：《書經大統凡例》（民國七年（1918），四川存古書局刊），頁1a。

14 許錟輝：〈王先謙「伏生《尚書》二十九篇無〈泰誓〉說」〉，收入《第二屆近代中國學術研討會論文集》（臺北市：萬卷樓圖書公司，1996年），頁37-48；蔣秋華先生：〈簡述臺灣的王先謙研究〉，《中國文哲研究通訊》，第14卷第1期（2004年3月），頁104-105。

15 廖平：《書經大統凡例》（民國七年（1918），四川存古書局刊），頁1a。

後得的〈泰誓〉是不正確的。總之，〈皇篇〉獨立為一篇，第位頗重要，從他在成於三變以後的《尚書今文新義》一書的內容可以看出。此書內容甚短，只有對〈皇篇〉的注解，初讀頗令人懷疑如此簡短的篇幅是否為一未完稿，但也可見此篇的特殊性。「皇篇」內容為〈堯典〉中的天學部分，「皇」者，廖平表為全球，傳統的觀念中，只有統治者才有頒定曆法的權力，故〈皇篇〉即是要以中國的曆法頒定全球之意。[16]

其次，透過廖平二變與三變以後這兩個時期對魏源《書古微》的批評比較，也可以見到廖平思想的轉變。前文已說過二變時期指出《書古微》未注意到《史記》中的《書序》為偽的問題，到了三變時期他將重點放在經典的「疆域」問題上：

> 六藝皆有緯，班《志》之所謂微，魏氏以「古微」自名其《詩》說，而實未盡其義。六經以疆域廣狹言之，莫小於《春秋》，莫大於《詩》、《易》。《春秋》就禹州分中外，《書》則以五千里為主，至於《易》、《詩》則合地球五大洲言之。[17]

廖平解「微」為「緯」，緯以輔經，認為緯書中有許多孔子規劃世界的微言大義，但魏源的《詩古微》、《書古微》不能明瞭此義。最後，三變以後的一個重點是強調《尚書》的內容為「俟後」，意味著孔子規劃未來的世界，這也突顯在「周公」這個角色的未來性上，後文會有詳細論述。所以經學二變較純粹討論今古文的學術史問題，經學三變以後則跳脫這種今古文傳統的框架，建構更具自己特色的經典解釋。

如果說廖平經學三變以後已經完全沒有今古文家派的意識，如康有為、梁啟超等均認為廖平經學三變以後轉向了認同古文經學，這樣的說法失之籠統，也未必正確，因為他仍是沿續今文的路線繼續發揮。我們只能說，他自謂的三變以後「不再立今古名目」，是指為學目標已經不再是分判今古與辨偽古文，而是要回到孔子本身來詮釋面向世界的經學，廖平對周公的詮釋發

16 廖平：《尚書今文新義》（民國七年（1918），四川成都存古書局刊），頁1a-1b。

17 廖平：〈詩緯古義疏證〉，收入吳嘉謨等纂輯：《光緒井研志》，頁649。

揮，即是擺置在這個階段。

廖平認為孔子賦予《尚書》的是「大統」的理想，他又說，孔子筆下的「周公」是肇開大統的一個託寓，那麼廖平為什麼認為「周公」如此的被孔子所重視？孔子怎麼透過「周公」來表達自己的理想？這是下文所要探討的問題。

三　周公踐阼稱王與孔子的「王心」所在

廖平論孔子重視周公這個歷史人物，有一個很重要的原因，是周公在周初曾經踐阼稱王。關於周公與成王的問題，歷來學者聚訟紛紜，爭論的焦點在於周公是否曾踐天子位，或者只是「攝政」。在廖平的論述中，他將「周公」分為真實歷史中的形象與孔子寄託的經典符號，認為在周初的史實中，周公承襲殷商的「兄終弟及」之制，在武王崩後，曾踐阼行天子之職，待到平治天下後讓位於成王，並為周家確立了傳子的法度，這是周公在真實歷史中的地位。他說：

> 武王克殷後，即以天下讓周公，《逸周書》所言是也。當時周公直如魯隱公、宋宣公兄終弟繼，即位正名，故〈金縢〉稱「余一人」、「余小子」，下稱二公，〈誥〉稱「王曰」。〈檀弓〉：「文王舍伯邑考，而立武王。」蓋商法：兄終弟及。武王老，周公立，常也。當時初得天下，猶用殷法。自周公政成以後，乃立周法，以傳子為主，周家法度皆始於公。欲改傳子之法，故歸政成王。[18]

又說：

> 周公為天子之說，見《書》者，〈金縢〉則曰「以旦代身」，〈召誥〉則周公主祭。故《荀子》以周公為大儒，謂其由無天下而有天下，又由有天下而無天下也。成王賜周公以天子禮樂，以其曾為天子而讓天

18 廖平：《經話（甲編）》，《廖平選集》（成都市：巴蜀書社，1998年7月），上冊，頁452。

下也。周初，承殷舊制，傳及踐阼，政成遜位，此周公之故事。[19]

從以上的引文可以得知，廖平主張周公曾即位為天子的主要依據包括《逸周書》、《荀子》等史料，以及《尚書》中的若干內容。廖平論周公多以《尚書》的內容為主，但是《尚書》以外的史料如《逸周書》、《荀子》等記載也影響廖平甚大。以下將這些廖平的思路下，周公曾經稱王的依據，分成三部分敘述，期望能從中勾勒出廖平心中的周公史實，以及孔子的「王心」所在。

（一）《尚書》以外的史料依據

首先，關於《逸周書》的記載方面，廖平雖未明確徵引《逸周書》的內容，但在此書中，關於周公稱王較明確的記載，主要是〈度邑〉篇的敘述：「王曰：『旦！予克致天之明命，定天保，依天室。……我維顯服，及德之方明。』叔旦泣涕於常，悲不能對。……王曰：『旦！汝為朕達弟，予有使汝，汝播食不遑暇食，矧其有乃室。今維天使予，維二神授朕靈期。予未致於休，予近懷於朕室。汝維幼子，大有知。……乃今我兄弟相後，我筮、龜其何所即令，用建庶建。』叔旦恐，泣涕共手。」[20]這段文字指出，武王受到二神的指示，知道自己的大限之期，顧念到國家初造，願意兄弟相及，把王位傳給德智兼備的周公。在此處的記載中，只描述周公涕泣沾裳，拱手不肯接受，並未明言周公是否登基，但是卻傳達了周公有即位的合理性。

除了《逸周書》以外，廖平亦採用了《荀子》的說法：「荀子以周公為大儒，謂其由無天下而有天下，又由有天下而無天下也。」此語出自《荀子・儒效》的內容：「大儒之效：武王崩，成王幼，周公屏成王而及武王，以屬天下，惡天下之倍周也。履天子之籍，聽天下之斷，偃然如固有之，而天下不稱貪焉。……成王冠，成人，周公歸周反籍焉，明不滅主之義也；周

19 廖平：《皇帝疆域圖》（四川成都存古書局刊，民國四年印），第21，頁4。
20 袁宏點校：《逸周書》（濟南市：齊魯書社，2000年），頁45。

公無天下矣。鄉有天下，今無天下，非擅也；成王鄉無天下，今有天下，非奪也；變執次序節然也。」《荀子》認為武王崩，成王幼，為了政治安危的考量，因此周公繼承了武王之位，直到成王年長始歸政。廖平雖然採用了《逸周書》與《荀子》的觀點，認為周公繼位為君，但是他不認同周公即位的原因是成王年幼，關於廖平對成王年紀的看法，下文會再討論，而此處廖平要強調的是周公能繼承王位，是因為周朝初年，仍然沿襲殷代的「兄終弟及」之制，並引《禮記・檀弓》的說法：「文王舍伯邑考，而立武王」之語，[21]說明嫡長子繼承的宗法制度在周初尚未確立，這與王國維於一九一七年所發表的〈殷周制度論〉中的觀點頗為相似，[22]只是學界尚未注意到在王國維之前的廖平已有類同的看法。總之，對廖平而言，周公的功業，就是立周法，以傳子為制，周家的法度皆奠定於周公，這就是周公在其當代的貢獻與地位。

（二）從《尚書》的內容與書法論周公天子身分索隱

廖平又從《尚書》的內容指出周公不尋常的特殊地位之處：

> 《書》於周書四篇，言文、武、成、康。〈戡黎〉但見西伯二字，並無文王一語，〈牧誓〉僅為誓師之詞，〈顧命〉但詳喪葬、即位之事，可云極略；而周公獨占十二篇，典章制度、大經大法，皆在於此。蓋周公立為天子，功成制作而託言於攝，即《中庸》云「周公成文、武之德」，成、康繼位之休，皆周公成之是也。臣不尸大功，周公本自立，故不可歸於成王。[23]

根據廖平的觀點，《尚書》本言文、武、成、康四王的德業，但是從具體的內容來看，關於這四王的記載非常的簡略，而周公卻獨佔了十二篇之多，關

21 廖平：《經話（甲編）》，《廖平選集》，上冊，頁452。

22 王國維：〈殷周制度論〉，《觀堂集林》（臺北市：河洛圖書出版社，1975年），頁453。

23 廖平：《經話（甲編）》，《廖平選集》，上冊，頁455。

於典章制度、大經大法皆載於此，以此種情況推知，周公理應曾即位為天子，才能有如此的地位與功業，成文、武之德，下開成、康之治。也由於對周公稱王的認知，因此他對於《尚書》中的若干內容，均解為周公稱王的依據。例如廖平特別提出的《尚書・金縢》「以旦代身」、「余一人」、「余小子」等文辭，都表示周公為王。〈金縢〉之文原為記述武王有疾，周公作書請命於天，願以身代死之事，其中的關鍵句「以旦代某之身」，廖平改解之為「代武攝位為天子」。[24]

廖平也以《尚書》的書寫筆法論周公曾經踐阼稱王。他說周公曾經即天子位，但是因為周公有心要讓位於成王，所以《尚書》要成全周公的心意，所以不書寫周公為王。這種說法是源自於《公羊傳》對《春秋》第一條經文的解釋：「公何以不言即位？成公意也。」照《公羊傳》的說法，因為魯隱公有意讓位給魯桓公，因此雖然事實上已經即位，《春秋》仍然不書即位，目的是要成全隱公讓位之志。廖平認為五經既然為孔子所作，所以各經的筆法都有相通之處，由《春秋》的筆法類推《尚書》，即可見出其中的史實與微言，周公在《尚書》中的敘述亦然，他說：

> 若宋宣、魯隱生稱君，死稱公，何嘗因其有讓志，而削奪平日之尊？《尚書》於周公稱王諸條是也。直稱之，則曰周公者，此成周公之志，《春秋》隱不有正月之意也。[25]

這段話是在說明，既然《尚書》要成周公之志，以「攝」立義，又為何仍書「王若曰」一詞，以周公為王？廖平的解釋也是對照《春秋》的書法，《春秋》的魯隱公、宋宣公有讓志，所以死後稱「公」，且隱公元年不書正月，這都是成全他們的心意，但他們是真正曾經即位的，所以敘述其在世的行事時仍以國君稱之，並不因有讓志就削減平日的尊貴身份。周公有讓志，所以《尚書》有時直稱「周公」即是成全其志；但周公也是真正即天子位的，從

---

24 廖平著，黃鎔筆述：《書中候弘道編》（民國十年，四川存古書局刊本），頁2a。

25 廖平：《經話（甲編）》，《廖平選集》，上冊，頁453。

「王若曰」一詞也可以得到證明。總之，廖平啟發自《春秋》的書法，視經典為表現微言，但是從微言中也可以搜尋到史實的痕跡，他也以此路徑去索隱歷史上的周公行事。

他又認為武王崩時，史實上的周公是名正言順的即位，並非因成王年幼而攝政，《尚書》所書的成王年幼，這也是《春秋》筆法的「託詞」方式，他說：

> 周公、成王事為經學一大疑。武王九十以後乃生子，成王尚有四弟，何以九十以前不一生？繼乃知成王非幼，周公非攝，此《尚書》成周公之意，又有語增耳。……欲改傳子之法，故歸政成王。問何以歸政成王？則以初立為攝；問何以攝位？則以成王幼為詞。一說成王幼則生出襁褓，不能踐阼；或以為十歲、以為二、三歲不等，皆《論衡》所謂「語增」，事實不如此也。[26]

廖平指出，周公、成王之事，歷來備視為經學上的一大疑問，這個疑問除了周公是攝政還是稱王以外，還包括了何以武王年歲至九十才生成王，況且成王又有四弟？廖平接著提出自己的解讀，即武王崩時，成王並非年幼，周公也非攝政，而是真正的即位，但周公與魯隱公一樣有讓志，欲將制度改為傳子，因此《尚書》不書即位以成全其志。又《尚書》既然「成周公之意」，不書即位而書攝位，為何要攝位，必定要有一個理由，即假託以成王年幼為詞，這即是《公羊傳》的「託詞」方式。《尚書》中是否有如廖平所說的以成王為年幼之說？他指的應是《尚書・周書》諸篇稱成王為「孺子」，並接受了漢代以來的經師訓「孺子」為「稚子」之故。[27]廖平又視其他史料所傳說的

26 廖平：《經話（甲編）》，《廖平選集》，上冊，頁452。

27 根據王慎行的研究指出，《尚書》中傳達成王年幼的敘述，應是《周書》諸篇中謂成王為「孺子」，有關的資料如下。〈金縢〉：「公將不利於孺子。」《偽孔傳》云：「孺，稚也，稚子成王。」〈洛誥〉：「孺子其朋，孺子其朋」；「乃惟孺子頒朕不暇」；又云「孺子來相宅」。《孔疏》引《鄭註》云：「孺子，幼少之稱，謂成王也。」〈立政〉：「孺子王矣」；「予旦已受人之徽言咸告孺子王矣」，又云「今文子文孫孺子王矣。」

成王僅為襁褓或是只有二、三歲、十歲不等的說法，皆是所謂的「語增」而已，事實並非如此。[28]總之，廖平索隱《尚書》的內容論證周公即位稱王，且成王非幼的史實，又以這種「史實」與經典有意呈現的成王年幼而周公攝政的說法相對照，廖平要說的就是經史之間的區別。

（三）周公與孔子的合一

廖平從論述周公的史實地位，又聯繫到周公在孔子筆下的經典地位，何以周公對孔子來說如此的重要？廖平以經典中的舜、周公、隱公均為孔子所託，以此更深化周公的意義：

> 《春秋》始於隱公，《左》以為攝，隱即周公，周公即舜。舜、周公、隱公即孔子，皆從字立義。《公羊傳》:「吾立乎此，攝也。」周公事正如此，本立也，而自以為攝，實非攝，故成王以魯為王。後以與商比，成其讓志，故但稱周公，不稱王。……成王已立，周公已退，乃封伯禽。董子〈三代改制〉篇言殷立弟，周立子，即由周公改定。周公本為天子，不傳於子而傳於武王之子，後世乃疑周公不盡臣道，不當稱王，魯不當用天子禮樂。不知周公有天下而不居，王莽無天下而竊取，以王莽擬周公，冤矣！[29]

據此可知，漢代經師皆訓《尚書》之「孺子」為「稚子」，並以此為成王年幼說之根據。見王慎行：〈周公攝政稱王質疑〉，收入郭偉川編：《周公攝政稱王與周初史事論集》(北京市：北京圖書館出版社，1998年)，頁176-177。

28 關於成王尚在襁褓之說，如《史記・魯周公世家》:「武王既崩，成王少，在襁褓之中。」《史記・蒙恬列傳》:「恬曰，成王初立，未離襁褓，周公旦負王以朝，卒定天下。」《淮南子・要略》、賈誼《請豫教太子疏》及《後漢書・桓郁傳》均有武王崩時，成王尚在襁褓之說。此外，《尚書大傳・金縢》有「武王死，成王幼，周公盛養成王」一語，雖未明言「襁褓」，但以「周公盛養成王」亦已表達了成王甚幼之意。

29 廖平：《經話（甲編)》,《廖平選集》，上冊，頁452-453。

周公本為天子而讓位，以攝自居，廖平視此為成王願意讓周公的魯封地使用天子禮樂的原因，並推崇周公的精神是崇高的，與後來王莽自比周公而篡位，真是有天壤之別，以此可見廖平對周公的歷史事跡是讚譽的。值得注意的是，上引文中，廖平於推崇周公德業的同時，他也說「隱即周公，周公即舜。舜、周公、隱公即孔子」，將周公比擬為舜、魯隱公，最後又歸結為孔子，足見孔子與周公間的聯繫。廖平仍是用經典的書法論述這個觀點，他說：

> 孔子以匹夫制作，與周公同，故《詩》、《書》皆以周公為主。周公即孔子前事之師也。周公本為天子，立傳子之法，乃讓成王，自託於攝，亦如孔子為天子事而自託於帝王。《帝典》為《書》之主，堯為天子，所詳皆舜攝政之事；成王為天子，所言皆周公政事。《左傳》隱公元年：公不即位，云攝也。通其意於《書》，實則《書》與《春秋》皆孔子攝為之也。[30]

廖平認為孔子將理想寄託於周公，因為周公與孔子是可以相提並論、互相比擬的。周公本是天子，為周家立法度，讓位成王，自託於「攝」；孔子以匹夫制作，為後世立制度，自託於帝王（素王），周公對孔子來說，具有十分特殊的意義，因此孔子將周公託為《詩》、《書》的主角，但是要傳達的卻是孔子的思想。廖平又轉進一層的指出，《尚書》中的《帝典》以堯為天子，但是重點在於舜的攝政；《周書》以成王為天子，內容也重在周公攝政之事，以此說來，經典以周公為主角，類似於「王」的身分，但重要的是背後的「攝政」者，即是孔子，這也就是廖平所謂的「隱（公）即周公，周公即舜。舜、周公、隱公即孔子」，以及「《書》與《春秋》皆孔子攝為之也」的深意。從以上的論證來看，周公致太平是孔子依著歷史上的周公勳業而將理想寄託於他，經典裡的周公其實就是孔子的理想。這也是何以在廖平的觀點中，史實上稱王並制法的周公，會成為經典符號的原因。

30 廖平：《經話（甲編）》，收入《廖平選集》，上冊，頁455。

四　孔子以「周公」開創大統的經典意義

（一）周公「居東」與中天下而立

廖平認為周公為孔子所託的致太平符號，經典內容的關鍵在於《尚書》中的周公「居東」與營建東都洛邑。此處先從周公與「居東」的記載以及廖平的詮釋說起。《尚書・金縢》謂：

> 武王既喪，管叔及其群弟乃流言於國曰，公將不利於孺子。周公乃告二公曰：「我之弗辟，我無以告我先王。」周公居東二年，則罪人斯得。于後公乃為詩以貽王，名之曰「鴟鴞」。

《偽孔傳》對於「我之弗辟，我無以告我先王」的解釋是，對於管叔、蔡叔與霍叔的流言，我若不以法繩之，則無以成周道，所以此解周公「居東」，指的是周公東征，諸叛逆的「罪人」皆被獲，罪人乃指管叔等人而言；且既得這些叛逆罪人之後，周公乃作〈鴟鴞〉一詩給成王，言三叔不可不誅之意。[31]但是成書於《偽孔傳》之前的鄭玄卻有不同的說法。鄭玄以為武王崩後三年，周公將欲攝政，管蔡流言詆毀周公，成王亦猜疑之，周公乃避居東都，周公的屬黨皆奔走出亡，隔年均為成王所得，成了「罪人」，多被殺罰，周公作〈鴟鴞〉之詩以救其屬臣，[32]此詩今存於《詩經》〈豳風〉中。總之，《偽孔傳》視「居東」為伐管蔡，鄭玄則認為是避居東都。此外，《史記・魯周公世家》又有一說，指周公攝政七年還政於成王之後，「人或譖周公，周公奔楚。」《論衡》中也說「周公居攝，管蔡流言，王意狐疑周公，周公奔楚。」這也讓人聯想到，如果跟從鄭玄的說法，解「居東」為避禍，

---

31 〔漢〕孔安國注，〔唐〕孔穎達疏：《尚書正義》（臺北縣：藝文印書館，1965年），頁188。

32 〔漢〕孔安國注，〔唐〕孔穎達疏：《尚書正義》，頁188。又見〔漢〕毛公傳，鄭玄箋，〔唐〕孔穎達疏：《詩經正義》（臺北縣：藝文印書館，1965年），頁292。

那麼「東」是否即是楚國？關於這些問題，當代的學者曾作過深入的分析與考證，本文不擬詳論。[33]此處的重點是，廖平認為《偽孔傳》、鄭玄註，以及《史記》、《論衡》等等前人對於周公居東的說法，都沒有得著孔子在《尚書》及《詩經》中塑造周公形象的本意。他說：

> 《詩序》之見於經者惟〈鴟鴞〉，所以必見此者，通《書》之意於《詩》也。《書》、《詩》皆周公為主，故《魯》為〈頌〉。〈金縢〉「周公居東」一語，為《詩》主宰，居東非避禍，非討管、蔡，蓋用夏變夷，開南服以成八伯之制。《詩》云：「周公東征，四國是皇。」《孟子》：東征西怨，南征北怨。不曰西北而曰東南，功用專在東南也。由雍州以及梁、荊、徐、揚，皆在南，以東都言則在東，《詩》言「周南」、「召南」、「東征」，《書》言「居東」，皆謂周公開平南方，營東都，朝諸侯。文、武天下止於西北，周公乃弼成五服，中天下而立，如以居東為避禍、討管、蔡，則小矣。[34]

廖平指出，《尚書．金縢》與《詩經》均共同提到〈鴟鴞〉這首詩，其實這首詩不是要說明周公與三監或成王的關係，而是要藉著〈鴟鴞〉這個「橋樑」溝通《詩》、《書》，兩者可以對讀，因為它們同為孔子所託的符號，以周公為全球大統之主。周公「居東」並非為了避禍，也不是要征討管、蔡，而是要「開南服」。「開南服」一詞，筆者認為源自於《左傳》昭公十九年的「王收南方，是得天下也」一句。南方指楚國，春秋時，楚國尚屬夷狄，若是楚國歸服則天下歸一，此有用夏變夷之意，所以周公「居東」的目的亦是如此。何謂「東」？廖平認為就是《詩經》的「周南」、「召南」，是周公推行王化所及的區域，經典的地理位置在雍州、梁、荊、徐、揚等地，這些地方位在周發源地（西北）的東南方，而且周公還營建東方洛邑，所以稱為「居東」，文王、武王的天下僅止於西北，周公要開化東南，以禮樂文明施

---

33 關於「居東」與「奔楚」的問題，見夏含夷：〈周公居東新說——兼論〈召誥〉、〈君奭〉著作背景和意旨〉，收入郭偉川編：《周公攝政稱王與周初史事論集》，頁141-146。

34 廖平：《經話（甲編）》，《廖平選集》，上冊，頁456。

教，漸成一統。而廖平主張這些經典內容都是符號，不是「述往」，而是「知來」，所謂的周公「居東」就是孔子的理想，要在地球上「弼成五服，中天下而立」，居於禮樂文明最高之「中」，化導四方文化較低之處，而這個「中」可說是孔子之道，地球上有孔子之道的地方就是中國，西方為廖平心中的夷狄，簡單的說，兩者的分判，就是「三綱」的有無。[35]

廖平何以這麼重視中心與邊緣？這與時代氛圍有關。晚清學者將「世界」作為中國的一面參照鏡，透過它來認識自我，重新評估、定位「中國」的論述很多，葛兆光分析近代中國的自我認識史時，便指出「世界」是中國認識自我的對照體系：

> 中國在很長的時間裡，由於缺乏一個對等的「他者」(the other)，彷彿缺少一面鏡子，無法真正認清自身，在十九世紀，中國是在確立了「世界」與「亞洲」等「他者」的時候，才真正開始認清自己，近代中國關於「世界」的話語，其實就是關於中國的再定位。[36]

特別是在經歷甲午戰爭，中國敗於「蕞爾小邦」日本的刺激之後，許多知識分子開始從國力、科技、制度等各個層面去思考中國不如西方，已經不在「世界」之「中」，甚至認為中國還未進入到以西方為主體的「世界」之內，包括晚清小說中也可以看到不少反思中國已不再是俯視天下與卓然獨立的「中心」。[37]這麼一來，以華夏文化為中心的「圈序認同」根基從精神上

35 廖平的華夏與夷狄之辨，也就是中國與西方之別，簡言之，在於「三綱」的有無。廖平指出：「《采風記》言：西人希臘教言君臣父子夫婦之綱紀，與中國同，耶穌出而改之，蓋采之近人之說，竊以此言為失實。三綱之說，非明備以後不能興，既興以後則不能滅。西人舊法不用三綱，恐中人鄙夷之，則以為古實有之，非中國所獨有，因其不便，乃改之，則使中國教失所恃，西教乃可專行。……今之西人，如春秋以前之中國，兵食之政方極修明，無緣二千年前已有教化。以中國言之，無論遠近荒徼，土司猺獞，凡一經沾被教化，惟有日深一日，從無翻然改變之事。故至於今，中國五千里皆沾聖教，並無夷狄之可言。以一經教化，則從無由夏變夷之理也。」見廖平：《知聖篇》，《廖平選集》，上冊，頁202-203。

36 葛兆光：《中國思想史》（北京市：商務印書館，2007年），頁510。

37 顏健富對此一議題有生動的研究成果，他指出晚清小說中反映了在世界的座標上，

嚴重動搖了。別的不說，就舉與廖平同為近代今文家的康有為作例子，他就曾以「文明」的歐美為「諸夏」，而中國雖未必是「蠻野小國」，然而亦在被歐美欺凌歧視之列，大致接近「夷狄」一邊。早年的梁啟超在闡發《公羊》學理時，以從前被中國當作蠻夷的歐美等國，在「社會進化」的階層上已經超出中國，尤其美國在內政上已趨「太平世」，而君主專制的中國仍處於「升平世」的初級階段，雖然在全球範圍來說，人類仍處於「據亂世」。[38]這都是廖平曾大力申訴戊戌時期的《公羊》學已背離經典原意的重要原因，矛頭暗指的就是康、梁一班人。[39]細究原因，康、梁等人的訴求在政制的改變，要變君主為立憲。但廖平認為，時人所謂的「民主」，就像春秋時期，國君的大權旁落於陪臣，在下位者操握政柄，上位者徒擁空名一樣，又西方

「中國中央論」的信念已經受到衝擊，並舉了幾個代表性的例子說明。例如一九〇三年，金松岑於《孽海花》第一回的「奴樂島」描寫，正是影射中國遭遇「惡風」、「怪風」、「大潮」等代表自西徂東的西潮，沉向孽海，淪為「奴隸」位置。一九〇六年，蕭然郁生發表於《月月小說》第1、2號的〈烏托邦遊記〉，文中遍遊世界者敘述進入展示「世界」的書笥之處，英、法、德、日等國小說皆排列於顯眼位置，但中國小說卻無法放置在象徵世界座標的書笥，只能散亂於地。這恰是作者對「中國」的反思：擠不上「世界」位階，離「中」遠矣！一九〇五年，陳天華連載於《民報》第2至9期的《獅子吼》，小說內容從「話說天下五個大洲」轉到「大中華沉淪異種」，以西方文明的「後出轉精」對照中國的一瀉千里，也是反思中國於「世界」中的位置。顏健富：〈廣覽世界，發現中國：論新地理學對晚清小說敘事的衝擊〉，「明清文學研究新動向國際學術研討會論文（臺北市：中央研究院中國文哲研究所，2010年12月8-10日）。

38 羅志田：〈理想與現實——清季民初世界主義與民族主義的關聯互動〉，收入王汎森等著：《中國近代思想史的轉型時代》（臺北市：聯經出版公司，2007年），頁277；梁啟超：〈論君政民政相嬗之理〉，收入《飲冰室文集》之2（上海市：中華書局，1936年），頁7-11。晚清與戊戌維新有關的《公羊》學者如何將政治制度與三世說相互比附，可參見孫春在：《清末的公羊思想》（臺北市：臺灣商務印書館，1985年），第四、五章。

39 見廖平：《大統春秋公羊補證》（光緒三十二年（1906）中秋，則柯軒再版），〈凡例〉，頁9b 中，廖平語氣強烈的提到「近代《公羊》學愚人……」，意思是康有為等人改造《公羊》學以愚惑人民，這也是他要寫這部《公羊》著作的重要原因，很能表徵廖平的思想與以康氏為首的戊戌諸子之《公羊》思想有很大的歧異，值得注意。

人的議院，由在下者出令，在上者行令，這等於把君相視同為「奴隸」；[40]他篤信的是傳統那套尊卑有序、重名分的思想，立憲無異於衝擊了君臣的綱常。再者，康有為畢竟還沒有直接攻擊儒家，但同樣是戊戌的重要人物，也論《公羊》的譚嗣同則直接要「衝決網羅」，對傳統的「名教綱常」提出了最尖銳的批判。因此在廖平的感覺上，康有為這一群人透過經學入室操戈，把文明、野蠻的價值給顛倒了。廖平要重新揭示：什麼才是真正能夠居於中心的價值，也因著中國具有，但西方所沒有的經教價值——三綱，這是孔子寄託「周公」制禮作樂的核心，華與夷／文明與蠻野的分界，也是文化上「中心」與「邊緣」的判準。因此，廖平藉著說《尚書》的「周公篇」由海內推向海外，[41]就是以中國居世界之「中」，將文明向外推擴之意。

（二）素王之道與東西半球

廖平認為孔子託周公用夏變夷以致太平，藉著「居東」以表達「中天下而立」，而這個概念的核心，又在於周公的營建洛邑。周朝在武王時，已有營建洛邑（成周）的構想，《偽孔傳》云：「武王克商，遷九鼎於洛邑，欲以為都。」[42]又《逸周書・度邑》、《史記・殷本記》、《漢書・地理志》都有類似的說法。周最初由根據地岐下，經文王遷豐，武王遷鎬，逐步東移，在當時是為了取得政權的需要。而在取得政權之後，又進一步建都洛邑，是為了便於對新擁有的東部廣大地區進行統治。由於客觀條件的限制，武王的這個宿願，到周公東征後才得以實現。成周本是戰略要地，又位居版圖的中心，不僅四方入貢道里均等，更可以遙控四方，輓轂天下，周初所以成「大一統」的局面，營造洛邑是關鍵所在。[43]《尚書》營洛邑的經過可從〈召

---

40 廖平：《大統春秋公羊補證・隱公四年》，卷1，頁31b-32a。

41 廖平：《知聖篇》，《廖平選集》，上冊，頁215。

42 〔漢〕孔安國注，〔唐〕孔穎達疏：《尚書正義》，頁218。

43 金景芳、楊向奎、馬承源都曾論及洛邑的地位與貢獻。見郭偉川編：《周公攝政稱王與周初史事論集》，頁67-69，107，109。

誥〉、〈洛誥〉、〈多士〉等篇窺見大概。洛邑在歷史上有如此重要的意義，但廖平要發揮的不是這樣的史實，他要說明孔子經典是緣著洛邑歷史的特殊性，賦予未來世界的規劃。

1 營洛邑與東西兩京的肇開

廖平在完成於光緒二十三年的《經話（甲編）》中說：「周公開南服，營洛邑，終歸於西京，與《春秋》存西京相通，不使秦有周舊地。」[44]《經話（甲編）》的內容為大統全球的論述，「開南服」正如前文所說的，以孔子之道居地球之中，用夏變夷之意。值得注意的是，「營洛邑，終歸於西京」有什麼特別的含意？這源自於《尚書・洛誥》的內容。《尚書正義》有較簡要的說明：「周公攝政七年三月，經營洛邑，既成洛邑，又歸向西都。其年冬將致政成王，告以居洛之義，故名之曰『洛誥』，言以居洛之事告王也。」[45]根據《尚書正義》的說明，周公經營洛邑完成之後，又從洛邑回到西方的鎬京，目的除了準備致政成王以外，更重要的是向成王陳說遷都洛邑的重要性。

而廖平此處論「營洛邑，終歸於西京」的目的，又與《春秋》的尊王攘夷聯繫起來，是為了「不使秦有周舊地」，因為春秋時，僻處西陲的秦國仍被視為夷狄。[46]所以廖平「營洛邑」、「歸西京」都是用夏變夷的思想。當然，「洛邑」與「西京／鎬京」已經不再是真正的地理位置了。廖平引《詩》：「周雖舊邦，其命維新」，將此二句詩詮釋為《尚書》的周是「新周／大周」，就是孔子的素統大業，為規劃整個世界的「皇統／大統」，不是歷史上的「舊周／小周」，若拘泥於洛、鎬的實地情形，則未免「坐井而觀」，

---

44 廖平：《經話（甲編）》，《廖平選集》，上冊，頁456。

45 〔漢〕孔安國注，〔唐〕孔穎達疏：《尚書正義》，頁224。

46 此處或許會啟人疑惑的是，營洛邑在西周時期，如何與《春秋》連結？這對廖平來說是不成問題的，因為經典都是孔子所作，各經的微言大義本來就是連成一氣的，且經典內容是象徵未來，不必拘泥歷史上的時間地點。

不能了解孔子與聖教的偉大。[47]明白了廖平的本意，再回過頭來看「歸於西京」一句，詳細的說，「素王之道」歸於「西京」，就是為了要讓「西方」能夠接受王道的化導。廖平在上述這個光緒二十三年的著作中，對王道、華夷的思考，隱然將世界分成了東（洛邑）、西（鎬京）兩個部份，但是他在這時還未明確的說明東、西的區別與意義，直到後來的著作中才有更細緻的發揮。

於民國之後刊出的著作《書經大統凡例》、《尚書弘道編》、《書中候弘道編》中，進一步將「洛」分成「東洛」與「西洛」，分別代表東、西半球之京。這時候，原本在洛邑之西的鎬京，已經不在大統的論述當中，他說：「小統，宗周在西鎬，成周在東洛；大統，宗周在東洛（東京），成周在西洛（西京），次遞及遠，驗小推大。」[48]廖平不談鎬京而專講「洛」，是因為《尚書》裡的周公營洛邑，不是營鎬京。廖平以周公開創大統，欲將經典的周公經營洛邑解釋為經營地球東西兩方，因此將「洛」分為東西洛，東半球的東洛為「宗周」，「宗周」表示本來所在的東方；西半球的西洛為「成周」，代表新創建的西方。廖平完全拋開了前人的注疏，以己意詮釋經典，他詮釋《尚書》主要敘述周公營洛邑的〈召誥〉與〈洛誥〉，其中深深的蘊入了地球的概念：

> 《書》兩京為大統，東京為東洛，……〈洛誥〉西京為西洛……〈召誥〉武王初讓天下，周公居東為新邑洛（非小周之洛都），治定功成，讓於成王，遷居西方。〈多士〉「今朕作大邑於茲洛」（此為西洛，其曰周公初於新邑洛，則指東洛）是也，兩都兩洛……〈洛誥〉:『我乃卜澗水東，瀍水西（澗瀍指東西洋海），惟洛食；我又卜瀍水東（「澗水西」三字舊脫今補），亦為洛食（西洛），是為兩京之

47 廖平指出：「蓋舊周為王，新周則為皇；小周為姬周，大周為皇統之國號。尼山美玉，待價而沽。若拘拘於洛鎬之實地情形，則未免坐井而觀耳！」見廖平：《書經大統凡例》（民國七年丙辰，四川存古書局刊），頁7b-8a。

48 廖平：《書經大統凡例》，頁15a。

確證。[49]

《尚書》的「澗水東，瀍水西」即瀍澗之間，今河南城附近，周公占卜此地營建新都得吉，而廖平轉而將瀍、澗指為地球的東西洋海，在東西洋海兩邊營建東京與西京，兩京通畿又結合上大同的思想：

> (〈洛誥〉) 此篇周公讓成王，周公禪位，成王主祭，與〈召誥〉為大統東西兩京。〈召誥〉武王讓周公，如堯讓舜，攝位於東京，即東半球之地中。〈洛誥〉周公讓成王，主東洛，如舜讓禹，又通畿於西洛，開化兩京，皆周公之功。〈禮運〉說大同之世，大道之行，天下為公是也。[50]

廖平的東京與西京，很明顯的強調東西先後的關係，從東半球稱為「宗周」，有本來所在之地的意思已可看出。他說〈召誥〉是武王傳位周公，讓周公攝位於東半球的首都宗周；〈洛誥〉是周公讓位於成王，使成王主政於東半球，之後周公隨即如〈洛誥〉經文所說的「歸於西京」，到西半球再去創建另一個首都「成周」。

廖平將東方與西方分別開來，意味著先有東方，才有西方，誠如他所說的「周公紹承東土，開化西方。」[51]又〈康誥〉周公勉成王之語：「朕心朕德，惟乃知。」廖平注云：「東京得地中之法，皆汝所知，今闢西京，當倣效之。」[52]東方可憑藉的資源，就是高度的禮樂文明，要以此文明去化導／開闢西方，最後東西通畿，即是大同之世，因此廖平說「全球之大，皆周公所開闢」[53]：

> 周初，承殷舊制，傳及踐阼，政成遜位，此周公之故事。孔聖因之作

---

49 廖平：《書經大統凡例》，頁10b-11a。

50 廖平：《書中候弘道編．成王六篇》(民國十年，四川存古書局刊本)，頁1a。

51 廖平：《書中候弘道編．成王六篇》，頁17b。

52 廖平：《書中候弘道編．成王六篇》，頁19a。

53 廖平：《書中候弘道編．成王六篇》，頁17a。

> 《書》，推廣大統，……仲尼盛稱西方聖人，不治而不亂，不言而自信，蕩蕩乎，民無能名，蓋託周公以肇開西極，創建西京，哲想冥冥，百世不惑，其精神與周公相接，寤寐與周公潛通，語語夢見周公（凡夢皆占未來，不占以往），謂此也。又《書》之前後皆以「攝」立義，舜攝堯之天下以開化西南，周公攝武之天下以通畿，東西煌煌聖制，正《列子》所謂修《詩》、《書》以治天下，遺來世也。實則舜與周公之攝，皆孔子垂空言以俟後耳。[54]

孔子因著周公踐祚復讓位的史事寄寓自己的理想，制作《尚書》，命以新義，將周公託為聖者的形象，目的是以此形象肇開疆域，推廣大統，東西方都有美好的制度。經典是指向未來，所以孔子屢云夢見周公，廖平曰「凡夢皆占未來，不占以往」，所以《尚書》規劃未來世界，其中的主角即是周公。這麼一來，「周公」就等同於孔子，「周公」的偉大就是孔子的偉大，「周公」之業就是素王功業。

有意思的是，廖平不直接講全球統一，卻要先將地球分為東西兩邊，我推測主要有兩個原因：第一，晚清世界地圖的傳入普及，東、西半球的詞彙常出現在各個刊物，為了要說明孔子也有東西兩半球的概念，於是以《尚書》的周公肇開兩京表述。第二，「文質」的想法。廖平認為東西方文化不同，東方（中國）主文，有文弊；西方主質，有質弊，未來應該調和折衷，成一文質彬彬之世界。不過東方的「文」仍高於西方的「質」，[55]所以應由東半球統一西半球。

2　東西兩京與「地中」

（1）土圭以測全球之「中」

在廖平的思想中，孔子託「周公」營建東洛與西洛兩京，各為東西半球之「中」，並指出，素統／皇統／大統時代來臨時，依據經典，必須於「地

54 廖平：《皇帝疆域圖》（四川成都存古書局刊，民國四年印），第21，頁4。

55 廖平：《世界哲理箋釋》（民國十年，四川存古書局刻），頁3b。

中」建都，這種思想有長久以來的傳統淵源。「地中」是指天下的中央、中心，即方位在中央之意。現代的學者認為，「中」的概念起源可能與古代先人對天體運行的觀察有關，認為宇宙是規範而有序的，天與地相對，而天與地又都是由對稱和諧的中央與四方構成的，中央是宇宙秩序的軸心，透過這樣的體認，因而產生了「尚中」的觀念和「擇中」意識，這也影響到建都地點的選擇。夏代在國土劃分和都城建設上，已表現出相當的「尚中」思想，根據推測，天下、中國、四方、四海、四夷等概念，似乎在夏代以前就已經存在了。商人以五方將全國政治疆域劃為五方，商王直接統治區居中，號稱「中商」。[56]司馬遷於《史記・貨殖列傳》指出，「昔唐人都河東，殷人都河內，周人都河南。夫三河在天下之中，若鼎足，王者所居也，建都各數百千歲。」以此看來，把國都建在「天下之中」，是唐堯以來的傳統思想，而這個思想到了周公營建洛邑時有了進一步的落實與闡發。

據《尚書》的〈召誥〉、〈洛誥〉、〈多士〉，以及《逸周書・作雒》等記載，可以見到周公的營洛過程，包括事前的相土、占卜、選定城址，再經過數年的建設，洛邑成為西周王朝控馭天下的政治、經濟和文化中心以及經營四方的軍事樞紐。周公發揮了「天下之中」的概念，也建構了我國古代第一個成熟的建都理論。廖平既認為「周公」為孔子所託的肇開大統之符號，則經典中的周公營洛於「地中」，自有其特殊的意義。他說：

> 經義，皇統建都，必求地中。〈召誥〉：「王來紹上帝（地九州，天九野），自服（十五畿服）於土中」，是也。《周禮》土圭測日，日至之景，尺有五寸，謂之地中，乃建皇國，此法當合全球測之。以土圭尺五寸立表測景，千里而差一寸，四方皆萬五千里以求適中之地，則天地合，四時交，風雨會，陰陽和。〈召誥〉曰：「其自時中乂」，〈禹貢〉以昆侖當之。《莊子》：「中央之帝曰混沌」（〈河圖〉昆侖山應於天，最居中），當在今地球赤道之中，舊於穎川陽城立八尺之表以求

56 李久昌：〈周公「天下之中」建都理論研究〉，《史學月刊》2007年第9期，頁23。

之，無怪其不合也。[57]

廖平引《尚書・召誥》及《周禮・大司徒》的傳統建都思想，說明皇統（大統）建都必求地中之理。〈召誥〉曰：「王來紹上帝，自服於土中」，又曰：「其自時中乂」，《尚書孔傳》解釋此「中」為「地勢正中」；《尚書正義》也指出，天子將欲配天，必須居土中（地中）為治，且王者應當慎祀於天地，居於地勢正中之處也有合於天心之意。[58]〈召誥〉說的是國都應建於天下之中的精神，而《周禮・大司徒》則更具體的說明建築宮室，如何以土圭之法「辨方正位」求地中。土圭是古代一種用來測日影、校正四時和測度土地的器具。「土圭」的「土」即是「度」，乃是測度、測量之意。《周禮・大司徒》：

> 以土圭之法測土深，正日景以求地中。日南則景短多暑，日北則景長多寒，日東則景夕多風，日西則景朝多陰。日至之景，尺有五寸，謂之地中，天地之所合也，四時之所交也，風雨之所會也，陰陽之所和也。然則百物阜安，乃建王國焉。

根據這一段經文所記，以土圭測日影的目的就是在求「地中」以度地封國。依鄭玄的見解，當影子短於土圭的時候，稱為日南，是地比日更接近於南方。如果影子長於土圭，稱為日北，是地比日更接近於北方。如果影子東於土圭，稱為日東，是地比日更接近東方。如果影子西於土圭，稱為日西，是地比日更接近西方。關於經文「日至之景，尺有五寸，謂之地中」，鄭玄引鄭司農的看法說：

> 土圭之長，尺有五寸，以夏至之日，立八尺為表，其景適與土圭等，為之地中，今潁川陽城地為然。[59]

---

57 廖平：《書經大統凡例》，頁11b。

58 〔漢〕孔安國注，〔唐〕孔穎達疏：《尚書正義》，頁221-222。

59 〔漢〕鄭玄注，〔唐〕賈公彥疏：《周禮正義》（臺北縣：藝文印書館，1965年），頁154。

潁川陽城在洛陽一帶，自古被視為天下之中，夏至之日，此處的日影與土圭等長。廖平要發揚《尚書》、《周禮》的建都應於地中之觀點，但他強調《尚書》是規劃全球之法，《周禮》又為《尚書》之「傳」，兩者的對象都是地球，古人沒有了解經典的原意，誤把中國的中心洛陽，當成了天下的中心。因此孔子託「周公」營「洛」，也只是象徵的符號，指東西半球的地中，非洛陽實地。他也說明《周禮》的土圭測地中之法，「當合全球測之」：

> 按土圭之說，明文著於《周禮》，而鄭注之見於諸緯與各經疏引者，亦綦詳矣。顧其法乃全球三萬里測日度地、建中立極之用，從前試用於潁川陽城，此不過中國之中耳。中國疆域大略五千里，而欲用三萬里測量之器，蜂房鵠卵，大小枘鑿，地望既差，天光必外。八尺之表與古不符，丈五之景，去道愈遠，聖制難徵實驗，由是土圭典物，悠悠虛懸。……經義下俟百世，預料地球廣遠，將來大一統之世，不得地中以建都，上不能合天心，下不能扼地軸，四方朝貢道里不均，非所以鈞衡天下也。……〈召誥〉謂之中土，〈洛誥〉謂之時中，《周禮》謂之四時所交之地中。地中之地，百物阜安，乃建皇國。故辨方正位，體國經野，皆以土圭為準的。……從前地球未出，儒者說經，每以大統宏規，收縮於中國一隅，如九州分野之星、五帝終始之運，海外未通，心思囿於所見，無怪其削足適履也。時會未逢，土圭不足致用，……必俟全球統一，兩極冰洋均已融解，冬至夏至得其日中無景之處，然後基始測量，而千里一寸之景可求，即交會和合之地可得。孔經韞匱之美玉，俟後久遠，待人而行。[60]

廖平指出，所謂的土圭測地中，是全球三萬里的地中。經義是指向未來，孔子已經預料到地球疆域廣大，將來一統世界，必須以全球之「中」來建都，才能「合天心」、「扼地軸」，四方朝貢道里均等，這是地中所以能「鈞衡天下」的原因。廖平將地中解為全球之中，非僅侷限於中國一地，他要說明的

60 廖平：《皇帝疆域圖》，第37，頁77a-78b。

是孔經已有地球的觀念，是預言未來的全球大法，並非已經不適用於當前。

（2）東西兩半球之「地中」

由於地圓的學說傳入，中央與四方的空間秩序感已被摧毀，廖平要重新尋回這樣的價值觀，因此重新闡揚《尚書》、《周禮》的建都應於地勢正中之處，並以之對應到全球，說明未來大統必須建都於此。但這種思想，並不僅僅只是具體的方位問題，它還有更深一層的文化意涵。這表現在他對東西半球各有一個「地中」的論述上。廖平以《詩．板》的六畿與《周禮》的九畿分別呈現一幅東、西兩半球各有一個地中的文化圖像。他說：

> 〈大司馬〉九畿加藩、垣、屏、翰、寧、城，固縱橫三萬里矣。但九畿以王、侯、甸為京畿，而莽傳曾經實行之制，則以寧、城為京城，二義枘鑿，兩雄並棲，最難解決。今審此為兩京通畿例，與《詩》之洛、鎬同義。《春秋》之東京、西京為小統；《書》兩京為大統，東京為東洛，用〈板〉詩六畿，以城、寧為心。……西京用西洛，用《周禮》九畿，以侯、甸為心。[61]

廖平指出，《周禮．大司馬》的畿數為九，京城為王、侯、甸，但《詩．板》的畿數為六，京畿為城、寧，二者的畿服數、名稱皆不同，似乎互相矛盾。事實上，這二者是分別代表東西半球兩京的大統之制，東半球採用《詩．板》的六畿，其京為東洛；西半球採用《周禮．大司馬》的九畿，其京為西洛。廖平又指出：

> 大統之兩京，與今東西兩半球之地圖相符，東半球用〈板〉詩六畿，城為東京，為東洛，即新莽曾經實行之制，故〈大誥〉東征（密邇東京，是以東征），寧字十二見。又曰：朕卜並吉（東方吉服），予得吉卜（穆卜西方），皆寧畿在東之確證。西球則用《周禮》九畿，王為西京，為西洛。[62]

---

61 廖平：《書經大統凡例》，頁10a。

62 廖平：《皇帝疆域圖》，第23，頁13b。

廖平以《尚書・大誥》的東征有「寧」字十二見，牽引《詩・板》與東方的關係，這就是何以東半球用〈板〉之服制的緣故。廖平特別提出經典有東、西方兩種不同名目的畿服制，是要說明經學內容具有新地理學東西兩半球的理念，但是他透過畿服制的中央與邊緣之概念表達透露了什麼意涵？又經典中具兩個「地中」的意義為何？我們從廖平的文字表述，再參照其所繪製的示意圖像，可以較深入的去解讀他所要傳達的訊息。

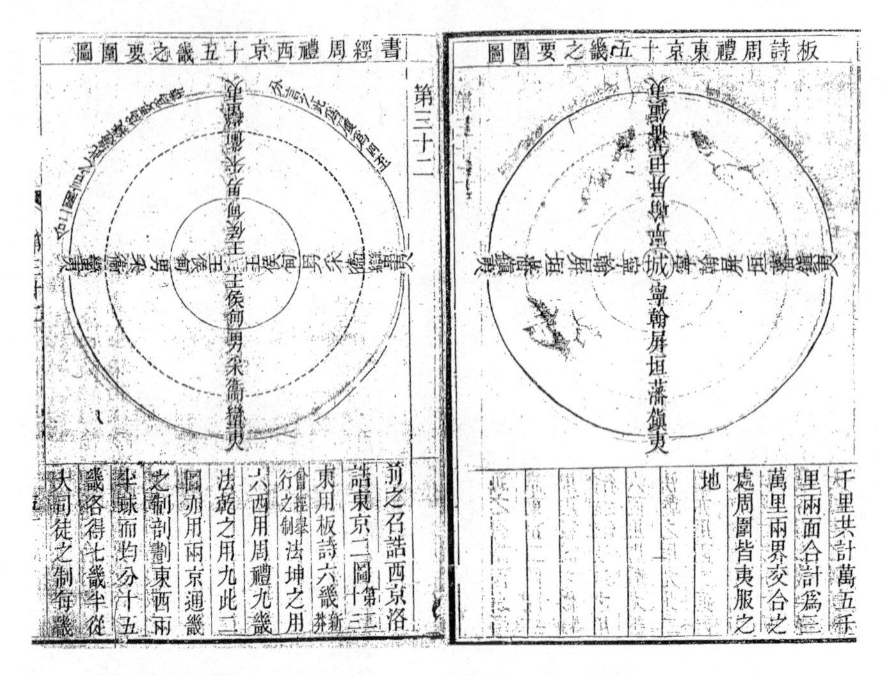

廖平，《皇帝疆域圖》（民國四年，成都存古書局刊），第 32，頁 51a-51b。

由廖平一再提及東西半球，並急欲說明經典早有此概念的情況，足見他已經承認了近代新地理學的世界圖景，不過新地理學的地圓、東西半球、五大洲、經緯度、各國分立的世界地圖，無疑衝擊了「中央之國」的觀念，「萬國衣冠拜冕旒」的意象消失了，不再有文明中心及其所對峙出的蠻荒邊陲。於是廖平也繪製了一個表徵未來世界統一後的示意圖，圖中可以看出他欲用經典的畿服制呈現出一個具有東西半球的圖像。這個圖像對廖平來說，有一個他最要強調的價值性，這是西方新地理學的世界地圖所無法表達的：內、外的觀念，以中央（華夏）為自我，其外（夷狄）為他者，內外之間是文化價值高低的差異。從另一個角度來說，這也反射出廖平因中國受制於西方而需一再透過突出中國在文化處於中心的表述來作為克服焦慮的方式。其次，廖平的東西兩京示意圖同時具有兩個「地中」，除了要表達東西兩半球的地理概念以外，或許還有某種文化認同的表現，似乎隱隱的承認西方也有一個文明的存在，我們在推論廖平是否具有這種心態時，同時回顧傳統的思想，發現這不是完全無跡可尋的。中國中心的天下觀從上古逐漸形成以來，天下就是以一個文明為中心，一直延續到近代，不過在這個歷史過程中，也曾有過例外的情形出現，就是佛教的傳入。佛教經典曾經論證天下之中在印度，有自己的一套世界觀；對早期中國的佛教徒來說，印度是真理的出處，自然也是世界文明的中心，不過由於佛教已進入中國，便改說有印度、中國兩個文明中心，或者進一步說世界有多個文明並列的中心，其中很流行的說法，就是四方還有四天子，散見於四世紀末到七世紀的佛教著作中。[63]儘管後來佛教中國化了，甚至屈服於中國主流意識形態與儒家學說，但它曾使中國文明天下唯一的觀念，受到了前所未有的衝擊。這樣的歷史表達了當另外一種文化接觸、進入到中國時，也會刺激時人對「文明」有更廣泛、多元的

---

63 四世紀末的《十二遊經》、六世紀的《經律異相》、七世紀的《法苑珠林》，以及七世紀玄奘的《西域記》序文、道宣的《釋迦方志》、《續高僧傳．玄奘傳》中，都有南贍部洲四主的說法，例如《十二遊經》有言：「閻浮提中有十六大國，八萬四千城，有八國王，四天子。東有晉天子，人民熾盛。南有天竺國天子，土地多名象。西有大秦國天子，土地饒金銀璧玉。西北有月支天子，土地多好馬。」法國學者伯希和發現了這個特色，但他解釋此類現象只是一種長期歷史中的「新奇插話」。不過葛兆光從較深邃的思想角度指出，這是佛教進入中國後，使中國文明天下唯一的觀念受到衝擊的顯示。參〔法〕伯希和著，馮承鈞譯：〈四天子說〉，《西域南海史地考證譯叢（三編）》（蘭州市：蘭州古籍書店，1990年），頁458-473。又見葛兆光：〈作為思想史的古輿圖〉，《古代中國的歷史、思想與宗教》（北京市：北京師範大學出版社，2006年），頁60-61。

思考空間。再反思廖平的看法。前文曾簡單提及，他以東西方文化最大的差別，就是東方長處在「文」，禮樂高度發展，但日久產生文弊，西方長處在「質」，廖平所指為工藝器械、兵力等，而其短處正是沒有受到以三綱為主體的教化；整體說來，東方「文」的價值仍高於西方的「質」，所以東方仍殊勝於西方。[64]這麼說來，他其實也認同西方「質」的文明，這或許也是他將示意圖分為對等的東、西兩邊的原因之一，只是他宗於孔子，一切最完美價值的根源都從孔子而來，孔子之道為「文質彬彬」，西方的「質」也是中國固有，現在要禮失求諸野。以「質」救東方之文弊，西方的「質」更需接受東方禮樂的薰陶，彼此損有餘而補不足。[65]他認為孔子託「周公」於未來建立兩京，各於東西半球「中天下而立」，此「地中」也是立於孔子之道的居中之處。廖平又說：「《論語》：文質彬彬，然後君子，東文西質，兩京相合，統一於東洛，是謂君子。」[66]因此東、西方先各具一個文質彬彬的「京」或「地中」，各從這個代表孔子之道的「中」漸進的向外化導，最終東西合一，成為一個以孔子之道為「皇帝」的大統／皇統／素統時代。

行文至此，也可以使人理解，為何廖平如此重視「周公」這個符號，因為廖平眼中，孔子筆下的《尚書》裡，「周公」這個被孔子寄託的符號創造了一個太平盛世，正是廖平所嚮往的境界。其次，廖平論述東西半球各有一個地中，是在接受了西方傳入的東西半球世界地圖的前提下，又認為這樣的地圖無法表現經典的價值觀，所以他要將孔子、經典置入世界／地球，造成孔子之道居中的文化圖像，這也是廖平論大統的一個重要特色。

---

64 廖平：《世界哲理箋釋》，頁3b。

65 廖平對「居中」一詞的詮釋，本身就有調和折衷之意，他說：「《論語》由、求進退，即裁成狂狷以合中行。《中庸》子路問強，孔子言南北之強，事各不同，而折衷於君子，『寬柔以教』，至君子居之，『中立而不倚』。聖人居中，調劑四方，化成萬物，不必有所作為。取四方相反相成之義，去其有餘，以補不足。」見廖平：《知聖續篇》，收入《廖平選集》，上冊，頁266-267。

66 廖平：《書中候弘道編．周公七篇》，頁23a。

五　皇建其有極：太平之世的「大明堂」

廖平詮釋孔子託「周公」建立全球之「地中」，此時是未來文質彬彬的的太平時代，以素王之道作「皇帝」，萬邦來朝於此皇都，廖平又指這個地方即是古籍所謂的明堂。廖平為何會以「明堂」為太平之世萬邦歸極之處？這必須從明堂在歷史上的意義說起。明堂是在先秦流傳文獻中常見的一個名詞，對秦漢以後的儒家而言，明堂代表他們觀念中最後一個「黃金時代」，也就是周公致太平的年代之行政中心。從先秦到漢代儒家的理念中，有一個深植人心的圖像，是周公抱著幼小的成王在明堂上，面對來朝的海內外諸侯頒行王政。(《孔子家語．觀周》) 這個圖像可以說是後世政治理想的典範，所以明堂的意義，一直是後世學者十分關切的課題。[67]

由於上古的明堂文獻，如《周禮．考工記．匠人》、《禮記．明堂位》、《大戴禮記．明堂》等，都是斷簡殘篇，因此明堂的來源、形式、功能如何，留下很多解釋的空間，兩千年來關於明堂的制度聚訟不休，本文限於主題與篇幅，不多作敘述，僅就廖平個人的思想作探討。廖平並不從上古以來的發展歷程看待明堂制度，換句話說，他不認為經典或子書、緯書等先秦的古籍所敘述的明堂是真實存在過的周代禮制，明堂是孔子的「俟後」之作，指涉的時間與對象，是未來世界一統之時才要實施的制度。

(一) 明堂根源聖經指向大統

廖平指稱古籍中提到的明堂，都是發明孔子未來大統的微言大義：

> 按《伏傳》、《孝經緯》所言明堂之廣狹，各有取義。《伏》以「九雉」象二萬七千里；《緯》以「九筵」象八十一州，丈尺雖殊，其即

67 黃銘崇：〈明堂與中國上古之宇宙觀〉，《城市與設計學報》第4期(1998年3月)，頁135。

> 小觀大之意同也，合之《戴記》、《周書》、《考工・匠人》，莫不解說經誼，預擬隆規以俟後聖施行，扼其大要，潤澤由人，豈姬公朝諸侯已實有此明堂乎？能知此義，則將來大同時代，欲建明堂以納方國之珍貢，起儒生而制朝儀，庶不至悠謬不知其源耳！興禮樂而翊贊皇猷，豈曰小補云爾哉！[68]

廖平以《尚書大傳》、《孝經緯》各稱明堂的尺度為「九雉」及「九筵」，是有特殊的象徵之意的，此「九」暗喻屬於全球範圍的「大九州」。又《大戴禮記》、《周禮・考工記・匠人》、《逸周書・明堂位》等，凡有明堂的記載或相關論述者，莫不是相同的寓意，都是要解說孔子俟後的經義，預擬未來宏大的規劃，並不是周公朝諸侯時已經有了明堂的制度。廖平又指出，如果後世之人能夠了解明堂的這一層意義，對於將來大同時代如何興禮樂而助成「皇統」，是大有裨益的。從這個地方也可以看出，廖平視明堂為禮樂文明的中心，世界大同的「皇統」／「素統」／「大統」時代之來臨，是要靠興禮樂來幫助完成的，這也是何以明堂在廖平心目中具有特別意義的主要原因。廖平又進一步的指出明堂的思想是根源於孔子經典。

歷代以來關於明堂的討論眾說紛紜，資料散見於《禮記・月令》、《尚書大傳》、《周禮・考工記・匠人》、《禮記・明堂位》、《逸周書・明堂》、《孝經緯》，以及先秦諸子如《管子》、《尸子》、《晏子》、《孟子》等書中。自古研究明堂的學人，如漢朝的蔡邕，後魏的李謐，南宋的朱熹都曾有討論，清代考據學者這方面的考察也頗為豐富，資料多見於《皇清經解》之中。其中如任啟運的《朝廟宮室考》、焦循的《群經宮室圖》，皆有詳細的圖表。此外，阮元《揅經室集》中的〈明堂論〉，鄒漢勛《讀書偶識》第五段，金鶚《求古錄禮說》中的〈明堂考〉，夏炘《學禮管釋》中的〈釋明堂〉，黃以周《禮說略》中的〈明堂〉，以及朱大韶《實事求是齋經義》、金榜《禮箋》、徐養原《頑石廬經說》、王引之《經義叢鈔》等等，也有對明堂的詳細考證，尤

68 廖平：《皇帝疆域圖》，第40，頁101a-101b。

其以惠棟的《明堂大道錄》最堪稱為力作。[69]這一路下來到到王國維著〈明堂廟寢通考〉一文為止，討論此一問題的文字為數已甚為龐大可觀，[70]然而各家的內容結論卻莫衷一是。廖平依據他所認知的明堂功能，將複雜的明堂型態分為三大類：周公朝諸侯之明堂、頒朔明堂與宗祀文王之明堂。《禮記・明堂位》、《逸周書・明堂》等為周公朝諸侯之明堂的代表；《禮記・月令》、《尚書大傳》等為頒朔明堂的代表；《孝經緯・援神契》等為宗祀文王之明堂的代表。[71]廖平綜觀各種明堂的資料，對其功能提出自己的一家之言：各種典籍中所敘述的明堂，不外是朝諸侯、頒朔與宗祀文王三大典禮，通稱為明堂，都是闡發經典的制度。這三大典禮涇渭分明，甚為明晰，後儒不能明白，於是將各種明堂的說法合為一治，以致混亂而左支右絀。因此欲申說明堂，當明此三大典制，而這三大明堂的典制，又都根源於《尚書》：

> 夫群言淆亂，衷諸聖傳，子、緯根原聖經，經立大綱，諸家詳其細目。今考朝諸侯之明堂（即明堂位），出於〈召誥〉之「攻位」、「位成」；頒朔明堂出於「皇道篇」之授時（說詳「全球立憲圖」）；宗祀文王之明堂出於〈召誥〉之用牲於郊（郊天祀上帝，乃宗祀文王於明堂，以配上帝）。此三大典禮，傳記通稱為明堂，闡發經制，本甚明晰。後之解家，隨文注疏，不於三大明堂審量其實用之所宜，乃欲牽連明堂諸說，合併一治，或又與路寢之朝膠漆相混，……奚怪左支右絀，終覺矛盾哉！……說明堂者，當分此三大典制解之，則涇渭別流，而康莊掉臂矣。[72]

實際上，《尚書》的經文並沒有「明堂」一詞，廖平之所以要讓明堂根源於《尚書》，主要原因在於他認為《尚書》是孔子規劃大統的經典。而廖平所

69 王治心：〈明堂制度與宗教〉，《協大學術》第1期（1930年6月），頁28。

70 根據徐復觀推測，王國維之前討論明堂的文字不下二十萬言，見氏著：《兩漢思想史（卷二）》（臺北市：學生書局，1992年），頁23。不過筆者以為事實應不僅止於此數。

71 廖平：《皇帝疆域圖》，第40，頁101a-102a。

72 廖平：《皇帝疆域圖》，第40，頁102a。

謂的三大類型明堂：「周公朝諸侯之明堂」、「頒朔明堂」以及「宗祀文王之明堂」，他自己本身最重視、發揮最多的，也與本文有密切相關的，就是「周公朝諸侯之明堂」，故此處將焦點集中於這一議題上。

首先，廖平論「周公朝諸侯之明堂」，源出於《尚書．召誥》的「攻位」、「位成」一段，〈召誥〉經文為：「惟太保先周公相宅，越若來三月，惟丙午朏，越三日戊申，太保朝至於洛卜宅，厥既得卜，則經營。越三日庚戌，太保乃以庶殷攻位於洛汭，越五日甲寅，位成。」《偽孔傳》與《尚書正義》對這段經文的解釋是成王命太保召公先於周公往洛水之旁，相視所欲經營新邑之處，既得吉卜，則以眾殷民歸周者經營佈置洛地，到了甲寅之日，佈置的工作已經完成，[73]因此「攻位」、「位成」是經營布置洛地的工作已經完成並準備建都之意。但廖平並沒有跟著《偽孔傳》與《尚書正義》的解釋，而是引伏生的《尚書大傳》解之。《尚書大傳．康誥》曰：

> 周公將作禮樂，優游之三年不能作，君子恥其言而不見從，恥其行而不見隨，將大作，恐天下莫我知也；將小作，恐不能揚父祖功業德澤，然後營洛以觀天下之心。於是四方諸侯，率其群黨，各攻位於其庭。周公曰，示之以力役且猶至，況導之以禮樂乎？然後敢作禮樂。《書》曰：「作新邑於東國洛，四方民大和會」，此之謂也。

《尚書大傳．康誥》的「攻位」意同於《尚書．康誥》的「作新邑於東國洛，四方民大和會」，廖平以此意解說〈召誥〉的「攻位」：「（周公）營洛以觀天下之心。於是四方諸侯，率其群黨，各攻位於其庭。」[74]這是天下統一，大朝諸侯於洛邑的景象。前文也討論過，廖平所謂的孔子託周公營「洛」，並非周代的洛邑，而是大統時期全球的建都之處－「地中」，它不只是方位，更多的是文化意涵，現在廖平也把這個地方與明堂等同起來，欲表達世界一統，象徵孔子之道的明堂為萬方歸極之處。根據這個思想為基礎，

73 〔漢〕孔安國注，〔唐〕孔穎達疏：《尚書正義》（臺北縣：藝文印書館，1989年），頁218-219。

74 廖平著，黃鎔筆述：《書中候弘道編》（民國十年，四川存古書局刊本），頁16a。

以明堂居中，來朝者依據文化高低，各列於其位，形成一個井然的秩序，即是「位成」，廖平視此為「明堂位」的精神。[75]

（二）「萬邦歸極」與「辨方正位」

前已提及明堂流傳文獻中，最重要的母題，是周公抱著幼小的成王在明堂之上大會諸侯以及四夷之國的君長或使臣。這種「協和萬邦」的盛世景象，廖平認為孔子已經寫在他著作的大統經典《尚書》中，包括〈召誥〉的「攻位」、「位成」，及〈康誥〉的「四方民大和會」，都是天下政治修明，包含華夷的五服之民都和悅到來的表徵。而《禮記．明堂位》、《逸周書．王會》，還有《儀禮．覲禮》的天子朝會諸侯之描繪，也被廖平詮釋為是〈召誥〉、〈康誥〉的經文之「傳」。以下先來分析這幾篇著作的具體內容，俾能較深入的說明廖平所要闡發的思想。《禮記．明堂位》中說：

> 昔者周公朝諸侯于明堂之位：天子負斧依南鄉而立；三公，中階之前，北面東上；諸侯之位，阼階之東，西面北上；諸伯之國，西階之西，東面北上；諸子之國，門東，北面東上；諸男之國，門西，北面東上；九夷之國，東門之外，西面北上；八蠻之國，南門之外，北面東上；六戎之國，西門之外，東面南上；五狄之國，北門之外，南面東上；九采之國，應門之外，北面東上。四塞，世告至。此周公明堂之位也。明堂也者，明諸侯之尊卑也。昔殷紂亂天下，脯鬼侯以饗諸侯。是以周公相武王以伐紂。武王崩，成王幼弱，周公踐天子之位，以治天下。六年，朝諸侯於明堂，制禮作樂，頒度量，而天下大服。七年致政於成王。[76]

以上內容敘述周公踐天子位，大朝諸侯時，天子的身分必須立於明堂的中

75 廖平著，黃鎔筆述：《書中候弘道編》，頁16a。

76 〔漢〕鄭玄注，〔唐〕孔穎達疏：《禮記正義》（臺北縣：藝文印書館，1989年），頁575-576。

央，周王朝封建範圍內的諸侯公、侯、伯、子、男在這個方形的空間之內，各按照身分等級，站立於特定的位置。這個空間的四門之外，是周朝封建體制外的「四海」或「四夷」之國，也按照其與周王朝諸侯的相對方向，分為四排列隊於四面。此處的四夷之國並沒有列出詳細的國名，只是簡單的以「九夷」、「八蠻」、「六戎」、「五狄」來代表。各種不同權位者在明堂裡的位置與排列的順序就是「明堂位」，而〈明堂位〉也點出了它的根本精神：「明堂也者，明諸侯之尊卑也」。《逸周書・王會》也是描述周天子在成周大會四方諸侯及域外各國使節的情形，場面宏大。全文依內容大略可分兩個部分，前半部呈現周朝封建體制內的各諸侯所站立的位置：

> 成周之會，……天子南面立……唐叔、荀叔、周公在左，太公望在右，……旁天子而立於堂上。堂下之右，唐公、虞公南面立焉，堂下之左，殷公、夏公立焉，皆南面……阼階之南，祝淮氏、榮氏次之，珪瓚次之，皆西面，彌宗旁之。……堂下之東面，郭叔掌為天子菉幣焉……內臺西面正北方，應侯、曹叔、伯舅、中舅，比服次之，要服次之，荒服次之，西方東面正北方，伯父、中子次之。方千里之內為比服，方二千里之內為要服，方三千里之內為荒服，是皆朝於內者。[77]

天子（成王）於中央南面而立，四方有周公、太公望，成王之弟唐叔、荀叔，屬堯、舜之後的唐公、虞公，商朝、夏朝之後的殷公、夏公，屬巫祝的淮氏與榮氏，以及文王之弟郭叔等。他們也依著不同身分站在自己所屬的位置。這裡有一個問題是，廖平以周公為天子，但〈王會〉的天子卻是成王，廖平認為並不矛盾，他的說法是「〈王會〉指目成周，以周公列之臣位，而天子成王，二說枘鑿，然與經恉實相符也。……周公讓成王，將紹建西半球之西京也。」[78]因此東西半球皆是周公所創建。再回到〈王會〉的內容看，描繪完周朝各諸侯的位置以後，接著論述更外圍的一層，是為數眾多的，分

77 袁宏點校：《逸周書》（濟南市：齊魯書社，2000年），頁80-81。

78 廖平：《皇帝疆域圖》，第40，頁99a-99b。

佈於四方的蠻夷戎狄，其使節代表各自帶著所屬地域的珍禽異獸來朝貢於周王，也依著不同身分站立於所屬的特定位置，[79]它的精神，也是彰明天下諸侯的尊卑秩序。有了這樣的認識，才能更掌握廖平的訴求。

廖平視〈明堂位〉、〈王會〉都是發明孔子託「周公」朝諸侯於明堂的微言大義：

> 按〈明堂位〉，鴻規鉅制，收縮大九州三萬里之岳牧，聚合於方里內外，此如縮地之法，跨□步千里，即鄒子所謂先驗小物，推而大之，至於無垠也。故內八室為八州（即大統八千之位），外十二月為十二州（即帝典十二牧，職方氏六裔）戶牖八荒庭除六合，天下諸侯皆在是，煌煌大典，十三年一舉行，二十五年而再舉，必待泰皇首出，統一全球之世，乃能用此禮制。小康之世，地不過三千里或五千里，其九夷、八蠻、六戎、五狄，不能如此完備；即五年一朝京師，自有朝宿之邑（如《春秋》之許田），其尋常朝堂，足以廓其有容，不必於國外近郊為壇三成，為宮三百步也。惟大同遼遠，濟濟岳牧，輻輳於皇都，八方來歸，六府和合，各按所居之國地，辨方正位，會極歸極以此方一井之地，為大九州之基礎。一貫之旨，彰明較著，經制留以俟後，非古代已經舉行之典也。其託之周公者，經義鴻廓，特恐無徵不信，因託古以證其不謬耳。故周公非姬周之公旦，周之言「徧」，實為皇統之國號，非舊周，乃新周（原注：《詩》曰，周雖舊邦，其命維新），非小邦周，乃大邑周也。……大之即三萬里之地中，小之即明堂方里會朝之地。〈謨〉曰：「爾可遠」，〈範〉曰：「皇建其有極」，此之謂也。《書》於〈康誥〉建東京，〈召誥〉建西京，兩京會朝諸侯，其明堂之制，皆準此為楷則。……明堂之制既明，則〈王會〉乃可以說。[80]

---

79 袁宏點校：《逸周書》，頁82-85。

80 廖平：《皇帝疆域圖》，第40，頁94b-95b。

所謂的孔子託周公營「洛」，並非周代的洛邑，而是大統時期全球的建都之處—「地中」，廖平也把這個地方與明堂等同起來，欲表達世界一統，象徵孔子之道的明堂為萬方歸極之處。廖平以明堂為「俟後」之制，除了提高孔子的地位，要把孔子塑造成為萬世制法的聖者以外，還有一個學術上的信念，就是上古不可能有如此完備的明堂建築與制度。他以上古質樸的觀點認為當時中國地域不過三千里或五千里，諸侯朝會之處必定簡樸，尋常的朝會之堂已經足夠，不可能出現如同《儀禮・覲禮》所敘述的於國外近郊建立「為宮方三百步」這樣盛大的儀制。可見廖平和顧頡剛等古史辨派學者一樣，都注意到了上古的史實與典籍記載的美盛狀況是有所矛盾的，但廖平畢竟是一個尊孔的今文經學家，他處理這種矛盾的方式是指稱經典的內容不必是史實，包括明堂的制度，均為孔子對未來的理想擘劃。不過從學術發展的角度來看，從廖平一路到顧頡剛等的全面疑古，廖平的思考具有過渡的義意。[81]再回到他如何詮釋明堂的象徵之上。為了論證明堂非上古的真制，他進而從數字去呈現孔子的「微言」，認為《禮記・明堂位》所說的「九夷、八蠻、六戎、五狄」的朝貢制度，上古時期也無法如此完備；且九、八、六、五之數相加正好為二十八，象天之二十八宿，經制法天，更是證明這些都是孔子的完美設計，非古已有之，必待大同時代，統一全球的「泰皇」出現，才能用此明堂禮制。廖平雖沒有明確說出「泰皇」是否為一個具體的人物，但很明顯的，它是孔子之道的象徵，以孔子之道作皇帝，其「京」就是在東西半球的東洛與西洛，即是舉行明堂禮的地方，〈王會〉的本意也在此：

---

81 顧頡剛和廖平一樣，從上古質樸的角度出發去思考古籍記載與真正古史之間的矛盾問題，不過他最終是要辨偽古史。就明堂的考辨方面，他認為明堂不見於《詩》、《書》、《易》、《春秋》，而始見於《孟子》，可能是齊國有此古建築，孟子以王政傅會之，「自此以後，學者讀《孟子》，咸記明堂為王者之堂一語，悉為古代之王者立明堂……故明堂者，孟子無意中道之，秦漢儒者及方士鼓吹之，漢武王莽等實現之者也。」見顧頡剛：〈阮元明堂論〉，《國立中山大學語言歷史學研究所周刊》第11集第121期（1928年3月），頁13-14。

> 按「王會」當作「皇會」，即明堂位中心之朝儀，乃〈康誥〉「大和會」之傳。《書經》肇開大統，託周公以營建東洛（原注：〈康誥〉「作新大邑於東國洛」）而大會諸侯……〈王會〉緣經立說，所以補明堂之闕文，即以為俟後之大典，不得目為姬周之實事，亦非周公草創之朝禮也。……《周禮》、周書所以為皇帝之書，而非一代紀錄之史也。自章句小儒，止識姬周於已往，而不知新周於將來，足大履小，望文傅會，其弊至於以史說經，害意害辭，悠悠長夜，可不稽古而求舊貫乎？須知成周為土中之大邑，天子乃天皇之異稱，曠典雍容，鴻模垂世，實與明堂位互相發明，非若小統諸侯五年一朝之常事也。由此觀之，〈王會〉為〈明堂〉之覲禮，〈明堂〉辨群后之方位，二者可合不可離，有相得益彰之美焉。舍〈王會〉，朝儀無起例；舍〈明堂〉，來賓無歸宿，跡其內岳與外牧，界劃分明……然則明堂之傳說，尚不僅方里之一法也。[82]

廖平此處再三申說明堂與未來兩京的關係，總之，經義為俟後之作，〈王會〉的大朝諸侯是要說明大統之世，萬邦來朝於代表孔子之道的皇都，此為「皇建其有極」的真義，非周代五年一朝京師之事，故不能以史說經。而廖平論朝諸侯又特別強調所謂的「辨方正位」，世界各方之民，依著禮樂文明之高低，列於皇都之四方，這是社會與政治秩序的規劃，也是廖平在傳統的天下觀受衝擊之下，所作的回應，欲將經典置入地球，造成素王之道居中的世界觀。

---

82 廖平：《皇帝疆域圖》，第40，頁99a-100b。

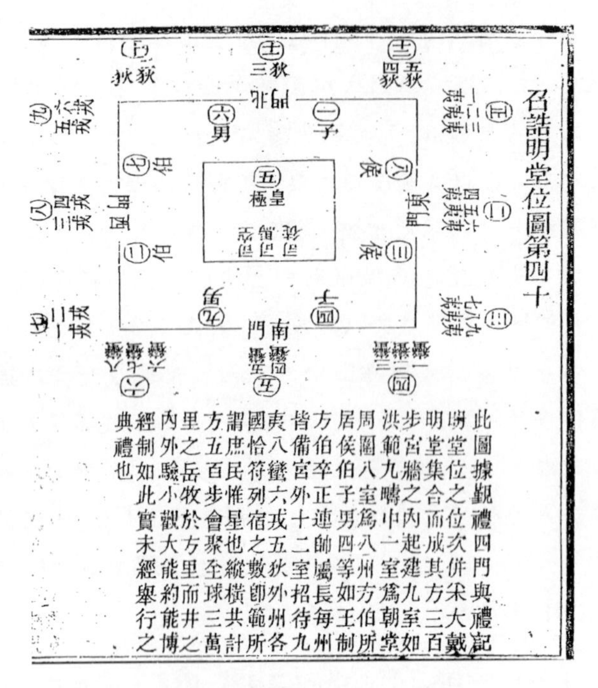

召誥明堂位圖第四十

此圖據覲禮四門與禮記明堂位之位次併宋大戴明堂集合而成其方三百步宮牆之內起建九室如洪範九疇中一室爲朝堂周圖八室爲八州方伯所居侯伯子男四等如王制方伯卒正連帥屬長每州皆備宮外十二室招待九夷八蠻六戎五狄外州各國恰符列宿之數卽範所謂庶民惟星也縱橫共計方五百步會聚至球三萬里之岳牧於方里而井之內外驗小觀大能約能博經制如此實未經舉行之典禮也

廖平，《皇帝疆域圖》，第 40，頁 93a。

上述廖平對這個中央與四方的空間建構與思維，有深厚的傳統文化背景。中國人處理外部世界的關係時，傾向於一種以自我意識為中心的、又有等級層次的、有禮有序外擴的認同序列，來定義交往身分。這種秩序的認同基礎，就是五服制度所包含的，由內到外的國際認同模式，[83]近來也有學者稱之為「圈序認同」。[84]這種認同影響下所形成的天下體系，是由方位觀、

83 美國漢學家費正清曾有過這方面的專論，見 J. F. Fairbank ed, The Chinese World Order. Traditional China's Foreign Relations, Cambridge: Harvard University Press, 1968, p.2. 又見孫隆基：《中國文化的深層結構》（桂林市：廣西師範大學出版社，2004年），頁367。

84 大陸學者郭樹勇、陳建軍，以歷來中國對外交往的精神類同於費孝通在《鄉土中國》裡提出中國社會具有的「差序格局」概念，深具特色，故創了「圈序認同」這一詞彙，說明傳統外交的朝貢體制是深受文化中心意識與禮制序列的影響。見郭樹勇、陳建軍：〈論「圈序認同」對中國外交理論與實踐的影響〉，《世界經濟與政治》2009年第12期，頁47-57。

層次觀和文化的夷夏觀交織而成。中國即諸夏，為詩書禮樂之邦，在層次上居內服，在方位上是中心；蠻夷戎狄文化低落，在層次上屬外服，在方位上是四夷。方位和層次以中國為中心，無限的延伸；詩書禮樂的華夏文化也可以無限的擴張，[85]當被賦予政治意義時，就形成了「王化論」。以德服人的王化是由親至疏，由近及遠，往外擴散，漸進達成「協和萬邦」、「蠻夷率服」、「奄有四海」的終極之境。總之，「天下」的最大意義，在於「天下一家」、「華夷一家」、「四海之內皆兄弟」等「大一統」的理想，它所指涉的範圍涵蓋整個「天之下」，與今日在一定的邊界內，實行同一管轄方式的「國家」概念是完全不同的。換句話說，天子或皇帝所統治的「天下」，在理論上是沒有邊界的。[86]天下觀念強調的是一種禮儀秩序，古籍中的周天子在君臣之間建立諸如五等爵的階層不等之上下關係，諸侯依其爵位所行使的班次禮儀都有所不同。而中國既然是天下中心、文明的淵藪，周邊「四夷」和遠方之國理應如百川歸海般前來奉天子之正朔，接受中華文化的薰染，以收「用夏變夷」的功效，它表現的形式也是「禮」，而具體政治化的制度，即我們常說的「朝貢體制」或「封貢體制」。[87]因此四夷之於中央，也依其文化高低、與華夏中心關係的遠近、爵位的大小，來決定各自的「等差」地位。不論是內臣、外臣，邦國諸侯、四夷使節，在中華世界（天下）的等差秩序上，尤其是表現在朝覲天子時，班次前後、序列尊卑，都有嚴格的規

---

85 邢義田：〈天下一家——中國人的天下觀〉，收入劉岱主編：《中國文化新論（根源篇）》（臺北市：聯經出版公司，1983年），頁454-455。

86 關於傳統的「天下」、王權與秩序關係的研究，近年來的成果十分豐富，專書方面，例如甘懷真編：《東亞歷史上的天下與中國概念》（臺北市：國立臺灣大學出版中心，2007年）；〔日〕渡邊信一郎，《中國古代的王權與天下秩序》（北京市：中華書局，2008年）；葛兆光：《宅茲中國：重建有關「中國」的歷史論述》（臺北市：聯經出版公司，2011年）等。另外，海峽兩岸許多學者，例如邢義田、葛兆光、羅志田、李師紀祥、張啟雄、劉青峰、金觀濤、孫隆基、李揚帆、王小紅等等，都有相關主題的論述，文章為數甚多，在此不一一列舉。

87 李云泉：〈朝貢制度的理論淵源與時代特徵〉，收入陳尚勝主編：《中國傳統對外關係的思想、制度與政策》（濟南市：山東大學出版社，2007年8月），頁110-118。

範。[88]這種「國際」之間的秩序，早已內化為往後中華世界對外關係根深柢固的思想，例如相傳為唐代閻立本所繪的〈王會圖〉，畫中的使節都朝向作為畫卷中心代表天朝的唐太宗，[89]由中心到邊緣，親疏遠近井井有序；又如清乾隆時期啟動繪製編纂的象徵太平盛世、萬邦來朝的〈皇清職貢圖〉，或是〈萬國來朝圖〉，都是表達同樣的理想。[90]甚至在晚明與民間生活密切相關的日用類書內容敘述中，也可以找到類書編寫者試圖透過書籍生產的方式，欲在「諸夷門」中建立朝貢秩序的意識。[91]

再回過頭來思考，為什麼廖平在清末到民國初年這個時間上，這麼重視以經典為中心的古籍中，諸侯朝覲天子的各種方位儀節？進入近代以後，中國漸衰，鴉片戰後的一八四二年，中國政府被迫與英國簽訂〈中英南京條約〉，首次以文字規定中國與外國平等往來。接下來的數十年中，俄、英、法、日等不斷對清朝周邊國家進行侵略，周邊的屬國也多在列強威脅、鼓動與世界民族獨立思潮興起的影響下，放棄過去與中國的藩屬關係轉而建立政治獨立的國家，打破了清王朝「撫有四夷」的局面。而且，傳統天下觀中，中國的邊界是可以隨著中華文化在化外之地傳播而時有盈縮的；但是十九世紀末期，透過一連串與列強之間劃定領土範圍的邊界條約之簽訂，中國人也

88 張啟雄先生：〈中華世界秩序原理的源起：近代中國外交紛爭中的古典文化價值〉，收入吳志攀、李玉主編：《東亞的價值》（北京市：北京大學出版社，2010年1月），頁135。

89 現藏於大陸中央博物院的唐朝〈王會圖〉即是〈職貢圖〉，閻立本與此圖的關係、所繪的內容與史實的背景，見李霖燦：〈閻立本職貢圖〉，《大陸雜誌》第12卷第2期（1956年），頁12-18。

90 乾隆時期的職貢圖繪〈萬國來朝圖〉，描繪各國使節佇立於太和門外，各持貢物，等代覲見，而百官列隊各率屬望闕行禮，圖中的儀式內容就頗表現出秩序感。見周妙齡：〈乾隆朝〈萬國來朝圖〉研究〉，《史物論壇》第4期（2007年7月），頁69-71。又賴毓芝指出，徵諸〈萬國來朝圖〉的背景，翻遍記載乾隆時期的資料，並未見到有這麼多外國使節同時來朝的記錄，且其中有些使臣所持之貢物，事實上是擷取傳統職貢圖的圖像語彙，因此推測此圖應該是一個虛構的現實。賴毓芝：〈圖像帝國：乾隆朝〈職貢圖〉的製作與帝都呈現〉，《中央研究院近代史研究所集刊》第75期（2011年3月），頁1-75。

91 許暉林：〈朝貢的想像：晚明日用類書「諸夷門」的異域論述〉，《中國文哲研究通訊》第20卷第2期（2010年6月），頁169-184。

逐漸認識到，中國不是天下，現在是列國並立的世界。[92]最後，隨著中法戰爭和中日戰爭爆發後，〈中法條約〉和〈馬關條約〉的簽訂，過往朝貢國中僅存的越南與朝鮮也脫離了封貢體系，因此中國宗主國的地位可說在甲午戰後徹底的崩潰。在此時，清朝並未能立即掌握另一套西式的國際關係、國際慣例的知識，對外交涉上仍不斷的發生挫折。光緒帝本身則希望在與外人的互動上有所調適，包括在覲見禮儀中，改變昔日「天朝」皇帝的姿態，以使清朝的外交在程式上更能與西方相接。但是這個過程與傳統的思維難免產生巨大的摩擦，茅海建對這方面有過詳實的研究。例如以往清朝皇帝接見藩屬國貢使時，覲見禮的地點在西苑而不在宮中。但是光緒二十年農曆十月，光緒帝改成在宮中太子所居的文華殿接見各國駐華公使，而且此後成為常例。光緒二十四年新年，各國公使覲見皇帝賀歲，光緒帝事先改變以往的禁令，允許各國公使不待請命即可乘輿馬入紫禁城。覲見之後，對於外國公使從文華門中門走出的違禮行為也予以了默認。也就在此時，德皇威廉二世之弟亨利親王（Prince Heinrich of Prussia）來華，光緒帝為了表示開明態度，不顧朝臣的極力反對，開前星門，讓轎、車入東華門等，這都是對清朝禮制的極大改動。而且，在覲見禮節過程中，皇帝又賜御座右側給亨利親王坐下、握手送之，且在其用宴時親臨慰問等等。這些在西方國家的外交禮節中是極為平常之事，但是在強調「南面為君」的中國傳統觀禮上，簡直是駭人聽聞的「毀國」舉動。在百日維新期間，光緒帝還主動修改覲見禮節，也明白表示了盡可能與西方禮儀接近的傾向。[93]這裡不憚瑣細的敘述光緒帝對覲見禮儀的變更，是要說明它在當時不只是外在儀節的變更，更大的意涵是原本儒家「禮治」中，以中國為中心的「圈序認同」態度轉變的重大象徵，與傳統的觀念認知有巨大的落差，士人的焦慮矛盾也難以避免。

上述光緒帝這一連串的舉動，不斷引起朝士的爭議，廖平雖然沒有在朝

---

92 王小紅：《從天下到民族國家：十九世紀末期中國世界秩序觀的空間重構》（蘭州市：蘭州大學碩士學位論文，2006年10月），頁20-21。

93 茅海建：〈戊戌變法期間光緒帝對外觀念的調適〉，《戊戌變法史事考》（北京市：三聯書店，2005年1月），頁413-428。

為官，且遠在四川，但他也不乏與中央關係親近的師友，要得知這些情事並不難，而且對他而言絕不可能無動於衷。接著應有讓廖平更痛心的，是光緒二十七年（1901）清朝與西方簽訂的〈辛丑條約〉，列強用條約的形式將清朝的覲見禮儀強行西方化，覲見的地點為宮內的乾清宮，外國使節乘轎至乾清門前，國書須由皇帝親手接受，宴會須皇帝親自入席。[94]這段時間，與廖平開始要以《尚書》建構大統世界藍圖的時間大致吻合，而且他這樣的思想一直持續到民國二十一年過世時未曾改變。由於廖平覺得華夷早已失序，中心與邊緣的價值感消失了，禮治無存了。因此他要宣說孔子已藉著「周公」這個符號，建構了一幅中國與世界關係的圖景，這個圖景將會在遙遠的未來進化實現：中國居於中心大朝四方諸侯，而且是依著「明堂位」的、有禮有序的精神與制度；中國以外的國家依其文化高低，立於四方，各有屬於自己身分的位置。所以廖平強調的「辨方正位」，就是實踐普世的禮儀秩序，而中國永遠是文化最高，處於中央的「萬邦歸極」之處。

廖平對中國與世界關係未來式的表述方式，與當時的時代風潮也有密切關係。晚清於光緒十七年傳入的美國作家貝拉米（Edward Bellamy，1850-1898）原著小說《百年一覺》，廣為時人讀誦，廖平也熟閱此書。[95]它示範了一種新的修辭語法：未來完成式敘述，直接假定未來已經發生了的事。又晚清的知識分子接受進化論的觀點，相信事物可以直線的方式推衍，朝著單一自明的結果前進，從當時一些科幻小說的題目和內容可以看到此一趨向，王德威在《被壓抑的現代性：晚清小說新論》一書中曾對這個主題作過探討。例如梁啟超一九〇八年的《新中國未來記》，以未來完成式的敘述法，描寫中國實施君主立憲已經到達光明的一九六二年，在上海博覽會上，孔子的後人應邀講解中國如何締造民主，吸引了數以千計的聽眾，包括全球數百個地區的留學生。陸士諤（1878-1944）於一九一〇年的《新中國》，又名

---

94 〈辛丑各國和約〉附件十九，收入王鐵崖編：《中外舊約章匯編》（北京市：三聯書店，1957年），卷1，頁1023-1024。

95 廖平曾將《百年一覺》的烏托邦理想與《禮記．禮運》的大同境界作過詳細的對讀。見廖平：《地球新義》（1935年孟冬，開彫版藏），頁35b-36b。

《立憲四十年後之中國》，他筆下的敘事者所造訪的一九五〇年之中國，各方面都已繁榮昌盛，工業、教育高度發展，男女平權，外國租界已消失，甚至財富過剩竟成為困擾人們的問題。吳趼人（1866-1910）於一九〇八年的〈光緒萬年〉，也是想像未來君主立憲後的一切美景。碧荷館主人（楊子元，1871-1919）一九〇八年的《新紀元》中，一九九九年的中國已從一個傾頹的帝國轉成一個超級強國，與西方國家展開了世紀之戰，歐洲各戰敗國都需與中國簽署和平條約割地賠款，設立租借。這一類帶有烏托邦性質的小說尚有不少，多是藉著對未來的想像來反轉中國當下多難的命運，也顯示出晚清學人、文人對中國實際狀況的焦慮，把心中的理想、目標和期盼投射到未來。[96]廖平雖然是個經學家，無法同小說作者般不羈的馳騁胸臆，不過他以經學構築出的未來景像，如「大明堂」的朝會世界諸侯，與晚清這些「回到未來」的小說在精神上有相通之處。並且他們還有一個類似的特點，就是從「現在」到「未來」中間的那段歷史是一個不易被交待的部分，不僅小說如此，廖平在討論將來中國與世界的關係時，也常有理想性的論述多過具體實踐理論的現象；說明要如何過渡到心中那個美好的想望，常是擺在這一代知識分子面前的難題。最後，同樣是未來完成式的敘述，卻也反映著每個學人文化、道德觀或價值焦點的不同，如梁啟超等人切盼立憲的美景，碧荷館主人希望中國國威、武力能凌駕歐西列強之上。廖平所期待的，是中國以三綱為核心的禮樂文明能受到國人的重視，以中國為「華夏」中心，將文化逐漸傳播於世界，讓全球最終嚮慕中華文化，大統於孔子之道下，未來「大明堂」的空間觀就是這一心態的表徵。

六　結論

廖平說《尚書》是孔子昭示未來世界「大統」（大一統）的藍圖，現在

96 王德威：《被壓抑的現代性：晚清小說新論》（臺北市：麥田出版社，2003年），頁384-397。

透過以上的論述，可以清楚的理解，由於周公是平治周朝天下的人物，廖平在其尊孔與分別經史的理路下，將「周公」視為孔子筆下的一個符號，制禮作樂，以經典指向未來，說明孔子已經預設了用中國的禮樂文明，立於天下之「中」，將能致全球於太平。這個「藍圖」，其實就是廖平所期待的願景，他期待重建傳統儒家思想中，禮的秩序。它的基本精神是王道，即使廖平已經知道現在是一個列國並立的世界，不再是過往以中國為宗主國的封貢體制，他仍然希望，也相信透過經典的實踐、禮樂的感通，最終能夠以德服人，讓「王化」由近及遠，最後進至於世界大同。這樣的思想，也反映了在時代的激盪下，一個傳統讀書人、經學家的堅持。

透過本文的研究，也得到了以下幾點的心得：首先，廖平注意到了地圖與世界觀及文化傳播之間的關係。傳統中國自認處於天下的中央，這看似一個地理問題，卻深刻地反映了中國傳統的天下觀念。近代無論是魏源的《海國圖志》或是徐繼畬的《瀛環志略》，都是要以新的世界圖像：五大洲、東西半球的呈現，用新的世界觀來轉變傳統的天下觀。而這些著作，廖平都曾經很詳細的閱讀，所以我們絕不能以為廖平僅是食古不化，單守幾部經書作詮釋，相反的，他一直在從新的出版品或報刊雜誌汲取新知。只是他在接收了地圓的知識，以及承認當前是地球上列國並立的現狀之同時，他特別關懷、憂心的是文化的問題，因為他認為惟有傳統那一套具有秩序的禮治文化，世界才能得到安頓。《海國圖志》、《瀛環志略》不能、也無意傳達中國文化、禮樂文明最優的意識，因此他在接受這些世界新知的同時，要極力將它們融入經典，建構一個不但具有東西半球、東西洋海的世界圖像，而且還有表徵文化中心與邊緣的「兩京圖」；最終還要由文化較高的東半球統一西半球。這些都是廖平筆下的孔子託「周公」營建東、西兩京，肇開「大統」的精義。

其次，所謂的夷／夏、文／野，或是何謂中心與邊緣，近代學者的認知有其不同的面相，因此廖平的看法，也表現了一己的特性。廖平開始思考中心與邊緣的問題是在甲午戰後。當時許多的知識分子，因為戰敗的創鉅痛深而開始從國力、制度等各個層面思考中國與以西方為主體所構成的「世界」

之關係，許多人不但認為中國已不在世界之「中」，甚至還未進入「世界」之內。這刺激了廖平要重辨何謂中心與邊緣、文明與野蠻的分界，所以他不斷的論述周公「居中」以化成天下，能夠居於中心的憑藉，就是中國獨有的、以三綱為核心的禮樂文明。廖平這個觀點也值得與其當代今文學者的看法互相作一個詳細的比較，因為長期以來，一般人往往因為廖平的學術曾經影響到康有為；再加上兩人欲透過傳統學術來面向時局有相當成分的同質性，因此廖平很容易被視為與康有為的學術、政治主張相接近。但事實並不盡然如此，他們彼此之間的歧異不小。康有為等戊戌諸子以國力、制度為思考層面，一度以歐美為「諸夏」，文明、進化勝於中國，中國相對幾乎落入「夷狄」一方，特別是使用經學的文本來論證，更讓廖平有同室操戈的危機感。因此透過本文的陳述，也可以再進一步思考近代今文學家之間內部思想的複雜、多面性。

最後，從學術流變的角度來看，基於進化思想的影響，他已經不能完全相信古籍所述的內容為真。他曾在光緒三十二年的《五變記箋述》中說：「人謂周公制禮，吾敢斷之曰：周公無禮也！」不信周初就有完備的禮制，因此制禮作樂的不是周公，而是天生聖人孔子託「周公」所作；又例如被廖平視為上古無法如此「美備」的明堂制度也是託之為孔子的「俟後」歸劃。由於進化的歷史觀打破了黃金古代的觀念，廖平接受了這樣的思潮，再結合上今文學尊孔的概念，因此強調上古樸陋，經典內容的美盛是孔子預設進化至未來的目標，垂法於後世。這種質疑上古史事的態度，從廖平一路到顧頡剛等古史辨學者之間的學術發展，廖平具有過渡的意義。這些都是未來可以再延伸、細緻研究的議題。

作為近代具有一席之地的學者廖平，如果我們能呈現其尚未為人們所熟悉的學術，本身就是一種價值。廖平的思想，從甲午戰後到民國時期，無不是在回應整個時代，表徵著近代知識分子如何看待中國與世界的另一種方式，而他的學術，也應被擺置在整個時代的脈絡中來看待。故經典的研究如何結合時代的思潮，這也是未來廖平研究的展望，如果我們擴大視角，那麼廖平的經學與思想仍然有很大的探討與詮釋空間。

吳闓生《定本尚書大義》對〈堯典〉、〈金縢〉篇的解釋

許華峰
國立臺灣師範大學國文學系副教授

一　前言

吳闓生（1877-1948），為清末桐城派名家吳汝綸（1840-1903）之子，在《尚書》的研究上，受其父親的影響最大。

吳汝綸雖身為以古文名於世的桐城派學者，但他的經學研究卻頗為特出。他認為自己對《易》、《書》二經的研究，成就高過詩文作品，曾表示：

> 吾說《書》、《易》二經，自信過於詩文。[1]

其《尚書》方面的代表作為《尚書故》。此書據吳闓生所述：

> 先公《尚書故》，識者推為千秋絕學。[2]

無疑為吳氏的得意之作。吳闓生繼承家學，以《尚書故》為基礎，於《尚書》一經，整理了《桐城吳氏尚書讀本》（光緒三十四年，1908），編纂《尚書大義》（民國十一年，1922）、《尚書衍義》（據王維庭〈吳北江先生傳

1　〔清〕吳汝綸：〈與王子翔〉，《吳汝綸集》（合肥市：黃山書社，2002年），（二），頁978。

2　〔清〕吳汝綸著，吳闓生編：〈例言〉，《桐城吳氏尚書讀本》（清光緒間朱絲欄清鈔底本）。

略〉[3]，為民國十九年瀋陽萃升書院講義，1930，未見）和《定本尚書大義》（民國三十年，1941）諸書。據吳闓生在民國三十年（1941）的自述，從《尚書大義》到《定本尚書大義》，「前後三十年閒，易稿凡數四」[4]。此四度改易的相關材料雖無法完整尋得，就目前所能看到的相關著作，仍可約略整理出吳闓生《尚書》著作的演變之跡，有助於我們了解吳闓生《尚書》學的特色。

為了說明的方便，本文將以吳闓生認為具有特殊價值的〈堯典〉、〈金縢〉篇為討論的中心。

二　從《尚書故》到《定本尚書大義》

（一）《桐城吳氏尚書讀本》

《桐城吳氏尚書讀本》四冊，為國家圖書館善本書室所藏的「清光緒間朱絲欄清鈔底本」。書前有吳闓生作於光緒三十一年（1905）的〈桐城吳氏尚書讀本序〉，作於光緒三十四年（1908）的〈例言〉四則，然後是今文《尚書》二十八篇以及《書序》的注解。

本書的內容源自吳汝綸為了教導吳闓生，乃以蔡沈《書集傳》為基礎，用《尚書故》的研究成果加以刊改。據吳闓生〈例言〉說：

> 先大夫著《尚書故》時，闓生方七八歲，適受此經。[5]

〈桐城吳氏尚書讀本序〉說：

> 其箸《尚書故》，於古今眾說，無所不采，亦無所不掃，而獨留文詞之義以推古聖之心。既卒業，又最取大旨，就《蔡傳》本勘改以授

3　王維庭：〈吳北江先生傳略〉，《文獻》1996年第1期，頁65-71。

4　吳闓生：《尚書大義》（臺北市：臺灣中華書局，1970年），頁1。

5　〔清〕吳汝綸著，吳闓生編：〈例言〉，《桐城吳氏尚書讀本》。

兒。[6]

吳闓生生於一八七七年，故可推知《尚書故》約成於光緒十年（1884），吳汝綸四十五歲時。吳汝綸去世後，吳闓生整理父親舊說，並在書眉過錄胡淵如（遠浚）的筆記，在光緒三十四年（1908）以《桐城吳氏尚書讀本》之名行世。此書的性質為教科書，故不詳引訓詁的相關論證。〈例言〉說：

> 訓詁源流，具在《尚書故》中。教師自習《尚書故》而以此本為講授之資可也。[7]

又注解除強調用吳汝綸《尚書故》的研究成果勘改蔡沈《書集傳》外，此書的特點之一，在於書中有詳細的句讀和圈點。以〈堯典〉「曰若稽古……格於上下」之注解為例，經文的句讀為：

> 曰若稽古、帝堯曰放勳、欽明文思安安、允恭克讓、光被四表、格於上下、[8]

注文的句讀為：

> 曰粵越通、古文作粵、曰若者、發語辭、周書越來三月亦此例也、稽。當也。言當古時有帝堯也。曰者。猶言其號也。放勳。堯名也。威儀悉備曰欽。昭臨四方曰明。經緯天地曰文。德純備曰思。思通作塞。塞者實也。安安通作晏晏。寬容覆載曰晏。允信、克能也、言堯信恭而能讓也。能讓者指下文禪舜之事。光與橫通。皆充也。被及也、四猶四方。格至、上天、下地也。[9]

依〈例言〉所說：

---

6 〔清〕吳汝綸著，吳闓生編：〈桐城吳氏尚書讀本序〉，《桐城吳氏尚書讀本》。

7 〔清〕吳汝綸著，吳闓生編：〈例言〉，《桐城吳氏尚書讀本》。

8 〔清〕吳汝綸著，吳闓生編：《桐城吳氏尚書讀本》，頁1。

9 同前註。

> 經文句讀點識悉依原本。句讀，先公自定。點識，乃張廉卿先生所定。注文，凡先公自定之說，皆以圈點識其句讀。蔡氏舊說，則以銳點識之，以為別云。[10]
>
> 經文的句讀是吳汝綸所定，點識（如「允恭克讓」）是張廉卿（裕釗）所定。注文的句讀，蔡沈舊說用銳點（如：「曰粵越通、古文作粵、曰若者、發語辭、周書越來三月亦此例也」），吳汝綸的意見用圈點（如：「稽。當也。言當古時有帝堯也。曰者。猶言其號也。」）。

相較於吳闓生後來的《尚書》著作，此書以疏通文意為主，發揮較少。

（二）二卷本《尚書大義》

兩冊一函，現藏於臺灣大學圖書館。以《定本尚書大義》與二卷本《尚書大義》對勘，二卷本只解今文相關篇章，內容依序為〈尚書大義序〉、〈尚書大義例言〉、《尚書大義》，無「定本」中的〈古文偽書考〉、〈書序考證〉、〈尚書大義附錄〉、〈校勘後記〉和〈答王晉卿書〉諸內容。

《尚書大義》有作於民國十一年七月的四則〈例言〉，全文如下：

> 一、六藝唯《尚書》最古，凡中國政事、文學、道德、綱紀無不導源於此。欲考求中國舊學者，不可不讀此書。
>
> 一、此書注釋，一本《尚書故》，務期簡便易解。至於訓詁之源流，徵引之浩博，備載原書，茲編概不之及，學者可尋繹而自得之。
>
> 一、此書用講義體，隨文敷演，不加緣飾。雖體涉猥近，而施之青衿學子厭倦高文之今日，庶不至有所扞格云。
>
> 一、此書本備家塾誦習，而朋友游觀者多以為善。前總統徐公首採入《四存月刊》，冀縣張君慶開心泉遂約其戚雷君光顯紹文出資刊行。

---

10 〔清〕吳汝綸著，吳闓生編：〈例言〉，《桐城吳氏尚書讀本》。

至督工、讎校，則南宮李君葆光之子健之力為多，例得並書。[11]

由第四則例言，可知《尚書大義》的性質仍為教科書，最初曾在《四存月刊》中連載。據「高等學校中英文圖書數字化國際合作計劃」網站（http://www.cadal.zju.edu.cn/Index.action）所收錄的《四存月刊》，《尚書大義》刊載於第二至二十期，內容從〈堯典〉到〈洛誥〉為止。注解文字與二卷本《尚書大義》相關篇章幾乎完全相同。

據前三則例言，《尚書大義》注釋的部分，仍採用吳汝綸《尚書故》的成果，且不詳引其中的訓詁資料和論證。在吳闓生的心目中，《尚書》是「中國政事、文學、道德、綱紀」的源頭，所以本書的主要工作，在以隨文敷衍的方式發揮《尚書》中的義理。

此二卷本《尚書大義》繼承了《桐城吳氏尚書讀本》對《尚書》的基本觀點。以〈堯典〉「曰若稽古……格於上下」為例，經文方面，依然施以句讀、圈點，並以雙行夾注的形式列出相關文句的訓詁：

曰若稽古帝堯．（曰若．發語詞．稽．當也．言當古時有帝堯也．）
曰放勳．（放勳．堯名．）
欽明文思安安．（威儀悉備．曰欽．照臨四方．曰明．經緯天地．曰文．道德純備．曰思．思通作塞．塞者．實也．安安通作晏晏．寬容覆載．曰晏．）
允恭克讓．（信恭而能讓．）
光被四表．（光與橫通．皆充也．四表．猶四方也．）
格於上下．（極于天地．）[12]

與《桐城吳氏尚書讀本》相較，只有「曰若稽古帝堯」斷句和圈點的文字有所不同。然後是吳闓生發揮的兩則案語：

闓生案．此節渾括堯之全體．尤以讓字為主．讓者．指下文禪舜之事

11　吳闓生：〈例言〉，《尚書大義》（二卷本）（丁卯初春（1927）校正三板，刊於都門）。

12　吳闓生：《尚書大義》（二卷本），卷1，頁1。

而言．乃一篇柱意之所在也．上下者．蓋謂人神也．

又案先公更舊詁．皆具有精心．如稽古之稽．舊皆訓為考．今據褚少孫說易為當者．蓋夏史紀述堯舜之事．相去未遠．非若異世傳疑．有待稽考．且當古猶言在昔．即書序之云昔在堯也。若云考古帝堯．則不詞矣．論者亦知考古之不安．至謂此四字為周史及孔子所追加．尤不合情理之甚者．[13]

第一則著重在對文章意旨的理解。第二則則對吳汝綸異於舊說之處提出補充說明。相較於《定本尚書大義》，此本對《尚書》大義的發揮，雖較為簡略，但強調文章解析的注解方式，已經確立。

（三）《定本尚書大義》

臺灣目前所見的吳闓生《尚書》著作，以臺灣中華書局「中華國學叢書」的《尚書大義》（此書即《定本尚書大義》）最為通行。此外，尚有民國三十一年（1942）清苑郭氏排氏《雍睦堂叢書》本。[14]此本的主要內容依序為：

〈定本尚書大義原序〉（民國十一年八月李葆光序）

〈定本尚書大義例言〉五則（民國二十六年四月吳闓生記）

《定本尚書大義》（只注今文二十八篇）

附〈古文偽書考〉（吳闓生）

〈書序考證〉（吳汝綸）

〈尚書大義附錄〉（吳闓生）

〈校勘後記〉（吳闓生）

〈答王晉卿書〉（吳汝綸）

---

13 同前註，卷1，頁1。

14 此本收錄於林慶彰主編：《民國時期經學叢書》（臺中市：文听閣圖書公司，2008年），第2輯，冊29。以下所引，皆以中華書局本為準。

其中，二卷本所沒有的附〈古文偽書考〉、〈書序考證〉、〈尚書大義附錄〉、〈校勘後記〉和〈答王晉卿書〉，內容如下：

◎附〈古文偽書考〉（吳闓生輯錄）

分為三個部分：

1 總論偽《古文尚書》，吳闓生云：「採錄姚永樸所輯。」[15]按，姚永樸《尚書誼略》書末「敘錄」〈論《古文尚書》可疑〉[16]所採與此相近。

2 偽書二十五篇之諸儒考定評語，吳闓生云：「各家之言皆採錄王先謙所輯。」[17]王先謙所輯見《尚書孔傳參正》。

3 摘鈔偽《古文尚書》「疵累平衍之句」，依「四字句之不似古語者」、「排偶對仗之句」、「前後重複之句」三類列舉，認為偽書「全文出自一手」。

◎〈書序考證〉（吳汝綸）

> 內容與《桐城吳氏尚書讀本》的《書序》部分大體相同，當為吳汝綸《尚書故》卷三《書序》考證之節本。認為：「〈書序〉殆出《史記》之後，依《史》文為之，而不盡用《史》說耳。」[18]

◎〈尚書大義附錄〉（吳闓生）

此為吳闓生對《周書》四篇：〈度邑〉、〈皇門〉、〈祭公〉、〈芮良夫〉，古彝器銘四篇：〈毛公鼎銘〉、〈盂鼎銘〉、〈毛伯彝銘〉、〈兮甲盤銘〉的注解。吳闓生認為，《周書》四篇為「灼然可奉為典冊之遺者」[19]。古彝器銘四篇

---

15 吳闓生纂：《尚書大義》，頁106。

16 馬其昶撰，陳漢章補注：《尚書誼詁》，收入《續修四庫全書．經部》（上海市：上海古籍出版社，1995年），冊53，頁438-441。

17 吳闓生纂：《尚書大義》，頁107。

18 同前註，頁153。

19 同註17，頁162。

則是「高古足配《尚書》，皆三代以前之鴻寶也」。[20]吳氏有意識地將《周書》納入《尚書》研究，並有意引入金文等考古成果。

◎〈校勘後記〉（吳闓生）

吳闓生說：「全書印行，校正訛誤時，續有所獲，記於全書之末。」[21]可知這部分主要是後續心得的補充說明。

◎〈答王晉卿書〉（吳汝綸）

此乃吳汝綸在光緒七年答王晉卿論《尚書》之書。吳闓生說：「以有關於經義至鉅，敬錄於此。」[22]此文涉及吳氏對經典注解的反省。

關於二卷本《尚書大義》原本就有的〈定本尚書大義原序〉、〈定本尚書大義例言〉、《定本尚書大義》三部分，「定本」予以增刪：

1 〈定本尚書大義原序〉即〈尚書大義序〉。二文作者皆題為李葆光，所署時間皆為民國十一年八月，但〈尚書大義序〉在「本旨哉」後有如下文字：

> 葆光夙受此經，悶其泯而無傳也，乃與張君慶開、雷君光顯集議梓而行之。且承先生命敘述其大要云。[23]

〈定本尚書大義原序〉則刪去這段文字。

2 《定本尚書大義》的〈例言〉，較二卷本增為五則。除第一則依然強調：

> 今源本家訓，暢為詮發，以冀學者，得所窺尋，蔚為有用之學。至注釋則力求簡要，期一覽可明，聊以記其大旨而已。若夫訓詁之淵源，

20 同註17，頁162。
21 同註17，頁175。
22 同註17，頁187。
23 吳闓生：〈尚書大義序〉，《尚書大義》（二卷本）。

徵引之浩博，原書具在，不難逐次研尋，茲不復贅陳，避繁複也。[24]

第二則旨在說明《尚書》有偽古文的問題，因而作《古文偽書考》。第三則強調司馬遷為通儒，不必墨守一家之學，故不必執著於判斷《史記》所載《尚書》為今文或古文。第四則強調吳汝綸《尚書故》「沈思眇慮，博采兼通」的貢獻。第五則說明分章斷句與他本不同，涉及文意理解的問題，應沈潛涵泳，方能了解。

顯然《定本尚書大義》對《尚書》解釋的反省，較二卷本具體而深入，亦對偽古文《尚書》的重要學術公案，予以較多的重視。仍以〈堯典〉「曰若稽古……格於上下」為例，注解的基本形式與二卷本相同：

> 曰若稽古帝堯．（曰若．發語詞．稽．當也．言當古時有帝堯也．）
> 曰放勳．（放勳．堯名．）
> 欽明文思安安．（威儀悉備．曰欽．照臨四方．曰明．經緯天地．曰文．道德純備．曰思．安安通作晏晏．寬容覆載．曰晏．）
> 允恭克讓．（信恭而能讓．）
> 光被四表．（四表．猶四方也．）
> 格於上下．（上天下民也．）[25]

在圈點上，較二卷本增加「欽明文思安安」句的圈，在訓詁內容上，與二卷本一致，但「格於上下」二卷本解作「極于天地」，這裡卻改為「上天下民」。然後是發揮大義的部分：

> 此節渾括堯之全體，尤以克讓為主。克讓者，指其禪舜之事而言，乃一篇柱意之所在也。
> 格于上下，上天下民也。帝王心法，不外敬天愛人。典謨全文，均以此四字貫注而下。[26]

---

24 吳闓生：〈例言〉，《尚書大義》，頁1。

25 同前註，頁2。

26 同註24。

第一則案語意思和二卷本相同，但略作了文句的調整。第二則案語特別強調「帝王心法」，與訓詁「上天下民」相配合，反映出《定本尚書大義》順應民國時代對經典解釋所作的調整。至於二卷本的第二則案語，則被併入第四則〈例言〉之中。

三　吳闓生「以文家之義法解經」的觀點

《定本尚書大義》最能夠反映吳闓生解經觀點的，當為〈堯典〉注解前的一段文字：

> 六經皆文也。《詩》、《書》文雖崇奧，要亦古哲所精心結譔之文字，故必以文家之義法求之，而後意緒乃能大明，而精神旨趣，因以畢見。千古註疏訓詁所以罕得其真諦者，皆由文法之不講故也。[27]

這段文字，主旨有二：

（一）六經是古哲精心結譔之文章。

（二）文章義法是了解經書精神旨趣的「必要條件」。（訓詁當亦為「必要條件」）

吳闓生所說的經書的精神旨趣，實繼承了傳統將經書視為聖人所流傳下來的大經大法的見解。《尚書》乃中國最古的典籍，「凡中國政事、文章、道德、綱紀、哲理、名言，無不導源於此」。[28]故注《尚書》的目的在使「前聖意指，乃以大明」，「冀學者得所窺尋，蔚為有用之學」。[29]依此前提，吳闓生在《定本尚書大義》書末收錄吳汝綸在光緒七年所作的〈答王晉卿書〉，可視為吳氏父子對《尚書》經義解釋的共同立場和想法。

王晉卿即王樹枏（1851-1936），治漢學，與吳汝綸為友。吳汝綸〈答方

---

27 同註24，頁1。

28 同前註。

29 同註24，〈例言〉，頁1。

存之〉曾提及：

> 王晉卿專攻漢學，多所發明，惜其兼領志局，每歲聚處，不能半載。[30]

對其學問頗為贊許。〈答王晉卿書〉的主要見解可整理為三點：

（一）解經者應具備字義訓詁和理解文章的能力。馬、鄭通訓詁，不通文章，其失為「迂僻可笑」。後之文士不通訓詁，其失為「望文生訓」。他說：

> 竊謂古經簡奧，一由故訓難通，一由文章難解。馬、鄭諸儒，通訓詁，不通文章，故往往迂僻可笑。若後之文士，不通訓詁，則又望文生訓，有似韓子所譏郢書燕說者。較是二者，其失維鈞。[31]

此二者，為解經兩大缺失。

（二）歷史上通《尚書》的學者，同時具備訓詁師承，又能夠深得文章三昧的，就現存材料而言，只有司馬遷。因此，吳汝綸解《尚書》，主張以《史記》為主。他說：

> 鄙抄《尚書》，實以《史記》為主。史公所無，乃采後賢之說。……子長文字與六經同風，又親問故于孔氏，蓋不徒習傳師說，兼有默討冥會，得於古人者，惜不得此才解說全經。其采摭《尚書》，但自成其一家之言，故不能多載。然其偶有解釋，其可寶貴，豈復尋常！[32]

強調司馬遷除了傳習師說，在文章方面更有獨特的心得，足以上承古人（「與六經同風」）。所以，就吳汝綸而言，《史記》對於解釋《尚書》的地位，就不僅是乾嘉學者之視馬、鄭為真孔嫡傳，具師承上的權威而已。「以《史記》為主」，是吳汝綸解《尚書》重要的主張。他曾多次在不同的書信中予以強調。如：

---

30 吳汝綸：《吳汝綸集》，冊3，頁10。

31 吳闓生：《尚書大義》，頁186。

32 同前註，頁186。

> 拙著《尚書故》，本旨專以《史記》為主，史公所無，乃考辨他家，以此與孫淵如多異。又往往自造訓詁，以成己說，執事當悉心糾正，以衷一是。[33]
>
> 暇日著《尚書故》一書，以史遷為主，妄自以為不在孫淵如以下，要亦敗帚自珍耳。[34]

對此，吳闓生《定本尚書大義》主要接受《尚書故》的成果。

（三）文中評論歷代學者，認為經生能通文章的，只有毛公一人。唐宋文人的缺點在於不通訓詁（「古訓失也」）。理學家朱子的缺點在於「於文事未深」，對經典的解釋多不愜人意。而尤其值得注意的是，吳汝綸此文有較多篇幅論及清代考據學家注《尚書》的缺失，認為清儒對漢人之說，往往曲意彌縫，卻刻意指責宋人，且說經泥於最古之詁，經常不顧文理不通。他說：

> 我朝儒者，鄙棄其〔朱子〕說，一以漢人為歸，可謂閎偉矣。惟意見用事，於漢則委曲彌縫，於宋則吹毛求疵。又其甚者，據賈、馬、許、鄭而上譏遷史。……乾嘉以來，訓詁大明。至以之說經，則往往泥於最古之詁，而忘於此經文勢不能合也。然則訓詁雖通，於文章尚不能得，又況周情孔思耶！故鄙意於學，謂義理、文章、訓詁，雖一源而分三端，兼之則為極至之詣。孔、孟以後，不見其人，自餘皆各得偏長。如謂訓詁與義理不可離，則漢之儒者，人人孔、孟矣。恐未然也。[35]

其強調義理、文章、訓詁三者「兼之」，為姚鼐所提出的重要主張。吳汝綸並不認為訓詁不重要，只是面對主導清代經學的乾嘉考據學的潮流，他有意強調經書既然以文章的形式傳世，則重視經典的文意，實有助於對經典義理

33 〔清〕吳汝綸著：〈答柯鳳蓀〉，《吳汝綸集》，冊3，頁163。

34 〔清〕吳汝綸著：〈答王鼎丞方伯〉，《吳汝綸集》，冊3，頁526。

35 吳闓生纂：《尚書大義》，頁186。

的掌握。他曾有意與江、孫、段、王諸人爭勝，所以《尚書故》的著作形式刻意仿照考據學家的形式。他說：

> 初為此書時，乃深不滿于江、孫、段、王諸人，戲與之爭勝，並非志在釋經，故用諸公著述體裁。性苦不能廣記，區區私旨，但欲求通古人文辭，不敢拘執古訓，往往大私造訓詁處，雖見非於小學專家而不顧也。[36]

就吳汝綸本身而言，經典解釋能夠通古人文辭，比採用古訓更為重要。可見吳汝綸的主張，帶有反省考據學傳統的意義。

王晉卿和吳汝綸討論《尚書》之後，在光緒九年（據年譜）著《尚書商誼》一書。他在光緒十一年寫的《尚書商誼・自序》，與前述〈答王晉卿書〉可相互印證。〈自序〉言：

> 國朝治《尚書》者，自王西莊氏搜輯馬、鄭之說，於是世之尊漢學，守家法者，遂執為真孔嫡傳，莫敢輕為異議以相難。余友吳摯甫獨以為孔氏古說惟太史公得之最多，蓋其親從孔安國問故，又深知三代文章體要之所在，故其著於《史記》者，其說為可憑，而其誼為最確。余嘗以馬、鄭所傳杜林之漆書古文乃古文字體，非真見孔氏原書也。然馬、鄭去古未遠，當時孔氏舊說必猶有存者。摯甫注《尚書》，一以司馬氏為主，其識誠在江、孫之上。若據此以盡廢馬、鄭之誼，竊不謂然。向讀江艮廷《尚書集注音疏》，多穿鑿淺陋之說，其妄易經字，尤為馬、鄭之罪人。孫淵如陳誼疏通，然商、周以下諸篇率多鈔襲偽孔氏、蔡氏及王、江諸說之舊，苟且成書，君子病焉。竊嘗條記江、孫兩家之失，並有與摯甫之書相明者。既與往復商訂，因自裒為三卷，以世之治是書者。[37]

---

36 〔清〕吳汝綸：〈答柯鳳孫〉，《吳汝綸集》，冊3，頁237。

37 〔清〕王樹枏：《尚書商誼》，收入《續修四庫全書・經部》（上海市：上海古籍出版社，1995年），冊53，頁1。

王晉卿雖治漢學，但他對江聲、王鳴盛、孫星衍一以鄭玄為是而不敢輕議的作法，與吳汝綸同樣感到不滿。吳氏認為司馬遷親自從孔安國問故，又深知三代文章之體要，故其對《尚書》的理解自然比馬融、鄭玄更可信。所以主張解經以《史記》為主。只是，王晉卿對於吳汝綸一以《史記》為據的作法無法完全認同。他認為馬、鄭之說，去古未遠，故仍應正視其價值。王晉卿雖然「治漢學」，但在態度上，已較江、王、孫諸人持平客觀。

從上文的說明可知，吳闓生強調以文章義法了解經書精神旨趣，繼承其父經典解讀必須通古人文辭的見解，從而明確提出以「義法」解經之說。

四　吳闓生對〈堯典〉和〈金縢〉的解釋

吳闓生認為文章義法是掌握《尚書》精神旨趣的關鍵，而〈堯典〉、〈金縢〉更是《尚書》所有篇章中，體現文章義法最為特出的兩篇。他指出，《尚書》中的篇章多為記言體，然〈堯典〉、〈金縢〉和〈顧命〉三篇卻以記事為主。其中，〈顧命〉只記一時事，〈堯典〉、〈金縢〉則是記錄時間綿延十百年的史事。他在〈金縢〉篇的注解說：

> 《尚書》記事之文，惟〈帝典〉、此篇及〈顧命〉三篇而已。然〈顧命〉特記一時之事，未及〈帝典〉與此篇總括十百年之宏綱鉅節，而以簡覈之筆出之。至其命意，皆涵泳於筆墨之外，使人玩味自得。蓋上古史裁如此。自此一二篇外，今日遂不可多見，真典籍之鴻寶矣。[38]

認為上古史家在撰寫如此弘大的史事時，在敘事的手法上，必定有所取捨、剪裁，而經文的深意，更是寄托在筆墨之外。

---

38 吳闓生：《尚書大義》，頁44。

(一)〈堯典〉的「讓舜用人」和「敬天愛民」

吳闓生指出，以堯、舜的身分、地位，可以寫入〈堯典〉的事情應當極多，但〈堯典〉在寫作的安排上，關於堯的部分僅著重在「讓舜」之事，舜的部分則以「用人」為主。他認為這種寫法上的考量，就是文章義法的表現。吳闓生說：

> 二〈典〉敘堯事專以「讓舜」為主，敘舜事則專以「用人」為主。堯、舜之事多矣，得此綜貫，然後有條不紊，而筆力乃能騫舉。所謂「萬山磅礴必有主峰，龍衮九章但挈一領」，此文章義法也。[39]

這種安排，使得〈堯典〉敘事不枝不蔓，有條不紊，突顯出作者過人的筆力，更使文章綱領清楚。關於〈堯典〉的中心意旨，他歸結出「敬天愛民」或「事天愛民」四字，說：

> 古聖王治天下，不外「敬天愛民」四字。愛人即所以敬天，敬天乃所以為聖。舉天下之人民，使之出水火而登衽席，不過其事天之責而已。孟子曰:「天與之，人與之」正詮發帝王用心深處。此篇鋪敘堯舜事業，總以「事天愛民」四字為主。起首言「光被四表，格于上下」，上者，天也。下者,民也。此外如「欽若昊天，歷象日月星辰」乃事天之事。求賢禪位，乃愛民之事。七政六宗，乃事天之事。九官十二牧，乃愛民之事。愛民之事，正所以事天，故曰「天工人其代之」，言天吏者，所以代天治民者也。收束言「神人以和」，則事天治民之極效也。明乎此，帝王之治道備矣。[40]

認為〈堯典〉中所述的堯、舜事業，非「敬天」之事，即為「愛民」之事。且「愛民」即所以「敬天」。於是吳闓生將〈堯典〉分成六段，然後以「讓

---

39 同前註，頁2。

40 同註38。

舜用人」和「事天愛民」為主軸，貫串分析〈堯典〉全篇：

> 第一段：自「曰若稽古帝堯」至「黎民於變時雍」，「渾寫帝堯德化之大體」。[41]
>
> 第二段：自「乃命羲和」至「庶績咸熙」，「記堯命羲和測日定時之事」。[42]
>
> 第三段：自「帝曰疇咨若時登庸」至「舜讓于德弗嗣」，「記堯求賢而得舜」。[43]
>
> 第四段：自「正月上日」至「四海遏密八音」，「記舜攝位後各事，遂及堯崩」。[44]
>
> 第五段：自「月正元日」至「分北三苗」，「記舜即位後設官命職之事」。[45]
>
> 第六段：自「舜生三十」至「陟方乃死」，「總結通篇」。[46]

吳闓生認為，第一段雖為「渾寫」，但「允恭克讓」句已點出「克讓」為一篇柱意之所在，「格于上下」句已點出貫串全文意旨的「敬天愛人」之意。第二段雖然與「讓舜」無關，但吳闓生認為這一段「乃事天之事，法天道以授民時，則事天正所以愛民也」。在意義上，仍是「敬天愛人」。又說：

> 分遣羲和之官，測量四方風氣，以定歲時，此堯在位之一大事，故詳書之。〈堯典〉所載，止此一事，以下則專注其禪舜矣。此古史之所以峻也。[47]

第三、四段為「讓舜」之事，其中涉及文章從堯轉到後半舜事的過渡，他

41 同註38，頁3。

42 同前註。

43 同註38，頁5。

44 同註38，頁6。

45 同註38，頁8。

46 同前註。

47 同註38，頁3。

說：

> 舜始起時事，即納于堯語中，更不別敘。此後世合傳文法也。此下即遞入舜事，而納堯崩於舜事中，不惟文法應爾，二帝事功，固相為起訖也。[48]

第五段為「用人」，強調舜即位後，九官之任命。吳闓生說：

> 任命九官，乃舜第一大事。所謂能用人也。〈舜典〉所載，止此一事而已，此後更不敘一事矣。[49]

又說：

> 舜在位五十載，其大政何可勝記！今僅記即位之初，設官分職一事，此外概不之及，因大端已具，舜施政之精神可以具見，更無取多敘也。後人敘事，委瑣繁悉，惟恐不盡，不知榛蕪冗蔓，反將大綱節目，紊亂埋沒，今人無從分別矣。史法之高，千古以來史家何曾望見。[50]

認為雖然僅寫舜初即位用人一事，但已足以表現舜施政之精神。這是史家的「史法」表現。第六段總結通篇，吳氏指出，以「陟方乃死」作結，則舜「終身之勤勞可知，此古史用筆之法。用此作收，語意尤極沈痛」。[51]

（二）〈金縢〉的史家「故為奇詭」

吳闓生對〈金縢〉的分析，雖不似〈堯典〉詳細分出段落與章節；但他對〈金縢〉篇的敘事能力，予以極高的評價。他說：

---

48 同註38，頁4。

49 同註38，頁7。

50 同註38，頁8。

51 同前註。

> 此篇專以發明周公之忠藎，其妙遠之指，尤於含鬱嗚咽中見之，最為敘事文之高致。自左史而下，皆罕能追步。[52]

其中，吳闓生認為最能表現所謂「敘事之高致」的部分，為篇中涉及神異（「王翼日乃瘳」）、天變（如雷雨、反風諸事）的相關描述。這些內容，是今人最不輕易相信的。吳氏雖然也不認為這些都是真實的，但他從文章義法的立場來說明這些內容，認為這是史家「故為奇詭」，以突顯〈金縢〉篇的意旨——發明周公之忠藎。

如〈金縢〉在周公冊祝之後，「公歸，乃納冊于金縢之匱中。王翼日乃瘳」句，吳闓生說：

> 「王翼日乃瘳」，寫神靈赫奕如見，句〔「句」，疑為「如」字之誤〕有神助，與後半天變相映，皆史官敘述之妙也。[53]

於「于後公乃為詩以貽王」至「王亦未敢誚公」節，吳闓生注：

> 此下敘事隱見斷續，尤極神妙。夫管、蔡流言而周公東伐，雖周公以天下之重，不得已出此，然成王之心，蓋不能毫無所疑，此公之所以有〈鴟鴞〉之作也。王得詩仍未能盡喻公之指。至於公卒後，發見金縢之書，乃執之而泣，而公之忠藎亦以大明於天下。史官於此不明著成王之疑，但云「王亦未敢誚公」，隱約其文，以為下文蓄勢，無限之意皆於文字以外見之，筆法之高，真乃千古無匹也。[54]

認為後半篇雷雨、反風諸事之敘事，是史官以特殊筆法寄意於其中。除了上文所指出成王對周公之疑，史官不宜明示，故隱約其文外，他強調雷雨反風諸事發生的時間，必定只能在周公卒後。「秋大熟」至「代武王之說」節注：

---

52 同註38，頁44。

53 同註38，頁45。

54 同註38，頁45。

> 今案：此文專以奇詭之筆，發明周公之忠藎。金縢之書於公卒後始發，史官所由寄其深鬱。若為公尚在時，則文字神理盡失矣。[55]

理由純粹只是因為如此理解，文意比較深刻。至於最易引人質疑的「天乃雨，反風，禾盡起」諸事，吳闓生於「王出郊」至「歲則大熟」節注，引吳汝綸《尚書故》之說：

> 此周史故為奇詭以發揮周公之忠藎，所謂精變天地以寄當時不知之慨。不必真以天變為因周公而見也。後來左氏、史公多用此法。韓退之〈羅池碑〉亦此類。皆明知其妄而故為之辭，此不可為不知者道也。[56]

強調這是史官「明知其妄而故為之辭」，以寄託作者對周公生前遭受冤屈的感慨。

五　結語

吳闓生《定本尚書大義》的注解方式，優點在於強調解釋《尚書》相關篇章，應重視每篇的中心意旨。而經由文章義法的分析，使得《尚書》篇章結構得以較明晰地被掌握，亦突顯出相關篇章的文學特質。然或許是因為這幾部著作的基本性質都是教科書，使得吳闓生的注解顯得只強調文章義法，卻忽略了經典本身的複雜性，從而使得有些論斷較不具說服力。

如《尚書》的文獻問題本來就相當複雜，以史家之筆法來解釋篇章中所有的情況，勢必預設吳闓生所據以解釋的《尚書》篇章成於一人之手。以〈堯典〉、〈舜典〉分篇的探討為例，這本是客觀的文獻問題。在討論的方式上，可以列舉漢代之前的文獻，說明二篇分合的具體狀況。但吳闓生卻僅指出《書序》已分為二〈典〉，並非自梅賾偽古文才分出〈舜典〉，然後說：

---

55 同註38，頁46。

56 同前註。

> 堯、舜事功，本相為起訖，故合譔以為一篇。此史官之特識也。其文義首尾渾成，不可劃分，分為二者，蓋因簡冊繁重，析而二之，於文義初無異也。……其文體本為一篇，必分為二，則〈堯典〉既無尾，而〈舜典〉又無首，皆不成文。[57]

只立足在文義、文體的角度，指出二篇本不可分割，而將分為二篇的理由，簡單地歸因於簡冊繁重之故。而且《定本尚書大義》認為「曰若稽古帝堯」至「四海遏密八音」為〈堯典〉，「月正元日」至「陟方乃死」為〈舜典〉，與偽《古文尚書》不同。這雖是緣於《史記》以此劃分〈堯本紀〉和〈舜本紀〉，但《史記》之分〈堯本紀〉和〈舜本紀〉不必然是因為司馬遷所看到的《尚書》已如此安排，也不必然是因為簡冊繁重之故。

又如〈金縢〉「我之弗辟，我無以告我先王」句，歷來對「辟」及「罪人」的解釋，說法極多。吳闓生引吳汝綸之說：

> 先大夫曰：《詩疏》，毛以「居東」為「東征」。《史記》亦言東伐，無辟居東都之事。馬、鄭說非是。今案，周公弗避而攝政，東征而定國，此正以天下為己任，此時斷無引避之理。避居東都之說，殊不合事理。至鄭以罪人為周公之屬，尤乖謬之甚者矣。[58]

認為「我之弗辟」之所以當理解為「東征」，而不同意鄭玄「避居東都」的解釋，是因為避居之說「不合事理」的緣故。然而，事理、文意固然是經典解釋不可忽視的部分，卻不應該是經典解釋的唯一標準。尤其是《尚書》具備史書的性質，當相關的解釋涉及具體的歷史事件時，史實的探求應當是更優先的。

---

57 同註38，頁1。

58 同註38，頁45。

曾運乾《尚書正讀》述論

陳恆嵩

東吳大學中國文學系副教授

一　前言

《尚書》為講述儒家政治思想最重要的一部經典，帝王與士大夫均視為經典中闡述儒家政治理論最佳的教科書，歷代講習不輟。民國以來的學術界，受到西方思潮的影響，學風開始轉變，湧起一股疑古之浪潮，對中國經史開始採取懷疑與批判的角度而從事研究。學者運用西方傳入史學的新觀念、新方法去研究考辨《尚書》。或作篇章真偽考辨，較著名者有蔣善國（1898-1986）的《尚書綜述》、陳夢家（1911-1966）的《尚書通論》、張西堂的（1901-1960）《尚書引論》三書。或運用考古資料作新證，如、于省吾（1896-1984）《雙劍誃尚書新證》等重視出土文獻，利用出土的古器物、甲骨文、金文等材料，以研究《尚書》篇章。或對《尚書》全文作校釋，主要有楊筠如（1903-1946）的《尚書覈詁》、曾運乾（1884-1945）的《尚書正讀》及周秉鈞（1916-1993）的《尚書易解》及屈萬里《尚書集釋》等四種而已。

《尚書》的艱澀難讀，自漢代伏生開始傳授已然如此，二千餘年來，依然如故，因而民初大學者王國維（1877-1927）就說過：「《詩》、《書》為人人誦習之書，然于六藝中最難讀。」且說自己「于《書》所不能解者殆十之五，于《詩》亦十之一二」。他又進一步說明《詩》、《書》「難讀之故有三：訛闕，一也；古語與今語不同，二也；古人頗用成語，其成語之意義，與其中單語分別之意義不同，三也」。[1]而顧頡剛（1893-1980）也說：「研究《尚書》，是經學中最困難的一件工作。這是因為時代隔得太遠了，言語文字都經過許多變遷，歷次的寫刻又有許多偽脫改易之處，以致不能讀懂的句子太多。」[2]顧氏雖覺得《尚書》問題多又複雜，應該進行整理，然基於深植的「古史層累所造成」的觀念，所採行整理方法，大多採疑古考訂或論辨今古文真偽之途，對想要閱讀《尚書》二十九篇經文的讀者，實際並無多大幫助。在四、五十年前，若初學者要想閱讀《尚書》二十九篇的讀者，就只能選擇採傳統解經方式說解《尚書》的楊、曾、周三家之書。三家之中，楊筠如《尚書覈詁》未對全書文字作全面解讀，不適合初學者。周秉鈞的《尚書易解》雖完成於一九四六年，真正出版則遲至一九八四年十一月，期間並無法看到全貌。適合初學者就只有曾運乾的《尚書正讀》。[3]

《尚書正讀》為曾運乾擔任廣東省立中山大學教職時，為文史系開設《尚書》課所寫的講義，此書對前人成說博觀而慎取之，解說簡明扼要，兼顧訓詁文法，使詰屈聱牙的《尚書》讀起來文從字順，有曉暢易懂之感，故深受近代學者楊樹達（1885-1956）、徐復觀（1903-1982）的贊賞與推薦。曾運乾博通經史子集，舉凡小學訓詁、天文、星象、樂律都有所涉獵，著作相當豐富，學術成就極高，然而卻因著作大都散佚或未刊，沉湮不傳，致長期未受到應有的重視，近年來雖開始有學者重視其學術成果，但都偏重在介紹其聲韻學方面的學術成果[4]，至於經學典籍則至今尚付之闕如。為求增進

1 王國維著，彭林整理：〈與友人論《詩》、《書》中成語書〉，收入《觀堂集林》（石家莊市：河北教育出版社，2003年11月），卷2，頁32。

2 顧頡剛：〈講授尚書學計劃書〉，收入顧潮：《顧頡剛年譜》（北京市：中國社會科學出版社，1993年3月），頁138。

3 本文採用的《尚書正讀》係臺北華正書局於一九八二年五月所出版。

4 研究曾運乾聲韻學方面的論文計有：（1）伏俊連：〈曾運乾先生對中國聲韻學的傑出貢獻——兼談古聲十九紐與三十二紐之爭〉，《西北師大學報》（社會科學版）1993年6期，頁39-43，1993年；（2）時建國：〈曾運乾的《切韻》五十一紐說〉，《西北師大學報》（社會科學版）1998年5期（第35卷第5期），頁47-51，1998年9月；（3）時建國：〈曾運乾古韻三十部說略〉，《古漢語研究》2009年2期（總第83期），頁11-15，2009

對曾氏的學術成果與貢獻有所瞭解，亦期能發潛德之幽光，特別撰文介紹其在《尚書》學研究的特色與成就。

二　曾運乾生平及其著作

曾運乾（1884-1945），字星笠[5]，自號半僧[6]，晚年自號棗園，湖南省益陽縣人。生於年（1884）卒於民國三十四年（1945）自湖南優級師範學堂畢業以後，歷任東北大學、中山大學、湖南大學等校教授。

曾運乾自幼聰明穎悟，十六歲便補上縣學生。不久，湖南提學使吳慶坻（1848-1924）在長沙創辦湖南優級師範學堂，曾運乾去報名應試，閱卷者是善化學士譚紹棠，見其文大為欣賞，以第一名錄取。當時在校講授文史方面課程的是郭嵩燾（1818-1891）之子郭焯瑩，郭氏精熟目錄之學，曾運乾從之受學，得以瞭解古今學術的流變。辛亥革命之後，湖南長沙湧現辦報紙熱潮，各報慕曾運乾之名，紛紛邀請曾氏幫忙撰寫評論稿。曾運乾一方面熱情撰稿，另一方面則潛心鑽研經典，立志要從事於我國浩繁古籍的整理工作。

年。

5 有關曾運乾字號，今人何廣棪在其《碩堂文存三編》（臺北市：里仁書局，1995年6月）撰有〈曾運乾字星笠非字星笠辨〉一文，根據《積微居小學述林全編》之曾運乾序文後有楊樹達加註的按語作「請吾友星笠序之」，遂以為曾運乾當字「星笠」而非「星笠」，「笠」字係「笠」之誤排。齦齦置辨，何氏舉古人名與字間的關聯性為證，然綜觀全書，僅此條證據而已。然據其知友楊樹達所撰〈曾星笠傳〉、〈曾星笠尚書正讀序〉、〈與曾星笠書〉諸文的記載皆作「星笠」，又《積微翁詩文鈔》詩歌中題目提及曾運乾字號之詩有二十八首，全部都題作「星笠」。又《積微翁回憶錄》中提及曾運乾字號均作「星笠」而無作「星笠」。再據許錟輝先生等主編的《民國語言文字叢書》所收曾運乾《音韻學講義》初稿題名作「星立」為證，可知曾運乾字「星笠」當無誤，何氏之疑，非是。

6 楊樹達云：「白社風流定堪繼，吟壇況有遠公持。」句末有楊樹達按語云：「星笠自號半僧。」可知曾運乾曾自號為「半僧」，參見楊氏：《積微翁回憶錄》（上海市：上海古籍出版社，2006年12月），頁151。

一九二六年，曾運乾應東北大學之聘前往任教，在校期間，他專精致志於音韻學的考古、審音方面的探究。在對「聲紐」的研究上，他提出古紐「喻三歸匣」、「喻四歸定」的論點，認為喻紐三等字跟匣紐是同類，修正黃侃的說法，也得到聲韻學界大家的認可。此外，他又提出陸法言《切韻》的音系不只是韻類有洪細的區別，連聲類也有洪細的不同。聲類與韻類的洪細恰好是相對應的。考定認為中古音有五十一類聲紐，遂著有〈切韻五聲五十一紐考〉[7]、〈喻母古讀考〉[8]、〈六書釋例〉[9]、〈說文轉注釋例〉[10]、〈論雙聲疊韻與文學〉[11]、〈聲學五書敘〉[12]、〈讀敖士英關於研究古音的一個商榷〉[13]、〈廣韻韻目原本陸法言切韻證〉[14]、〈等韻門法駁議〉[15]等專門討論文字音韻的論文，在校刊上發表，獲得國內外學術界的一致好評。

迨東北淪入日人統治，曾運乾轉任廣州中山大學教授，以《尚書》教授學生，並將講稿寫成《尚書正讀》六卷。一九二六年，坐落於風景秀麗的麓山之畔、湘水之濱，秉承嶽麓書院的辦學傳統的湖南大學正式定名，轉型為一座現代學府，並重視國學的研究。楊樹達於一九三七年受聘，回到故鄉湖南大學任教，以栽培湘學後進。

章太炎（1869-1936）在世時，嘗對人論及「三王不通小學」，三王指王安石（1021-1086）、王夫之（1619-1692）、王闓運（1833-1916），其中王夫之、王闓運二人皆為湖南籍，三人中湘人居其二，楊樹達聽聞後對此深以為恥，立志他日定要扭轉外界對於湘人「不通小學」既有的刻板印象。遂與曾運乾先生相約，「他日仍當歸里教授，培植歸里後進，以雪太炎所言之恥」。

---

7 刊載於《東北大學季刊》1927年第1期。

8 刊載於《東北大學季刊》1927年第2期。

9 刊載於《東北大學週刊》1929年第71期。

10 刊載於《中山大學文學院專刊》第2期。

11 刊載於《文學雜誌》（廣州）1933年第1期。

12 刊載於《東北大學週刊》1926年第9期。

13 刊載於《學衡》1932年第77期。

14 刊載於《語言文學專刊》1936年第1卷第1期。

15 刊載於《語言文學專刊》1936年第1卷第2期。

據楊樹達《積微翁回憶錄》記載，他和同為湘籍學者的曾運乾任教於北京高校時，曾有「雪恥之盟」：

> 太炎先生嘗云：「三王不通小學。」謂介甫、船山、湘綺也。三人中湘士居其二。余昔在北京，曾與星笠談及此。余謂此時吾二人皆游於外，他日仍當歸里教授，培植鄉里後進，雪太炎所言之恥。星亦謂然。[16]

因此當一九三七年接到湖南大學邀聘，已是小學名家的楊樹達婉謝各著名大學的聘請，毅然回到家鄉任教。同時也邀請曾星笠回鄉踐約。楊、曾殷殷以張楚學之幟為念，致力於培植鄉里後進。曾、楊兩位知名學者，先後擔任國文系主任多年，禮聘宗子威（1874-1945）、駱鴻凱（1892-1955）、馬宗霍（1897-1976）、王嘯蘇（約 1883-1949）、彭昺、李肖聃（1881-1953）、譚戒甫（1887-1974）、劉湘生、謝善繼（1903-1980）、方授楚（1889-1956）諸名家前往任教，群賢薈萃，形成務實篤重的學風，諸名家均撰寫許多在學術史上產生重要影響的專著，遂使湖南大學得以名揚學林。[17]

曾運乾任教湖南大學期間，平日寂寞勤苦，勤於著述，不少間輟。在抗日戰爭的艱苦惡劣環境下，不幸身染重病，而猶授書不輟，最後不幸於一九四五年一月二十日病逝於辰谿衛生站。驚聞噩耗的楊樹達，傷痛至極，久久不能自已。楊樹達曾自言「南歸八年，相與商榷文藝者，止一曾星笠。」[18]，又於當日的《積微翁回憶錄》云：

> 湘士在有清一代大抵治宋儒之學，自唐陶山（仲冕）承其家學（父奐，曾有辨偽古文著述），余存吾（廷燦）遊宦京師，兩君頗與戴東原之學接觸；陶山之子鏡海（鑑）仍折歸宋學。乾嘉之際，漢學之盛如日中天，湘士無聞焉。道光間，邵陽魏氏治今文學，承其流者有湘

---

16 見楊樹達：《積微翁回憶錄》（上海市：上海古籍出版社，2006年12月），頁214。

17 參考張松輝：《莊子疑義考辨》（北京市：中華書局，2007年4月），頁27。

18 見楊樹達：《積微翁回憶錄》，頁232。

潭、長沙二王氏，善化皮氏，皮氏尤為卓絕。然今文學家，不曾由小學入；故湘中學者承東漢許鄭之緒以小學音韻訓詁入手進而治經者，數百年來星笠一人而已。[19]

推崇曾運乾為湖南學者中數百年來唯一能「承東漢許、鄭之緒以小學音韻訓詁入手進而治經者」的第一人，可謂推崇備至。又在〈曾君運乾傳〉中說曾運乾是「崛起資水間，不經師授，篤精音韻」，超過前人，「精謹綿密，實事求是，並時承學之士，無與抗手。以湘學論，近數百年來，一人而已」。[20]曾、楊兩人交往數十年，友誼深厚，知之甚稔，故評價相當平正公允。楊氏又親撰聯輓哀悼，云：「鍾期一去牙弦絕，惠子去殂郢質亡。」[21]曾氏的去世，非但是楊樹達一人之私痛，更是湘學之損失。一九四五年十一月，楊樹達為曾運乾倡議，國民政府教育部遂特別明令褒揚曾運乾，號召全國教師學習他。

曾運乾對中國傳統學術有極精深的研究，其「精氣內斂，能為深沈之思，於學無所不窺。上自諸經子史，下至小學訓詁天文星象樂律，無不通曉，而尤邃於聲韻。」「治學精審，不苟為一言半語」[22]，每授專門課程，必自撰講義。其著作皆係為教學而寫之書，撰有《尚書正讀》六卷，於一九六四年由北京中華書局出版。《毛詩說》由嶽麓書社於一九九〇年五月出版。一九九六年，曾運乾的學生郭晉稀（1916-1998）將其生前未刊的音韻學論著如：《宋元明清之等韻學》、《廣韻學》、《廣韻之考訂》、《古紐及古韻學》等和已刊的部分論著合在一起，以《音韻學講義》為名，交由中華書局出版。除上述三種有出版外，尚有《三禮說》、《禮經禮記通論》一卷、《爾雅說》、《荀子說》、《莊子說》、《史記論稿》等文稿各若干卷，可惜大多的稿本均未經整理而無法刊行流傳，學術界引以為憾。

---

19 參見楊樹達：《積微翁回憶錄》，頁219-220。

20 見楊樹達：《積微居小學述林全編》（上海市：上海古籍出版社，2007年8月），下冊，卷7，〈曾星笠傳〉，頁470。

21 參見楊樹達：《積微居詩文鈔》（上海市：上海古籍出版社，2006年12月），頁81。

22 楊樹達：〈曾星笠傳〉，《積微居小學述林全編》，下冊，卷7，頁467。

三　《尚書正讀》之解經特色

《尚書》為「帝王之心法，治法所總而萃也」，[23]由於所記載的史料時間久遠，不論文字、語法或詞彙，皆與後世典籍差異甚大，造成理解上的困擾。清代學者研究《尚書》時，秉持「訓詁明而義理明」的原則，往往致力於文字音韻的訓解，罕及經書本文義理，亦不管文義究何所指？近代學者楊樹達針對清儒這種解經方式，提出批評，他說：

> 《尚書》一經，以詰詘聱牙為病者二千年矣。王氏（念孫）書說雖善，顧未能及全經也，自如江艮庭（聲）、王西莊（鳴盛）、孫淵如（星衍）諸家，能說全經矣，訓釋之精，不逮王氏遠甚。往往讀一篇竟，有如聞異邦人語，但見其唇動，聞其聲響，不知其意旨終何在也。[24]

楊樹達認為清儒注解《尚書》的名家有後世推尊的江、王、段、孫四大家，著作內容詳審浩繁，訓釋精細，疏證《尚書》經文時，祇顧旁徵博引，牽連交繞，舉凡一字相似，則援引以為佐證，字字考求其來源出處，雖不像漢儒秦近君解說〈堯典〉篇目兩字十餘萬言、說「曰若稽古」三萬言之類那般誇張，但動輒牽引龐雜資料，連篇累牘的考證，「拘牽舊義，未能文存字順，使讀者饜心切理」[25]，不僅使讀者望而生畏，甚至產生如楊氏「見其唇動，聞其聲響，不知其意旨終何在也」的弊病，造成《尚書》的艱澀難讀，始終如故。如何解決這種難題，依舊困擾著歷代的學者。曾運乾「說經不泥守家法，平視漢、宋，惟以聲音訓詁辭氣推求古人立言真意之所在」，因而能博

---

23 〔清〕朱鶴齡著，虞思徵點校：〈尚書埤傳序〉，收入《愚庵小集》（上海市：華東師範大學出版社，2010年6月），卷7，頁135。

24 見楊樹達：〈曾星笠尚書正讀序〉，《積微居小學金石論叢》（上海市：上海古籍出版社，2006年12月），頁378。

25 楊楊樹達：〈曾星笠傳〉，《積微居小學述林全編》，下冊，卷7，頁467。

採眾家之長，研究上頗多超越前人之處。以下綜合考察曾氏《尚書正讀》內容，對其研治《尚書》學方面的特點，作一些簡要的敘述如下：

（一）明語法以疏解辭義

《尚書》內容平實，然文字艱澀難讀，蓋肇因於詞句詰屈聱牙，語法結構與後世不同。要讀通《尚書》內容，除要解決文字古今轉變通假的障礙，還要疏通語法文氣所造成的時代隔閡。楊樹達曾說「讀書當通訓詁，審詞氣，二者如車之兩輪，不可或缺。通訓詁，昔人所謂小學也。審詞氣，今人所謂文法之學也。」[26]，楊樹達治學讀書，擅用「通訓詁、審詞氣」二項方法以校群經諸子，獲得相當豐碩的成果。曾運乾與楊樹達二人情誼深篤，相知相惜，於治學方法亦頗受其濡染，於小學音韻訓詁，素有精擅，又究極詞氣之學，在訓解《尚書》時，能盡力抉發闡明，運用得相當順心如意。如〈大誥〉:「爽邦由哲，亦惟十人迪知上帝命。越天棐忱，爾時罔敢易法，矧今天降戾于周邦。」曾氏以為：

> 爽，猶尚也，聲之轉。比較詞，用於句首，與矧對用。如〈康誥〉:「爽惟民迪吉康，我時其惟殷先哲王德，用康乂民作求。矧今民罔迪不適，不迪則罔政在厥邦。」又云:「爽惟天其罰殛我，我其不怨，推厥罪無在大，亦無在多，矧曰其尚顯聞于天。」皆是。[27]

曾運乾詳細審核〈大誥〉「爽邦由哲」句，發現「爽」若作為比較詞語氣，常用於句首，往往與「矧」相對用，則「爽」應訓為「尚」。他又貫通《尚書》全經，發現〈康誥〉兩段文字句型相同，互相引證，使得「爽」、「矧」對用的語法句式順利獲得解決。又〈酒誥〉:「在昔殷先哲王迪，畏天顯小民，經德秉哲。自成湯咸至于帝乙，成王畏。相惟御事，厥棐有恭，不敢自

---

26 楊樹達：〈曾星笠尚書正讀序〉，《積微居小學金石論叢》，頁378。

27 曾運乾：《尚書正讀》（臺北市：華正書局，1982年5月），卷4，頁155。

暇自逸，矧曰其敢崇飲。」曾氏發現其句法也與〈大誥〉「爽邦由哲」句相似，他說：

> 相猶尚也，聲之轉。《易》「君子以勞民勸相」，或本作「勸尚」，是相、尚通讀之證。相字與矧對用，位於句首，與爽字同。[28]

曾氏利用音韻的知識，以異文通假去釋讀，又與〈大誥〉經文相比勘，認為「相字與矧對用，位於句首，與爽字同」，從而順利解決訓詁的難題。

〈洪範〉：「曰休徵：曰肅，時雨若。曰乂，時暘若。曰晢，時燠若。曰謀，時寒若。曰聖，時風若。曰咎徵：曰狂，恆雨若。曰僭，恆暘若。曰豫，恆燠若。曰急，恆寒若。曰蒙，恆風若。」一段文句，漢人皆將「若」釋為「順」，曾運乾曰：

> 休徵，善行之徵。咎徵，惡行之徵。時，以時至也，恆，愆陽伏陰，不能條劑也。若，譬況之詞，位於句末。如《易・離卦》：「出涕沱若，戚嗟若。」言出涕若沱，戚若嗟也。《詩・氓》：「桑之未落，其葉沃若。」言其葉若沃也。本文曰「肅時雨若」，猶孟子言若雨時降也。下均放此。自漢時經師誤釋若為順，云：「君行敬，則時雨順之。君行政治，則時暘順之。」一若天人相感，不釐豪爽者。王荊公云：「僭常暘若，狂常雨若，人君行然，天則順之以為然。使狂且僭，則田如何其順之也。」可謂一語破的矣。[29]

曾運乾旁參群經，利用經部文獻彼此互證，他舉出《易經》「出涕沱若，戚嗟若」及《詩經》「桑之未落，其葉沃若」相類似語句，運用歸納法，衡之以文法規律，針對「若」詞作考釋，認為凡是位於句末的「若」，均當作為「譬況之詞」，漢儒將「若」釋為「順」是錯誤的，不可從，並舉王安石之言駁斥，使全句字義解釋文意暢達，明白易懂。

---

28 曾運乾：〈酒誥〉，《尚書正讀》，卷4，頁177。

29 曾運乾：〈洪範〉，《尚書正讀》，卷3，頁136-137。

曾運乾又擅長於運用倒裝句法去理解《尚書》經文[30]，以達到字句安順為最高宗旨。如〈梓材〉:「以厥庶民暨厥臣，達大家。以厥臣達王邦君。」曾氏以為：

> 本文語倒，猶云由王與邦君達厥臣，由達大家達厥庶民暨厥臣。上臣，都家之臣；下臣，邦國之臣也。此如詔布告天下，使明知朕意。御史大夫下相國，相國下諸侯王，御史中執法下郡守之比。倒言之者，周初語氣，不與後同。《尚書》此類甚多，不憭其詞氣，則見為詰屈也。[31]

曾氏細審全段經文語氣，語意猶如後世君主下詔令布告天下臣民，應以倒裝句法去讀，本句經文為「大家達厥庶民暨厥臣，以王惟邦君達厥臣」，語氣才會順當。為何一定要以倒裝解釋？因為「倒言之者，周初語氣，不與後同。《尚書》此類甚多，不憭其詞氣，則見為詰屈也。」透過曾氏指明句式，原本難解之辭句，馬上變得文從字順，易於理解。

曾運乾細審語氣，以疏解經文意義的訓詁方法，深獲近代文字訓詁大家楊樹達的讚賞。楊樹達在民國二十五年四月為《尚書正讀》所寫的序文就稱讚曾氏此書是:「直不欲令其有一言之隔，讀者依其訓釋以讀經文，有如吾人讀漢、唐人之詔令奏議。」[32]對其書籍及治學方法，有極高的評價。

（二）通音韻以通辭義

世人常說「讀書必先識字」，認識文字的意義為讀書的基礎。由於時有古今之異，地有南北之別，使用的語言文字又往往有所差異，後人閱讀時，就容易產成理解上的困難。清初朱鶴齡（1606-1683）就曾說:「六經之學，

---

30 承續曾運乾的倒語之研究，針對《尚書》倒文之類語句全面分析的，有錢宗武:〈《尚書》「倒語」例析〉,《古漢語研究》1992年4期（總第17期），頁59-62轉頁70。

31 曾運乾:〈梓材〉,《尚書正讀》，卷4，頁182。

32 楊樹達:〈曾星笠尚書正讀序〉,《積微居小學金石論叢》，頁379。

非訓詁不明。然有訓詁不能無異同，有異同不能無蹖駁，他經皆然，《尚書》為甚。」[33]錢大昕（1728-1804）云：「古人之意不傳，而文則古今不異，因文而得古音，因古音而得古訓。」[34]《尚書》文字的異同蹖駁情形，居中國典籍之首，欲通讀其文字，首要在掌握「因文而得古音，因古音而得古訓」，透過音韻訓解，常能糾正舊說之謬。曾運乾於音韻之學造詣精深，說解《尚書》時，常運用音韻訓解方式，解決諸多疑難。例如〈梓材〉：「王啟監，厥亂為民。曰無胥戕，無胥虐。」曾運乾曰：

> 亂，今文讀為率，聲之轉也。言建國置侯，大率為民也。又此文今文讀法大異。王充《論衡・效力篇》引〈梓材〉云：「彊人有，王開賢，厥率化民。」說之云：此言賢人亦壯彊于禮義，故能開賢其率化民。今按彊為戕聲之誤。有亦宥之誤。開為避漢景帝之諱也。賢為監形之譌。亂為率聲之轉。化為為聲之誤文，王充依誤為釋，詰屈聱牙，不詞甚矣。[35]

王念孫曾說：「訓詁之旨存乎聲音。字之聲同聲近者，經傳往往假借。學者以聲求義，破其假借之字而讀以本字，則渙然冰釋。如其假借之字而強為之解，則詰屈為病矣。」[36]曾運乾利用「訓詁之旨存乎聲音」的原則，以音轉聲訓之法相訓，將「王啟監，厥亂為民」之「亂」字讀為「率」，全文釋為「建國置侯，大率為民」，證以王充《論衡》資料，可說言之有理，持之有據，宜其為周秉鈞、李民等後學所徵引。

〈顧命〉：「狄設黼扆綴衣。」句中「狄」字亦頗多異說，曾運乾曰：

> 狄，向來諸家皆據〈祭統〉言「翟者樂吏之賤者」以釋之。然〈喪大

---

33 〔清〕朱鶴齡著，虞思徵點校：〈尚書埤傳序〉，《愚庵小集》，卷7，頁135。

34 〔清〕錢大昕著，呂友仁點校：〈小學考序〉，《潛研堂文集》（上海市：上海古籍出版社，1989年11月），卷24，頁394。

35 曾運乾：〈梓材〉，《尚書正讀》，卷4，頁184。

36 〔清〕王引之：《經義述聞》（臺北市：廣文書局，1979年8月），卷25，頁232。

> 紀〉「狄人說階」[37]、「狄人出壺」及此文「設黼扆綴衣」，皆與樂事無涉。疑此所謂狄，即《周官》守祧之職。〈守祧注〉：「故書祧作濯。」翟與狄通，故夷狄亦作夷翟，翟服亦稱狄服，守祧亦作狄人。《周禮》守祧掌守先王先公之廟祧，其遺衣服藏焉。此設黼扆，正在廟中。陳綴衣，正先王遺衣服也。[38]

此處的「狄」字，孫星衍等傳統的《尚書》注解者皆引《禮記．祭統》「翟者，樂吏之賤者」為注[39]，曾氏認為〈喪大紀〉的「狄人設階」、「狄人出壺」及〈康誥〉「設黼扆綴衣」，皆與樂事毫無關係，而應為《周禮》掌遷廟的官員守祧。曾氏說法合情合理，又有證據輔助，故能獲得近人周秉鈞《尚書易解》所引用。[40]

（三）旁參群經以解《尚書》

《尚書》文句古奧生澀，歷代儒者注解時，經常產生歧異，令後人莫衷一是。以〈大誥〉篇「敷賁」一詞為例，孔《傳》對此句未作訓解，蔡沈《書集傳》解為：「敷，布；賁，飾也。敷賁者，修明其典章法度。」[41]孫星衍（1753-1818）疑「敷」為衍文，又將「賁」釋為奔。[42]諸家說解不同，差異頗大，對此曾運乾以為：

> 敷，陳也。賁，殷、周間大寶龜名。〈盤庚〉：「非敢違卜，用宏茲賁。」《爾雅》：「龜三足賁。」蓋本為大寶龜名，迤以為三足龜也。

37 「狄人說階」，依《禮記．喪大紀》當作「狄人設階」。

38 曾運乾：〈顧命〉，《尚書正讀》，卷6，頁265。

39 〔清〕孫星衍著，陳抗、盛冬鈴點校：〈顧命〉，《尚書今古文注疏》（北京市：中華書局，1986年12月），卷25，頁488。

40 周秉鈞：〈顧命〉，《尚書易解》（長沙市：嶽麓書社，1984年11月），卷5，頁278。

41 〔宋〕蔡沈著，錢宗武、錢忠弼整理：〈大誥〉，《書集傳》（南京市：鳳凰出版社，2010年1月），卷4，頁157。

42 〔清〕孫星衍著，陳抗、盛冬鈴點校：〈大誥〉，《尚書今古文注疏》，卷14，頁344。

> 古靈龜皆有名，《爾雅》記神、靈、攝、寶、文、筮、山、澤、水、火十名。《周官・龜人》：「辨五龜之屬與其名物。」皆是。[43]

曾氏認為商、周時期賁即為大寶龜之名，後因《爾雅》有「龜三足賁」的詮解，後人遂引申而有三足龜的名稱。輔以《爾雅》及《周官・龜人》文獻資料，可得到佐證，敷賁即是將占卜的龜兆公布，如此詮釋則顯得文從字順，明白易解。當時經學大家章太炎在所撰的《古文尚書拾遺》也將賁訓解為龜。曾氏此說，獲得劉起釪《尚書校釋譯論》[44]及李民《尚書譯注》[45]的贊同採用。

（四）疏解大意，闡明經旨

曾運乾註解《尚書》經文之際，除針對經文中個別生難語辭或有疑義處，旁引經傳資料，詳加考釋訓詁外，對於全段經文意義，往往予以翻譯，闡釋說明，以幫助讀者瞭解經文大義。如《尚書・盤庚中》：「乃祖乃父乃告我高后曰：作丕刑于朕孫。迪高后丕乃崇降弗祥。」曾氏曰：

> 丕刑，大刑也。迪，導也。迪高后者，言爾祖爾父，以懲貪之法啟迪高后，高后丕乃崇降弗祥也。「丕乃崇降弗祥」上，應重「高后」二字，蒙上文而省也。以上舉鬼神以警之。凡四言鬼神，一言高后降罪于己，二言高后降罪于民，三言汝懷戕賊，汝祖父必棄汝，四言汝懷貪墨，汝祖父必導高后降大罰于汝而不汝赦也。殷人信鬼，故言此特詳。[46]

---

43 曾運乾：〈大誥〉，《尚書正讀》，卷4，頁149。

44 顧頡剛、劉起釪：〈大誥〉，《尚書校釋譯論》（北京市：中華書局，2005年4月），頁1265。

45 李民、王健：〈大誥〉，《尚書譯注》（上海市：上海古籍出版社，2000年10月），頁244。

46 曾運乾：〈盤庚中〉，《尚書正讀》，卷3，頁106。

曾氏先解釋字詞的意義後，緊接著對全文作概括說明，敘述盤庚告戒臣民遷都之由，若不聽從，則鬼神將降罪於己、降罪於民、祖先降罪、殷高后降罪，文中四次言及鬼神，惟恐讀者不易理解經文大意，為幫助讀者明瞭義理，進一步申說大意，闡明經旨，使文義得以豁然貫通。

（五）考校文字，辨明史實

《尚書》為古代最重要的政治教科書，書中記載的內容及道理常成為歷代帝王施政的原則，經文義理的解讀變成君主施政指導，文字史實的釋讀成為相當重要且關鍵的工作。《尚書》的周公踐阼稱王一事，曾引起歷代儒者論辯，始終無法得到一致的確解，此事的關鍵在〈洛誥〉云「朕復子明辟」一句，曾氏曰：

> 復子明辟者，猶言歸政于爾也。此語為全篇大綱領，與後文「惟周公誕保文、武受命惟七年」相應。篇首至「永觀朕子懷德」，皆載周公成王關於復辟使命往來及面相酬答之辭，皆記言也。自「戊辰王在新邑」至末，皆載成王至洛，親涖祭享及命周公後之禮，皆記事也。周公攝政，七年而反，見於周、秦、漢人之記載，如《逸周書》、《禮明堂位》、《尸子》、《荀子》、《韓非子》及《尚書大傳》、《韓詩外傳》、《史記》、《說苑》等，不一而足。即依本經論，如云：「其基作民明辟。」基者，始也，謀也。如成王夙已親政，何言始謀作民明辟乎？又云：「乃為孺子頒，朕不暇聽。」頒者，賦事也。若成王夙已親政，何言惟孺子頒，朕不暇聽乎？又云：「予小子其退，即辟于周。」若本為明辟，何至是始言即辟于周乎？又云：「亂為四方新辟。」若成王夙已即位，則當云亂為四方舊辟矣，何言新辟乎？以此決復子明辟，為周公歸政成王也。宋儒鑑新莽篡漢之禍，疑周公攝政稱王非事實。不知聖人之心，國家為重，光明正大，無所於嫌。故攝政於成王幼沖之年，雖二叔流言而不懾。返政於成王既冠之日，雖成

> 王遜讓而未許。時行則行，時止則止，故未可以私意探測也。若必以新莽篡竊為嫌，則燕噲亦襲嬗讓，闖獻亦假征誅，亦將疑堯、舜禪讓、湯、武征誅為非事實而諱言之乎？略辨如此，以俟來哲。[47]

周公是否曾踐阼稱王的問題，綜觀秦、漢以前先儒典籍均無異說，如《逸周書》、《禮明堂位》、《尸子》、《荀子》、《韓非子》及《尚書大傳》、《韓詩外傳》、《史記》、《說苑》等書之記載，不一而足。宋代之學者，鑒於新莽篡漢之禍，亟辨周公代成王攝政稱王之舉，以為「王莽居攝，幾傾漢鼎，皆儒者有以啟之」。[48]宋儒以情理推闡經文義理，人自為說，家自為書，遂啟無窮之爭辯[49]，以致是丹者非素，嗜甘者忌辛，齗齗置辨，謀合無日。曾運乾將「復子明辟」釋為「歸政于爾」，參以秦、漢以前典籍記載均無異說，認為「聖人之心，國家為重，光明正大，無所於嫌」，力主周公曾踐阼稱王，後人實不應以忖度之詞去詮釋聖人之書，避免無謂論爭。

四　結論

綜合前面幾節的論述，有關曾運乾在《尚書》學上的成就與特色，約有以下幾點可以加以說明：

其一，曾運乾生當民國古史辨思潮盛行之際，治學理念未受其影響，能採傳統學術方法治經的篤實學者。他治學精審，能為深沈之思，於學無所不窺。上自諸經子史，下至小學訓詁天文星象樂律，無不通曉，不苟為一言半語。從事《尚書》注解，對前人成說博觀而慎取之，成《尚書正讀》六卷，全書解說簡明，兼顧訓詁、文法，使素稱詰屈聱牙的古籍《尚書》讀起來文從字順。曾氏著作甚富，唯僅有《尚書正讀》、《毛詩說》、《音韻學講義》三

---

47 曾運乾：〈洛誥〉，《尚書正讀》，卷5，頁200-201。

48 〔宋〕蔡沈：〈洛誥〉，《書集傳》，卷5，頁185。

49 近代屈萬里、陳夢家主宋人未攝政稱王之說，引起徐復觀撰文與之論爭，詳情參閱徐復觀：〈與陳夢家、屈萬里兩先生商討周公旦曾否踐阼稱王的問題〉，《中國思想史論集續編》（上海市：上海書店，2004年6月），頁88-110。

種出版，其餘諸書稿本皆因未整理而散佚，學術界引以為憾。

其二，曾運乾認為《尚書》內容平實，文字艱澀讀，起因於語法結構與後世不同，造成文句詰屈聱牙，要讀懂《尚書》，除解決文字古今通假外，更要疏通語法的時代隔閡。他專精之音韻學，在訓解《尚書》時能充分運用通訓詁，審詞氣，盡力抉發闡明，使文義能渙然冰釋。他嫻熟運用語法規律，詳細審核〈大誥〉「爽邦由哲」句，發現用於句首作比較詞語的「爽」字，往往與「矧」相對用，則「爽」應釋為「尚」，又以此語法規律去貫通《尚書》全經，發現〈康誥〉中相同句型，亦有相同功能，彼此互證，順利解決「爽」、「矧」對用的語法句式，書中其他例證甚多，可說成績斐然。

其三，《尚書》文字有異同踳駁的情形，為經籍之最。乾嘉學者提出欲通讀經典文字，首要在掌握「因文而得古音，因古音而得古訓」的原則。曾運乾深究音韻之學，說解《尚書》時常運用音韻訓解方式，常能糾正舊說之謬，解決諸多疑難。將〈梓材〉篇之「王啟監，厥亂為民」，以音轉聲訓之法相訓，訓「亂」為「率」，全文釋為「建國置侯，大率為民」，再以王充《論衡》資料為證。又如〈顧命〉「狄設黼扆綴衣」句中「狄」字，將其解為《周禮》掌遷廟的官員守祧，解決閱讀的疑難。此外，曾氏尚能採用旁參群經、疏通文義等多種方法以解《尚書》，皆能持之有據，言之有理，宜其為後學所徵引。

其四，曾運乾認為《尚書》是古代最重要的政治教科書，書中所記載的內容及道理，往往成為帝王施政的指導原則，經文的解讀是相當謹慎而重要的工作。應詳細考校文字，辨明史實的原貌，否則很容易開啟後人無終止的爭端。他藉對〈洛誥〉云「朕復子明辟」一句的解讀，提出他對《尚書》周公踐阼稱王問題的看法，以為史實考述應以典籍記載作為依據，不可徒恃推闡論辨，否則將永遠無法得到一致的見解。

陳柱《尚書論略》述論

陳恆嵩
東吳大學中國文學系副教授

一　前言

《尚書》經義的功用，可以「道事」、「疏通知遠」，與君王執政大道理相當密切，歷來為儒家所重視而列為必讀經典。然在群經典籍中，卻以文字艱澀難懂難讀著稱，如何條理清晰的將《尚書》義蘊抉發，深深困擾著歷代的讀書人。近代學者楊樹達（1885-1956）就曾針對清儒這種解經方式，提出批評，他說：

> 《尚書》一經，以詰詘聱牙為病者二千年矣。……自如江艮庭（聲）、王西莊（鳴盛）、孫淵如（星衍）諸家，能說全經矣，訓釋之精，不逮王氏遠甚。往往讀一篇竟，有如聞異邦人語，但見其脣動，聞其聲響，不知其意旨終何在也。[1]

清儒經學超邁前代，解《尚書》的著作雖多，然亦泰半如楊樹達所揭示的弊病。蓋因諸家在疏證《尚書》經文時，祇顧旁徵博引，牽連交繞，舉凡一字相似，則援引以為佐證，雖不像漢儒秦近君解說〈堯典〉篇目兩字十餘萬言、說「曰若稽古」三萬言之類那般誇張，但牽引資料龐雜，連篇累牘的考證資料，不僅使人望而生畏，甚至產生如楊氏「見其脣動，聞其聲響，不知

1　見楊樹達：〈曾星笠尚書正讀序〉，《尚書正讀》（臺北市：華正書局，1982年5月），頁303。

其意旨終何在也」的弊病。「《尚書》一經，以詰詘聱牙為病者二千年所以造成此情形的原因，清人喜重考據、繁訓詁，連篇累牘徵引資料，使人不易尋繹其義理主旨。

清末以來，國勢頹唐，民族自信心喪失，紛紛輕視「經學」，視為陳舊無用而加以排斥。從五四運動提倡新文學以來，白話文學盛行，古典文言的著作，閱讀艱難。知識界發起反對讀經書的運動，甚至提議將古籍棄置三十年不讀，究其緣由，蓋著眼於古籍對現實是無用的。梁啟超就說：「對於中國舊書，不可因『無用』或『難讀』這兩個觀念，便廢止不讀。有用無用的標準本來很難確定，何以見得橫文書都有用，線裝書都無用？依我看，著述有帶時代性的，有不帶時代性的。不帶時代性的書，無論何時都有用。」《尚書》即是一部「不帶時代性」而「無論何時都有用」的書。《尚書》不再需要負擔沉重的傳經任務，亦無須保持通經致用的觀念去研讀，《尚書》依然對現實社會具有啟示與指引的功用，值得詳加閱讀，以抉發經義的內蘊。

民國以來，學風數變，人才輩出，廣西學者陳柱著述近百種，兼涉經史子集四部，允為民國國學大家，然身後寂寥，罕見注意者，其書長期未能獲得應有的關注與重視，更乏對其學術成就加以研究者，筆者不揣鄙陋，為求增進對陳氏學術成就與貢獻有所瞭解，亦期發潛德之幽光筆，撰文探討其《尚書》學的成就。

二　陳柱生平及其著作

陳柱（1890-1944），原名郁瑺，字柱尊，晚年別號守玄。清光緒十七年（1890）出生於廣西省北流縣民樂鎮蘿村，故自稱蘿山人。

陳柱自幼勤奮好學，稍長即學詩于容邑蘇寓庸，十七歲時，隨族兄陳伯隆東渡日本，就讀於成城中學，在學期間除專心修習學校課程，課餘時間自己瀏覽詩文，並用心學習書法，頗有心得。四年後畢業回國，隨後又考上海南洋大學（交通大學前身）電機系就讀，在校期間，兼修古文。有一次參加全校的國文競賽，閱卷老師給他的試卷評定為一百分，因而奪得全校第一名，校長唐文治在審閱陳柱的答卷後大為讚賞，並給他加分為一百二十分，特別頒發一枚金質獎章，並鼓勵陳柱轉攻文學。陳柱受此鼓勵，興發學習詩文志趣，遂「受古文義理之學于錫山唐蔚芝師」，深受唐氏文章學理論的薰陶啟發。一九一五年畢業於南洋大學，隔年經友人陳炳君推薦就任廣西省立梧州第二中學校長，掌校期間，「銳志整飭，始則革去學生八、九十人，全省譁然，省議會且將彈劾，已而學生說服，德學卓邁，兀然冠一省，而文學尤彬彬日盛。凡群經諸子《說文》、《文選》諸書，諸生皆能誦之。以軍法部勒學生，整齊劃一，自衣履以至頭髮，長短無敢有異狀，而食飲譚笑則親如父兄子弟。禁早婚，興圖書館，造學校林，歲植樹數十萬株，令學生課餘為竹木籐器，凡校中器具，次第以學生製品代之，皆先試於一校而後白於省府，冀次第推行於一省。故當時雖為一校之長，而隱隱欲轉移全省教育矣。凡入訓於校，出詔於眾，皆諄諄以孔、孟、荀卿為師法，相與講學之世，若湖南陳天倪、譚戒甫、劉柏雲、安徽程演生、江蘇朱東潤及同邑馮振心，皆卓然積學能文之士，今皆為上庠教授主任者也。」[2]可見陳柱不僅能讀書，而且相當有行政長才，實為學術界少見的兼才型學者。

民國十年（1921）應恩師唐文治之聘，到江蘇無錫國學專修學校任教。民國十三年（1924）受聘為大夏大學教授兼國文系主任，隔年又兼暨南大學、光華大學中文系主任。十七年（1928）回母校交通大學任教，並兼任中文系主任。民國二十九年（1940）五十歲時出任南京中央大學校長，民國三十三年（1944）在上海交通大學分校任教，後因腦溢血突發病逝於上海。陳柱一生從事教育工作近三十年，作育英才無數，為民國初年知名的學者。

陳柱生性豪爽嗜酒，喜與人飲酒題詠，充滿文人氣質。「然為詩激昂慷慨，多悲怨之音。」[3]麥群忠在〈國學大家陳柱〉一文中稱讚他說：

2 陳柱：〈待焚文稿自序〉，《待焚文稿》，收入林慶彰主編：《民國文集叢刊》（臺中市：文听閣圖書公司，2008年12月），第1編，冊120，卷首，頁3上－3下。

3 見唐文治：〈贈陳生柱尊序（丙辰）〉，《茹經堂文集二編》，收入林慶彰主編：《民國文集叢刊》，第1編，冊63，卷7，頁5上。

陳柱不但是國學大家、教育家，還是詩人，他除嗜書外，還酷愛飲酒和作詩。他曾擬詩一首，把人世間飲酒之樂說得天花亂墜惟妙惟肖，可見這位酒國詩人嗜酒之深。他的酒量很大，家中備有一本簿，專門錄下他和一班酒友排日會飲的記錄。在上海教書時，經常與友同飲于上海香粉弄的方壺酒家，以飲酒多寡分高低。有人給陳柱「亦肖酒帝」之號，為他寫了一首打油詩，其中兩句是：「誰道錚錚南社士，神州稱帝竟成雙。」

陳柱在上海交大任職期間，除參加南社外[4]，還參加中華學藝社、新中國建設學會，主編《學藝雜誌》、《國學雜誌》、《學術世界》等期刊，是南社的主要詩人之一。他生前的詩作不下萬首。[5]

陳柱「體貌魁梧，志氣閎遠」[6]「性甚狂，與人論事，一語不中，則怒髮上指，雖死不顧」，然尊師重道，能聽從其師教誨，刻苦勤勉，矢志力學不輟，對其「篤信好學，如飢渴之於飲食」的求學精神，其師唐文治告戒他說：

生讀書好博而心不專，一書未竟，又攻他書。予戒之曰：「生毋然。古人為學，惟專乃精，君子以學問為嗜好，嗜好過多，久將凌亂而無所歸宿。譬諸羅八珍於前而畢饜之，則無一肴能知味者矣。且不之於積滯而疾病者幾希矣。孔子曰：『其靜也專』，專靜者造道之初基也。凡人有終日讀書，而掩卷輒忘者，其病在不靜。凡人有終身讀書，而白首不成一藝者，其病在不專。靜則記憶力可強，專則學業可成。朱

4 南社是辛亥革命時期的文學團體，社名取「操南音，不忘其舊」之意，是中國近代文學史上規模最大的文學社團。於一九〇九年十一月十三日在蘇州成立，發起人為同盟會會員陳去病、高旭和柳亞子。一九一一年，紹興、瀋陽、廣州、南京等地又分別成立「越社」、「遼社」、「廣南社」和「淮南社」等分社，南社社員人數達一千一百八十餘人。一九一七年，因對「同光體」的評價發生爭論，南社內部開始分裂。一九二三年，南社解體。詳細情形可參見鄭逸梅：《南社叢談：歷史與人物》（北京市：中華書局，2006年7月）一書內容。

5 參考麥群忠：〈國學大家陳柱〉，《文史春秋》2009年5期（2009年5月），頁43。

6 參見唐文治：〈廣西北流陳君柱尊墓誌銘〉，《茹經堂文集六編》，收入林慶彰主編：《民國文集叢刊》，第1編，冊65，卷6，頁23。

> 子讀書法曰：『熟讀精思，循序漸進，如是乃醰醰乎其有味也。』生其服膺斯言而勿失之可也。」[7]

唐文治殷殷勸勉，陳柱皆能虛心接受其師的教導。陳柱不僅「自未冠學詩于容邑蘇寓庸師，既冠受古文義理之學于錫山唐蔚芝師，而考證訓詁之學則實私淑于王懷祖父子及俞曲園、孫仲容諸先生。」[8]陳柱平日醉心於詩文的研討，研習頗有心得，曾在答友人問學詩文之道以為應「慎所習」，平日如能「慎所習」，「所習既慎，則凡吾之志、吾之才、吾之氣，皆可以漸養而成，而吾之學識亦可以力求而至也。」至於慎習之道，陳柱以為當：

> 先取《昭明文選》熟讀而精思之，由是而下窺唐宋大家之選本，復由是而上稽《史》、《漢》、《說文》之籍，以至於先秦諸子《五經》之書，則雅俗既分，然後恣意觀覽，取古今大家之專集，審其本末，剮其精粗，再進而兼究各宗教之長短，明諸科學之新理，然後再取古人之最精者，自行撰定，都為一集，終身誦之。是始則由約而博，而終則由博而約。[9]

陳柱「于經獨好《易》、《詩》、《書》，于史獨好馬班，於子獨好《老》、《莊》《荀》、《韓》，于文獨好《楚辭》、漢賦，又好《說文》之學。」[10]陳柱文思敏捷，下筆迅速，故著述甚夥，「據不完全統計，他的著作有一百二十多種，以國學論著為大體，中又以子學著作為主體。」[11]鄭逸梅（1895-1992）就說：「熟於周秦諸子，所著以關於子類書為多。出筆迅速，記憶力又強，

---

7 唐文治：〈贈陳生柱尊序（丙辰）〉，《茹經堂文集二編》，收入林慶彰主編：《民國文集叢刊》，第1編，冊63，卷5，頁6上－6下。

8 陳柱：〈籀廎遺文序〉，《待焚文稿》，收入林慶彰主編：《民國文集叢刊》，第1編，冊120，卷5，頁30上。

9 陳柱：〈答友人論文書〉，《待焚文稿》，收入林慶彰主編：《民國文集叢刊》，第1編，冊121，卷6，頁13下。

10 陳柱：〈重刊莊子內篇學自序〉，《待焚文稿》，卷4，頁41上。

11 此係今人覃富鑫之言，引自陳柱：《子二十六論》（桂林市：廣西師範大學出版社，2008年10月），書末後記。

曾數日成一專書出版。」[12]

陳柱著書九十餘種，涉及經史子集四部，為當時廣西全境僅見之宿儒。經部著作有《周易論略》、《尚書論略》、《公羊家哲學》、《中庸注參》、《中庸通義》、《孝經要義》等書。子部著作有《老子集訓》、《公孫龍子集解》、《墨子十論》、《定本墨子閒詁補正》、《諸子概論》、《子二十六論》等書。集部著作則有《中國散文史》、《待焚詩稿》、《待焚文稿》、《守玄閣文稿》等書。

三　《尚書論略》之內容分析

經書是我國流傳下來最早的文化典籍，是歷代文化累積的載體，更是上古時代先民生活智慧的總記錄。《五經》各有其形式與功用，《易經》是用來說明推測宇宙及人間事物的變化；《尚書》是用來傳述歷史上人事的經驗，以作為後人鑒戒作用的；《詩經》是用來表達人們心中的情感與民意；《禮經》是用來節制人類的行為與慾望；《春秋經》是用來辨別是非善惡，以期建立人世間的義理。可以說《五經》的內容經義皆與為政者治國的道理有相當密切的關係，其中又以《尚書》更是直接涉及治理國家時所應具有的原理與方法。所以自漢代以來，成為歷代讀書人必讀的典籍。《尚書論略》為陳柱在民國十三年出版的有關《尚書》方面唯一的著作，篇幅雖然不多，文字簡潔扼，然在疑古辨偽盛行的年代裡，仍然有其存在的學術價值，以下試所知予說明。

（一）敘述簡明扼要，條理清楚

陳柱在《尚書論略》卷首即說：

吾國之記載，最古者莫如《尚書》。最古而最完備者，亦莫如《尚

12 鄭逸梅：〈南社社友事略〉，《南社叢談：歷史與人物》（北京市：中華書局，2006年7月），頁205。

書》。是故凡欲研究世界之文化者，不可不讀《尚書》，況生於其國，而欲研究其國之學術者乎？研究高深之國學者，固不可不讀《尚書》，然欲得國學之常識者，又豈可以不讀《尚書》？

又說：

夫《尚書》者又六經之冠冕也，數千載以前之遺文至今可考者以此，數千載以前之政教至今可識者以此，數千載以來之文章政教有所祖述傳嬗者亦以此，然則謂吾國之文明皆《尚書》之支與流裔，豈過言也哉！[13]

我國古代歷史距今雖說有幾千年，然就史籍的記載來看，最古且完備者莫如《尚書》，因而居今之世欲瞭解古代政教學術文化，亦非閱讀《尚書》不可。《尚書》一經的價值，由此可見。陳柱鑒於前人《尚書》學著作多偏重考據、繁訓詁，連篇累牘徵引資料，使人無法提綱挈領，掌握要點，較難尋繹書中的義理主旨。因此在撰寫《尚書論略》時，即在試圖「以治《尚書》者應知之事，略為有統系之陳述，庶使學者易明」[14]，既是為初學者學習《尚書》而撰著，重點不在長篇大論與繁瑣的考證。陳氏在書中從《尚書》的起源，孔子刪述《尚書》情形，《尚書》書名定義談起，書中內容著重在分析《尚書》的今古文及《百篇書序》的真偽考辨，文中雖引經據典以加強其證據說服力，然條理清楚，文字簡單明瞭，對《尚書》各項問題都作深入淺出的說明，使讀者極容易瞭解書中的內容。

（二）釐清今古文之別

清人龔自珍說：「《尚書》千載如亂絲」[15]，皮錫瑞說：「《尚書》有今古

13 陳柱：〈守玄閣尚書文學讀本自序〉，《待焚文稿》，卷4，頁1上－1下。

14 陳柱：《尚書論略》，收入林慶彰先生主編：《民國時期經學叢書》（臺中市：文听閣圖書公司，2008年12月），第2輯，冊29，頁1。

15 〔清〕龔自珍撰，王佩諍點校：〈太誓答問〉第一，《龔自珍全集》（上海市：上海古

文之分，人皆知之，而未有一人能分別不誤者。」[16]又說：「兩漢經學有今古之分，以《尚書》為最先，亦以《尚書》為最糾紛難辨。治《尚書》不先考今古文分別，必至於茫無頭緒，治絲而棼，故分別今古文，為治《尚書》一大關鍵，非徒爭門戶也。」[17]可見《尚書》今、古文之分千載難明，實為導致《尚書》閱讀困難的主要原因。

《尚書》為經書中命運最坎坷的，也最多災多難，想要研讀《尚書》，除對經書文本內容要熟悉外，也有必要對《尚書》學的流變有一初步的了解與認識。《尚書》的成書經過，根據《史記．孔子世家》的敘述，為孔子「追跡三代之禮，序《書》傳，上紀唐虞之際，下至秦繆，編次其事。」相傳當時有一百篇，孔子用作教授生徒的課本，後來毀於「秦燔書禁學」，導致《尚書》失傳。今傳二十九篇的《尚書》為漢代伏生所傳。伏生本為嬴秦博士，家藏有《尚書》數十篇，因秦禁書而將書藏入家中牆壁中。經歷秦末的戰亂，等到漢朝建立，天下安定，搜求其書已僅剩二十九篇。伏生收藏的本子原本應該也是用古文書寫的，當時為適應教學需要，其弟子將《尚書》經文改以當世流行的隸書筆錄。伏生所傳的弟子最有名的是歐陽容及其後代歐陽高，世人稱為「歐陽尚書」。漢宣帝時，夏侯勝、夏侯建相繼被立為《尚書》學博士。三家雖分立，實際上皆是伏生一家之學。三家同屬《今文尚書》學，至西晉永嘉之亂時均亡失不傳。

《古文尚書》的發現，在漢景帝初年，魯恭王欲擴建宮室，拆毀孔子家舊宅，在牆壁中發現一大批竹簡，其中有一部《尚書》，因為是用古文字書寫的，所以稱為「《古文尚書》」。拿《古文尚書》和伏生所傳下來的二十九篇《今文尚書》相比較，還多出十六篇。這四十五篇《古文尚書》在漢武帝時由孔安國家人獻給朝廷，朝廷並不加重視，到東漢光武帝時就亡佚掉〈武

籍出版社，1999年6月)，第1輯，頁65。

16 〔清〕皮錫瑞：〈論伏傳史記之後惟白虎通多引今文兩漢書及漢碑引書亦皆漢時通行之本〉，《經學通論》(北京市：中華書局，2003年11月)，頁59。

17 〔清〕皮錫瑞：〈論尚書分今古文最先而尚書之今古文最糾纏難辨〉，《經學通論》，頁47。

成〉一篇。到西晉永嘉之亂時連同《今文尚書》一起全部失傳。

《尚書》今古文的分別，誠如皮錫瑞所說：

> 今文、古文，同出孔子之手，一為伏生之徒讀之，一為孔安國讀之。未讀之先，皆古文矣；既讀之後，皆今文矣。[18]

又說：

> 漢時所謂今文，今謂之隸書，世所傳熹平石經與孔廟等處漢碑是也。漢時所謂古文，今謂之古籀，世所傳鐘鼎、石鼓與《說文》所列古文是也。隸書漢時通行，故謂之今文，猶今人之於楷書，人人盡識者也。古籀漢時已不通行，故謂之古文，猶今人之視篆隸，不能人人盡識者也。[19]

誠如皮錫瑞所說，今古文分別本不難理解，何以會造成《尚書》學治絲益棼，糾紛難辨？陳柱認為研治《尚書》所以困難，在於有「今文、古文之異」，而「古文之中，有真古文、假古文之異焉，篇數之多寡有異也，篇卷之離合有異也」，[20]這就是學者所難以明辨者。

因此撰寫《尚書》文獻者，首先即需要處理此問題，陳柱就說：

> 王先謙云：「國朝諸儒，抉偽扶經，既美且備，惜其散而無紀，尋繹為難。」學者束髮受《尚書》，垂老而不能明真偽古今之辨，豈不哀哉？夫即此明真偽古今之辨，已如是其難；況治《尚書》之事，尚不
>
> 止此邪？今特以治《尚書》應知之事，略為有統系之陳述，庶使學

18 〔清〕皮錫瑞：〈論漢時今古文之分由文字不同亦由譯語各異〉，《經學通論．書經》，頁49。

19 〔清〕皮錫瑞：〈論漢時今古文之分由文字不同亦由譯語各異〉，《經學通論．書經》，頁48。

20 陳柱：《尚書論略》，頁7。

者易明而已。[21]

《尚書》的真偽古今難辨，在於古文之中，又有「真古文、假古文」差異、篇數多寡的不同、篇卷的分合有所不同。《漢書．藝文志》：「昔仲尼沒而微言絕，七十子喪而大義乖，故《春秋》分為五，《詩》分為四，《易》有數家之傳。」《春秋》、《詩》、《易》各自分為數家，陳柱認為「《春秋》、《詩》、《易》之異者，傳說異耳，文字異耳，而經之本末未嘗大乖異。」這實際上並不是今古文的分別。今古文重大的分別，主要出現在《尚書》的文本及釋義上。因此論斷「古來所謂《尚書》有五：一曰今文，伏生所傳者是也。二曰古文，孔安國所傳者是也。三曰河間古文，河間獻王所得者是也。四曰漢時偽古文，張霸所偽者是也。五曰魏晉間偽古文，梅賾所上者是也。」將歷代出現的重要《尚書》傳本作簡要介紹，並釐清其疑惑，使後人能清楚《尚書》的傳授源流。陳柱的這些說法也許在今天看來已屬研讀《尚書》學的基本常識，稍微閱讀過中國經學史或《尚書》學史所熟知，然在學術傳播猶不如今日普及的民國初年，在曾運乾（1884-1945）《尚書正讀》、楊筠如《尚書覈詁》、蔣善國（1898-1986）的《尚書綜述》、陳夢家（1911-1966）的《尚書通論》、張西堂（1901-1960）的《尚書引論》、周秉鈞（1916-1993）《尚書易解》等人的通論性或《尚書》學專著尚未出版前，對初學者的研讀都極大的助益。

（三）疑偽孔變亂百篇之序

經書唯有《周易》、《詩經》、《尚書》三經有序，即〈序卦傳〉、《毛詩序》及《書序》，三經序內容均是說明《易》、《詩》、《書》三經各篇章的寫作旨意。《書序》又稱《百篇書序》，今存偽孔傳每篇經文之前。《書序》雖號稱為百篇書序，實際上只有六十七篇，其所以然，據屈萬里先生說：

各篇之序，即世所謂小序者，雖號為百篇，實僅存六十七篇。蓋六十

---

21 陳柱：《尚書論略》，頁1。

> 七序中，同一篇題而分為三篇者凡四，分為四篇及分為九篇者各一，合之共省十九序。不同之二篇而共一序者凡四，不同之三篇而共一序者一，合之共省六序。僅存篇目而缺序者凡八。三者總計，省序及缺序共三十有三。故實存序文六十七篇也。[22]

《百篇書序》相傳為孔子所作，唯自漢代揚雄不以《書序》為孔子所作，歷代迭有懷疑《書序》作者。[23]針對《書序》的作者問題，陳柱則認為：

> 《詩》與《書》不同；《詩》之言隱，無序將不能明其作意；《書》則據事直書，子夏所謂：「《書》之論事昭昭若日月之明，離離若參辰之錯行。」楊子雲所謂：「說事者莫辨於《書》者也。」作意之明，莫大乎是，何待乎序？故曰「《書序》非孔子作也。」[24]

陳柱對比《詩經》與《尚書》兩部經典的不同性質，《詩經》意旨隱約，非序不明作意，而《尚書》經文「據事直書」，無煩再言，因而堅定認為孔子無作《書序》的動機與必要性。既然認為《書序》並非孔子所作，那麼究竟是何代何人所作？陳柱曰：

> 《書》本有序，而序又非孔子作，將為何人作邪？蓋孔子以後，周、秦之間，傳《尚書》者之所為也，太史公知之，故嘗用其說，而不言孔子作《書序》。其〈三代世表〉云：「孔子次《春秋》，序《尚書》。」〈孔子世家〉云：「追跡三代之禮，序《書傳》。」崔適以謂《史》文之序，當讀次序，非序跋之序，是也。班〈志〉以為伏生《古文》既有序，遂誤會《史記》序字以為孔子序《書》，明其作義

---

22 屈萬里先生：〈書序集釋〉，《尚書集釋》，收入《屈萬里全集》（臺北市：聯經出版公司，1983年2月），附錄2，頁287。

23 有關歷代考辨〈書序〉作者的各種說法，請參見程元敏先生：《書序通考》（臺北市：臺灣學生書局，1999年4月），頁188-443。

24 陳柱：《尚書論略》，頁37。

> 也，此馬、鄭之所本也。[25]

他認為是「孔子以後，周、秦之間，傳《尚書》者之所為也」，此種看法基本上承襲宋代朱熹的說法。[26]此種說法很受到他的老師唐文治的讚許，並在書中加以引用。陳柱又說：

> 今藉偽孔以傳之《書序》，為真邪？為偽邪？曰真偽雜也。以偽孔變亂二十八篇之經，知偽孔之必變亂百篇之序矣。故有與《大傳》不合者（如《大傳》言祥桑谷高宗之訓，與《序》言大戊者不同）。有與《史記》不合者（如〈伊訓〉、〈盤庚〉、〈高宗肜曰〉、〈泰誓〉諸篇是也。），有與經文不合者（詳見簡朝亮〈書序辨〉），有甚淺陋者，學者分別觀之可也。
>
> 陳柱將《書序》與伏生《尚書大傳》、司馬遷《史記》及經文內容相比對，發現《書序》的記載有部分與典籍內容不合，甚至有些篇的《書序》記載過於淺陋，懷疑《百篇書序》有可能遭到偽孔《傳》作者的變亂更移，以致出現現今真偽相雜的情形。

陳柱有關於《書序》的意見，基本上是相當正確，頗受時人同意。唯受到明人梅鷟《尚書考異》：「又云：『求得二十九篇。』〈藝文志〉所言見百篇之書共序為百一篇，亡失者七十二篇，止求得二十九篇。二十九篇，內二十八篇為《尚書》經，而一篇為序，其言甚明，馬融等所注二十九篇者，正謂此也。」觀點的影響，堅持認為伏生傳本的《今文尚書》二十九篇，係含〈書序〉而言。實際上，「伏生本《尚書》，兵燹散失，傳至漢，殘存二十九篇，其中〈顧命〉、〈康王之誥〉各自獨立為一篇，無〈泰誓〉篇，亦無〈書序〉。」「伏生二十九篇而《序》在外，《書大序》、《釋文》、孔《正義》具明文。」[27]其說法並不正確。

---

25 陳柱：《尚書論略》，頁39。

26 詳見程元敏先生：《書序通考》，頁438-439。

27 參見程元敏先生：《尚書學史》（臺北市：五南圖書公司，2008年6月），頁458。

（四）論初學者研讀《尚書》的步驟

《尚書》由於成書於先秦以前，距今約二、三千年，時間相當久遠，其間歷經「古今方言之異同，古今文字之變遷」，書中記載的內容雖是古代的公文檔案，但因大都使用當時通行的口語，古今時空的隔閡，導致經書文字的字義變得晦澀難懂，後人閱讀時不僅詰屈拗口且難解。後人為求通讀《尚書》文字，學者迭有注釋以闡其義者，唐代有孔穎達的《尚書正義》，集南北朝《尚書》學之大成，「然有古今之說，而經書之難讀如故也。」兩宋以來，歐陽修、劉敞始為新學，蘇軾《東坡書傳》、王安石《書經新義》、林之奇《尚書全解》等擺脫漢唐注疏束縛，紛紛以己意說經，大都將重點放在經文義理的闡釋，發掘文字深層意蘊，對於文字語詞的訓釋，故實的考辨，較少著重。南宋蔡沈承朱子朱熹（1130-1200）之意，十載苦心經營，撰為《書集傳》，集宋代《尚書》訓解之集大成，元、明兩代立於學官數百年，「而《書》之難讀如故也。」[28]清代樸學昌盛，研究著述與成績皆超邁前代，各經皆有專門著述，江聲（1721-1799）《尚書集注音疏》、王鳴盛（1722-1797）《尚書後案》、段玉裁（1735-1815）《古文尚書撰異》、孫星衍（1753-1818）《尚書今古文注疏》等的《尚書》學著作「相踵而出，收輯漢儒散殘之注，補所未備」。[29]然清儒考證訓詁之書，大都旁徵博引，繁瑣而博雜，非成學之士幾乎難以卒讀。即使勉強翻開閱讀，很快就會不耐煩而生厭，實難以作為初學的入門書。民國以來，學術界有感於國學衰微，紛提倡國學，將古籍用現代觀念進行整理與研究，以協助初學者對古書的閱讀，增進其對傳統文化的了解與認同感。

陳柱《尚書論略》的寫作宗旨即基於此種理念，一如其《周易論略》，主要在將《尚書》學基礎的知識，條理分明的逐一論述，作深入淺出的系統

---

28 此處文意引括王國維之意。參見王國維：〈尚書覈詁序〉，《尚書覈詁》（臺北市：學海出版社，1978年2月），頁1。

29 見〔清〕黃式三（1789-1862）：〈尚書啟幪序〉，《尚書啟幪》（上海市：上海古籍出版社，1995年），頁1下。

解說，為初學者作入門學習的依據。又將學者欲研究《尚書》的必讀書略分為三個步驟，他認為第一步應先讀「蔡沈《尚書集傳》、吳汝綸《尚書讀本》、孫星衍《尚書馬鄭注》、黃式三《尚書啟幪》」，他以為「讀吳、孫、黃三家之書可救蔡《傳》之失，然三家書於偽書雖不載，而未能詳細剖析，學者不能無疑，故繼續以下諸書。」第二步則應讀「吳澄《尚書纂言》、梅鷟《尚書考異》、閻若璩《古文尚書疏證》、惠棟《古文尚書考》」四部書，以求能分辨《尚書》的真偽。第三步則應讀「江聲《古文尚書音疏》、王鳴盛《尚書後案》、段玉裁《古文尚書撰異》、陳喬樅《今文尚書經說考》、吳汝綸《尚書考》、姚永概《尚書誼略》、簡朝亮《尚書集注述疏》、孔穎達《尚書正義》」諸書[30]，或專採集古注，或摺拾今文家說，閱讀諸書則於古、今文說法能清楚釐析，奠定《尚書》的基礎。

清代段玉裁認為《尚書》自先秦以來，迭經「秦火、漢博士抑古文、馬鄭不註古文逸篇、晉偽古文、唐《尚書正義》採用偽孔《傳》、天寶改字、宋開寶改《釋文》」七大災厄，導致古文幾亡，今文章句文字遭到竄改，失其原貌。雖經清儒校改，仍有未盡之處。因此陳柱以為後人研治《尚書》，仍須注意「通古音、明古文、辨古今」三種研讀方法，才能將歷代學者研究《尚書》的成果充分吸收，疏釋《尚書》義理，發掘其文字深層意蘊。

四　結論

綜合前面文字的論述，關於陳柱的《尚書》學，可得出以下幾點結論：

其一，陳柱文思敏捷，下筆迅速，精熟周秦諸子，經好《易》、《詩》、《書》，故著述甚多，涉及經史子集四部，為當時廣西全境僅見之宿儒。其著作長期未獲得學界重視，亦缺乏對其學術成就的研究。

其二，《尚書》的今古文之分，導致後人研究《尚書》，茫無頭緒，千載如亂絲。陳柱認為研治《尚書》困難，在於有「今文、古文之異」，而古文

30 陳柱：《尚書論略》，頁42-44。

之中，又有真古文、假古文之異，篇數之多寡有異，篇卷之離合有異，造成學者難以明辨。陳柱將古來所謂《尚書》區分為有五種：「一曰今文，伏生所傳者是也。二曰古文，孔安國所傳者是也。三曰河間古文，河間獻王所得者是也。四曰漢時偽古文，張霸所偽者是也。五曰魏晉間偽古文，梅賾所上者是也。」將歷代出現的重要《尚書》傳本釐清其真相及疑惑，使後人能清楚《尚書》的傳授源流。奠定初學者學習《尚書》學的基礎。

其三，針對《書序》的作者問題，陳柱認為《書序》非孔子所作，而是孔子以後，周、秦之間傳《尚書》者之所為也。此種說法雖然是承襲宋代朱熹的說法，然相當客觀平允。又陳柱以為伏生本《今文尚書》二十九篇，內二十八篇為《尚書》經，另一篇為序的說法，明顯受明人梅鷟的誤導，實際上，伏生本《尚書》，因戰亂之故，傳衍至漢代，僅殘存二十九篇，其中〈顧命〉、〈康王之誥〉各自獨立為一篇，書中並無〈泰誓〉篇，也無《書序》，從《書大序》、《經典釋文》、孔穎達《尚書正義》皆有明文記載，陳柱的說法並不正確。

其四，陳柱《尚書論略》為初學者研讀《尚書》學而撰寫，條理分明敘述，深入淺出的系統解說，並將研究《尚書》的必讀書略分為三個步驟，從奠定基礎到分辨《尚書》的真偽，進而深入瞭解今古文家派說法。陳柱又提醒後人研治《尚書》，仍須注意「通古音、明古文、辨古今」三種研讀方法，才能將歷代學者研究《尚書》的成果充分吸收。

顧頡剛的〈堯典〉著作時代研究及其意義

許華峰
國立臺灣師範大學國文學系副教授

一　前言

〈堯典〉是《尚書》的首篇，更是傳統關於堯、舜、禹諸聖王的重要記載。顧頡剛（1893-1980）身為古史辨運動的核心成員，認為堯、舜、禹皆為傳說中的人物，企圖打破傳統的古史系統，還原這些人物在歷史上的真面目。要達成這一目標，就必定要面對〈堯典〉的相關問題。從現存的材料看，顧頡剛對〈堯典〉的研究，主要集中在成書時間的考辨上。

顧氏接觸《尚書》的時間甚早，對今文《尚書》諸篇的真偽，亦極早便感到可疑。據他在《古史辨》第一冊〈自序〉所言，十六歲（1908）時向祖父學《尚書》、《周易》。偶然從《先正事略》中讀到閻若璩辨偽《古文尚書》之說，進而疑漢代古文，乃至疑今文《尚書》某些篇章。[1]但他正式發表〈堯典〉研究的專論，以一九三一年下半年在燕京大學開設「《尚書》研究」課程，印發《尚書研究講義》第一冊（丙種之一）──〈《堯典》著作時代考〉為最早，此文認為今本〈堯典〉著成於漢武帝時。顧氏同時還編有《尚書研究講義》（戊種之一──四），抄錄並評論歷來與〈堯典〉成書時間

1　顧頡剛編：《中國古史研究（一）》（即《古史辨》）（臺北市：明倫出版社，1960年），頁14。按，顧潮：《顧頡剛年譜》將此事繫於一九〇九年顧頡剛十七歲時，（北京市：中國社會科學出版社，1993年3月，頁22）與顧頡剛所說，相差一年。

相關的意見。又一九三三年《尚書研究講義》第三冊（〈禹貢〉評論）之附錄，收錄顧頡剛與學生譚其驤（1911-1992）、張福慶（？-1933 年）[2]討論〈《堯典》著作時代考〉內容的通信，名為〈關於《尚書研究講義》的討論〉。[3]其中與張福慶的討論，曾在一九三二年以〈九族問題〉為題，刊載於

2 張福慶生年未詳。據顧頡剛：《顧頡剛日記（第三卷）》，一九三三年九月五日：「聞向奎言，張福慶君於今年上半年死矣！聞之悲嘆。」（臺北市：聯經出版公司，2007年5月，頁85）可知卒於一九三三年。

3 顧頡剛：《尚書研究講義》，內容為〈堯典〉、〈禹貢〉的研究，收於林慶彰主編：《民國時期經學叢書（第一輯）》第二十八、二十九兩冊。在講義的安排順序上，《民國時期經學叢書（第一輯）》依甲、乙、丙、丁、戊的順序編排。然依顧頡剛當時的計畫，《尚書研究講義》原擬分：甲種「尚書本文」、乙種「偽古文尚書本文」、丙種「尚書各篇之評論」、丁種「偽古文尚書各篇之評論」、戊種「尚書學中之問題及其討論之材料」、己種「本講義之討論」六種。所以第一年編寫〈堯典〉的講義時，是依這六類編排的。但到了第二年編寫〈禹貢〉講義時，計畫排除了《偽古文尚書》，故調整成「甲種：關於經本文者」、「乙種：比較材料」、「丙種：問題之討論」、「丁種：批評」四類。現所見的講義，〈堯典〉部分僅有「丙種之一」、「戊種之一——四」和附在〈禹貢〉講義中的「附錄：〈關於《尚書研究講義》的討論〉」。〈禹貢〉部分則有「甲種之三：〈禹貢〉」、「甲種之三，二：《書古文訓》中之〈禹貢〉」、「乙種三之一：《周禮》夏官職官氏」、「乙種三之一，二：孫詒讓《周禮正義》——夏官職方氏」、「丁種三之一：古今人對于〈禹貢〉、〈職方〉等之評論」、「丁種三之二：燕京、北大兩校同學札記選鈔」、「丁種三之三：兩校同學論文選鈔」。顯然，〈堯典〉、〈禹貢〉的講義不宜相混，當依顧氏上課的實況，第一年〈堯典〉，第二年〈禹貢〉的順序，才能看出顧頡剛的思考過程。又，此講義，《民國時期經學叢書（第一輯）》第二十九冊最後注明據「民國二十二年一月北平景山書社排印本影印」。然檢視講義的內容，只有〈禹貢〉的「乙種三之一：《周禮》夏官職官氏」、「乙種三之一，二：孫詒讓《周禮正義》——夏官職方氏」、「丁種三之一：古今人對于〈禹貢〉、〈職方〉等之評論」、「丁種三之二：燕京、北大兩校同學札記選鈔」、「丁種三之三：兩校同學論文選鈔」為排印本，其餘手寫字體的講義，應當皆為「石印本」。為了引用方便，這裡先列出《民國時期經學叢書（第一輯）》所收顧頡剛《尚書研究講義》中，關於〈堯典〉的部分：

顧頡剛：《尚書研究講義》丙種之一〈《堯典》著作時代考〉，收於林慶彰主編：《民國時期經學叢書（第一輯）》（臺中市：文听閣圖書公司，2008年），冊28，總頁249-454。

顧頡剛：《尚書研究講義》戊種之一——四，收於林慶彰主編：《民國時期經學叢書（第一輯）》，冊29，總頁679-860。

《清華週刊》三十七卷九、十期。從一九三一年到一九三三年，應當是顧氏研究〈堯典〉最投入、集中的時期。

雖然顧頡剛經過長達二十餘年的探索才有〈〈堯典〉著作時代考〉講義，然由於自認為「牽涉問題尚多，擬暫緩發表」，[4]因此全文在當時並未在其他地方刊載，看過〈〈堯典〉著作時代考〉的人，相對較少。後來顧頡剛也僅在一九三四年和一九四八年，從講義中抽出一些段落，修改後發表在刊物中。分別是：

> 〈從地理上證今本堯典為漢人作〉，《禹貢半月刊》二卷五期，一九三四年十一月。
>
> 〈堯典「二十有二人」說〉，《文史雜誌》六卷二期，一九四八年五月。

不過其對〈堯典〉成於漢武帝時的總體意見，大體並未改變。顧頡剛晚年曾交代王煦華整理增補〈〈堯典〉著作時代考〉，並希望能改寫為白話文，惜相關工作未能順利進行，故顧頡剛一直到一九八〇年去世前，皆不曾再針對〈堯典〉發表正式論文。顧氏去世之後，王煦華才在一九八五年四月，以顧頡剛遺著〈〈堯典〉著作時代考〉之名，刊行於《文史》第二十四輯。[5]所以〈〈堯典〉著作時代考〉可視為顧頡剛〈堯典〉研究最重要的成果。通過顧

顧頡剛：〈關於《尚書研究講義》的討論〉，《尚書研究講義》，收於林慶彰主編：《民國時期經學叢書（第一輯）》（臺中市：文听閣圖書公司，2008年），冊28，總頁621-676。

又，〈《堯典》著作時代考〉的撰寫時間，據《顧頡剛日記（第二卷）》一九三一年十一月二十三日：「論〈堯典〉一文，始作於八月一號，至九月初，歷四十日，未及三分之一而上課。其後即以所搜集之材料編講義，自九月十五日起，至今歷七旬，得五萬言，未暢論也。總計關於此文，已費四閱月之工夫矣。然未解決之問題尚不知多少，研究之難如是。」（同前註，頁583）可知約在一九三一年八至十一月間。

4　顧頡剛：〈《堯典》著作時代考〉，《文史》第24輯（1985年4月），頁71，王煦華後記。按，本文凡引用發表於《文史》的〈〈堯典〉著作時代考〉，皆稱《文史》本，以方便和講義區別。

5　同前註，頁71，王煦華後記。按，據王煦華之說，顧頡剛晚年依然有正式發表〈〈堯典〉著作時代考〉的意圖，可見他對〈堯典〉著作時代的根本見解並未改變。

頡剛對〈堯典〉長達二十餘年的探索過程及成果，將有助於我們了解他的治學特色。

二　顧頡剛在一九三一年以前的〈堯典〉研究

顧氏在一九三一年以前，雖對〈堯典〉的成書時間尚未得出明確的結論，卻早已認定〈堯典〉出於後人之手，非成於堯、舜之時。如一九一九年的筆記《寄居錄》中，就曾提及：

> 〈堯典〉「柔遠能邇」，從〈文侯之命〉抄來。[6]
>
> 〈堯典〉、〈皐陶謨〉為周史補作。[7]
>
> 此（〈懷沙〉）以垂與離婁並舉者。此其人與造父、伯樂相同，皆為古技藝之士。至〈堯典〉而始將垂收入九官，為堯時人。[8]

雖然未能舉出具體的證明，卻頗肯定地將〈堯典〉的成書時間定在東周之時。[9]

此後，隨著材料的累積以及「古史層累造成說」的提出，顧頡剛所判定的〈堯典〉成書時間，愈來愈晚。這一趨向，與他自覺地利用時代思想、觀念的線索來判定著作的成書時間有關。如一九二一年的筆記《景西雜記》（三）〈舜故事與戲劇規格〉條說：

> 舜在孔子時，只是一個無為而治的君王，《論語》上，問孝的很多，孔子從沒有提起過舜。到孟子時便成了一個孝子了，說他五十而慕，說瞽瞍焚廩、捐階，說他不告而娶，更商量瞽瞍犯了罪他要怎麼辦，

6　顧頡剛：《顧頡剛讀書筆記（第一卷）》（臺北市：聯經出版公司，1980年），頁9。

7　同前註，頁22。

8　同註6，頁15。

9　《古史辨・自序》：「置〈虞夏書〉于東周。」，收入顧頡剛主編：〈自序〉，《中國古史研究（一）》，頁44。

> 真成了惟一的子道模範人物了。想其緣故，或戰國時〈堯典〉已流行了，大家因「父頑、母嚚、象傲、克諧以孝」一語，化出這許多話來。更可孔子時〈堯典〉還沒有，所以孔子口裏沒有說到類似〈堯典〉的話。[10]

他比對〈堯典〉、《論語》、《孟子》中所載的堯、舜、禹，發現今本〈堯典〉所描寫的舜有「父頑、母嚚、象傲、克諧以孝」之語，而《論語》中討論孝，竟不曾提及舜，因而認為孔子時，舜尚未成為孝子的典範人物，舜的孝子形象是後起的。在他看來，〈堯典〉的著成時間顯然晚於《論語》。顧頡剛同時期的著作，如《古史辨》第一冊所收作於一九二一年十一月五日的〈論孔子刪述《六經》說及戰國著作偽書〉、一九二三年二月寫給錢玄同（1887-1939）討論古史的信中，每每提及類似的意見。所以他在一九二六年所寫的《古史辨》第一冊〈自傳〉中回憶說：

> 〈堯典〉和〈皐陶謨〉我是向來不信的，但我總以為是春秋時的東西，哪知和《論語》中的古史觀念一比較之下，竟覺得還在《論語》之後。[11]

為了解釋上述現象，一九二二年顧頡剛提出「古史層累造成」的假設。他說：

> 禹是西周時就有的，堯、舜是到春秋末年纔起來的。越是起得後，越是排在前面。等到有了伏羲、神農之後，堯、舜又成了晚輩，更不必說禹了。我就建立了一個假設：古史是層累地造成的，發生的次序和排列的系統恰是一個反背。[12]

作於一九二三年四月的〈與錢玄同論史書〉更提出三個重點來說明「古史層

---

10 顧頡剛：《顧頡剛讀書筆記（第一卷）》，頁328。

11 顧頡剛編：〈自序〉，《中國古史研究（一）》，頁52。

12 同前註。

累造成說」的內容，並得到錢玄同的支持。〈與錢玄同論史書〉說：

> 第一，時代愈後，傳說的古史期愈長。
>
> 第二，時代愈後，傳說中的中心人物愈放愈大。
>
> 第三，我們在這上，即不能知道某一件事的真確的狀況，但可以知道某一件事在傳說中的最早的狀況。[13]

其中，第一、二點是顧氏觀察「古史傳說」的演變所歸結出來的規則。第三點則屬顧氏自覺地運用此規則討論古史，並提出方法的反省。值得注意的是，史籍中關於上古史史料的存留本來就極其有限，如果顧頡剛將研究的目標放在上古史事真相的考察，同時又質疑當時所能夠看到的有限史料；除非有新出現的可靠史料（如考古學的證據），否則研究勢必無法順利進行。這第三點將研究目標調整為「知道某一件事在傳說中的最早的狀況」，就避開了這個困境。只是顧頡剛的「古史研究」也因而轉變為「古史傳說演變」的研究。因此，顧頡剛對〈堯典〉成書時間的考察，重點不在證明〈堯典〉不是堯、舜當時的真實文獻（這一點，顧氏早已有定見），也不是〈堯典〉這一篇文字之中，有多少條單一的「證據」可證明其確切的成書時間；[14]而是在於整個堯、舜、禹傳說演變的歷程中，〈堯典〉該置於哪一個時間，才符合顧頡剛心目中所描繪的「古史傳說演變」發展的圖像。用顧氏在一九二六年所作的〈古史辨自序〉中的話來說，就是：

> 用故事的眼光解釋古史的構成的原因。[15]
>
> 我的惟一的宗旨，是要依據了各時代的時勢來解釋各時代的傳說中的古史。[16]

所謂的「時勢」，指時代的潮流、趨勢。他有意把利用時代思想的潮流、趨

---

13 顧頡剛編：《中國古史研究（一）》，頁60。

14 雖然顧氏並不排斥這一部分的「證據」，但在他的方法上，這是較次要的部分。

15 顧頡剛編：〈自序〉，《中國古史研究（一）》，頁61。

16 同前註，頁65。

勢為線索來解釋著成時間的方法，提升到他的古史研究方法的核心位置。而隨著材料與解釋的累積，他對〈堯典〉的著作時間的判定便愈來愈晚。如一九二三年六月一日顧頡剛作〈論《今文尚書》著作時代書〉，便提出〈堯典〉、〈皋陶謨〉、〈禹貢〉「決定是戰國秦漢間的偽作，與那時諸子學說有相連的關係」[17]之說。然而，從戰國到秦、漢，時間的跨度極長，如此寬鬆的說法，並不能使人滿意。因此，一九二三年到一九三一年之間，顧氏對〈堯典〉的成書時間，持續思考、深化，終於形成他〈堯典〉成於漢武帝說的論斷。從顧氏現存的大量筆記，可以看到這個過程。[18]

一九二三年到一九二八年左右，顧氏已提及〈堯典〉成於秦、漢時期，但在敘述上，多為推測的語氣。整體而言，顧頡剛的意見大多環繞在〈堯典〉非史實，或通過思想、制度、文句來源等線索，認為〈堯典〉應成於戰國中後期，甚至秦、漢時期。如：《淞上讀書筆記》（一）（一九二三年三月二十三日始記）中的「〈堯典〉作于五行說盛行後」條說：

> 疑〈堯典〉是五行之說盛行後所作。[19]

《淞上讀書筆記》（二）（一九二三年五月三十一日始記）中的「巡守與封禪」條：

> 我以為巡狩、封禪是戰國時的出產品。……這不是〈堯典〉上的「封十有二山」嗎？因為秦制有此十二名山，而「一州一鎮山」之說已漸漬于人心，故因十二山而有十二州。[20]

《淞上讀書筆記》（三）（一九二三年六月十四日始記）中的「〈堯典〉與《孟子》」條：

---

17 顧頡剛編：《中國古史研究（一）》，頁202。

18 顧頡剛所留下的大量筆記，雖然提供了重要的線索，有助於我們了解顧氏的學術思考歷程；然而，筆記畢竟不是正式發表的論文，不宜直接視為顧氏的學術定論。

19 顧頡剛：《顧頡剛讀書筆記（第二卷）》，頁574。

20 同前註，頁621。

〈堯典〉的人治觀念實由孟子鼓吹而成。[21]

「〈堯典〉有古本、今本之異」條認為先秦所流傳的〈堯典〉不只一種版本：

孟子時的〈堯典〉是不和現在的〈堯典〉一樣的。……吾意〈堯典〉原有好多種，今〈堯典〉特其晚出者耳。[22]

《泣籲循軌室筆記》（一）（一九二四年二月二十日始記）「韓愈論漢初學術」條：

我疑心〈堯典〉、〈禹貢〉等都是漢初斷絕師承時湊補出來的。當求明證。[23]

《泣籲循軌室筆記》（四）（一九二四年十月始記）「〈堯典〉點句」條記錄一九二四年十月六日與錢玄同書曰：

去年夏間，先生告我，謂〈堯典〉此數句〔「克明俊德……黎民於變時雍」〕用韻類秦、漢。此義便中亦乞示及，因駁〈堯典〉一文擬俟《東壁遺書》點畢後即行著手也。[24]

《東山筆乘》（一）（一九二七年十月二十一日）「巡守與述職」條認為今本〈堯典〉巡守當取自《孟子》。[25]《東山筆乘》（二）（一九二七年十一月十三日）「傳說中之古史發展時期」條列「傳說中之古史發展時期表」，將〈堯典〉、〈皋陶謨〉列為戰國中期至西漢的遺跡。[26]「伯夷與柏翳」條：

---

21 同註19，頁644。

22 同註19，頁658。

23 同註19，頁745。

24 同註19，頁867。

25 同註19，頁1026。

26 同註19，頁1079。

恐怕做〈堯典〉的人還受到《孟子》的影響？[27]

《東山筆乘》（三）（一九二八年二月二十一日）「〈堯典〉中無五岳」條：

〈堯典〉時尚未有「五岳」之說。先秦雖有五行說，但尚未盛，不似漢人的處處用五行說來支配事物。[28]

從上文的引證可知，這段時間顧氏雖懷疑〈堯典〉作於漢代，但應屬尚未確認之說。

大約在一九二九到一九三〇年左右，顧頡剛〈堯典〉成於漢武帝之說趨於成熟，寫於一九二九年之後的筆記裡，有許多關於〈堯典〉成於漢代乃至武帝時的討論。如：《忍小齋筆記》（一九二九年八月）「秦、漢疆域反映為古史四至」條引《呂氏春秋》、《淮南子》之文，認為：

〈堯典〉四至實用秦、漢疆域，正合彼時人的說話方式。[29]

「〈堯典〉九官之前身」條引《呂氏春秋》、《淮南子》之文，認為：

〈堯典〉九官實合此二書摘取之。[30]

《遂初室筆記》（一）（一九二九年五月二十六日始記，至一九三〇年三月記滿）「古史中最佔地位之人與書」條明確指出〈堯典〉的內容包括「孟子時的一部分」和「漢代加入的一部分」。[31]而這段期間的筆記中，又以《遂初室筆記》（二）（一九三〇年二月十二日始記）的「漢武時之偽經」條尤其值得注意。此條明白指出：

康、崔諸家以〈堯典〉「十有二州」之文為劉歆增竄，此太注意新代的偽經而不注意漢武帝的偽經。漢景帝時，天下無治《尚書》者，以

27 同註19，頁1093。

28 同註19，頁1125。

29 顧頡剛：《顧頡剛讀書筆記（第三卷）》，頁1166。

30 同前註，頁1167。

31 同註29，頁1199。

> 武帝之偉烈豐功，經師插入「南交、朔方」及「十有二州」之文以求媚漢，甚可能也。[32]

他仿照康有為、崔適等今文家所提出的劉歆竄亂諸經的模型，以漢武帝時人偽竄〈堯典〉來安置〈堯典〉的著成時間。於是，顧頡剛以〈堯典〉與秦、漢的典籍相對比，並一致地將〈堯典〉與諸書相同或相近的內容，以〈堯典〉遭到漢人偽造以應付時勢之需要作解釋。如：「漢州與〈堯典〉」條認為〈堯典〉之所以為十二州，是因為：

> 漢武帝闢地廣了，從前經上九州之說不足以應付時勢之需要了，故只得定為十二州了。[33]

《郊居雜記》（一）（一九三〇年十一月二十一日始記）「《淮南》堯佐與〈堯典〉異」條指出《淮南子》關於堯佐的說法與〈堯典〉不同，是因為那時候「〈堯典〉之故事尚未占勢力。……《淮南子》是稱道《六藝》的，常引《書》的，為什麼他對于開宗明義的〈堯典〉竟這般不記得？」[34]「〈堯典〉與漢制」條指出〈堯典〉內，中央集權和郡國封建制並立，「這除了漢代更無是制」。[35]

另外像記於一九三一年間的《郊居雜記》（二）（一九三一年三月十四日始記）、（三）（首七頁在濟南寫，一九三一年八月九日續記），更出現大量的相關條文，如《郊居雜記》（二）的：「秦皇一統與〈堯典〉」條、「對于統一之稱頌」條、「〈堯典〉三本子」條、「論〈堯典〉三本」條、「《淮南》引〈堯典〉、〈皋謨〉而言堯事仍與今本〈堯典〉異」條、「孟子記堯、舜事與今本〈堯典〉之比較」條、「孟子不言垂、夔」條、「孟、荀曲解禪讓」條、「《荀子》與〈堯典〉同用〈多方〉語」條、「象刑之反對與承認」條、「荀

---

32 同註29，頁1239。

33 同註29，頁1262。

34 同註29，頁1289。

35 同註29，頁1321。

子言五帝無傳人與傳政」條、「古中國疆域不廣與其突廣」條、「荀子駁禪讓說」條、「各書所載堯、舜臣」條、「《荀子》中與〈堯典〉、〈臯陶〉相似語」條、「《荀子》當提〈堯典〉而不提」條、「漢武之政治狀況與〈堯典〉」條；《郊居雜記》（三）的：「《史記》錄〈堯典〉」條、「漢武時社會要求與〈堯典〉」條、「漢武功績之經濟基礎」條、「漢武欲效唐虞之治」條、「〈堯典〉擴大〈禹貢〉疆界之故」條、「董仲舒要求更化、改制為今本〈堯典〉出現背景」條、「劉安諫擊閩越證今本〈堯典〉尚未出」條、「主父偃諫伐匈奴證今本〈堯典〉尚未出」條、「王侯朝覲以皮幣薦璧即〈堯典〉『輯瑞』、『班瑞』」條、「衛青等在匈奴地封禪、通渠置田官」條、「封三皇子策模倣《尚書》」條、「通西域與〈堯典〉『宅西』」條，皆留有大量而一致的解釋。這些思考，終於在一九三一年於燕京大學開設「《尚書》研究」課程的機緣，形成《尚書研究講義》第一冊（丙種之一）──〈〈堯典〉著作時代考〉的內容。

三　〈〈堯典〉著作時代考〉對〈堯典〉成書時間的探論

《尚書研究講義》丙種之一──〈〈堯典〉著作時代考〉，雖以「考」為名，實際上有相當明顯的「解釋」成分。由於顧氏的原文甚長，且未立章節標題，童書業（1908-1968）在一九三四年十二月出版的《浙江圖書館館刊》第三卷第六期發表〈評顧著研究講義第一冊〉，[36]曾根據自己的閱讀體會，列出綱要。此綱要曾得到顧頡剛的認可，《旅杭雜記》（一）（一九三四年十月）「〈堯典〉研究章節」條[37]特別抄錄綱要，以備將來重作時之參考。（但內容略有不同）為了方便說明，下面依據此綱要說明〈〈堯典〉著作時代考〉的內容。

36 收入童書業著，童教英整理：《童書業史籍考證論集（下）》（北京市：中華書局，2005年），頁624。

37 顧頡剛：《顧頡剛讀書筆記（第三卷）》，頁1875。

童書業的大綱將論文分為七項：

（一）〈堯典〉非虞、夏時書

（二）今本〈堯典〉非秦以前書

（三）今本〈堯典〉成于西漢

（四）今本〈堯典〉為漢武帝時書

〔童書業〈評顧著研究講義第一冊〉將此項又分出：

「論漢武帝之政事制度與〈堯典〉合」

「論〈堯典〉文辭與漢武帝時橅古之風氣相合」

「論漢代學者有以當時政事作為經典之要求」〕

（五）今本〈堯典〉文辭襲取舊書與其自相矛盾

（六）中星問題之辨證

（七）〈堯典〉之各種本子

其中，（一）、（二）兩項旨在否定〈堯典〉成書時間的傳統說法。（三）、（四）項旨在推斷今本〈堯典〉最後完成的時間，並指出可能的偽作者的身份。（五）仿清代學者考證偽《古文尚書》的作法，整理〈堯典〉的援用之跡，認為：「〈堯典〉一篇之文辭大率取於《詩》、《書》，其意義大率取於孔、孟……其地域與制度大率取於漢武帝時。」[38]（六）由於〈堯典〉四仲中星的記載似有所據，可能引起學者對〈堯典〉著成於漢武帝時之說的疑慮，所以這部分強調諸家對〈堯典〉天象的推算並不一致，且指出〈堯典〉中星問題實為〈夏小正〉問題。這算是顧氏對己說的補充與回護。（七）是討論史上曾經出現的〈堯典〉版本，認為〈堯典〉不只一本，在流傳過程中，歷經多次的增改，而可考的有八種本子。〈堯典〉成於漢武帝時之說最核心的討論為前四項，特別是（三）、（四）項。茲將顧頡剛的主要意見說明如下：

（一）〈堯典〉非虞、夏時書，並不是顧頡剛考證的重點，所以全講義

38 顧頡剛：〈《堯典》著作時代考〉，《尚書研究講義》丙種之一，頁60，總頁367。

雖長達一〇二頁，這個部分卻只花了兩頁的篇幅。他所提出的理由有「曰若稽古」為後人述古之詞、〈堯典〉人物描寫自相矛盾和思想密合儒家三點。其中，人物描寫自相矛盾一點，只能算是〈堯典〉內容的缺失，未必可以作為〈堯典〉非虞、夏時書的理由。較能呈現顧氏「考證」特色的是「思想密合儒家」。他說：

> 若此篇為堯、舜時之真記載，則儒家學說悉是因襲古人，堯、舜之真相亦早大白於世，何以有「俱道堯、舜而取舍不同」之墨家勃興於戰國，倡導兼愛之說，主行三月之喪，敢與儒家相犄角乎？且即使墨家敢於誣古，儒家何不持唐、虞之真記載——〈堯典〉——而與之質證耶？[39]

認為如果戰國時〈堯典〉已是公認的唐、虞之真記載，儒家必然會據以反駁墨家對堯、舜的錯誤說法。現在，不見儒家引用〈堯典〉駁墨家之說，可見〈堯典〉的價值只被儒家所承認，在當時已不是公認的唐、虞之真記載。

（二）〈堯典〉既然不是虞、夏時書，《孟子．萬章上》曾明引〈堯典〉曰：「二十有八載，放勳乃徂落，百姓如喪考妣，三年，四海遏密八音」之文，又萬章問放象事有「舜流共工於幽洲，放驩兜於崇山，殺三苗於三危，殛鯀於羽山：四罪而天下咸服」之語，似〈堯典〉應出現在《孟子》之前。然顧頡剛認為，今本〈堯典〉未必就是孟子當時所看到的〈堯典〉。主要的理由是今本〈堯典〉中有大一統的思想和巡狩、封禪的制度，而這正是秦代所標榜的。他說：

> 夫與秦制相似固不能遂斷為秦人所作，然一統之意味若是其重，君主之勢力若是其厚，則必不能在秦之前。[40]

何況「秦不師古」，不可能因襲〈堯典〉中的思想、制度。可見：

39　同前註，頁2，總頁251。

40　同註38，頁4，總頁256。

> 秦之創制與〈堯典〉之成文同在於一個時代潮流中也。[41]

既然《孟子》引〈堯典〉之文，而今本〈堯典〉中又有秦代的時代特徵，所以顧氏認為，如果以內容經過一次更動算作一種版本，則《孟子》所引，不必就是今本〈堯典〉。

（三）〈堯典〉如果著成於秦，內容應當只反映出秦代的郡縣制。今本〈堯典〉卻是郡縣制和封建制並存，可見不可能成於秦代。從制度上看，西漢之世曾出現過郡縣制和封建制並存的情況，正好與〈堯典〉相符。且今本〈堯典〉中疆域為十二州，與漢武帝分十三部制扣除司隸校尉後一致；羲和四宅之地，與漢武帝所立四方疆域之名一致，所以〈堯典〉的著成時間，應當在西漢之世。

至於〈堯典〉四罪流放之地與四宅所呈現的地域觀念不同，顧氏認為：

> 《孟子》所引為戰國之〈堯典〉，其想像之四極，不過爾爾；而吾儕所見則為漢武之〈堯典〉，彼時之四極已大遠於戰國，然而誤襲戰國〈堯典〉之舊文，遂使一篇之中地理觀念自相牴牾如此耳。[42]

以漢武帝時的〈堯典〉誤襲戰國〈堯典〉之舊文，解釋何以一篇之中，會出現地域觀念不同的情形。

（四）進一步從經傳之篇目、《史記》之收錄、西漢人之徵引、漢武之志願及其時代潮流四個方面，說明何以定〈堯典〉成於漢武帝時。

關於經傳之篇目，顧頡剛認為《漢志》所載《尚書》大小夏侯本皆為二十九卷，其中已有〈堯典〉。夏侯《尚書》在宣帝時立於官學，可見〈堯典〉的出現必在其前。

關於《史記》之收錄，顧頡剛認為《史記．五帝本紀》之記堯、舜事以〈堯典〉為骨幹。《史記》成書之年，據王國維（1877-1927）《太史公繫年

---

41 同註38，頁4，總頁256。

42 同註38，頁21，總頁289。

考略》可視為「與武帝相終始」，可見「〈堯典〉之出，不能在武帝後」。[43]

關於西漢人之徵引，顧頡剛認為〈大學〉雖引〈堯典〉，但其內容曾「大罵一陣聚歛之臣」，有和〈堯典〉同出於漢武之世的可能。若從西漢人引用的情況來看：漢帝詔書中，宣帝、元帝、成帝、哀帝、平帝皆用〈堯典〉，而文帝、景帝、武帝之詔書卻不用〈堯典〉。〈堯典〉為封禪之重要根據，司馬相如（179-117 B.C.）〈封禪文〉、兒寬〈封禪對〉卻不引〈堯典〉。建元六年（135 B.C.）淮南王上書論及閩越，韓安國論及匈奴，皆以為「不居之地，不屬為人之人，天地所以隔外內之區」，與〈堯典〉四宅之說不符，卻無人引〈堯典〉以折之。董仲舒（176-104 B.C.）之壽僅及武帝中葉，其《春秋繁露》考功名之說，意與〈堯典〉「三載考績；三考，黜陟幽明」同，卻不引〈堯典〉，可見董仲舒未見今本〈堯典〉，今本〈堯典〉之作者曾見董仲舒之書。故「在司馬遷《史記》以前無一人引今之〈堯典〉者」。[44]

關於漢武之志願及其時代潮流，顧頡剛認為漢武帝為「內多欲而外施仁義」之主，欲以王道飾太平，籠絡民心，故有意效法堯、舜。其一生的政治工作，依宣帝、班固（32-92）所說，如「修郊祀，禮百神」、「封泰山」、「改正朔，定歷數」、「興太學」、「協音律，作詩樂」、「塞宣房」、「舉其俊茂，與之立功」、「表章六經」、「選明將，討不服」、「百蠻鄉風，款塞來享」等，皆與〈堯典〉相符。漢武帝時之時代潮流亦「欲在此大一統之局面之下創造一個強有力之中央政府，驅遣群眾，使之對於時代之光明渴望而膜拜之，而武帝乃會逢其適，得以施行若干新制度耳」。[45]所以顧頡剛說：

> 羲、和四宅章與巡守四岳章皆漢武帝時編入〈堯典〉者。[46]
>
> 知〈堯典〉為武帝時書，則一切問題悉得迎刃而解，且可證實宣帝、

43 同註38，頁25，總頁297。

44 同註38，頁28，總頁304。

45 同註38，頁36，總頁319。

46 同註38，頁37，總頁320。

> 班固所贊頌於帝者亦即〈堯典〉之撰人所推尊於堯、舜者。[47]
>
> 不但〈堯典〉之疆域為漢武帝時之疆域，即〈堯典〉之制度亦為漢武帝時之制度。彼固以當代之典章之於唐、虞者也。[48]

其推斷〈堯典〉著成於漢武帝時，正是論文第二節所指出的，是「依據了各時代的時勢來解釋各時代的傳說中的古史」的表現。

從上文的說明可以發現，顧頡剛大量運用古書中的思想、制度、文句等的對比，來衡定〈堯典〉的成書時間，最重要的前提是著作必定帶有其著成時間的時代特徵的假設。時代特徵既然反映在著作中，以時代確定的古籍與成書時間待確認的古籍相對比，就有可能提供判定著成時間的線索。問題是，從一般考據的方法來說，我們雖然可以確認任何一部書中所載的思想、制度、文句等內容的出現時間一定早於或等於書的著成時間；但單從兩部書中思想、制度、文句等內容的對比，卻未必可以提供我們判斷兩書著成時間先後的理據。以上一節所引《淞上讀書筆記》(三)「〈堯典〉與《孟子》」條為例，《孟子》中有「人治觀念」，則「人治觀念」的出現必然早於或等於《孟子》的時代。〈堯典〉中也有「人治觀念」，則「人治觀念」的出現時間一定早於〈堯典〉，最多與〈堯典〉的著成時間同時。雖然《孟子》的時間可以被確定，但單由這樣的條件並不足以說明《孟子》與〈堯典〉的先後關係——〈堯典〉可能和《孟子》同時，也可能早於《孟子》或晚於《孟子》——未必可據以斷定〈堯典〉寫定於《孟子》之後。顧頡剛在「〈堯典〉與《孟子》」條的筆記中，卻認為「做〈堯典〉的人還受到《孟子》的影響」，顯然是將《孟子》置於自己依據相關古籍所建構的「時勢」之中，並將《孟子》視為表現此「時勢」的一個座標，然後將〈堯典〉安置在時勢中的適當位置。《孟子》所代表的是「時勢」，而不是單一的著作。我們只有通過顧氏在〈古史辨自序〉中所說的「解釋」古史，並將顧氏對〈堯典〉成書時間的考證視為他「依據了各時代的時勢來解釋各時代的傳說中的古史」

---

47 同註38，頁37，總頁321。

48 同註38，頁41，總頁330。

的一個環節，才能適當地了解他如何判定〈堯典〉著成於漢武帝時。他所建構的時勢，才是解釋〈堯典〉成書時間的真正依據。

這種「考據」方式，突顯出顧頡剛的古史研究，與一般的考據學並不全然相同。尤其是他所建立的時勢，有著強烈的系統化的訴求。他甚至企圖利用這樣的系統來改定〈堯典〉中的文字。〈〈堯典〉著作時代考〉從「咨汝二十有二人」與〈堯典〉實際所列舉的二十五人的差異，檢討歷來的六種解釋，並一一指出其中的疑問，認為：「凡可以作假設者悉已有人為之假設，且疏通而證明之矣。然問題之不能解決猶如故也。」[49]所以他提出第七種假設，認為經文的二十二人本來無誤，之所以會出現二十二和二十五人的誤差，緣於戰國時人的分州觀念只有「九州」，因此沒有「十二牧」，只有「九牧」。於是顧頡剛將經文作如下的修改：

（一）「覲四岳群牧」之原文當為「覲四岳九牧」。
（二）「肇十有二州；封十有二山」之原文當為「肇九州；封九山」
（三）「咨十有二牧」之原文當為「咨九牧」[50]

合四岳、九官、九牧，正好是二十二人。顧氏認為今本之所以出現問題，是因為「點竄〈堯典〉者改其前而忘改其後」的結果。這個戰國時期〈堯典〉版本的內容與今本大略相同，大約在漢武帝時被改動為今本。按，從文獻校勘的立場言，要討論經典的文字是否曾被改動，最好可以找到直接或間接的文獻證據，才能徵信於人。顧頡剛的改定說明，顯然並沒有找到文獻證據。如果我們不能立足於顧氏所建構的系統化的時勢的思考背景加以理解，便會覺得他的改定極為武斷。

49 同註38，頁91，總頁431。
50 同註38，頁93，總頁436。

四　〈〈堯典〉著作時代考〉的挑戰與回應

從顧頡剛對〈堯典〉著作時代的研究經過與研究成果，可知他的「考證」工作有著強烈的「解釋」性格。其解釋的內在理路，是由顧頡剛所建構的，具有系統化的訴求的「時勢」來作為判斷著成時間的背景。其解釋的外在理由，則明顯受康有為（1858-1927）、崔適（1852-1924）等今文家辨偽學說的影響，以君主為了政治上的目的而改動了經典的內容，來作為解釋的主要架構。只是君主的名字從王莽（45-23 B.C.）改為漢武帝。

顧頡剛發表〈〈堯典〉著作時代考〉之後，他的學生譚其驤、張福慶、葉國慶（？-？）曾在一九三一年前後，以書信的形式，討論其中的疑義。

譚其驤在一九三一年十月二日、九日分別寫信質疑《尚書研究講義》中所列漢武帝十三州的內容，並非西漢之十三州。[51]此一質疑並不直接影響顧頡剛的主要論證。因為西漢分為十三州的數目是顧、譚二人所共同承認的。所以相關的討論，是歷史地理的問題，與〈堯典〉的著成時間反而沒有太大的關係。顧頡剛在一九三一年十月二日至二十四日之間，兩度寫信予以回應，並在十月九日的日記中說：

> 其驤熟於史事，予自顧不如。此次爭論，漢武十三部問題，予當屈服矣。[52]

接受了譚其驤的意見。他在一九三四年十一月《禹貢半月刊》二卷五期發表的〈從地理上證今本堯典為漢人作〉，便不再列出漢武十三州的具體內容，只強調十三州的數目。

張福慶在一九三一年十一月十五日寫信補充「以親九族」、「敬敷五教」的來源應增入《左傳》桓公六年「修其五教」、「親其九族」的材料。顧頡剛

---

51 顧頡剛：〈關於《尚書研究講義》的討論〉，〈討論之一〉，《尚書研究講義》，頁1，總頁621。

52 顧頡剛：《顧頡剛日記（第二卷）》，頁571。

接受此補充，在一九三二年一月所作的回信[53]中提及「九族」的解釋，認為：「九族並不是一件真有的東西，不過像九天、九地、九夷、九黎之類，表示其數目之多而已。」[54]

葉國慶也在一九三一年左右寫信討論〈堯典〉著成時間，認為「〈堯典〉類一百衲衣，色樣錯雜，難指為某一時之作品。」這應當是目前可見第一篇反對顧氏〈堯典〉成於漢武帝時說的文章。他反對的理由有三點：（一）司馬遷《史記》始作於太初元年，已經用了〈堯典〉的內容。但兒寬在元鼎四年（113 B.C.）、元封七年（104 B.C.）（即太初元年）皆未見過〈堯典〉。（二）武帝改正朔始議於太初元年，渾天儀創於落下閎（156-87 B.C.），時間在太初之後。若以〈堯典〉的璿璣玉衡即渾天儀，〈堯典〉的著作時間必在太初之後，何以《史記》可以引用〈堯典〉？（三）《尚書》在漢文帝時已經流傳於世，且司馬遷少誦《尚書》，應當不會相信太初之後偽造的〈堯典〉而引入《史記》之中。這封信，到了一九三五年，顧頡剛以〈〈堯典〉著作時代問題之討論〉為題，與孟森（1868-1938）、勞榦（1907-2003）的批評一併收錄在《禹貢半月刊》第二卷第九期，並加以回應。（回應的內容詳後）

顧頡剛的助理童書業在一九三四年十二月發表〈評顧著研究講義第一冊〉。這篇評論指出顧頡剛的方法為「背景考察法」，並認為這種考證方法是「作者生平一大貢獻」。不過，童書業這篇評論似乎誤解了顧頡剛的結論。他說：

> 是書第一冊專評〈堯典〉，其結論為今本〈堯典〉全部乃漢武帝時作品。[55]

53 顧頡剛：《顧頡剛日記（第二卷）》一九三二年一月一日：「作與張福慶君書，『九族問題』，畢。得二千餘言，即修正付印。」（頁597。）又一月十日：「續寫『九族問題』函一千六百言，加入前作。」（頁599。）

54 顧頡剛：〈關於《尚書研究講義》的討論〉，〈討論之二〉，《尚書研究講義》，頁3，總頁672。

55 童書業著，童教英整理：《童書業史籍考證論集（下）》，頁624。

童書業自己對〈堯典〉的判斷則是：

> 戰國中世人先造其一部分，而西漢人足成之也。[56]

其實，顧頡剛實際的意見和童書業並不衝突。他在一九三四年十月十三日寫於〈從地理上證今本堯典為漢人作〉前的說明指出〈〈堯典〉著作時代考〉的結論為：

> 〈堯典〉固為孟子時所有，但吾人今日所見之〈堯典〉則非孟子時書而為漢武帝時人所改作。[57]

這個意思，的確是〈〈堯典〉著作時代考〉所主張的。所以〈評顧著研究講義第一冊〉「今本〈堯典〉全部成於漢人之說難立矣」[58]的批評，並不能成立。童書業此文企圖將〈堯典〉的內容打散，一一指出為「戰國時文」或「西漢時文」的作法雖嫌武斷，卻應當可以視為顧頡剛意見的引申。他在文中提及禪讓說與墨子之間的關係，後來為顧頡剛所接受。

除了葉國慶的意見，譚其驤、張福慶和童書業的提問，皆對〈〈堯典〉著作時代考〉的主要論斷未構成直接的影響。

一九三四年十一月，顧頡剛在《禹貢半月刊》第二卷五期發表〈從地理上證今本堯典為漢人作〉。此文係將〈〈堯典〉著作時代考〉中與地理有關的部分，改寫刊行，主要內容為四宅說的討論。[59]論文發表後，引起孟森、勞榦為文質疑。顧頡剛將這兩人的文章加上葉國慶的信一併刊布，並為文回應，以〈〈堯典〉著作時代問題之討論〉為題，刊在一九三五年《禹貢半月刊》第二卷第九期。[60]

---

56 同前註，頁631。

57 顧頡剛：〈從地理上證今本堯典為漢人作〉，《禹貢半月刊》2卷5期（1934年11月），頁2。

58 童書業著，童教英整理：《童書業史籍考證論集（下）》，頁629。

59 顧頡剛：《顧頡剛日記（第三卷）》1934年10月13日：「編《禹貢》第示第五期稿，略畢。（……將我的講義關於地理者編成一篇。）」（頁247。）

60 顧頡剛：《顧頡剛日記（第三卷）》1934年12月26日：「作〈堯典著作時代問題〉答孟

孟森提出的質疑有四點：（一）〈堯典〉中星為考歲差的第一次根據，若〈堯典〉成於漢代，應依漢人的認識改動〈堯典〉的內容。（二）交阯設郡在元鼎之後，其時間距司馬遷作《史記》不過六、七年。漢武帝時所造的〈堯典〉的出現時間，一定在司馬遷童年學習《尚書》之後，司馬遷何以輕易接受偽造的〈堯典〉？（三）朔方見於《詩經》，交趾見於《墨子》，皆可以解為北方、南方的泛稱，不必解為漢代地名。（四）文字氣象與時代未必一致。

勞榦雖接受〈堯典〉成於秦以後之說，但認為是秦人所作。理由是：（一）秦代亦有封建郡縣並行的情況，不必到漢代才有此制度。（二）秦以水德王，所以十二州正好與秦習慣用六倍數一致。（三）朔方、交阯不必是漢代地名。（四）「秦皇、漢武為政大略相同」，所以〈堯典〉的內容未必只能出現在漢代。何況晁錯（200-154 B.C.）受《書》之後，漢人對《尚書》已有共同的認識，武帝未必可以任意改動經文。

綜合葉國慶、孟森、勞榦的意見，他們對顧頡剛的質疑可歸結為下列數點：

（一）《史記》已經用了〈堯典〉的內容。司馬遷早年已學過《尚書》，如何可能接受漢武帝時偽造的〈堯典〉？

（二）〈堯典〉的內容不必全用漢代的制度、地名作解釋。如交阯、朔方不必解釋成漢代的地名。十二州、封建郡縣並行不必是漢代的制度。璿璣玉衡不必即渾天儀。

（三）文字氣象與時代未必一致。

顧頡剛的回應，先說明他將〈堯典〉的內容與各時代相對照，認為漢武帝的相關背景與〈堯典〉最為類似。這透露出他長期研究〈堯典〉著成時代的問題時，一貫的思考方式。然後解釋交阯、朔方、十二州等問題。其實，顧頡剛對朔方、交阯、十二州等問題的解釋，必須放在他整體思考的脈絡中，才有意義。若將之獨立出來考察，皆未必是唯一的合理解釋。而最能表

心史先生等。」（頁275。）

現出顧頡剛特色的，是他對司馬遷相關問題的回應。他認為：「今本〈堯典〉雖出於漢武之世，並不礙於《史記》之收載。」因為：

> 彼時之書籍尚在不固定之狀態中，發現遺書尤為欣欣樂道之事。……況以武帝時盛大之規模，力足以陶醉一世之人心，有不鼓動文人將實現眼前之理想事物插入舊傳之書乎！[61]

何況司馬遷以雅馴作為史料的判斷標準，〈堯典〉為雅馴之文，收入《史記》之中，是相當合理的情況。至於《史記》的寫作雖始於元封二年（109 B.C.），但完成的時間可能遲至太始、征和年間，自然有機會錄入著成於漢武帝時的〈堯典〉。其實，即使在時間上司馬遷有機會看到漢武帝本的〈堯典〉，亦不能保證司馬遷接受這個本子。所以顧頡剛真正的理由，是他所認定的司馬遷身處於時代洪流中，必然要受到此一洪流影響的心理趨勢。

五　結論

本文通過整理顧頡剛所留下的筆記、日記，指出他的〈堯典〉研究經過二十餘年的思考與累積，終於藉著一九三一年於燕京大學開設「《尚書》研究」課程的機緣，寫出《尚書研究講義》第一冊（丙種之一）——〈〈堯典〉著作時代考〉的內容。清理顧氏這段思索過程，可以發現他在一九三一年以前對〈堯典〉的思考，與著名的「古史層累造成說」的建立，有密切的關係。

此外，顧頡剛的〈〈堯典〉著作時代考〉，雖以「考」為名，看似為一般考據思維下所產生的考證著作；事實上，他所使用的方法，與一般的文獻考證不同。其中最大的不同點，在於顧頡剛的考證實建立在一個龐大的歷史解釋系統的基礎上。他力求讓這個系統呈現出一致而有條理的面貌，然後用這

61　顧頡剛著：〈〈堯典〉著作時代問題之討論〉，《禹貢半月刊》第2卷第9期（1935年1月），頁36。

一個系統來衡定〈堯典〉的著作時代。顧頡剛之所以判定〈堯典〉著成於漢武帝時，正是因為〈堯典〉的內容與他所建立的解釋系統中的漢武帝的時代趨勢相符的結果。他的處理方式比較像是將〈堯典〉放入一個最適合的「時勢」的位置。所以，即使有人針對顧氏相關論證中，單一文獻、史事的考證失誤提出批評，若未足以全盤否定他通過「解釋」所建構起來的「時勢」，便無法讓他改變〈堯典〉著成於漢武帝時的判定。不能了解顧氏這種「考證」方式，便無法了解他為何堅持〈堯典〉著成於漢武帝時的見解。

由於顧頡剛的考證方法自覺地將他所建立的歷史解釋系統提到極重要的地位，而此一歷史解釋系統的建構，無法避免有較多的自我解釋的成分。參照傳統考據學看重文獻證據的思維方式，顧氏的方法實有流於主觀解釋而忽略客觀證據之嫌。顧頡剛與葉國慶、孟森、勞榦諸學者的對話，可視為兩種不同方法立場的考據學者，在〈堯典〉著作時代考證問題上的意見表述。可惜的是，雙方學者未能進一步對話，致使上述方法上的反省，在當時未能得到更深刻的理解和澄清。

——原載《政大中文學報》第十八期（2012 年 12 月），頁一一五～一三八

張西堂的《尚書》學

陳恆嵩

東吳大學中國文學系副教授

一　前言

民國是學術思想變動相當紛繁的時期，數十餘年間，學術風氣歷經國故運動、古史辨思潮等變化。其中對近代學術最深遠的當屬以顧頡剛為主將的「古史辨」學派思潮。生於當時的學者很難避免受其治學精神與方法的影響，張西堂即是深受顧氏疑古辨偽思想影響的知名學者，一生治學標榜疑古辨偽，祛偽存真，清除古史偽造資料，可說是不遺餘力，是輔翼古史辨運動相當重要的學者。

《古文尚書》自晉朝梅賾獻上，唐孔穎達據以編輯《尚書正義》以後，成為明經科舉考試的範本。宋代吳棫、朱熹等始懷疑《古文尚書》的真偽，爾後開始漫長時期的《尚書》辨偽史，至清初閻若璩《尚書古文疏證》、惠棟《古文尚書考》等人才將此問題定讞，判定《古文尚書》係晉人所偽造。綜觀《尚書》學發展到清代，整體《尚書》學的研究成果主要在兩方面呈現，首先是考辨《古文尚書》之偽，使偽《古文尚書》二十五篇與伏生《今文尚書》二十九篇分開，使兩者不再相混，學者讀《尚書》有所抉擇。其次，致力《尚書》今古文的分別，試圖析分西漢今古文異同，還原伏生傳本之舊貌。

民國以來，學者賡續清儒的成果，運用西方傳入史學新方法去研究考辨《尚書》，其中較著名者有蔣善國（1898-1986）的《尚書綜述》、陳夢家

（1911-1966）的《尚書通論》、張西堂的《尚書引論》[1]三書。相較於蔣善國的《尚書綜述》與陳夢家的《尚書通論》兩書來說，張西堂的寫作時間較早[2]，張西堂的《尚書引論》內容為張西堂在民國二十六年（1937）擔任廣東省立勵勤大學教育學院教職時，為文史系的《尚書》課作課外補充教材，「目的就是想將關於《尚書》的一些問題作一個比較詳細而又扼要的敘述以供初學參考」，原名為《尚書研究講義》，經整理修訂後改題《尚書引論》由陝西人民出版社於一九五八年四月出版。書名取名「引論」，顧名思義，應該是具指引性質的論述。然而其書長期未能獲得應有的關注與重視，為求增進對張氏學術成就與貢獻有所瞭解，亦期發潛德之幽光筆，撰文探討其《尚書》學的成就。

二　張西堂的生平及其治學態度

（一）張西堂的生平

張西堂（1901-1960），本名張正，字西堂，大學畢業後以字行。祖籍為湖北省漢川縣，出生於湖北武昌。早年曾考入北京清華學堂，後來因病輟學。一九一九年再考入山西大學國文科就讀，在校期間即刻苦勤奮，專攻群經諸子之學，立定志向從事學術研究，為日後的成學奠定下紮實的根基。

一九二三年大學畢業後，先後任教於山西太原的三晉高級中學、新民中學及斌業中學。一九二六年秋天到北京，先後擔任孔教大學、河北大學、中國大學、國立北平女子師範學院的講師、副教授、教授等職。任教各大學期間，他認識反傳統而以疑古作為學術主要觀點的古史辨學派代表人物錢玄同（1887-1939）、顧頡剛（1893-1980）等學者，認同他們的學術理念，很快

1　本文採用的張西堂的《尚書引論》係由臺北崧高書社於一九八五年九月出版，以下不再註明版本。

2　陳夢家的《尚書通論》於一九五七年才由北京商務印書館出版，而蔣善國的《尚書綜述》則遲至一九八八年三月才由上海古籍出版社出版。

成為古史辨學派中的一員。顧頡剛嘗計畫編輯「辨偽叢書」，就特別商請張西堂編撰《唐人辨偽集語》。張氏在編纂《唐人辨偽集語》期間，根據自己多年的研究《春秋》三傳的心得，陸續完成《春秋六論》和《穀梁真偽考》兩部學術專著，書中呈現出他多年研究的獨到見解，從此開始奠定他在學術界的地位。

一九三一年八月到一九三四年七月，經顧頡剛推薦，張西堂赴武昌國立武漢大學和河南大學任教。一九三四年八月再回到北平，先後任北平師範大學、中國大學、民國大學教授，期間並參加《中華大辭典》的編纂工作。

顧頡剛從二十世紀二〇年代起，創辦了一個名為《古史辨》的不定期叢刊。這套曾經影響了將近一個世紀中國史學研究的叢刊第四、第五、第六冊中，就收錄了張西堂的〈陸賈《新語》辨偽〉、〈尸子考證〉、〈左氏春秋考證序〉、〈《荀子・勸學》篇冤詞〉、〈古史辨第六冊序〉五篇文章。

上述五篇文章中，刊登於《古史辨》第五冊的《左氏春秋考證・序》應是最能體現張西堂疑古觀點的文章。《左氏春秋考證》是清代今文經學派人物劉逢祿的著作。他指出《左傳》乃西漢劉歆的偽作，不是春秋時左丘明的作品，率先對《左傳》的產生年代和性質等提出懷疑。這一觀點受到康有為、梁啟超等人的讚揚與肯定。顧頡剛欲將歷代辨偽的重要著作納入他的「辨偽叢書」重新出版，自然少不了這部《左氏春秋考證》。而為《左氏春秋考證》重新出版的作序人，顧頡剛則選中了深諳經學和諸子學的張西堂。張不負所托，他在對《左傳》作了進一步考證之後，在〈序〉中首先肯定了劉逢祿的基本觀點，認為《左傳》確系後出，為劉歆偽作，並讚揚《左氏春秋考證》是在繼承前人考訂基礎上的最有成績的一部辨偽作品。〈序〉文同時也指出劉著的不徹底處，在〈序〉文中用了相當篇幅對《左傳》作了新的辨偽，並認為對《左傳》的辨偽，到康有為的《新學偽經考》和崔適的《史書探源》問世，才最終成為定論。由於這篇〈序〉觀點鮮明，論據充分，論證縝密，受到史學界的普遍讚揚，顧頡剛又約其撰文，為《古史辨》的第六冊作序。

張西堂在教學和學術研究活動中，還結識了吳承仕（1884-1939）、黃松齡（1898-1972）、譚丕謨（1899-1958）、呂振羽（1900-1980）、黎錦熙（1890-1978）等一批信仰唯物史觀的學者，並與他們結為至交好友。在他們的影響下，張逐漸接受共產黨的唯物主義觀點，並嘗試著用它來觀察、審視中國歷史。發表在《北平師範大學學報》上的〈詩三百篇之詩與樂之關係〉和發表在《中央研究院集刊》上的〈荀子真偽考〉等文，就體現了這種觀點。

一九三七年七月，七七盧溝橋事變爆發後，在日寇不斷侵擾下，張西堂被迫只得輾轉到廣西梧州，擔任廣東襄勤大學教授，後又到貴陽任貴州大學中文系教授兼系主任，並曾一度在四川江津國立編譯館工作。在極端艱苦的條件下，他仍堅持學術著述，曾計畫寫一部一百二十萬字的《經學史綱》，以系統總結中國的傳統學術——經學的發展演變歷史。可惜由於局勢和健康的因素，此書只撰寫了不到二分之一的內容就因故而沒有完成。一九四四年八月，張西堂應老友高亨（1900-1986）的邀請，來到陝西省城固縣的國立西北大學文學院中文系任教，並曾一度兼任文學院院長和中文系系主任。從此，他落腳於陝西，在西北大學工作，直到一九六〇年二月十日病逝於西安。

張西堂在西北大學任教時，以其精深的學術造詣深受教師和學生的敬服。一九四六年春夏之間，西北大學發生學潮，學生特請他為調解人；中文系馮嶺安等四位學生因受他講課的影響，奔赴延安參加革命。其間，張西堂在學術研究方面又獲得新的成果，他所撰寫的學術專著《顏習齋學譜》獲教育部一九四六年至一九四七年度學術獎勵哲學類二等獎。他任中文系系主任時，十分重視中文系的教師隊伍建設，親自聘請了傅庚生、劉持生等著名教授到西北大學任教。中共佔領大陸後，張西堂雖身體多病，仍堅持任教，筆耕不輟。一九五七年由中華書局出版《詩經六論》，和一九五九年再由陝西人民出版社出版最後的學術專著《尚書引論》。

張一生孜孜不倦，勤奮讀書，治學嚴謹，著作甚豐。所出版的學術專著，除上述諸書外，尚有《王船山學譜》、《荀子真偽考》、《公孫龍子研究》、《周秦諸子論叢》、《孫卿子考證》、《漢晉傳經表》、《目錄學四種》、

《《文心雕龍》筆記》等共二十部；至於未出版的尚有《經學史綱》、《學術思想論集》、《詩經選注》等。他逝世後，他的幾部專著，如《唐人辨偽考》、《王船山學譜》、《尚書引論》、《顏習齋學譜》、《荀子真偽考》、《穀梁真偽考》等才由後人將其陸續出版。

（二）治學態度

張西堂先生的治學理念著重在辨偽存真，他從事古書的考辨工作，同意梁啟超（1873-1929）《中國歷史研究法》、胡適（1891-1962）《中國哲學史大綱》所提出的辨偽方法外，又特別看重思想、文字（含音韻、意義、文法）、文體等方面，從事古書辨訂工作，應當先體認三個觀念，他說：

> 第一，我們不要只注意整個的贗品，我們對於片斷的假貨也要加以檢查。現在所謂輯軼鈎沈的書籍很不少見。作輯軼鈎沈的事業者，只顧蒐集材料而不鑒別來原，其中不無假造的東西和錯誤之處，我們若不個別的審查之，其害將與偽書同。……第二，我們決不怕把祖宗遺產蕩去大半，如果我們將一方面可認為之真書考訂出來。我以為辨偽與求真一樣重要，應當一樣的努力去做。不辨偽則哲學史、文化史固成了述器記、靈異經之類，不求真則哲學史、文化史也成了斷爛朝報似的東西，不完全了。……第三，我希望人們多做些這類乾燥無味的考證事業，我以為如不把這些古董一件一件問出娘家來，則整理國故的事業必勞而無功。近來講老子哲學的文章不少，但在不明瞭「老子在孔子後」的時期，對於老子的解釋，簡直是廢話。此可見現在考訂古董之重要。[3]

張氏治學精神上以袪偽存真為基本理念，從這段話可清楚呈現。他認為

---

3 張西堂：〈古書辨偽方法〉，收入許嘯天編：《國故學討論集》（上海市：上海書店，1991年12月），第3集，頁140-141。

查核偽書或史料應不遺餘力，即使是輯佚文獻也應一併予以清除。再者將辨偽與求真視為同等重要，考辨古籍偽書應該無後顧之憂，不要怕會蕩去祖宗大半遺產。學者應多作一些「乾燥無味」基礎的考證工作，這樣整理國故的事業才能事倍功半。張氏為達到辨訂古書的真實性與正確性，他認為要「方法愈加嚴格，產生之結果必定真實；方法愈加詳細，產生之證據必愈加多。」[4]我們從他代顧頡剛作序並發表於於《古史辨》第五冊的《左氏春秋考證・序》一文最能體現張西堂的疑古史觀的治學精神。《左氏春秋考證》是清代常州學派劉逢祿的代表著作。劉逢祿指陳《左傳》並非左丘明所作，而是西漢劉歆所偽造的，對《左傳》的著作時代與性質等提出懷疑。這種觀點受到康有為、梁啟超等人的稱讚。顧頡剛將歷代辨偽的重要著作點校編輯成《辨偽叢書》出版，自然要收錄這部辨偽著作《左氏春秋考證》。張西堂在序中認為劉逢祿的考證有幾點重大發現：首先發現《左傳》舊名《左氏春秋》，其次證明作進一步考證之後，在〈序〉中首先肯定了劉逢祿的基本觀點，認為《左傳》與《國語》體例相似，第三抉發偽造的《左傳》傳授系統，第四開闢出考訂偽經的新途徑。他認為《左傳》是劉歆雜采諸書一手編成的偽作，並讚揚《左氏春秋考證》是在陸淳《春秋集傳辨疑》、劉敞《春秋權衡》、葉夢得《春秋三傳讞》、程端學《春秋三傳辨疑》、郝敬《春秋非左》等前人考訂基礎上繼續努力考訂最有成績的一部辨偽作品。《左氏春秋考證・序》同時指出劉逢祿考辨不夠徹底的地方，並認為對《左傳》的辨偽，要經過康有為的《新學偽經考》和崔適的《史記探源》、《春秋復始》的補充證據，才最終成為定論。張氏此篇《左氏春秋考證・序》，條理清晰，論辨細密，觀點鮮明，證據充分，因而受到顧頡剛及當時學界讚揚。稍後，顧氏並再約其為《古史辨》的第六冊撰寫序文。

張西堂民國初年知名學者，治學精神深受顧頡剛影響，承襲《古史辨》學派的疑古理念，以考辨古籍及古史真偽為主，這種思想橫貫其著作之中，從所著的《尚書引論》、《穀梁真偽考》、《荀子真偽考》、〈春秋大義是什

4 張西堂：〈古書辨偽方法〉，《國故學討論集》，第3集，頁121。

歷〉、〈穀梁不傳春秋證〉等書名或篇名，即可見一斑。

近代著名史家陳寅恪（1890-1969）曾在為陳垣的《敦煌劫餘錄》撰寫序文時說過：

> 一時代之學術，必有其新材料與新問題。取用此材料，以研求問題，則為此時代學術之新潮流。治學之士得預於此潮流者，謂之預流。其未得預者，謂之未入流。此古今學術史之通義，非彼閉門造車之徒所能同喻者也。[5]

民國初年顧頡剛承襲清代今文經學派疑經思潮的影響，高倡疑古辨偽的大纛，主張古史皆為層累所造成，天下學人聞之景然風從，當此古史辨偽思潮風起雲湧之際，張西堂選擇「預於此潮流」之間，以考辨古史典籍為職志，可算是預流之士。

三　考辨〈泰誓〉

西漢所得〈泰誓〉，又被稱為「河內〈泰誓〉、漢〈泰誓〉或今文〈泰誓〉」[6]，獲得的時間，根據前代典籍的記載，主要有以下幾種：

（一）漢武帝時或武帝末年

劉歆〈移太常博士書〉：

> 至孝武皇帝，……〈泰誓〉後得，博士集而讀之。

劉向《別錄》：

5　陳寅恪：〈敦煌劫餘錄序〉，《陳寅恪先生論文集》（臺北市：里仁書局，1979年12月），頁1377。

6　見程元敏先生：《尚書學史》（臺北市：五南圖書公司，2008年6月），頁440。

武帝末，民有得〈泰誓〉於壁內者，獻之。與博士使讀說之，數月，皆起傳以教人。

（二）宣帝本始初年

王充《論衡．正說》：

至孝宣皇帝之時，河內女子發老屋，得逸《易》、《禮》、《尚書》各一篇，奏之。宣皇帝下示博士，然後《易》、《禮》、《尚書》各益一篇，而《尚書》二十九篇始定矣。

陸德明《經典釋文．序錄》：

漢孝宣帝本始中，河內女子得〈泰誓〉一篇，獻之。

（三）後得

劉歆〈移太常博士書〉：

〈泰誓〉後得，博士集而讀之。

馬融云：

〈泰誓〉後得。

鄭玄《書論》：

民間得〈泰誓〉。

王肅云：

〈泰誓〉近得。

關於西漢所得〈泰誓〉的時間，王充認為在漢宣帝時，劉向以為當在漢武帝時。孔穎達《尚書正義》以為「今史漢書皆云，伏生傳二十九篇；則司馬遷時，已得，〈泰誓〉以并歸於伏生，不得云宣帝始出也」的說法，張西堂不同意孔氏的看法，對此問題，他認為「《別錄》、《七略》之說，早於《論衡》以及房宏所云，我們此時只有從《別錄》、《七略》之說，〈泰誓〉後得而已。」張西堂考辨〈泰誓〉並未特別辨證，僅以資料早晚作為判斷，論辨較少，稍嫌說服力不足。

對於〈泰誓〉的篇數，由於東漢馬融曾有「吾見書傳多矣，所引〈泰誓〉而不在〈泰誓〉者甚多。」清人臧琳在《經義雜記》據此考訂以為〈泰誓〉有「古〈泰誓〉、漢〈泰誓〉、偽〈泰誓〉」三種[7]，而近人吳承仕（1884-1939）《經典釋文序錄疏證》也以為〈泰誓〉有三種傳本。[8]張氏則以為〈泰誓〉的傳本應當有四個系統，即古〈泰誓〉、今文〈泰誓〉、古文〈泰誓〉和偽〈泰誓〉。張氏以為：

> 臧琳以為〈泰誓〉有三，吳承仕《經典釋文序錄疏證》也只以「〈泰誓〉有三」我們應當嚴格地說，〈泰誓〉有四：（一）古〈泰誓〉（二）今文〈泰誓〉（三）古文〈泰誓〉（四）偽〈泰誓〉。在這四種本子中，如今文〈泰誓〉，還可以分別其傳本的不同，如婁敬、董仲舒、終軍、司馬相如都引用〈泰誓〉，還很難以說只有《大傳》本、《史記》本與河內本的。不從這裡所說的〈泰誓〉有四，我們可因此以明西漢後得之〈泰誓〉，只是〈泰誓〉本子中之一種，不可與古〈泰誓〉、古文〈泰誓〉、偽〈泰誓〉，並為一談。清代的學者，不明於〈泰誓〉之有四，或以西漢所得之〈泰誓〉為上篇，古〈泰誓〉為

7　〔清〕臧琳：〈尚書泰誓有三〉，《經義雜記》（臺北縣：藝文印書館，1959年影印《皇清經解》），卷195，頁8下-11下。

8　吳承仕說：「〈泰誓〉有三：一、真〈泰誓〉，《左傳》、《國語》、《孟子》、《墨子》諸書所引者是也；二、漢〈泰誓〉，即漢人所謂後得真〈泰誓〉；三、偽〈泰誓〉，即孔傳〈泰誓〉，見行梅本是也。」見吳氏著：〈注解傳述人〉，《經典釋文序錄疏證》（臺北市：崧高書社，1985年4月），頁59。

中下篇，這是不當的。9

張氏認為在古〈泰誓〉、漢〈泰誓〉、偽〈泰誓〉」三種之外，應加上「孔壁古文之〈泰誓〉」，其所持的理由是：

> 王氏以《史記》中引用的〈泰誓〉「流為烏」，馬融本「烏」作「雕」，鄭注說：「雕」當為「鴉」，鴉，烏也。」王氏說：「馬、鄭傳古文《尚書》，作「雕」者古文〈泰誓〉，作「烏」者則今文〈泰誓〉也。

張氏因此斷定古文有〈泰誓〉，據以補充臧琳、吳承仕〈泰誓〉有三種的說法。

四　考辨《尚書》的篇第

《尚書》流傳衍變情況相當複雜，張西堂分析《尚書》流傳傳本的類別，將它細分為：伏生之《今文尚書》、西漢所得之〈泰誓〉、孔壁之《古文尚書》、河間獻王之古文、張霸之偽百兩篇、杜林之漆書古文、劉陶之中文《尚書》、梅賾所上偽孔傳本、姚方興所上〈舜典〉孔傳本、劉炫所上姚書〈舜典〉本等十種，[10]但是若加以歸併，則《尚書》的篇第，則可併為三大類：即西漢所得之〈泰誓〉與伏生《今文尚書》可合併一起。河間獻王之古文、杜林之漆書古文與孔壁之《古文尚書》可合併一起。姚方興〈舜典〉孔傳本、劉炫所上姚書〈舜典〉本與孔壁之《古文尚書》可合併一起。張霸之偽百兩篇篇目失傳，劉陶之中文《尚書》無篇目異同，無需討論。三種篇第計算，後人頗有異同，張西堂以為「不先明其孰是孰非」，就無法「解決《尚書》類的真象」，因此他逐一加以考辨。

9　張西堂：《尚書引論》，頁52。

10　張西堂：《尚書引論》，頁33。

（一）考辨伏生《今文尚書》篇第

自秦始皇焚書之後，典籍頗多闕佚，漢代伏生首傳《尚書》，功勞無限。伏生傳本《今文尚書》的的篇數，《史記・儒林傳》云：「秦時焚書，伏生壁藏之，其後兵大起，流亡。漢定，伏生求其書，亡數十篇，獨得二十九篇。」《漢書・儒林傳》的記載也與此相同，可見史籍有明文記載，本不成為問題。然後代學者受其他典籍的影響，頗不全然相信《史記》、《漢書》的記載，懷疑二十九篇的可靠性，齗齗置辯於二十八、二十九之篇數，眾說紛歧，成為《尚書》學及中國經學史上的大問題，困擾研究《尚書》的學者。張西堂綜合歷代各《尚書》學家的見解，歸納為五種主要說法：

1 二十八篇加入後得之〈泰誓〉者。主張者有漢王充《論衡》、唐陸德明《經典釋文》、《隋志》、孔《疏》、宋林之奇、蔡沈、清惠棟、戴震等。

2 伏書本有二十九篇而以〈書序〉當一篇者。主張者有明梅鷟《尚書考異》。

3 伏書本有二十九篇而以〈泰誓〉非後得者。主張者有清朱彝尊、陳壽祺、王鳴盛、王引之等人。

4 伏書本有二十九篇乃〈顧命〉分出〈康王之誥〉者。主張者有清江聲、龔自珍等。

5 《史記》原為二十八篇後人改為二十九篇者。主張者有清康有為。

在上述五種說法，張氏對第一種意見，既不計〈泰誓〉，也不計《書序》，以為伏生原本僅有二十八篇。「武帝時偽〈泰誓〉後出，與伏生今文書合為二十九篇」。第二種意見為明代梅鷟《尚書考異》，「以伏書本有二十九篇，乃並序言之，而非加入後得之〈泰誓〉。」張西堂以為說法仍有三點不妥，首先《書序》在二十九篇之外，其次《書序》若果真為伏生所傳，夏侯不應當除去不數。再者，如果伏書有序，那麼〈堯典〉、〈舜典〉、〈皋陶謨〉、〈益稷〉應當分篇。第三種意見為清代的王鳴盛、王引之等人主張伏生書二十九篇本有〈泰誓〉。第四種意見為清代江聲、龔自珍認為等「伏生書二十九篇並非以〈泰誓〉或《書序》計算在二十九篇在內，而是伏生原來就以〈顧命〉下篇分為〈康王之誥〉，所以多出一篇。第五種意見為康有為將二十八篇、二十九篇的爭議歸因於後人妄改，實不正確。

張西堂以為《古文尚書》篇卷的計算應以清代王鳴盛《尚書後案》的說法較為正確。至於伏生《今文尚書》傳本究竟應該是二十八篇或二十九篇，一篇之差，歷代學者異說紛紜，爭議不斷。張西堂對此問題，採信錢玄同的說法，張氏以為：

> 在近年出土有漢石經《書序》殘石，可見蔡邕所勒石經有序，不過這石經中的《書序》，只有二十九篇之序，此外七十一篇一概沒有，適足以證明西漢之今文無序，石經之有《書序》，或是歐陽本如是，乃是末師羼入，非今文本有百篇之序。[11]

張氏又說：

> 由漢石經《書序》殘石「更可十分堅決的說，西漢《今文尚書》絕對無序，舊說以為伏生本二十八篇，加後得之〈泰誓〉一篇，故為二十八篇，實在沒有錯。」我們對於這一個問題的解決，有實物作證明，更比之清儒所作的臆斷者不同，這是論《尚書》問題的一件最愉快的事。[12]

張氏以為前人對伏生傳本篇第，主要是認識不清、考辨不周所導致的，他對於傳統的伏生本二十九篇係二十八篇加入後得的〈泰誓〉，這種看法「在今日看來，其主張是不錯」。張氏相當滿意對伏生本《今文尚書》篇第的考訂，認為釐清前人長久以來的謬誤，是「一件最為愉快的事」，可知他頗引以為得意的事。

---

11 張西堂：《尚書引論》，頁125。

12 張西堂：《尚書引論》，頁128。

（二）考辨孔壁《古文尚書》篇第

對於孔壁《古文尚書》篇第的問題，張氏試圖從卷數、篇次、篇名、同序同卷異序異卷等方面討論問題。在孔壁《古文尚書》的卷數上，《漢志》：「《尚書》古文經四十六卷」，班固自注：「五十七篇」，劉向《別錄》則作：「五十八篇」。[13]《太平御覽》所引桓譚《新論》：「《古文尚書》，舊有四十五卷，為五十八篇。」篇數都為五十八篇，主要差別在卷數差一卷，所以然的，張氏以為「《漢志》并〈書序〉計算，桓譚不併〈書序〉計算」，原因是今文無序而古文有序。而孔壁《古文尚書》篇次的計算，決不可用偽孔的次第去計算。因為「兩家篇次之排列，各不相同，如以偽孔之次，誤為孔壁古文之次」，是錯誤的觀點。在篇名方面，張西堂根據江聲《尚書集注音疏》：

> 據《正義》，馬鄭所據《書序》此篇名為〈棄稷〉，然則《尚書》本無〈益稷〉篇目，偽孔氏分〈咎繇謨〉下半篇，妄立名為〈益稷〉，亂經之罪大矣。[14]

認為〈益稷〉的篇名為偽孔所立，不可以用來擾亂孔壁《古文尚書》的篇目。張氏又據惠棟《古文尚書考》所考，以為「冏命」當作「畢命」，是字之誤，並引劉歆《三統曆》為例證。

至於同序同卷、異序異卷的問題，張氏認為是孔穎達《尚書正義》用來彌縫偽孔《序》「凡五十九篇，為四十六卷」而想出的話，孔氏說：

> 此云四十六卷者，不見安國明說，蓋以同序者同卷，異序者異卷，故五十八篇，為四十六卷，何者？五十八篇內有〈太甲〉、〈盤庚〉、〈說命〉、〈泰誓〉皆三篇共卷，減其八，又〈大禹謨〉、〈皋陶謨〉、〈益

13 〔漢〕劉向、劉歆著，〔清〕姚振宗輯錄，鄧駿捷校補：《七略別錄佚文》（上海市：上海古籍出版社，2008年12月），頁23。

14 張西堂：《尚書引論》，頁139。

> 稷〉又三篇同序共卷，其〈康誥〉、〈酒誥〉、〈梓材〉亦三篇同序共卷，則又減四，通前十二，以五十八減十二，非四十六卷而何？其〈康王之誥〉乃與〈顧命〉別卷，以別序故也。[15]

孔穎達用「同序者同卷，異序者異卷」的方式來解釋偽孔《序》，尚稱合理，唯用種方式去解釋伏生本與孔壁本就不適當，張氏引王鳴盛之說「伏書〈康誥〉、〈酒誥〉、〈梓材〉同序而異卷；〈顧命〉與〈康王之誥〉異序而同卷。孔書〈汩作〉、〈九共〉、〈大禹謨〉、〈棄稷〉、〈伊訓〉、〈肆命〉皆同序而異卷」，可知孔壁古文本有兩篇共一卷的，也有異序可以同卷的，孔穎達用梅賾本「同序者同卷，異序者異卷」的方式與孔壁本的篇第不相合。張西堂認為要計算孔壁《古文尚書》本的篇次問題仍應採取王鳴盛的計算方法才較穩當，王說：

> 伏書二十九卷，增多十六卷，共四十五卷，加序為四十六卷。二十九卷者：內〈盤庚〉三篇同卷，〈太誓〉三篇同卷，〈顧命〉、〈康王之誥〉同卷，實三十四篇。十六卷者：〈九共〉九篇同卷，實二十四篇，為五十八篇。班固自注云：「五十七篇」。而顏師古又引鄭敘贊以明之云：「亡其一篇，故五十七。」所亡之篇，則〈武成疏〉引鄭云：「〈武成〉逸書，建武之際亡。」是也。桓譚《新論》云：「《古文尚書》，舊有四十五卷，為五十八篇。四十五卷者，除序言之。譚在建武前，〈武成〉尚存，故曰五十八。其一一印合如此，師古雖知引敘贊，其於真偽，實茫然莫辨，故夾入偽孔序，直以梅氏之卷數篇數，為孔壁之卷數篇數，豈知其似合而實不合哉？[16]

王鳴盛的計算方式，「誤認歐陽分出〈太誓〉二篇而非分出〈盤庚〉二篇」，雖然稍有小缺失，張西堂認為仍然是計算孔壁《古文尚書》本的篇次較恰當

---

15 〔漢〕孔安國傳，〔唐〕孔穎達疏，廖名春、陳明整理：《尚書正義》（北京市：北京大學出版社，1999年12月），卷1，頁16-17。

16 張西堂：《尚書引論》，頁140-141。

的方法。

五　結論

綜合前面幾節文章的論述，張西堂在《尚書》學上的成就，有以下幾點可以加以說明：

其一，張西堂生當民國古史辨偽思潮興起之際，治學理念深受顧頡剛古史辨學派影響，從事古書考辨工作，著重在辨偽存真，除注重辨偽方法，又特別看重思想、文字（含音韻、意義、文法）、文體等方面，認為從事古書疑辨工作，應當先體認片斷輯佚文獻亦應考辨、辨偽與求真同等重要、應多作「乾燥無味」基礎考證工作等三個觀念。他認為查核偽書，核檢古書要「方法愈加嚴格，產生之結果必定真實；方法愈加詳細，產生之證據必愈加多。」

其二，〈泰誓〉為西漢武帝年間河內女子所得，又稱為「河內〈泰誓〉、漢〈泰誓〉或今文〈泰誓〉」，其篇數篇數，後人頗多爭議，清臧琳《經義雜記》以為〈泰誓〉有「古〈泰誓〉、漢〈泰誓〉、偽〈泰誓〉」三種，吳承仕《經典釋文序錄疏證》也以為〈泰誓〉有三種傳本。張氏則以為〈泰誓〉的傳本應當有古〈泰誓〉、今文〈泰誓〉、古文〈泰誓〉和偽〈泰誓〉四個系統，即在三種之外，加上「孔壁古文之〈泰誓〉」。

其三，關於漢代首先傳經的第一功臣伏生，他所傳授的《今文尚書》篇第，據《史記》、《漢書》等史籍記載是「亡數十篇，獨得二十九篇」，而《論衡》、《經典釋文》等人認為伏生傳本應為二十八篇，漢武帝時河內女子得〈泰誓〉，與伏生《今文尚書》合為二十九篇。張氏經過詳細考察，認同這種主張。張氏自認其篇第的考辨，釐清長久以來的謬誤，他頗引以自豪，認為是「一件最為愉快的事」。

其四，關於孔壁《古文尚書》篇第的問題，張氏從卷數、篇次、篇名、同序同卷異序異卷等方面加以討論。孔壁《古文尚書》的卷數，《漢志》作四十六卷五十八篇。桓譚《新論》則作四十五卷五十八篇。兩者篇數相同，僅卷數差一卷，兩者差異，張氏以為「《漢志》并《書序》計算，桓譚不併《書序》計算」，因為今文無序而古文有序。孔壁《古文尚書》篇次的計算與偽孔的次第，「兩家篇次之排列，各不相同，不可將偽孔的次第誤為孔壁古文的次第次。至於篇目也不相同。至於同序同卷、異序異卷的問題，張氏認為這是孔穎達用來彌縫偽孔《序》「凡五十九篇，為四十六卷」偽跡而想出的話，如要計算孔壁《古文尚書》本的篇次，仍應採取王鳴盛的計算方法較適當。

編者簡介

總策畫

林慶彰

臺灣臺南人，一九四八年生。東吳大學中國文學研究所碩士、國家文學博士。現任中央研究院中國文哲研究所研究員、東吳大學中國文學系兼任教授。專研經學、日本漢學、圖書文獻學。著有《明代考據學研究》、《明代經學研究論集》、《清初的群經辨偽學》、《學術論文寫作指引》、《中國經學研究的新視野》、《偽書與禁書》等十餘種。主編有《經學研究論著目錄》、《日本研究經學論著目錄》、《清領時期臺灣儒學參考文獻》、《日據時期臺灣儒學參考文獻》、《民國時期經學叢書》、《經學研究論叢》、《國際漢學論叢》等五十餘種。另有學術論文兩百餘篇。

蔣秋華

四川省遂寧縣人，一九五六年生。國立臺灣大學中國文學研究所碩士、博士。現任中央研究院中國文哲研究所副研究員，國立臺灣大學中國文學系、淡江大學中國文學系兼任副教授。專研《尚書》學、《詩經》學。著有《二程詩書義理求》、《宋人洪範學》、《沈括——中國科學史上的座標》等書。主編有《晚清經學研究目錄》、《李源澄著作集》、《張壽林著作集》等書。另有〈焦廷琥《尚書申孔篇》初探〉、〈韓愈詩之序議考〉、〈劉克莊商書講義析論〉、〈顧棟高《尚書質疑》撰作小考〉等學術論文數十篇。

分冊主編

蔣秋華

簡介同上。

臺灣高等經學研討論集叢刊　0502005

變動時代的經學與經學家——民國時期（1912-1949）經學研究

總 策 畫　林慶彰、蔣秋華
主　　編　蔣秋華
責任編輯　蔡雅如

發 行 人　陳滿銘
總 經 理　梁錦興
總 編 輯　陳滿銘
副總編輯　張晏瑞
編 輯 所　萬卷樓圖書股份有限公司
排　　版　浩瀚電腦排版股份有限公司
印　　刷　百通科技股份有限公司
封面設計　斐類設計工作室

發　　行　萬卷樓圖書股份有限公司
臺北市羅斯福路二段 41 號 6 樓之 3
電話 (02)23216565
傳真 (02)23218698
電郵 SERVICE@WANJUAN.COM.TW
大陸經銷　廈門外圖臺灣書店有限公司
電郵 JKB188@188.COM

ISBN 978-957-739-871-0
2014 年 12 月初版
定價：22000 元（全七冊不分售）

如何購買本書：
1. 劃撥購書，請透過以下郵政劃撥帳號：
帳號：15624015
戶名：萬卷樓圖書股份有限公司
2. 轉帳購書，請透過以下帳戶
合作金庫銀行　古亭分行
戶名：萬卷樓圖書股份有限公司
帳號：0877717092596
3. 網路購書，請透過萬卷樓網站
網址　WWW.WANJUAN.COM.TW
大量購書，請直接聯繫我們，將有專人為您服務。客服：(02)23216565　分機 10

如有缺頁、破損或裝訂錯誤，請寄回更換

國家圖書館出版品預行編目資料

變動時代的經學與經學家 ： 民國時期（1912-1949）經學研究 / 林慶彰, 蔣秋華總策畫. -- 初版. -- 臺北市 ： 萬卷樓, 2014.12
冊 ；　公分. -- (經學研究叢書. 臺灣高等經學研討論集叢刊)

ISBN 978-957-739-871-0(全套 ： 精裝)
1. 經學 2. 文集
090.7　103008278